JN253606

最新主要文献とガイドラインでみる

麻酔科学レビュー 2019

監修　山蔭 道明
廣田 和美

総合医学社

本書の構成

・本書は原則として１年間（2017年８月～2018年７月）に発表された，麻酔科学に関する主要な文献を各領域の第一線の専門医が執筆者となって選択し，2019年度版としてレビューしたものです．

・文献は，できるだけ公平な立場から選択し，また原則として，臨床的なトピックスを中心に構成しました．特に重要な文献，および本文中の重要個所は太ゴチック文字で表示しました．

序文

『麻酔科学レビュー 2019』が完成したので，ここにお届けしたい．

本シリーズが刊行されてから今回で 24 年目となる．なかなかこんなロングセラー，見たことない．昨年から弘前大学の廣田先生と監修をさせていただいているが，「先生が監修をされるようになったのですね！」と多くの麻酔科医から声をかけられたことからも，本シリーズが多くの読者を抱えていることがわかる．光栄に思うとともに，内容に関しては執筆者同様，責任の重さを感じている．

この 2019 年度版は，直近の 2017 年 9 月～ 2018 年 7 月までの約 1 年間に発表された論文の中から，それぞれの領域における第一人者が，注目すべき情報をピックアップして解説したものである．多少執筆者の変更はあるものの，昨年度版のトピックスを踏襲した．

最近，麻酔科学領域も，集中治療や救急医療のみならず，疼痛関連や緩和領域などにも広がりを見せ，関連雑誌は内外を通じて 50 誌を下らないであろう．大学病院をはじめ教育関連病院においても臨床業務を強調され，また教育活動や安全管理などの割合も増加した．そんな中，なかなかそれら多くの雑誌に目を通し，最近の趨勢を掴み取るのは，臨床麻酔科医にとって容易なことではないであろう．

決して安くはない本著ではあるが，年に 1 回，本著を手にし読み解くことで，広く麻酔科関連の最近のトピックスを把握でき，臨床や研究に役立つのであれば，決して高くはないと思う．

本著がそのような役目を果たしていけるのであれば，監修者はもちろん，多くの時間を割いて本著作成に尽力いただいた執筆者らも望外の喜びであろう．

2019 年 5 月

監修者を代表して
山蔭道明
札幌医科大学医学部麻酔科学講座　教授

目　次

最新主要文献とガイドラインでみる
麻酔科学レビュー 2019

1. 麻酔前投薬と術前評価

えだ なが みつ たか
枝長充隆
札幌医科大学医学部 麻酔科学講座

最近の動向

- 本邦では，デクスメデトミジンは局所麻酔下での鎮静および集中治療領域で使用されている．しかし，海外においては小児麻酔領域において前投薬としての有用性が多数報告されている．今後，本邦でも使用できる日が来るかもしれない．
- 術前診察において，麻酔に対するハイリスクと診断された場合の予後予測を確立するのはいまだに困難であることは自明である．しかしながら，何らかのアプローチは必要であり，今回はいくつかの文献がその光明となりうるかを紹介する．

小児に対する前投薬としてミダゾラム（ドルミカム®）とゾルピデム（マイスリー®）の二重盲検比較試験

手術が予定されている小児の約6割は何らかの不安や恐怖を感じているという．手術前に不安を感じた場合には，術後痛が強くなり，鎮痛薬の使用が増え，睡眠障害までの問題が発生することがある．

ところで，ゾルピデム（ZPD：マイスリー®）はベンゾジアゼピン受容体作動薬であり，催眠および鎮静作用の薬剤である．本薬剤は，作用発現時間および代謝が早く，成人の前投薬での有効性はすでに報告されている．ミダゾラム（MDZ）は以前より前投薬で頻用されてきた薬剤である．この2つの薬剤を小児の前投薬で使用した場合の効果を比較することが，本研究[1)]の目的である．主要評価項目として，親子分離時のmodified Yale Preoperative Anxiety Scale（mYPAS）とした．mYPASが30を超える場合には，高い感度と特異度をもって術前の不安が強いことがすでに報告されている．副次評価項目として，マスクフィットした際の4-point mask acceptance score（1＝極めて良好，2＝若干の怯える様子，3＝かなり怯えた様子，4＝抑制する必要があるほど啼泣），覚醒後0～5分ごとで20分までの計5時点でPediatric Anesthesia Emergence Delirium Scale（PAED）を測定した．PAEDは，5項目で0～4までのそれぞれの点数を足した総点数で判断し，12を超えた場合には高い感

1) Hanna AH, Ramsingh D, Sullivan-Lewis W et al：A comparison of midazolam and zolpidem as oral premedication in children, a prospective randomized double-blinded clinical trial. Paediatric Anaesth 12：1109-1115, 2018

1884-8516/19/¥100/頁/JCOPY

度と特異度をもって興奮と判断できる．

結果，mYPAS は 38 人の MDZ 群（中央値：23.32（23.2〜39.63）），42 人の ZPD 群（同：23.33（23.3〜28.34））と有意差は認めなかった（$p = 0.81$）．一方で，4-point mask acceptance score は MDZ 群が有意に低いスコア（$p = 0.03$）を示した．

前投薬としてデクスメデトミジン（プレセデックス®）2 μg/kg が，ミダゾラム 0.5 mg/kg と比較して優位に覚醒時興奮を減らす

小児麻酔の際，覚醒時興奮は解決すべき大きな問題である．上記を認めた場合，看護師の手を取られ，余計に鎮静薬や鎮痛薬が必要になり，当日退院が遅くなることが挙げられる．そこで，著者ら[2]は全身麻酔下の歯科治療を受ける 3〜7 歳までの小児患者にデクスメデトミジン（DEX：プレセデックス®）あるいはミダゾラム（MDZ）を経口投与し，その効果を後方視的に比較検討した．DEX は 2 μg/kg を，MDZ は 0.5 mg/kg を麻酔導入 45 分前にアップルジュースとともに投与された．評価項目は，Ramsay Sedation Scale（RSS），Parental Separation Anxiety Scale（PSAS），4-point mask acceptance score，Pediatric Anesthesia Emergence Delirium Scale（PAED）であった．RSS は 1〜6 で評価し，2 以上が良好な鎮静と評価された．PSAS は，1 ＝良好な親子分離，2 ＝しくしく泣くが安心感は容易に得られる状態，3 ＝泣いており安心感は得ていないが，親にしがみつくことはしていない様子，4 ＝泣いており親にしがみつく状態の 4 段階で親子分離時の子どもの精神状態を評価した．

結果，DEX 群（26 人）および MDZ 群（26 人）において，RSS，PSAS および 4-point mask acceptance score では両群で有意差を認めなかった．一方，**PAED に関しては，**MDZ 群の 5 人が覚醒時興奮と診断されたのに対し，**DEX 群は 0 人と有意に抑えられた**（$p = 0.01$）．

アデノイド切除術（扁桃摘出術併用もあり）を受ける小児に対してデクスメデトミジン（プレセデックス®）の 2 μg/kg 鼻内投与は，術後鎮痛度および術後興奮を減弱させる

デクスメデトミジン（DEX）の小児の前投薬に対する有効性を示唆する文献が散見される．投与方法はといえば，静脈内注射よりも鼻内投与によって，作用時間が長くなることが過去の研究で示されている．したがって，鼻内投与は DEX の投与方法として有効性が高いと考えられる．

ところで，覚醒時興奮を起こす可能性が高い吸入麻酔薬を使用した小児患者に対して，鼻内への DEX 投与が覚醒時興奮を減弱させたという．しかし，完

2) Keles S, Kokaturk O：Comparison of dexmedetomidine and midazolam for premedication and emergence delirium in children after dental procedures under general anesthesia：a retrospective study. Drug Des Devel Ther 12：647-653, 2018

全静脈麻酔時のDEXの効果がいまだわかっていないことから，本研究[3]が計画された．具体的には，ASA Ⅰ～Ⅱで2～7歳までのアデノイド切除術（扁桃腺摘出術併用も含む）を受ける小児患者を対象とした前向き研究である．患者は，1～2 mg/kgのケタミンと2 mg/kgのプロポフォールで導入後，6～8 mg/kg/hのプロポフォールおよび2～3 μg/kg/hのレミフェンタニルによる完全静脈麻酔で麻酔管理が計画された．D1群（$n = 30$）は，DEX 1 μg/kgを入室25～40分前に鼻内投与された．DEX 2 μg/kgをD1群と同様に投与されたD2群（$n = 30$）および生理食塩水を投与された対照群S群（$n = 30$）の3群間で比較検討された．評価項目は，Modified Observer's Alertness/Sedation score（MOAA/S），Behavior of separation from parent scale，Pediatric Anesthesia Emergence Delirium Scale（PAED），Children's Hospital of Eastern Ontario Pain Score（CHEOPS）とされた．MOAA/Sは，薬剤投与後に0（侵害刺激に反応なし）～6（完全覚醒，不安，声がけに迅速に反応）を5分ごとに評価され，3以下を良好な鎮静と判定された．Behavior of separation from parent scaleは，PSASと同様に1（患者は傾眠傾向で不安はなく，協力的）～4（泣いており，抑える必要がある）で親子分離を評価する指標である．激しい抵抗を示した場合，1 mg/kgのケタミンが投与されるプロトコールであった．CHEOPSは，4項目（泣いてる様子，表情，表現，体動）で評価し，8以上で鎮痛薬が投与されるプロトコールとされた．

結果，**MOAA/S**で良好な鎮静と判定されたのは，D1群，D2群およびS群それぞれ63.3% vs. 76.7% vs. 0%となった．**D1群およびD2群は，S群と比較して有意に多かった**（D1群，D2群 vs. S群，$p < 0.01$）が，D1群とD2群は同等であった（$p = 0.399$）．**Behavior of separation from parent scale**も同様に，DEX投与されてから時間の経過とともに**D1群およびD2群はS群と比較して有意に良好な分離が可能となったが**，D1群とD2群は同等の結果を示した．

術後に関しては，PAEDではD2群はS群に比べて有意に低値（$p = 0.029$）を示したが，D1群とS群（$p = 0.087$）およびD2群とD1群（$p = 0.890$）では同等の結果を示した．CHEOPSも同様に，D2群がS群に比べて有意に低値（$p = 0.013$）を示したものの，D1群とS群（$p = 0.483$）およびD2群とD1群（$p = 0.119$）では有意差を認めなかった．

▶ 小児に対してデクスメデトミジン（プレセデックス®）およびケタミンの2剤併用による前投薬投与は，2剤の単独投与よりも親子分離，点滴確保，麻酔導入が容易になる

上述されたように，小児麻酔領域におけるデクスメデトミジン（DEX）2

3) Li LQ, Wang C, Xu HY et al：Effects of different doses of intranasal dexmedetomidine on preoperative sedation and postoperative agitation in pediatric with total intravenous anesthesia undergoing adenoidectomy with or without tonsillectomy. Medicine 97：e12140, 2018

μg/kgの鼻内投与が，前投薬としての有効性を示唆する結果が示された．しかしながら，DEXの良好な鎮静効果とは裏腹に，侵襲的処置の際には，DEXのみでは覚醒や体動は防げないことが示されている．そこで著者ら[4]は，DEXの鼻内投与に加えてケタミンの経口投与によって侵襲的処置に有効であるかどうかを前向き研究を実施した．対象は，ASA Ⅰ～Ⅱ，BMI 15～18 kg/m^{2}で2～6歳の小児124人とした．無作為にD群（DEX 2.5 μg/kgを鼻内投与，n = 42），K群（ケタミン6 mg/kgを経口投与，n = 41）およびDK群（DEX 2 μg/kgを鼻内投与およびケタミン3 mg/kgを経口投与，n = 41）の3群に分けて以下の評価項目を検討した．具体的に，前投薬投与後の鎮静度評価にSedation Scale（SS-5）を用い，入室後の点滴確保が良好にできたかをEmotional State Scale（ESS-4）を指標として評価された．さらに，術後の嘔吐，精神的イベントおよび肺合併症の頻度を比較検討した．SS-5は，前投薬投与10分ごとに30分までの計3回評価することとした．SS-5は，5段階の指標であり，1（鎮静されており，体を揺すってようやく覚めるレベル）～5（興奮状態）で評価される．

4) Qiao H, Xie Z, Jia J : Pediatric premedication : a double-blind randomized trial of dexmedetomidine or ketamine alone versus a combination of dexmedetomidine and ketamine. BMC Anesthesiol 17 : 158, 2017

結果，20分後および30分後において，D群およびDK群がK群と比較して有意に鎮静度が高かった（$p < 0.01$）．ESS-4は，1（平静）～4（腕や足を動かし泣いている）で判断する指標であり，2以下を静脈カテーテル留置成功と判断することとした．DK群は，D群と比較して有意に成功した人数の割合が多かった（DK群：80.49％ vs. D群：47.62％，p = 0.006）．一方，術後の嘔吐，精神的イベント，肺合併症の頻度は，K群がD群およびDK群と比較して有意に多かった．

赤血球容積粒度分布幅は，ハイリスクの消化管手術を受ける患者の院内死亡率を予測する価値ある指標である

赤血球容積粒度分布幅（red blood cell distribution width：RDW）は，赤血球の定量的指標の一つであるが，赤血球の構造異常を早期診断できる．血液の形態学的試験は安価であるため，ハイリスク患者にルーティーンに行われてきた．実際，心房細動患者の血栓イベントとRDWとの関係性，心不全患者に対するRDWの予後的指標，ST上昇型心筋梗塞に対し，ターゲットとなる血管の開存性とRDWとの相関性が過去に報告されてきた歴史がある．つまり，多くの研究において，本指標は非手術患者に対して有用なツールであることがわかっている．一方，手術患者に対しての本指標の有用性に関して，データが少ない．そこで，著者ら[5]は，高リスクの消化管手術を受ける患者の院内死亡率と術前RDW値との相関関係を検討した．使用する指標は，RDW-SV（standard deviation）とRDW-CV（coefficient of variation）であった．RDW-SVは，赤血球の大きさのばらつき度を定量する指標（fL）として，RDW-CV

5) Pulta M, Klocek T, Krzych LJ : Diagnostic accuracy of red blood cell distribution width in predicting in-hospital mortality in patients undergoing high-risk gastrointestinal surgery. Anaesthesiol Intensive Ther 50 : 277-282, 2018

は小球性貧血の指標（%）として活用されてきた.

結果, **RDW-SV および RDW-CV と院内死亡率の AUC**（area under the curve）は, **それぞれ 0.744（95%信頼区間（CI）: 0.683〜0.799, $p < 0.001$）, 0.762（95% CI: 0.702〜0.816, $p < 0.001$）と非常に高い相関関係を示した.** さらに多変量解析の結果, オッズ比（OR）はそれぞれ RDW-SV（OR: 1.21, $p < 0.001$）, RDW-CV（OR: 1.62, $p = 0.01$）と RDW の有用性が高いことが示された.

小児片側性外鼠径ヘルニアの術前に超音波検査を施行することは, 対側部位のヘルニアを予測できるかの系統的レビュー

外鼠径ヘルニアは, 小児外科領域でよく見かける病態で, 80%は片側性であり, 特に右側に発生することが多いことが報告されている. 学童期での発症率は 0.8〜5%であるが, 早産児になると発症率は 30%以上にものぼる. しかし, 外鼠径ヘルニアを発症した小児の 7〜15%は, 根治術後に対側に発症することがあることが問題点として挙げられている. 特に生後 6ヵ月以内に手術を施行した場合や左側の外鼠径ヘルニアの場合である. 1950 年代より現在までの間, 片側のヘルニア根治術を施行中に対側の腹膜鞘状突起を触知する検査（外科的検査）が実施されてきた. しかしながら, この外科的検査は感染, 血腫や精巣萎縮などの合併症の危険性があるといわれている.

ところで, 外鼠径ヘルニアの症状の有無にかかわらず超音波検査を実施すると, 高い確率をもってヘルニアを同定できることが判明している. そこで, 今回の系統的レビューおよびメタ解析[6] にて, 片側外鼠径ヘルニアがある小児の対側部の鞘状突起の同定および対側の外鼠径ヘルニア進展への予測が超音波検査によって有効性の高さを調査された.

6) Dreuning KMA, Ten Broeke CEM, Twisk JWR at el: Diagnostic accuracy of preoperative ultrasonography in predicting contralateral inguinal hernia in children: a systematic review and meta-analysis. Eur Radiol 29: 866-876, 2019

計 14（$n = 2{,}120$）の研究のうち, 7 つがメタ解析（$n = 1{,}013$）であった. 4 つの研究（$n = 494$）では, 術前超音波検査での結果の陽性あるいは陰性にかかわらず, 術中の外科的検査が施行された. 結果, 対側ヘルニア診断の感度は 77.8〜100%と高い数値を示した. ところが, 特異度に関しては, 4 つのうちの 3 つの研究でほぼ 9 割であったが, 一つの研究では特異度は 20%とかなりの低値が示された.

一方, 3 つの研究（$n = 519$）においては, **術前の超音波検査でヘルニア陽性と診断された場合のみ, 外科的検査が施行された.** その場合, **感度は 75〜100%で, 特異度は 96.4〜98.8%と非常に高い値が示された.** 腹膜鞘状突起をもった子どもの鼠径管の長さは, 報告によればそれぞれ 2.70 ± 1.17 mm, 6.8 ± 1.3 mm, 9.0 ± 1.9 mm とばらつきがあった. そこで, 今後は厳格な超音波検査基準を確立することが必要であろう.

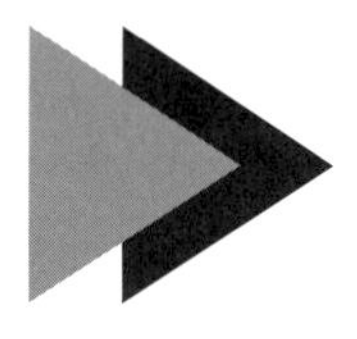

2. 術前の絶飲食

えだ なが みつ たか
枝長充隆
札幌医科大学医学部 麻酔科学講座

最近の動向

●術前絶飲食の時間が短いと誤嚥という合併症が危惧される．一方，絶飲食の時間が長ければ飢餓状態を起こし，代謝に悪影響を及ぼす可能性も指摘される．現在，6-4-2 の法則が一般的であるが，実際のところ誤嚥の合併症は非常に稀であることがわかってきた．そこで，最近の知見を列挙し，今後のさらなる検討の余地があることを提示する．

術前絶飲食の再考：術前絶飲食ガイドラインを無視するべきか？

術前絶飲食の決まりごとは，実は 1946 年にメンデルソン産科医が，全身麻酔導入時に誤嚥して亡くなった妊婦に関する報告をしたことに遡る．あれから約 70 年の月日を過ぎ，科学が発達した現代であるからこそ，漫然と絶飲食の基準を継続するのではなく，絶飲食ガイドラインについて考えていく時期に差しかかっているものと思われる．本邦の裏側に位置するブラジルより術前絶飲食を再考すべきという 2017 年までに発表された文献のレビュー[1]が報告された．

2014 年に発表されたブラジルの多施設共同研究（Brazilian Group for the Study of Preoperative Fasting Time：BIGFAST）によれば，夜間の 8 時間を超えて 12 時間以上に渡って術前の絶食がなされていることが判明した．あまりに長い絶食は，空腹感，喉の渇き，院内滞在期間の延長，手術部位感染症，手術合併症そして死を招くことも指摘されているという．

高脂肪食は，胃内を空虚にするには時間を要するが，炭水化物（50 g）を含んだ清澄水であれば，300 mL か 400 mL かでは通過時間は変わらないことが判明した．つまり，胃内を空虚にするための条件として，容量，浸透圧や粘稠度というよりどんな栄養分かということが重要であるという．

性別に関しては，過去の研究では男性が女性より内容物の腸通過時間は早いことが報告されている．炭水化物（50 g）を含んだ清澄水では，胃内が空虚ま

1) Campos SBG, Barros-Neto JA, Guedes GDS et al：Pre-operative fasting：Why abbreviate?. Arq Bras Cir Dig 31：e1377, 2018

1884-8516/19/¥100/頁/JCOPY

での時間に有意差はなく，120分で飲料水を飲む前の状態に戻る．蛋白質および脂質を含む飲料であれば，3時間を要すれば飲水前に戻るという．

別の報告によれば，開腹による胆嚢摘出術あるいは直腸手術を受ける患者に対し，炭水化物含有の清澄水を前日に800 mL，当日の2時間前に400 mL飲んでいただき，いくつかの項目をVisual Analogue Scale（VAS）を活用して検討された．その結果，**口渇感，空腹度，口腔内乾燥度，術後の嘔気，脱力感が，偽薬群および対照群と比較して有意に低下した**ことが判明した．2015年の研究によれば，マルトデキストリン50 gが含まれた400 mLの清澄水を術前6時間前に服用したうえで，さらに同内容物が25 g含んだ200 mLの溶液を2時間前に服用した患者において，飲水をしなかった対照群と比較して呼吸機能検査値（ピークフローおよび努力肺活量）が有意に高かった．

今後，すべての患者に対して術前2時間前まで炭水化物含有清澄水を飲水されることが望まれる．

小児での術前絶飲食ガイドライン：再考すべきか？

1999年に米国麻酔学会（ASA）にて，2003年には英国・アイルランド小児麻酔科医協会（APAGBI）で，そして2005年には欧州麻酔学会（ESA）において，現在の術前絶飲食ガイドライン通りに清澄水は2時間前まで，母乳は4時間前まで，固形物は6時間前まで可とされた．これらの条件は，7時間を超える間の絶食をした3歳未満の小児でケトアシドーシスが認められたことやケトアシドーシスによって麻酔導入時の低血圧を招いた報告も影響したものと思われる．術前2時間まで清澄水を飲むことが許された子どもは，2時間以上に渡って飲水を止めた子どもに比べて，胃内pHが低かったことやより落ち着きがあったことも報告されている．

さて今回，誤飲で胃内視鏡下摘出術を受けた異なる3名の症例を提示[2]する．その報告によれば，症例1は5歳男児，108 cm，16.5 kg．サンドウィッチを4時間前に食したうえで，3時間前にコインを誤飲したため，臨時手術が予定された．キシロカイン，プロポフォール，フェンタニル，スキサメトニウムで迅速導入後に胃内検査を施行された．結果，**胃内残渣は認められなかった**という．症例2は，4歳女児，100 cm，15 kg．4時間前に1ユーロコインの大きさの小石を誤飲した後，3時間前にシリアルを食べていた．同様に迅速導入後の胃内視鏡検査では，**食物残渣は認められなかった**．症例3は，3歳6ヵ月の女児，105 cm，15.5 kg．4時間前にコインを誤飲したが，その前にカップ1杯のシリアルを食したという．胃内視鏡の結果は，**胃分泌物以外は残渣を認めなかった．**

近年，小児においてもガイドラインを遥かに超える時間の絶飲食となっていることが報告されている．上記の実際の症例を受けて，現在のガイドラインの

2) Kafrouni H, Ojaimi RE：Preoperarive fasting guidelines in children：should they be revised?. Case Rep Anesthesiol 2018：8278603, 2018

ままでよいかどうかを再考していく必要があるかもしれない.

6-4-2 から 6-4-0 への変更

現在の絶飲食ガイドラインである 6-4-2 が提唱されていても，前述したように提示された時間以上の絶飲食が小児麻酔分野においても問題となっている．そこで著者ら[3]は，小児外科手術を受ける際，現行の絶飲食ガイドラインで提唱されている 6-4-2 に対し，6-4-0 に変更することによって実際の絶飲食時間および絶飲食の時間が延長したかどうかを検討した．

結果，対照となる病棟における現行通りに 6-4-2 を実施した第一群（n = 66）では，清澄水の絶飲時間（中間値）は 4 時間で，6 時間以上の絶食となった割合は 33%に及んだ．一方，対照となる病棟において 6-4-0 と変更した第二群（n = 64）では，清澄水の絶飲時間（中間値）は 1 時間に減少し，6 時間以上の絶食となったのは僅か 6.3%と減少した．2000 年以降に小児外科病棟において 6-4-0 と変更して実施した第三群（n = 73）では，清澄水の絶飲時間（中間値）は 2.3 時間で第一群より有意に少なくなった．6 時間以上の絶食となった割合は 23.3%となるも他群との有意差は認めなかった．

今回の **6-4-0 の基準に変更することによる最大の効果は，午後に手術を受ける子どもの絶食時間が 6 時間を超える割合が 36%から 0 に大幅に改善した**ことである．しかしながら，問題点として周術期の誤嚥が懸念されたが，過去の研究において，清澄水は 10～27 分で胃内から消失することが判明している．さらに誤嚥の発生率は，10,000 人中 1～10 人と変化しないことも報告されている．そこで，これらをふまえて今後のランダム化試験などが必要となろう．

3) Andersson H, HellstrÖm PM, Frykholm P : Introducing the 6-4-0 fasting regimen and the incidence of prolonged preoperative fasting in children. Paediatr Anaesth 28 : 46-52, 2018

心拍動下冠動脈バイパス術を受ける患者に対し，夜間に脂肪製剤や炭水化物含有清澄水の持続投与を行う利点があるか？

術前の絶飲食によって，ブドウ糖，蛋白および脂肪代謝がどのように変化するかの研究は過去に施行されてきた．例えば，10～16 時間に渡る過度な絶飲食によって，インスリン抵抗性が促進され，血糖上昇を招く原因となる．また，インスリン抵抗性によって脂肪分解が進み，遊離脂肪酸（free fatty acid : FFA）が増える．FFA は，さらにインスリン抵抗性を促進する悪循環に陥るため，長時間の絶飲食は避けるべきである．こういった研究結果をふまえて，今回の研究[4]においては，心拍動下冠動脈バイパス術を受ける 63 人の肥満患者（BMI : 30～40）が 3 群に分けられた．現状の絶食を守る患者群（対照群），夜通し脂肪製剤を投与される患者群（L 群）や炭水化物が含有された清澄水を持続投与する患者群（G 群）とでインスリンや FFA を比較検討することとなった．

4) Hosny H, Ibrahim M, El-Siory W et al : Comparative study between conventional fasting versus overnight infusion of lipid or carbonhydrate on insulin and free fatty acids in obese patients undergoing elective On-pump coronary artery bypass grafting. a prospective randomized trial. J Cardiothorac Vasc Anesth 32 : 1248-1253, 2018

対照群（C群，n = 21）は，午前5時（術前4時間前）まで飲水が認められた．G群（n = 21）は，10％ブドウ糖50 g含有の清澄水（200 kcal，浸透圧556 mOsm/L）が投与された．L群（n = 21）は，Soybean Eという脂肪製剤（200 kcal，浸透圧556 mOsm/L）を投与された．

結果，T2（麻酔導入1時間前）のFFAは，L群（1.1 ± 0.76 mg/dL）がC群（1.48 ± 0.76 mg/dL）およびG群（1.64 ± 0.85 mg/dL）よりも有意に低値を示した．さらに，血中インスリン値は，T2，T3（集中治療室への入室時）およびT4（入室24時間後）においてL群が両群よりも有意に低値を示した．

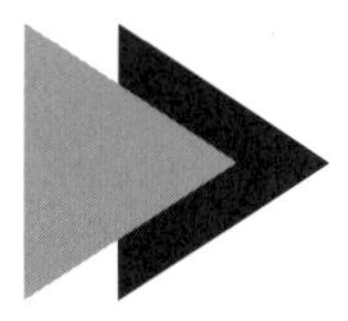

3. 周術期禁煙ガイドライン

久利通興（くりみちおき）
大阪大学大学院医学系研究科 生態統御医学講座 麻酔・集中治療医学教室

最近の動向

- 喫煙が周術期合併症の危険因子であることは変わらず多く報告されたが，適切な術前禁煙期間を明示するには至っていない．
- 各疾患・診療科では，周術期の影響の検証から，具体的な禁煙支援法の模索に踏み込みつつある．従来の薬物療法やカウンセリングの効果に加え，web-base や e-learning コンテンツが紹介されている．
- 非燃焼・加熱式タバコの周術期使用に関する知見はまだ十分蓄積されておらず，日本麻酔科学会周術期禁煙ガイドライン追補版では，“従来のタバコよりも健康に与える影響が少ないという科学的証拠はなく，従来のタバコと同様に周術期の使用を控えるよう指導すべきである”との言及にとどめている．

真に「適切な」術前禁煙期間はどのぐらいなのか？

フランスの周術期禁煙ガイドライン[1)] 発表以降も喫煙が単独独立した周術期合併症発症の危険因子であるとの報告が続いた．DeLancey らは American College of Surgeon's National Surgical Quality Improvement Program's（ACS-NSQIP）database を解析し，ヘルニア修復術のような体表低侵襲手術でも禁煙 12ヵ月以内の喫煙者では非喫煙者に比べ，再手術（オッズ比（OR）：1.23，95％信頼区間（CI）：1.11～1.36），再入院（OR：1.24，95％ CI：1.16～1.32），死亡リスク（OR：1.53，95％ CI：1.06～2.22）とも高いことを報告[2)]，Sahota らも ACS-NSQIP のうち関節置換術患者を対象として傾向スコアマッチング解析を行い，喫煙者では術後 30 日までの合併症発生率が有意に（OR：1.84，95％ CI：1.21～2.80）上昇することを報告した[3)]．一方，Rafael らが成人脊椎手術患者を対象として ACS-NSQIP を解析した報告では，喫煙者と非喫煙者に術後 30 日までのすべての合併症（OR：0.90，95％ CI：0.47～1.71），重度合併症（OR：1.32，95％ CI：0.64～2.70）発生率とも差がなかったと報告したが，健康福祉や脊椎術後長期予後への悪影響があり脊椎手術前喫煙患者へは禁煙を勧めるべきと結論づけている[4)]．ACS-NSQIP は術後 30 日までしか患

1) Pierre S, Rivera C, Le Maître B et al：Guidelines on smoking management during the perioperative period. Anaesth Crit Care Pain Med 36：192-197, 2017

2) DeLancey JO, Blay Jr.E, Hewitt DB et al：The effect of 30-day outcomes in elective hernia repair. Am J Surg 216：471-474, 2018

3) Sahota S, Lovecchio F, Harold RE et al：The effect of smoking on thirty-day postoperative complications after total joint arthroplasty：a propensity score-matched analysis. J Arthroplasty 33：30-35, 2018

4) Rafael DGR, Rory GC, Mohamud Q et al：Impact of smoking on 30-day morbidity and mortality in adult spinal deformity surgery. Spine 42：465-470, 2017

1884-8516/19/¥100/頁/JCOPY

者データが登録されないという制約があるものの，大規模堅牢性のあるデータベースであり，今後ともそれぞれの術式で研究デザインを統一した報告や，メタ解析が期待される．

Yoshidaらは自施設での低侵襲食道癌手術において，30日以下の術前禁煙期間は，周術期合併症の有意な危険因子（ハザード比：4.89，95％ CI：1.993〜12.001）であることを報告[5]，Inadomiらはthe Michigan Bariatric Surgery Collaborativeに登録された減量手術患者で，患者申告の喫煙状態に基づき周術期合併症発生率を解析し，3ヵ月以上1年未満の禁煙期間患者でRoux-en-Yバイパス術を行った場合は，非喫煙者に比べ重篤な周術期合併症発生率が上昇する（OR：1.34，95％ CI：1.01〜1.77）ことを報告した[6]．Nolanらは問診に加え手術室入室時に呼気一酸化炭素濃度を測定し，手術当日の喫煙と各手術の清浄度による手術部位感染（SSI）との関連を調査，報告した[7]．喫煙者では非喫煙者に比べ有意にSSI発生率が高く（OR：1.51，95％ CI：1.20〜1.90），喫煙者間でも手術当日喫煙者は手術当日禁煙した患者と比べ有意にSSI発生率が高い（OR：1.96，95％ CI：1.23〜3.13）との従来の結論を支持するものであった．ただし，喫煙者間で呼気一酸化炭素濃度により当日喫煙したと判定された患者と当日喫煙はしていないと判定された患者とでは，SSI発生率に有意な差を認めなかった（OR：1.01，95％ CI：0.98〜1.04）．しかしながらこれまで問診のみによることが多かった喫煙状況の確認に客観的な数値指標をもち込んだ意義は大きい．

一方どれぐらいの術前禁煙期間が適切かを明らかにする努力は継続されている．Turanらは非心臓手術を受けた喫煙患者を対象とし，術前禁煙期間と術後合併症発症との関連を単施設，大規模後ろ向きコホート研究で報告した[8]．1年以上の禁煙期間患者は1年未満の禁煙期間患者より有意に低い（OR：0.83，95％ CI：0.74〜0.93）合併症発生率を示した．禁煙期間をさらに分けて解析した結果10年以上禁煙期間患者に比べ，1年未満の禁煙期間患者（OR：1.07，95％ CI：0.70〜1.63），1〜5年の禁煙期間患者（OR：0.83，95％ CI：0.54〜1.28），5〜10年の禁煙期間患者（OR：1.04，95％ CI：0.68〜1.58）とも合併症発生率に有意差を認めなかったが，著者らはだからこそ**術前喫煙者には術前のいつの時点からでも禁煙を勧めるべきと結論づけている**．Zhangらは60歳以上の高齢者非心臓・非神経手術患者で術後呼吸器合併症（PPC）を調査した二次コホート研究を行った[9]．非喫煙者と比べ喫煙者（禁煙7日未満）（OR：1.709，95％ CI：1.043〜2.802），7日以上93日未満の禁煙期間患者（OR：3.785，95％ CI：1.803〜7.943）は有意にPPC発生率が高かったが，禁煙93日以上の患者と7日以上93日未満の禁煙期間患者とではPPC発生率に有意差を認めず（OR：1.423，95％ CI：0.811〜2.495），高齢者非心臓・非神経手術患者で術後PPC発生を予防するのは93日以上の禁煙期間がよいようだが，さらな

5）Yoshida N, Nakamura K, Kuroda D et al：Preoperative smoking cessation is integral to the prevention of postoperative morbidities in minimally invasive esophagectomy. World J Surg 42：2902-2909, 2018

6）Inadomi M, Iyengar R, Fischer I et al：Effect of patient-reported smoking status on short-term bariatric surgery outcomes. Surg Endosc 32：720-726, 2018

7）Nolan MB, Martin DP, Thompson R et al：Association between smoking status,preoperative exhaled carbon monoxide levels, and postoperative surgical site infection in patients undergoing elective surgery. JAMA Surg 152：476-483, 2018

8）**Turan A, Koyuncu O, Egan C et al：Effect of various durations of smoking cessation on postoperative outcomes：a retrospective cohort analysis. Eur J Anaesthesiol 35：256-265, 2018**

9）Zhang Y, Zhang Y, Yang Y et al：Impact of smoking cessation on postoperative pulmonary complications in the elderly：secondary analysis of a prospective cohort study. Eur J Anaesthesiolol 34：845-856, 2017

る検証が必要と述べている．Luggらは肺癌手術でのPPCを調査した[10]．非喫煙者（2%）に比べ喫煙者（22%）は有意にPPC発生率が高かったが，6週未満の禁煙期間患者（10.9%），6週以上の禁煙期間患者（11.8%）とも喫煙患者と比較し有意なPPC発生率の減少は認めなかった．他に喫煙者では非喫煙者に比べ予期せぬ集中治療室入室の増加，入院期間の延長，長期予後の悪化を認めた．対象疾患，禁煙期間の定義ともさまざまであり，いずれの研究者も真に適切な術前禁煙期間を定義するにはさらなる検討が必要と結論づけている．

麻酔科医がかかわる手術患者の術前禁煙のあり方

禁煙治療そのものの全体の流れが，5A（Ask，Advise，Assess，Assist，Arrange），AAR（Ask，Advise，Refer），AAC（Ask，Advise，Connect）と「非専門医」は「専門医」への紹介の機会をより多く設けることへ役割分担を明確化する方向へ向きつつある．AACアプローチは，AARアプローチより禁煙支援を行う患者数が13倍に増加しており，有効な方法であると報告[11]される中，麻酔科医も「個々の術前患者への禁煙治療」を行うことより，「手術をきっかけとした禁煙」へと導く禁煙サポートチームの一員としての役割が期待されている．Wongらは，禁煙指導として術前カウンセリング，バレニクリンを無料で3ヵ月間処方，パンフレット，ファックスや電話によるフォローアップ指導を行うことで，パンフレットと電話指導の電話番号を伝えるだけの指導のコントロールに比べ，術前だけでなく術後6ヵ月まで禁煙効果が高いとの報告をしている[12]．Wongらはさらに術前禁煙支援プログラムにe-learningコンテンツを組み合わせた場合の効果も検証し，術後6ヵ月時点の薬物療法（OR：7.32，95% CI：3.71～14.44），電話サポートへのアクセス（OR：1.60，95% CI：1.35～1.90）とも，介入群が高かったことや，禁煙継続の妨げになる因子などを報告した[13]．Taylorらは術前診療のタイミングで介入を始める簡易な禁煙支援プログラムの効果を検証し，手術当日，3ヵ月後，12ヵ月後とも禁煙維持率が高いことを報告した[14]．

Leeらは退役者手術患者を対象とした術前禁煙支援プログラムに電子タバコまたはニコチンパッチによる禁煙支援を加えて比較し，両者での禁煙達成率，満足度や合併症に差がないことを報告した[15]．本研究では喫煙状態の確認に本人申告に加え呼気一酸化炭素濃度を測定しており，研究の信頼性を担保している．喫煙状況・禁煙達成度の評価はこれまで本人申告によるものだけが多かったが，先のNolanらの報告[7]など，今後は何らかの生物学的指標が測定され，より精度の高い研究結果が得られることが期待される．

手術をきっかけとした禁煙を生涯禁煙へ導くため，McCrabbらは外傷患者を対象とした禁煙支援オンラインコンテンツに関する先行研究を紹介した[16]．手術対象患者のうち全喫煙者をピックアップ，入院中から開始し，退院後の電

10）Lugg ST, Tikka T, Agostini PJ et al：Smoking and timing of cessation on post-operative pulmonary complications after curative-intent lung cancer surgery. J Cardiothorac Surg 12：52, 2017

11）Yousefzadeh A, Chung F, Wong DT et al：Smoking cessation：the role of the anesthesiologist. Anesth Analg 122：1311-1320, 2016

12）Wong J, Abrishami A, Riazi S et al：A perioperative smoking cessation intervention with varenicline, counseling, and fax referral to a telephone quitline versus a brief intervention：a randomized controlled trial. Anesth Analg 125：571-579, 2017

13）Wong J, Raveendran R, Chuang J et al：Utilizing patient e-learning in an intervention study on preoperative smoking cessation. Anetsh Analg 126：1646-1653, 2018

14）Taylor H, Karahalios A, Bramley D：Long-term effectiveness of the preoperative smoking cessation programme at western health. ANZ J Surg 87：677-681, 2017

15）Lee SM, Tenny R, Wallace AW et al：E-cigarettes versus nicotine patches for perioperative smoking cessation：a pilot randomized trial. PeerJ 6：e5609,2018

16）McCrabb S, Baker AL, Attia J et al：Smoke-free recovery from trauma surgery：a pilot trial of an online smoking cessation program for orthopaedic trauma patients. Int J Environ Res Public Health 14：847, 2017

話サポートと組み合わせた一貫した禁煙支援システム構築を目指している．すべてのコンテンツにアクセスした参加者は10％にとどまるなど継続性への課題を残しつつも，参加者の喫煙状況は禁煙継続，喫煙本数を減らすなどある程度の効果を認めた．web-baseの禁煙支援法は禁煙支援全体でも注目されつつある手法であり[17]，今後の改善により生涯禁煙への一助となりうると考えられる．

新型タバコへの対応

近年発売が相次いでいる新型タバコにつき，フランスの周術期禁煙ガイドライン[1]では非燃焼型タバコに関してリスクベネフィットは明確でないので，周術期禁煙を目的に使用することは勧められないという意見と，術前に非燃焼型タバコを用いて禁煙にチャレンジしている場合，非燃焼型タバコをやめるようには言えないという意見を両論併記し，最終的な推奨は出せないという結論に至っている．日本麻酔科学会は2018年に周術期ガイドライン追補版を発表し（http：//www.anesth.or.jp/guide/pdf/20180403-guideline.pdf），電子タバコと非燃焼・加熱式タバコとの定義と違いを明示したうえで，**“従来のタバコよりも健康に与える影響が少ないという科学的証拠はなく，従来のタバコと同様に周術期の使用を控えるよう指導すべきである”との言及にとどめている．**

周術期禁煙治療も「チーム医療」へ

Mosesらは血管外科外来受診患者全体を後ろ向き研究で解析し，禁煙カウンセリングによる禁煙治療を行う前後で治療介入の有無とコストを比較した[18]．禁煙カウンセリング導入後，治療介入を行った喫煙患者での30日後再入院率が低く，医療コストの削減にもつながったことを報告したが，本研究ではクオリティサポートチームが大きな役割を果たしている．Kulkarniらは整形外科手術全体として術前禁煙を総説し，周術期に喫煙行動へ介入する意義と，手術をきっかけとした禁煙をより長く続けていくことの重要性を強調している[19]．各国の禁煙ガイドラインを総説，具体的な禁煙支援法などにも言及しており，整形外科に限らず手術医療に携わるすべての関係者に一読の価値がある内容である．Lauridsenらは膀胱全的術を受ける喫煙患者を対象とし，アルコール摂取への介入とも並行した術前準備プログラム研究を進めている[20, 21]．Josephらは肺癌スクリーニング時点から始める禁煙支援を紹介し[22]，Paradaらは乳癌と診断された時点からの生存者の禁煙率を報告する[23]など，手術が重要な治療手段である疾患で「診断」時点で喫煙行動へ介入する動きが広まりつつある．これらの報告は，「手術が決定した時点」「麻酔科医が介入する段階」からの喫煙行動への介入では，十分な術前禁煙期間が確保されないという従来の問題点を解決する可能性につながる．ただし，これによって

17) Chakraborty B, Maiti R, Strecher VJ：The effectiveness of web-based tailored smoking cessation interventions on the quitting process（Project Quit）：secondary analysis of a randomized controlled trial. J Med Internet Res 20：e213, 2018

18) Moses DA, Mehaffey JH, Strider DV et al：Smoking cessation counseling improves quality of care and surgical outcomes with financial gain for a vascular practice. Ann Vasc Surg 42：214-221, 2017

19) Kulkarni K, Karssiens SJ, Massie H et al：Smoking and orthopaedic surgery：dose the evidence support rationing of care?. Muscloskeletal Care 15：400-404, 2017

20) Lauridsen SV, Thomsen T, Thind P et al：STOP smoking and alcohol drinking before Operation for bladder cancer（the STOP-OP study）, perioperative smoking and alcohol cessation intervention in relation to radical cystectomy：study protocol for a randomized controlled trial. Traials 18：329, 2017

21) Lauridsen SV, Thomsen T, Kaldan G et al：Smoking and alcohol intervention in relation to radical cystectomy：a qualitative study of cancer patients'experiences. BMC cancer 17：793, 2017

22) Joseph AM, Rothman AJ, Almirall D et al：Lung cancer screening and smoking cessation clinical trials SCALE（Smoking Cessation within the Context of Lung Cancer Screening）collaboration. Am J Respir Crit Care Med 197：172-182, 2018

23) Parada JH, Bradshaw PT, Steck SE et al：Postdiagnosis changes in cigarette smoking and survival following breast cancer. JNCI Cancer Spectrum 1：10, 2017

麻酔科医の役割は縮小されるわけではなく，「安全な手術のための禁煙」や「手術をきっかけとした禁煙を生涯禁煙へ導く」ためのリーダーシップは引き続き麻酔科医に期待されるところである．最後にBjörkらは手術対象患者の禁煙支援につき，医療者がとるべき姿勢を解説している[24)]．“Right to recommend, wrong to require”…とのタイトルは，我々がつい陥りがちになる医療者としての姿勢を正すため傾聴に値する．

24) Björk J, Juth N, Lynøe N："Right to recommend, wrong to require" -an empirical and philosophical study of the views among physicians and the general public on smoking cessation as a condition for surgery. BMC Medical Ethics 19：2, 2018

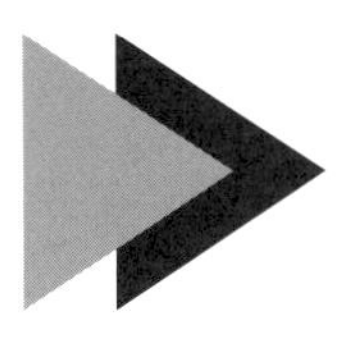

4. 麻酔と気道管理・確保

浅井(あさい) 隆(たかし)
獨協医科大学埼玉医療センター 麻酔科

最近の動向

- 全身麻酔の導入後に気道確保が困難となった場合の適切な対処法を示した気道確保ガイドラインが各国から発行されているが，手術室外での適切な気道確保法に関するガイドラインはこれまでなかった．その問題を解決するためのガイドラインが発行され，スタッフの確保と役割分担の重要性が強調された．
- 心肺蘇生中の換気法として，フェイスマスク，声門上器具，気管挿管のどれが最適かの大規模調査がいくつかなされたが，それでも明確な結論には至らなかった．
- ビデオ喉頭鏡は気管挿管に有用であるが，従来の喉頭鏡に比べ，重篤な気道合併症を低下させることが可能か否かはいまだに不明である．

気道確保ガイドライン

全身麻酔の導入後に気管挿管およびフェイスマスク換気が困難，あるいは不可能となった場合の適切な対処法についてのガイドラインが，これまで日本を含む各国から発行されてきた．一方，全身麻酔導入後以外の事象，すなわち手術室外での適切な気道確保に関するガイドラインはこれまでなかった．この問題を是正するために，**集中治療室，救急救命センターおよび院外における気道確保に関するガイドライン**が策定された[1]．このガイドラインにおいては，適切な気道確保器具の選択法のみならず，**人的要因，すなわち各スタッフがどのような役割分担をして気道確保に臨むべきかを早期に決めることの重要性が強調された**．また，手術室外で気道確保を要する症例はすでに重症化していることが多いため，気管挿管前の迅速導入を施行するうえでの注意点，導入前のみならず気道確保中の酸素投与の重要性，ビデオ喉頭鏡の早期の使用などが強調された．

このガイドラインに関するエディトリアル[2]において，**手術室内外で気道確保をする状況には大きな違いがある**ことが指摘された．問題点として，気道確保が必要となった場合に，気道確保の施行とその介助に慣れたスタッフおよび必要な器具の確保がしばしば困難であること，患者の頭側に位置できないこ

1) Higgs A, McGrath BA, Goddard C et al : Guidelines for the management of tracheal intubation in critically ill adults. Br J Anaesth 120 : 323-352, 2018

2) Asai T : Airway management inside and outside operating roomsdcircumstances are quite different. Br J Anaesth 120 : 207-209, 2018

1884-8516/19/¥100/頁/JCOPY

とが多いこと，患者の状態が悪く低酸素血症になりやすいことなどが挙げられた．これらのことから，手術室外においてもより適切な気道確保法を各部署で検討して，そのシステムを取り入れていく必要があろう．

心肺蘇生中の気道確保

心肺蘇生中の換気法として，バッグ・バルブ・マスクあるいは気管挿管を用いた場合の蘇生後の予後に差があるかどうかを比較した大規模調査がなされた[3]．心肺蘇生を受けた2,043症例が2群にランダム化区分され，マスクあるいは気管挿管が使用された．主要評価項目の，蘇生28日後に神経障害の後遺症が軽度であった症例の頻度は，マスク群で1,018人中44人（4.3%），気管挿管群で1,022人中43人（4.2%），と両群で有意な差はなかった（群間差：0.11%）．また，蘇生頻度もマスク群（5.4%）と気管挿管群（5.3%）に有意差はなかった．

この研究に関するエディトリアル[4]において，心肺蘇生中の適切な換気法は，これまでの研究で決まらなかったが，この大規模ランダム化比較研究においてもどちらを選択すべきかを決定することはできないとしている．その最大の理由は，統計学的に，否劣勢比較試験では，2,043症例でも不十分であったためとしている．呼吸管理，特に気管挿管を施行する者の熟練度の違いで予後に差が出る可能性も指摘されていることから，さらに大規模で，熟練度の違いの影響を含んだ研究が必要であろう．

院外における心肺蘇生中の気道確保法の違いが予後に影響するか否かの大規模調査が行われた[5]．心肺停止症例3,004人に対し，クラスタークロスオーバーランダム化比較法により，気管挿管あるいは声門上器具であるラリンジアルチューブを用いて換気を行い，その予後が比較された．患者ではなく，蘇生担当者が2群にクラスター（群れ）としてランダム化区分され，第1群ではラリンジアルチューブを，第2群は気管挿管により換気が施行された．数ヵ月後にクロスオーバー法として，第1群では気管挿管を，そして第2群はラリンジアルチューブを用いて換気が行われた．主要評価項目の蘇生72時間後の生存頻度は，ラリンジアルチューブが気管挿管に比べて有意に高かった（18.3%対15.4%，差：2.9%）．心肺蘇生中のラリンジアルチューブは，日本で初めて導入され，現在日本で最も高頻度に使用されているが，その有用性が確認されたことになる．

院外での心肺蘇生中の気道確保法として，声門上器具と気管挿管の違いにより予後に影響するか否かの大規模調査が行われた[6]．心肺停止症例9,296人に対し，クラスターランダム化比較法により気管挿管あるいは声門上器具を用いて換気を行い，その予後が比較された．主要評価項目である蘇生30日後に後遺症がなし，あるいは軽度で回復した頻度は，声門上器具の使用症例（6.4%）

3) Jabre P, Penaloza A, Pinero D et al：Effect of bag-mask ventilation vs endotrachealintubation during cardiopulmonary resuscitation on neurological outcome after out-of-hospital cardiorespiratory arrest：A randomized clinical trial. JAMA 319：779-787, 2018

4) Lewis RJ, Gausche-Hill M：Airway management during out-of-hospital cardiac arrest. JAMA 319：771-772, 2018

5) Wang HE, Schmicker RH, Daya MR et al：Effect of a strategy of initial laryngeal tube insertion vs endotracheal intubation on 72-hour survival in adults with out-of-hospital cardiac arrest：a randomized clinical trial. JAMA 320：769-778, 2018

6) Benger JR, Kirby K, Black S et al：Effect of a strategy of a supraglottic airway device vs tracheal intubation during out-of-hospital cardiac arrest on functional outcome：the AIRWAYS-2 randomized clinical trial. JAMA 320：779-791, 2018

と気管挿管症例（6.8%）とで有意な差はなかった．1回目の挿入で換気が可能であったのは，声門上器具で87.4%，気管挿管で79.0%であった．

上記の研究と違い，この研究においては声門上器具と気管挿管による気道確保法により予後に有意な差が認められなかったが，これら2研究の結果に差が出たのかの原因は不明である．最も考えられる原因として，気管挿管が1回目の施行により可能であった頻度がこの研究（79%）は上の研究（51.6%）に比べ高かったため，酸素供給および胸骨圧迫の再開までの時間が短かったからと考えられる．また，本研究に関するエディトリアル[7]において，クラスターランダム化比較法の一つの欠点として，通常のランダム化比較研究に比べ，必要対象者数が増加するため，9,296人の研究であっても，対象者数が不十分であった可能性が指摘されている．

救急外来における救急医による気管挿管の成功率についての報告がされた[8]．気管挿管を必要とした757人の患者が2群にランダム化区分され，1群で気管チューブ挿入イントロデューサー（ブジー）を，他群でスタイレットを使用して気管挿管が試みられた．主要評価項目である1回目の試みで気管挿管が成功した頻度は，ブジー群（96%）はスタイレット群（82%）に比べ有意に高かった．気管挿管に要した時間および低酸素血症となった頻度は両群間で有意な差はなかった．ブジーは日本ではあまり普及していないが，その使用を再考慮する必要があろう．

院外で気管挿管を要する2,028症例において，麻酔科医あるいは麻酔担当看護師が気管挿管を試み，その成功頻度が調査された[9]．1回目に気管挿管が可能であったのは85%，2回以内に成功したのは96%であった．気管挿管の成功頻度は，麻酔科医のほうが麻酔担当看護師に比べ高かった．この研究からも，気管挿管のエキスパートが気管挿管を試みた場合，その成功率は高いことが明らかであることから，麻酔科医以外の者も気管挿管のさらなる研修が必要であろう．

小児における気道確保

成人における気管挿管困難な頻度と原因については多くの研究報告がある．一方，**小児において気道確保が困難となる頻度や合併症の発生頻度などに関する研究は比較的少なかった．**気管挿管が困難であった小児症例に関するデータベースを用いた大規模調査がなされた[10]．データベースを用いて，従来の喉頭鏡あるいはビデオ喉頭鏡（グライドスコープ）を用いた気管挿管に成功した頻度と，合併症の発生頻度についての比較がなされた．**気管挿管が困難であった小児1,295症例において気管挿管が成功した頻度は，ビデオ喉頭鏡（82%）は従来の喉頭鏡（21%）に比べ有意に高く，第1回目の施行で挿管に成功した頻度もビデオ喉頭鏡（53%）は従来の喉頭鏡（4%）に比べ有意に高かっ**

7) Andersen LW, Granfeldt A：Pragmatic airway management in out-of-hospital cardiac arrest. JAMA 320：761-763, 2018

8) Driver BE, Prekker ME, Klein LR et al：Effect of use of a bougie vs endotracheal tube and stylet on first-attempt intubation success among patients with difficult airways undergoing emergency intubation：a randomized clinical trial. JAMA 319：2179-2189, 2018

9) Gellerfors M, Fevang E, Bäckman A et al：Pre-hospital advanced airway management by anaesthetist and nurse anaesthetist critical care teams：a prospective observational study of 2028 pre-hospital tracheal intubations. Br J Anaesth 120：1103-1109, 2018

10) Park R, Peyton JM, Fiadjoe JE et al：The efficacy of GlideScope® videolaryngoscopy compared with direct laryngoscopy in children who are difficult to intubate：an analysis from the paediatric difficult intubation registry. Br J Anaesth 119：984-992, 2017

た．しかし，**ビデオ喉頭鏡を用いた気管挿管の成功率は，体重が 10 kg 未満の小児においては低かった**．合併症は，従来の喉頭鏡を用いた症例ではビデオ喉頭鏡を用いた場合に比べ有意に高く，合併症の発生頻度は，挿管操作を繰り返すたびに 2.0 倍増加した．**従来，小児における気道確保が困難な頻度は低い，とされてきたが，小児においても気道確保が困難となる場合が少なからずあることが判明してきている**．また，繰り返して気管挿管を試みると合併症が発生する危険性が著明に高くなるため，繰り返した挿管操作は避けるべきであろう．

同様の研究が欧州におけるデータベースを用いて行われた[11]．0〜15 歳までの小児 31,024 人において，気管挿管困難（3 回あるいはそれ以上の試行が必要）であった頻度は 0.9%で，声門上器具の挿入が困難であった頻度は 0.4%であった．気管挿管が不可能であったのは 0.08%，声門上器具を介した換気が不可能であったのは 0.08%であった．これらの**気管挿管，声門上器具挿入困難な症例での呼吸器合併症の発生頻度は増加した**（リスク比 2.1 および 4.3）．

周術期に気道合併症を起こす危険因子がある小児において，全身麻酔の方法が，気道合併症発生頻度に影響するかどうかが研究された[12]．周術期に気道合併症を起こす危険因子が 2 つ，あるいはそれ以上あった 300 例の小児が 2 群にランダム化区分され，1 群で吸入麻酔薬（セボフルラン），他群で静脈麻酔薬（プロポフォール）を用いて導入し，周術期の気道合併症の頻度を調べたところ，吸入麻酔薬を使用した群は静脈麻酔薬を用いた群に比べ有意に低かった．また，術前の身体状態および体重の違いにより，気道合併症の発生頻度に違いがあった．小児において気道合併症発生の危険性が高い症例では吸入麻酔薬の使用がより安全といえよう．

欧州諸国においては，小児における扁桃摘出術中の気道確保法として声門上器具が用いられることが多い．手術終了後に声門上器具を抜去するタイミングの違いより術後の気道合併症の発生頻度に差があるか否かを調査した研究がなされた[13]．全身麻酔下に扁桃摘出術を受け，ラリンジアルマスクで気道確保された 290 人の小児が 2 群にランダム化区分され，1 群でラリンジアルを深麻酔下（セボフルラン 1MAC 以上）に抜去，他群では覚醒後に抜去された．主要評価項目としての術後の気道合併症の発生頻度は両群間で有意な差はなかった．扁桃摘出術以外の手術を受ける症例ではすでに同様の結果が知られているが，少なくとも術後に麻酔からの覚醒が不十分な状態での声門上器具の抜去は避けるべきである．

フェイスマスク換気

全身麻酔の導入後にフェイスマスクを用いた陽圧換気を施行するのが通常であるが，筋弛緩薬の投与により換気量が増加することが判明している．この筋

11）Engelhardt T, Virag K, Veyckemans F et al：Airway management in paediatric anaesthesia in Europedinsights from APRICOT（Anaesthesia Practice In Children Observational Trial）：a prospective multicentre observational study in 261 hospitals in Europe. Br J Anaesth 121：66-75, 2018

12）Ramgolam A, Hall GL, Zhang G et al：Inhalational versus intravenous induction of anesthesia in children with a high risk of perioperative respiratory adverse events：a randomized controlled trial. Anesthesiology 128：1065-1074, 2018

13）Ramgolam A, Hall GL, Zhang G et al：Deep or awake removal of laryngeal mask airway in children at risk of respiratory adverse events undergoing tonsillectomyda randomised controlled trial. Br J Anaesth 120：571-580, 2018

弛緩薬の投与がフェイスマスクを用いた陽圧換気が困難と予測されている症例においても同様であるか，を検討した研究がなされた[14]．マスク換気が困難となる危険因子が3つ，あるいはそれ以上の認められた113症例において，筋弛緩薬の投与前後に従圧式陽圧換気を施行し，換気量が測定された．筋弛緩薬の投与により，換気量が約50％増加した．そのため，**マスク換気が困難と予測された症例であっても，気道確保前に全身麻酔の導入をする場合，筋弛緩薬は積極的に投与すべき**であろう．

声門上器具

全身麻酔を受ける症例において，声門上器具がレスキュー器具としての役割をもつことが知られている．そのような症例において気管挿管が必要な場合，声門上器具を通してチューブを気管に挿入することが可能とされている．全身麻酔を受ける1,000症例において盲目的な経声門上器具気管挿管の成功頻度が，3施設で検討された[15]．2回以内の試みで盲目的気管挿管に成功した頻度は78％であったが，施設間に大きな差があった（41％，80％，84％）．著者らは8割の成功頻度は高い，としているが，これらの症例は気道確保が困難でないと予測されていた症例のため，気道確保困難な症例においてはその成功頻度は低い危険性がある．また盲目処置により，声門部の損傷を起こし，気道閉塞の危険性が高くなる．これらのことから，**盲目的気管挿管は避け，気管支ファイバースコープガイド下に施行すべき**であろう．

LMA®Gastro™ Airwayは，新たなラリンジアルで，胃腸管の内視鏡検査用プローブの挿入が可能な構造となっている．胃腸管の内視鏡検査を受ける292症例において，本器具を挿入し，内視鏡検査の容易さと換気の有用性などが調査された[16]．99％の症例において声門上器具を介して内視鏡を容易に挿入でき，内視鏡検査中の動脈血ヘモグロビン酸素飽和度は最低でも98％であった．術後に1例のみで咽頭痛のために飲水困難となり，再入院を要した．ラリンジアルマスクにはさまざまな種類が開発されているが，LMA®Gastro™ Airwayも内視鏡検査時に有用といえよう．

輪状甲状間膜穿刺，切開

全身麻酔の導入後に，フェイスマスクを用いた換気および気管挿管が不可能な場合，声門上器具がレスキューとして役立つ．しかし声門上器具を用いた換気も不可能な場合，“最終手段”として，緊急輪状甲状間膜穿刺，切開が必要となる．これまでさまざまな要因でこの最終手段も困難となることが指摘されてきた．麻酔科医は緊急輪状甲状間膜穿刺，切開の経験が豊富な者が少なく，実際の患者における使用経験も積めないため，理論上の知識および方法の習得が重要となる．

14) Soltész S, Alm P, Mathes A et al：The effect of neuromuscular blockade on the efficiency of facemask ventilation in patients difficult to facemask ventilate：a prospective trial. Anaesthesia 72：1484-1490, 2017

15) Ruetzler K, Guzzella SE, Tscholl DW et al：Blind intubation through self-pressurized, disposable supraglottic airway laryngeal intubation masks. an international, multicenter, prospective Cohort study. Anesthesiology 127：307-316, 2017

16) Baillard C, Prat G, Jung B et al：Effect of preoxygenation using non-invasive ventilation before intubation on subsequent organfailures in hypoxaemic patients：a randomised clinical trial. Br J Anaesth 120：361-367, 2018

外傷患者 482 人において，**輪状甲状間膜の縦幅を**，CT 上で測定された報告がある[17]．それによると，**成人男性で平均 7.9（標準偏差：2.2）mm，成人女性で平均 6.0（標準偏差：1.7）mm であった．**

また，帝王切開術を受ける妊婦における緊急輪状甲状間膜穿刺，切開の容易度が，妊婦の肥満度の違いにより違いが生じるかどうかの推定をした研究がなされた[18]．頸部皮膚から輪状甲状間膜までの距離を超音波装置で測定したところ，高度の肥満（BMI ＞ 45 kg/m^2）の妊婦 15 人での距離（平均 18 mm）は，正常体重（BMI ＜ 25 kg/m^2）の妊婦 15 人での距離（平均 11 mm）に比べ有意に長かった．そのため，**肥満の妊婦での緊急輪状甲状間膜穿刺，切開はより困難となる**，と予測された．

緊急輪状甲状間膜穿刺，切開の発生頻度は低いため，その方法および成功率などに関しては，英国での 1 年間の調査以外に大きな調査はされておらず，従来の研究方法では限界がある．世界における実態を調査すべき簡便な方法として，スマートフォンを用いてその実態報告をするアプリケーションが立ち上げられた[19]．立ち上げ 1 年半で 104 件の報告があり，緊急輪状甲状間膜切開，カニューラを用いた緊急輪状甲状間膜穿刺，ガイドワイヤーを用いた緊急輪状甲状間膜穿刺，外科的気管切開などが施行され，それらの成功頻度などが報告されている．この情報をもとに適切な緊急輪状甲状間膜穿刺，切開法の検討がなされることが待たれる．

気管チューブカフ

気管チューブのカフの影響で術後に咽頭痛や嗄声が起こることが知られている．そのため，カフによる周術期の気道合併症をさらに低下させる必要がある．新たなカフ形状を有する気管チューブにより，気道合併症を低下させることが可能かどうかを研究した報告がされた[20]．全身麻酔を受ける 191 人が 2 群にランダム化区分され，1 群で従来の円筒状のカフ付きの気管チューブを，他群でテーパードカフ付きチューブを用いて気管挿管が施行された．術後の咽頭痛の発生頻度は，テーパードカフ群は円筒状カフ群に比べ，有意に低かった（32％対 54％）．嗄声の頻度もテーパードカフ群で有意に低かった（19％対 37％）．これらの頻度差は臨床的に意味があると判断できるため，テーパードカフの使用が有利であろう．

日本においても肥満患者が増加しているが，肥満患者での全身麻酔中の気道合併症の発生率も高い，とされている．そのうち，気管挿管チューブのカフの過常な圧で，術後の気道合併症が起きる危険性もある．腹腔鏡手術を受ける肥満患者でのカフ内圧を測定した観察研究の報告がされた[21]．全身麻酔下の婦人科腹腔鏡手術を受ける 28 人の肥満患者（平均 BMI 37.7 kg/m^2）において，高容量低圧カフ付きチューブで気管挿管が施行され，カフ圧が 25 cmH_2O に調

17）Nutbeam T, Clarke R, Luff T et al：The height of the cricothyroid membrane on computed tomography scans in trauma patients. Anaesthesia 72：987-992, 2017

18）Gadd K, Wills K, Harle R et al：Relationship between severe obesity and depth to the cricothyroid membrane in third-trimester non-labouring parturients：a prospective observational study. Br J Anaesth 120：1033-1039, 2018

19）Duggan LV, Lockhart SL, Cook TM et al：The Airway App：exploring the role of smartphone technology to capture emergency front-of-neck airway experiences internationally. Anaesthesia 73：703-710, 2018

20）Chang JE, Kim H, Han SH et al：Effect of endotracheal tube cuff shape on postoperative sore throat after endotracheal intubation. Anesth Analg 125：1240-1245, 2017

21）Rosero EB, Ozayar E, Eslava-Schmalbach J et al：Effects of increasing airway pressures on the pressure of the endotracheal tube cuff during pelvic laparoscopic surgery. Anesth Analg 127：120-125, 2018

節された．気腹によりカフ内圧は有意に上昇（平均 36 cmH_2O）した．陽圧換気時の気道内圧の上昇，頭部低位，吸気時間の短縮（吸気：呼気時間比 1：1）がカフ内圧上昇の危険因子であった．これらのことから，特に肥満患者における腹腔鏡手術時にはその術中もカフ内圧を適切に調整すべきであろう．

ビデオ喉頭鏡

ビデオ喉頭鏡の有用性を考え，すべての手術室および集中治療室での気管挿管にときにビデオ喉頭鏡を使用するのが妥当であるか否かが検討された[22]．英国のある病院の手術室および集中治療室におけるすべての気管挿管時にマッキントッシュ型のビデオ喉頭鏡（C-MAC）の使用を義務づけ，ビデオ喉頭鏡の導入前と導入 2ヵ月後に，担当医に，“すべての症例に対してビデオ喉頭鏡を使用すべきか？”の質問を行った．ビデオ喉頭鏡の導入前に賛成であったのは 3 分の 1 にとどまったが，2ヵ月後にはほぼすべての麻酔科医が賛成した．このような賛成が急増したのは，実際に使用してビデオ喉頭鏡の有用性が認識されたことが挙げられよう．また，使用したビデオ喉頭鏡はマッキントッシュ型のため，ビデオ機能部を使用せずに従来法でも気管挿管が可能であったため，受け入れられやすかったと思われる．ビデオ喉頭鏡の限界点も考慮し，将来にマッキントッシュ型喉頭鏡などの従来からの器具を廃止してビデオ喉頭鏡を用いるべきかどうかを検討すべきであろう．

院外での気管挿管にビデオ喉頭鏡の有用性を比較した研究結果が報告された[23]．院外で気管挿管を要した 168 症例が 3 群にランダム化区分され，3 種類のビデオ喉頭鏡（A.P. Advance, C-MAC PM，チューブガイド付き KingVision）を用いて気管挿管が試みられた．主要評価項目としての気管挿管の成功頻度は，A.P. Advance で 96 %，C-MAC で 97 % であったが，KingVision では 61%と有意に低かった．1 回目の試行で気管挿管できた頻度も KingVision（48%）は A.P. Advance（86%）および C-MAC（85%）に比べ有意に低かった．**ビデオ喉頭鏡にも性能の違いがあるため，院外での気管挿管など，短時間に気管挿管を完了させる必要がある事象においては，適切なビデオ喉頭鏡を使用すべき**であろう．

グライドスコープはビデオ喉頭鏡として有用であるが，その一つの欠点として，ブレードの角度が強彎になっているため，直視下の気管挿管は困難である．また，挿入するチューブの角度を適切につけるなどの工夫を要する．グライドスコープによる気管挿管時にブジーが役立つかどうかの研究がなされた[24]．全身麻酔で経鼻挿管を要した 110 症例が 2 群にランダム化区分され，1 群でビデオ喉頭鏡（グライドスコープ）のみで，他群ではビデオ喉頭鏡とブジーを用いて気管挿管が試みられた．主要評価項目である 1 回目の気管挿管の成功頻度に有意差がなかったが，挿入施行時の口腔・咽頭内の出血はブジー群で

22) Cook TM, Boniface NJ, C. Seller C et al：Universal videolaryngoscopy：a structured approach to conversion to videolaryngoscopy for all intubations in an anaesthetic and intensive care department. Br J Anaesth 120：173-180, 2018

23) Cavus E, Janssen S, Reifferscheid F et al：Videolaryngoscopy for physician-based, prehospital emergency intubation：a prospective, randomized, multicenter comparison of different blade types using A.P. Advance, C-MAC system, and KingVision. Anesth Analg 126：1565-1574, 2018

24) Pourfakhr P, Ahangari A, Etezadi F et al：Comparison of nasal intubations by GlideScope with and without a bougie guide in patients who underwent maxillofacial surgeries：randomized clinical trial. Anesth Analg 126：1641-1645, 2018

有意に低かった（2％対 44％）．**グライドスコープによる気管挿管は高頻度に出血などの気道合併症が起こる危険性が高い**，と認識すべきであろう．

ビデオ喉頭鏡が従来の喉頭鏡に比べ，気管挿管により有用であるか否かを確認するために，**コクラン・システマティックレビューが報告**された[25]．それによると，**ビデオ喉頭鏡は従来の喉頭鏡に比べ，気管挿管に失敗する頻度を有意に低下させ（オッズ比（OR）：0.35），気道損傷の発生も有意に低下させた（OR：0.68）．一方，ビデオ喉頭鏡の使用により，気管挿管に成功するのに必要であった試行回数や，気管挿管に要する時間は有意に低下させなかった．さらに，低酸素血症の発生頻度や死亡率にも有意に影響しなかった**．ビデオ喉頭鏡の有用性に関するさらなる研究が待たれる．

手術室外の気管挿管に関してもビデオ喉頭鏡が従来の喉頭鏡に比べ，気管挿管により有用であるか否かを確認したシステマティックレビューも出された[26]．それによると，主要評価項目の気管挿管に1回目の試行で成功したのは，集中治療室ではビデオ喉頭鏡は従来の喉頭鏡に比して有意に高かったが，救急救命センターおよび院外では有意な差がなかった．これらの研究結果から，**ビデオ喉頭鏡は，手術室内においての気管挿管には有用であるが，手術室外の有用性はまだ不確かである**と判断すべきであろう．

気道確保が困難な小児における気管挿管法を比較した大規模研究がなされた[27]．観察研究として，声門上器具の挿入後に，気管支ファイバースコープを用いて経声門上器具気管挿管を試みた症例と，ビデオ喉頭鏡を用いて気管挿管を試みた症例における挿管の成功頻度などが調査された．1回目に気管挿管が成功した頻度は，声門上器具を使用した症例では 59％，ビデオ喉頭鏡を用いた症例では 51％と，有意な差はなかった．一方，1歳未満の乳児における気管挿管の成功頻度は，ビデオ喉頭鏡を用いた症例では声門上器具を使用した症例に比べて有意に低かった（35％対 54％）．**乳児においてはビデオ喉頭鏡の有用性は低下する可能性がある**ことを認識しておくべきであろう．

低酸素血症防止

全身麻酔の導入時に，気道確保が困難で無呼吸が続くと，低酸素血症になる危険性がある．麻酔導入後の低酸素血症を遅らせるさまざまな方法が検討されてきている．近年に注目されている方法が，高流量鼻カニューラ酸素投与である．高流量鼻カニューラ酸素投与は自発呼吸のある症例に対して開発されたが，無呼吸状態の成人患者においても酸素化が可能であるとの報告がいくつかなされた．この方法が小児においても有効か否かの研究がなされた[28]．1～6歳の小児 60 人が3群にランダム化区分され，鼻カニューラ酸素投与を用いて，低流量 100％酸素（0.2 L/kg/min），高流量 100％酸素（2 L/kg/min），そして高流量 30％酸素（2 L/kg/min）のいずれかを投与した状態で，全身麻酔の導

25) Lewis SR, Butler AR, Parker J et al：Videolaryngoscopy versus direct laryngoscopy for adult patients requiring tracheal intubation：a Cochrane Systematic Review. Br J Anaesth 119：369-383, 2017

26) Arulkumaran N, Lowe J, Ions R et al：Videolaryngoscopy versus direct laryngoscopy for emergency orotracheal intubation outside the operating room：a systematic review and metaanalysis. Br J Anaesth 120：712-724, 2018

27) Burjek NE, Nishisaki A, Fiadjoe JE et al：Videolaryngoscopy versus fiber-optic intubation through a supraglottic airway in children with a difficult airway. an analysis from the multicenter pediatric difficult intubation registry. Anesthesiology 127：432-440, 2017

28) Riva T, Pedersen TH, Seiler S et al：Transnasal humidified rapid insufflation ventilatory exchange for oxygenation of children during apnoea：a prospective randomised controlled trial. Br J Anaesth 120：592-599, 2018

入後の無呼吸による動脈血中ヘモグロビン酸素飽和度（SpO_2）が95％にまで低下する時間が比較された．SpO_2が95％にまで低下した時間は，低流量法と高流量100％酸素投与法に有意な差がなかった（中央値：6.9分対7.6分）が，高流量30％酸素投与法では有意に短縮した（3.0分）．**成人と違い，1〜6歳の小児の場合には，高流量鼻カニューラ酸素投与はあまり有用でない可能性がある．**

鎮静下に気管支ファイバースコープを受ける成人における高流量鼻カニューラ酸素投与の有用性についての研究がなされた[29]．60人の成人が2群にランダム化区分され，1群で従来の酸素投与，他群では高流量鼻カニューラ酸素投与が行われ，気管支ファイバースコープ中の低酸素血症（$SpO_2 < 90\%$）となった頻度が比較された．従来の酸素投与群では30人中10人，高流量鼻カニューラ酸素投与群では30人中4人と，有意差はなかった．上記の小児における研究を含め，高流量鼻カニューラ酸素投与の限界点が明らかとなってきているといえよう．

29) Douglas N, Ng I, Nazeem F et al：A randomised controlled trial comparing high-flow nasal oxygen with standard management for conscious sedation during bronchoscopy. Anaesthesia 73：169-176, 2018

食道誤挿管

気管チューブの食道誤挿管は現在でも稀ながら発生し，致死的となるため，その発生原因と防止法のさらなる検討が必要とされている．1995〜2013年までの米国における訴訟案件で，気づかれない食道誤挿管45例の解析がなされた[30]．それによると，49％が全身麻酔中に発生した．食道誤挿管の発見が遅れた原因として，カプノメータを使用していなかった例もあったが，カプノメータ上で呼気二酸化炭素波形が出ていなかったにもかかわらず無視されていた例もあった．また，33％の症例において，呼気二酸化炭素波形が出ていなかったのは，気管支痙攣のためである，との誤診がされたためであった．本邦においても同様の事例があったが，食道誤挿管の疑いがあれば，躊躇せずにチューブを抜去し，フェイスマスクを用いた陽圧換気などを試みるべきであろう．

30) Honardar MR, Posner KL, Domino KB：Delayed detection of esophageal intubation in anesthesia malpractice claims：brief report of a case series. Anesth Analg 125：1948-1951, 2017

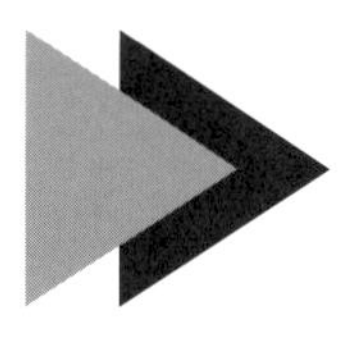

5. 気道管理ガイドライン

いその しろう
磯野史朗
千葉大学大学院医学研究院 麻酔科学

最近の動向

- 閉塞性睡眠時無呼吸患者の術中・術後・鎮静に関するガイドラインが作成され，臨床上の重要なポイントが整理されたが，エビデンスレベルの高い研究が少ないことが改めて認識された．
- 全身麻酔導入時気道管理のガイドラインが整備され安全性が高まったためか，術中や術後の気道管理，手術室外での気道管理へと重点がシフトしているようである．
- 院内重症患者への気管挿管は，手術室内気道確保とは異なるアプローチも必要ではあるが，手術室内気道管理の応用とチームアプローチの確立で大きく改善できる可能性がある．

閉塞性睡眠時無呼吸患者の術中管理ガイドライン (Society of Anesthesia and Sleep Medicine : SASM)

閉塞性睡眠時無呼吸（OSA）患者の術中管理に関するガイドラインが，SASMにより作成された[1]．SASMは，2016年にOSAの術前スクリーニングと評価に関するガイドラインを作成しており，その術中・術後管理編である[2]．術中・術後管理や鎮静に関するいくつかの重要な課題が整理され，2016年9月までに出版された文献のsystematic reviewの結果とエキスパートの意見に基づく見解が示されている．ほぼ解決済みあるいは未解決の重要課題の整理自体にこのガイドラインの意義があるように感じた．それぞれの課題ごとに，このガイドラインを深読みしてみることとする．

1. OSA患者は，全身麻酔導入時の気道管理が困難か？［エビデンスレベル：Moderate，推奨度：Strong］

これに関するRCTは存在しないが，16の臨床研究がsystematic reviewされている．総患者数は266,603人，このうち32,052人がOSA患者である．5つの後ろ向き研究を含み，5つの研究ではOSA診断がSTOP-BANGや臨床症状のみにとどまっている．12の臨床研究では，気管挿管困難の有無が検討され，7つの研究では**OSAと気管挿管困難の関連性が支持**された．6つの臨床

1) Memtsoudis SG, Cozowicz C, Nagappa M et al : Society of Anesthesia and Sleep Medicine guideline on intraoperative management of adult patients with obstructive sleep apnea. Anesth Analg 127 : 967-987, 2018
2) Chung F, Memtsoudis SG, Ramachandran SK et al : Society of Anesthesia and Sleep Medicine guidelines on preoperative screening and assessment of adult patients with obstructive sleep apnea. Anesth Analg 123 : 452-473, 2016

1884-8516/19/¥100/頁/JCOPY

研究では**マスク換気困難の有無が検討され，5つの研究で仮説が支持されている**．さらに，2つの臨床研究では，**マスク換気困難と気管挿管困難が同時に存在することが明確に示されている**．OSA患者での**声門上器具挿入困難が2つの臨床研究で検討されたが，挿入困難の仮説は支持されなかった**．以上のsystematic reviewの結果とエキスパートの意見により，結論として，moderateのエビデンスレベルで，OSAは気道管理困難の独立危険因子であり，OSAと診断あるいは疑われる患者には，特別な対応が強く推奨されるとしている．このガイドライン作成のための文献検索対象期間には含まれないが，2018年1月に，Satoら（筆者らの研究グループ）は，全身麻酔導入中の1回換気量を経時的に測定し，簡易睡眠検査に基づく無呼吸低呼吸指数（AHI）5回/h以上のOSA患者では，AHI 5回/h未満の非OSA患者に比較して，片手気道確保でのマスク換気効率には差がないが，AHI 20回/h以上のより重症なOSA患者では，マスク換気による1回換気量がより少ないことを報告している[3]．この部分の結論と推奨レベルは，非常に妥当であると考える．

2. OSA患者への筋弛緩薬使用は術後呼吸器合併症のリスクとなるか？［エビデンスレベル：Low，推奨度：推奨なし］

術中の使用薬について，特に筋弛緩薬の使用の有無が術後の呼吸器合併症のリスクになるかどうかを検討している．OSAの評価がされていない臨床研究では，術後の残存筋弛緩と術後呼吸器合併症との関連性が報告されており，一方OSAの存在は，緊急気管挿管，人工呼吸，呼吸不全，低酸素血症や肺炎などの術後早期呼吸器合併症のリスクになることが報告されているが，これらの研究では筋弛緩薬との関連性は検討されていない．1つのRCTと2つの観察研究ではこの課題を検討し，OSA患者での筋弛緩薬使用と術後呼吸器合併症の関連性を示唆すると結論しているが，RCTと1つの観察研究ではOSAの診断がなされておらず，OSAを終夜睡眠検査で術前診断している観察研究では有意な呼吸器合併症増加は示されていない[4~6]．にもかかわらず，このガイドラインでは，エビデンスレベルはlowではあるが，OSA患者での残存筋弛緩の悪影響，術後呼吸不全や低酸素血症のリスクになるかもしれないと判断し，筋弛緩薬の使用量を制限すること，筋弛緩状態をモニターし，特に抜管前に筋弛緩を完全に回復させることが，特にOSA患者では重要であると述べている．病態生理学的な記述はガイドラインにはされていないが，解剖学的に閉塞しやすい咽頭気道を咽頭拡大筋の活動を高めることで代償しているOSA患者にとっては，残存筋弛緩はこの代償機能を障害するため，上気道閉塞を助長することが予想されるが，**ガイドラインの文献的考察は信頼性に欠ける**．さらに，**筋弛緩薬の使用を制限することに関しては，非常に疑問**であり，本来筋弛緩薬は何の目的で使用するのか，スガマデクスで確実に回復させることができる状況では，このガイドラインの表現には違和感を覚えてしまう．ガイドライ

3) Sato S, Hasegawa M, Okuyama M, et al：Mask ventilation during induction of general anesthesia：influences of obstructive sleep apnea. Anesthesiology 126：28-38, 2017

4) Sudré EC, de Batista PR, Castiglia YM：Longer immediate recovery time after anesthesia increases risk of respiratory complications after laparotomy for bariatric surgery：a randomized clinical trial and a cohort study. Obes Surg 25：2205-2212, 2015

5) Ahmad S, Nagle A, McCarthy RJ et al：Postoperative hypoxemia in morbidly obese patients with and without obstructive sleep apnea undergoing laparoscopic bariatric surgery. Anesth Analg 107：138-143, 2008

6) Pereira H, Xará D, Mendonça J et al：Patients with a high risk for obstructive sleep apnea syndrome：postoperative respiratory complications. Rev Port Pneumol 19：144-151, 2013

ンでは，その筋弛緩回復薬に関しては，スガマデクスがネオスチグミンと比較した1つのRCT（n = 74）[7]と1つの観察研究（n = 320）[8]では，両研究ともにスガマデクス使用患者での術後呼吸器合併症の発生率低下を認めているが，観察研究では，在院日数など患者アウトカムには有意差を認めていない．この課題に関しては十分な研究がなされていないので，ガイドラインではエビデンスレベルが低く，どちらかを推奨するには至っていない．スガマデクスを最も使用している国としてこれに関する**エビデンスを日本から発信すべき**であろう．

3. OSA患者への麻薬使用は術後呼吸器合併症のリスクとなるか？［エビデンスレベル：Low，推奨度：Weak］

OSA患者では，オピオイドに関連した術後呼吸イベント発生率を高めるかという課題を検討した17の観察研究があり，必ずしも結論は一致していないものの，多くはその関連性を示唆する結果であった．最近の報告では，同じ程度の麻薬を使用した場合，OSA患者では，呼吸（2.5％ vs. 1.8％），循環（2.8％ vs. 0.2％），消化管（0.5％ vs. 0.3％），腎（3.5％ vs. 1.8％），血栓塞栓（0.4％ vs. 0.3％）の合併症頻度が高いという結果もある[9, 10]．さらに，オピオイド投与量が増加した場合には，消化管合併症が増加し，在院日数や医療費が有意に増加したと報告している．最近のsystematic reviewでは，1日モルヒネ換算10 mg以下のオピオイド投与であっても，術後の死亡や致死的イベントが生じると分析している[11]．一方で，OSAの合併頻度が高いことが予想される肥満患者での研究では，オピオイド使用は周術期合併症のリスク因子にはならないと報告しているが，これは，術後にCPAPを使用することに起因しているとする指摘もある[12]．オピオイドは，中枢性無呼吸やOSAを悪化させることが知られているが，オピオイドの使用量を減らすことで合併症が減るかどうかは明らかではない．硬膜外やくも膜下へのオピオイド投与とOSAの関連もsystematic reviewで分析され，術後呼吸循環合併症頻度は4.1％と報告されているが，この頻度は低く見積もられているとしている[13]．帝王切開患者へのくも膜下モルヒネ投与した場合のdesaturationのリスクは，OSAと肥満で2倍に高められるという前向き研究もある[14]．一方で整形外科領域の患者では呼吸イベントに差がなかったとしている．結局，**OSA合併患者へのオピオイド使用が術後呼吸器合併症の独立危険因子であるかどうかのエビデンスレベルは決して高くない**（Oxford LOE 3-4）．

4. OSA患者はオピオイド感受性が高いか？［エビデンスレベル：Low，推奨度：Weak］

小児OSA患者に対するアデノイド切除・扁桃摘出術では，術前低酸素血症のレベルと術後の呼吸器合併症頻度，さらにはオピオイド感受性亢進が報告されていた[15, 16]．このガイドラインでは，非常に誤解を受けやすい表現になっているが，その後のアフリカ系アメリカ人小児OSAと白人OSAを比較した

7) Ünal DY, Baran İ, Mutlu M et al：Comparison of sugammadex versus neostigmine costs and respiratory complications in patients with obstructive sleep apnoea. Turk J Anaesthesiol Reanim 43：387-395, 2015
8) Llauradó S, Sabaté A, Ferreres E et al：Postoperative respiratory outcomes in laparoscopic bariatric surgery：comparison of a prospective group of patients whose neuromuscular blockade was reverted with sugammadex and a historical one reverted with neostigmine. Rev Esp Anestesiol Reanim 61：565-570, 2014
9) Cozowicz C, Olson A, Poeran J et al：Opioid prescription levels and postoperative outcomes in orthopedic surgery. Pain 158：2422-2430, 2017
10) Mörwald EE, Olson A, Cozowicz C et al：Association of opioid prescription and perioperative complications in obstructive sleep apnea patients undergoing total joint arthroplasties. Sleep Breath 22：115-121, 2018
11) Subramani Y, Nagappa M, Wong J et al：Death or near-death in patients with obstructive sleep apnoea：a compendium of case reports of critical complications. Br J Anaesth 119：885-899, 2017
12) Weingarten TN, Hawkins NM, Beam WB et al：Factors associated with prolonged anesthesia recovery following laparoscopic bariatric surgery：a retrospective analysis. Obes Surg 25：1024-1030, 2015
13) Orlov D, Ankichetty S, Chung F et al：Cardiorespiratory complications of neuraxial opioids in patients with obstructive sleep apnea：a systematic review. J Clin Anesth 25：591-599, 2013
14) Ladha KS, Kato R, Tsen LC et al：A prospective study of post-cesarean delivery hypoxia after spinal anesthesia with intrathecal morphine 150 μg. Int J Obstet Anesth 32：48-53, 2017
15) Brown KA, Laferrière A, Moss IR：Recurrent hypoxemia in young children with obstructive sleep apnea is associated with reduced opioid requirement for analgesia. Anesthesiology 100：806-810, 2004
16) Brown KA, Laferrière A, Lakheeram I et al：Recurrent hypoxemia in children is associated with increased analgesic sensitivity to opiates. Anesthesiology 105：665-669, 2006

研究では，前者では術後鎮痛を得るためにはより多くのオピオイドが必要であり，後者では前者よりもより少ないオピオイド使用量にもかかわらず，オピオイド関連副作用がより多く発生したと報告している[17]．さらに，別の研究では，OSA 合併小児では，術後痛のためにより多くのモルヒネを必要とし，オピオイド関連呼吸器合併症の頻度も多かったと報告している[18]．多少，異なる結果が報告されているようではあるが，**OSA のみがオピオイド感受性亢進のプレーヤーではない**ということであろう．成人 OSA でのオピオイド感受性の研究では，術前の低酸素血症の重症度と術後鎮痛のオピオイド必要量の関連性を支持する後ろ向き研究もあるが，前向き研究においては支持されていない[19,20]．オピオイドへの感受性は一定ではなく，明らかに患者によって異なる．OSA 患者へのオピオイド投与が呼吸器合併症を増加させる機序として，オピオイド感受性亢進は，理論的に説得力のある説明ではある．しかし，この仮説を支持するエビデンスは非常に少なく，今後の進展が期待されるが，**OSA の重症度を表現する AHI よりも低酸素血症の重症度の関連性が高い点は注目すべき**である．さらに，OSA で生じる低酸素血症は，持続的な低酸素血症ではなく，**より臓器障害や炎症，全身合併症に関連する間歇的低酸素血症**であることも重要なポイントであると考える．

5. OSA 患者に対する鎮静は？

このガイドラインでは，筋弛緩薬やオピオイドばかりでなく，全身麻酔や鎮静管理でよく使用する麻酔薬などについても，特に鎮静時の呼吸器合併症について詳細に議論がなされている．**プロポフォールを鎮静目的で OSA 患者に使用すると呼吸器合併症のリスクが高まる**ことには強いエビデンスが存在する［エビデンスレベル：Moderate，推奨度：Strong］．カプノグラフィによる呼吸モニターでその合併症頻度が半減することを報告している研究が紹介されているが，この研究では，年齢，BMI，OSA，プロポフォール使用量などが低酸素血症の独立危険因子として同定されているが，麻酔科医による鎮静は深くなりがちであるため低酸素血症を引き起こしやすいとしている点は非常に興味深い[21]．術後に残存する吸入麻酔薬のリスクに関しては，エビデンスがなく否定的である．ケタミンの使用に関してもエビデンスがなく否定的な見解である．むしろ気道維持に関してはケタミン使用にはメリットがある点も指摘している．ベンゾジアゼピンによる鎮静は，合併症のリスクとなりうると指摘している．クロニジンやデクスメデトミジンなどの α_2 アゴニストに関しては，プロポフォールに比較してより安全性が高まることも期待されるが，OSA 患者に使用された場合，鎮静時の呼吸器合併症が少ないというエビデンスも少なく結論には至っていない．さらに，OSA 患者の咽頭閉塞部位診断目的で行われる鎮静下内視鏡検査においても，どちらの薬剤が適切であるかの結論も出ていない．OSA の病態生理学的には，意識レベルが最も重要な鎮静中の上気道閉塞の誘因であ

17) Sadhasivam S, Chidambaran V, Ngamprasertwong P et al：Race and unequal burden of perioperative pain and opioid related adverse effects in children. Pediatrics 129：832-838, 2012
18) Sanders JC, King MA, Mitchell RB et al：Perioperative complications of adenotonsillectomy in children with obstructive sleep apnea syndrome. Anesth Analg 103：1115-1121, 2006
19) Turan A, You J, Egan C et al：Chronic intermittent hypoxia is independently associated with reduced postoperative opioid consumption in bariatric patients suffering from sleep-disordered breathing. PLoS One 10：e0127809, 2015
20) Chung F, Liao P, Yegneswaran B et al：Postoperative changes in sleep-disordered breathing and sleep architecture in patients with obstructive sleep apnea. Anesthesiology 120：287-298, 2014
21) Friedrich-Rust M, Welte M, Welte C et al：Capnographic monitoring of propofol-based sedation during colonoscopy. Endoscopy 46：236-244, 2014

る．したがって，鎮静中の呼吸器合併症の頻度や重症度は，鎮静薬の種類よりも鎮静レベルや鎮静薬の使用量や使用方法が最も重要な要素だろうと考える．

6. OSA 患者には，全身麻酔よりも区域麻酔が適切か？［エビデンスレベル：Moderate，推奨度：Strong］

多くの先行ガイドラインでは，OSA 患者では可能な限り区域麻酔で手術を行うことが推奨されているが，系統的に調査はされていなかったようである．**このガイドライン作成にあたり systematic review を行った結果，区域麻酔を推奨する中等度のエビデンスが存在した**としている．全身麻酔では，前述のように気道困難が発生しやすいこと，術後筋弛緩薬残存などのリスクが存在するため，当然可能な限り区域麻酔を選択すべきであろう．

院内重症患者への気管挿管に関するガイドライン

近年，さまざまな気道管理ガイドラインを作成している英国の DAS（Difficult Airway Society）から公表された院内重症患者への気管挿管に関するガイドラインである[22]．集中治療室や救急外来での気道確保は，手術室での気道確保よりも難しく合併症が起きやすいことは多くの先行研究でも示されてきたが，NAP4 と呼ばれる英国での大規模調査でもこの点は特に強調されている．このガイドラインの序文にまとめられているように，**ICU での気管挿管は，30％で 1 回目に失敗，25％で酸素飽和度が 80％以下に低下する**ことが報告されている[23, 24]．その原因として，もともとは気道困難は存在しない患者であっても，全身状態を悪化させている原疾患そのもの，あるいはその治療から気道管理が困難な状況が生まれている点が指摘されている．覚醒時気管挿管や気道確保困難時の覚醒などの方法は，これらの患者では不適切である．さらに，気道管理を行う環境要因や医療者側の人的要因も困難に拍車をかけることとなる．**気道管理困難による死亡リスクは手術室の 60 倍である**と報告されている[25]．また，これらの患者での気管チューブの逸脱や閉塞などのインシデントは気管挿管後に生ずることが 82％であり患者死亡の 25％の原因となっている．この緊急時の気道管理ガイドラインでは，**単に新しい気道確保器具やより優れた気道確保のテクニックよりも，人的要因の改善を強調している**．精神的に支え合い，気道管理計画と気道管理中のコミュニケーションをしっかり実施できる気道管理チームが重要とし，メンバーの役割分担の明確化が強調されている．酸素化維持のために前酸素化や挿管操作時酸素化継続，筋弛緩薬を使用した迅速導入が推奨されている．また，初回気管挿管が失敗した場合のプラン B・プラン C の準備，繰り返しを避けること，画面を共有できるビデオ喉頭鏡の活用，第 2 世代の声門上器具の使用などが強調されている．このガイドラインで推奨されている気道管理方法は，どれも手術室で強調されてきたことでもあり，特別なことではないように感じる．

22) Higgs A, McGrath BA, Goddard C et al；Difficult Airway Society；Intensive Care Society；Faculty of Intensive Care Medicine；Royal College of Anaesthetists：Guidelines for the management of tracheal intubation in critically ill adults. Br J Anaesth 120：323-352, 2018

23) Mort TC：Emergency tracheal intubation：complications associated with repeated laryngoscopic attempts. Anesth Analg 99：607-613, 2004

24) Jaber S, Amraoui J, Lefrant JY et al：Clinical practice and risk factors for immediate complications of endotracheal intubation in the intensive care unit：a prospective, multiple-center study. Crit Care Med 34：2355-2361, 2006

25) Cook TM, Woodall N, Harper J et al；Fourth National Audit Project：Major complications of airway management in the UK：results of the Fourth National Audit Project of the Royal College of Anaesthetists and the Difficult Airway Society. Part 2：intensive care and emergency departments. Br J Anaesth 106：632-642, 2011

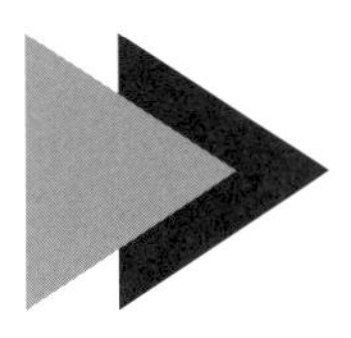

6. 吸入麻酔薬

中島芳樹（なかじまよしき）
浜松医科大学医学部 麻酔蘇生学講座

最近の動向

●吸入麻酔薬に関連した論文の最近の傾向として認知機能や小児中枢神経発達に与える影響のほか，抗炎症作用や免疫，がんなど長期予後に与える影響に関して多岐に渡る報告が取り上げられるようになっている．以下の点についていくつかの論文を紹介する．

①心筋保護作用：従来から報告のある吸入麻酔薬の心筋保護作用に関して新たにキセノンを用いた研究が欧州で行われた．主として抗炎症作用と思われる臓器保護作用だが相反する結果もあり，今後の研究が待たれる．

②がん患者に対する麻酔法とその予後：吸入麻酔薬が免疫抑制にかかわるという動物および臨床報告が増加しているが一方では抗炎症作用を期待した吸入麻酔薬の選択にも注目が集まっている．

③小児中枢神経の発達に対する影響：長期間に渡る前向き調査として知られるGAS studyの続報を紹介する．

④集中治療における吸入麻酔薬：欧州を中心に用いられていた吸入麻酔薬の鎮静が本邦でもディスポーザブル気化器の登場により行われるようになるかもしれない．

今回のレビューで吸入麻酔薬を取り上げる前に，2017年Sneydによる論文を紹介したい．「Thiopental to desflurane – an anaesthetic journey. Where are we going next?」というタイトル[1]で過去の麻酔薬から現在，そして今後開発が進むと予想される薬剤についての総説である．エーテルから始まる吸入麻酔薬，そしてチオペンタールからエトミデート，プロポフォールなどに至る静脈麻酔薬の歴史的な経緯について言及し，未来のターゲットとして（中枢）神経毒性，がんへの影響，覚醒時興奮，認知機能，そして麻酔薬としてのキセノンを列挙しているが，一方現在開発が進んでいるのは主として鎮静領域の薬剤のみであり，今現在我々が臨床的に使用している麻酔薬が十分に効果的で安全性も高く，経済性にも優れていることが逆に今後の新しい薬剤の開発につながることが難しい現状を認めている．

1) Sneyd JR：Thiopental to desflurane – an anaesthetic journey. where are we going next?. Brit J Anaesth 119：i44-i52, 2017

1884-8516/19/¥100/頁/JCOPY

心筋保護および他臓器への作用

心臓手術に対する吸入麻酔薬の保護作用はある程度評価が定まった感がある．虚血再灌流障害に対して吸入麻酔薬はプレコンディショニングおよびポストコンディショニングと呼ばれる効果によって保護効果を示し，これにはミトコンドリアATP感受性K^+（KATP）チャネルの開口およびJAK/STAT系が重要な役割を担っていることがよく知られている．その一方で静脈麻酔薬であるプロポフォールの心保護作用を示す研究もあり，麻酔薬の心保護作用に関しては今後も関心をもつ必要がある．

心保護のメカニズムに関係するものとしてLucchinettiらのラット心筋を用いた薬剤の相互作用を示す研究を紹介する[2]．2014年頃からIntralipid®が活性酸素のスカベンジャーとして虚血再灌流障害を低減する作用が知られているが，彼らは摘出心筋をIntralipid®で灌流してプロポフォール，セボフルラン，レミフェンタニルという作用の異なった麻酔薬を作用させ，その効果を比較検討した．Intralipid®は20分の虚血およびその後の再灌流で心収縮力をコントロールと比較して改善した（58％ ± 8％，$p < 0.001$）．また3つの麻酔薬はIntralipid®を灌流しないモデルにおいて心収縮力を改善させた（プロポフォール28％ ± 9％，$p = 0.049$，セボフルラン49％ ± 5％，$p < 0.001$，レミフェンタニル51％ ± 6％，$p < 0.001$）．一方Intaralipid®を灌流している群では，セボフルラン（80％ ± 7％，$p < 0.001$）およびレミフェンタニル（80％ ± 9％，$p < 0.001$）はIntralipid®の収縮力増強効果をさらに強めるのに対し，プロポフォールはIntralipid®の収縮力増強効果を減弱させる（33％ ± 10％，$p < 0.001$）ことを報告している．以前の研究で吸入麻酔薬の心保護効果がプロポフォールによって相殺されることが報告されていたが，著者らは全身麻酔に日常使用される併用薬剤やその方法によって結果が変わる可能性があることを指摘している．

2）Lucchinetti E, Lou PH, Gandhi M et al：Differential effects of anesthetics and opioid receptor activation on cardioprotection elicited by reactive oxygen species-mediated postconditioning in sprague-dawley rat hearts. Anesth Analg 126：1739-1746, 2018

次に紹介する論文は術後に覚醒までの期間を吸入麻酔薬で鎮静を行ったもので，著者らはOff-pump CABG手術を受けた患者における導入および/または手術後のセボフルランとプロポフォールの心保護および腎保護の比較を行っている[3]．Off-pump CABG手術患者90人を対象とし，術中から術後抜管まで吸入麻酔薬を投与したセボフルラン群（SS），術中セボフルランおよび術後プロポフォール（SP），または術中および術後プロポフォール（PP）の3群へ無作為に割り当て，術後48時間以内にトロポニンIと血行動態パラメータを記録して血液サンプルおよび尿サンプルはベースラインと24時間後に測定した．その結果，シグナル伝達の活性化（Akt，ERK1/2，PKGなど）はSS群で過剰発現し，SP群では変化せず，そしてPP群では減少していた．腎機能はSS群で最もよく保たれた．著者らは術中麻酔および術後のセボフルランによる鎮

3）Guerrero Orriach JL, Galán Ortega M, Ramirez Fernandez A et al：Cardioprotective efficacy of sevoflurane vs. propofol during induction and/or maintenance in patients undergoing coronary artery revascularization surgery without pump：a randomized trial. Int J Cardiol 243：73-80, 2017

静によって誘導される酵素の発現は，Off-pump CABG 手術を受けている患者の心筋障害を軽減し，腎機能を保つのに有効であったと結論した．

揮発性麻酔薬ではないキセノンの報告を紹介する．欧州で行われたCABG手術における心筋保護作用についてキセノンとセボフルランおよび全静脈麻酔の比較を行ったPhase3試験で[4]，フランス，ドイツ，イタリア，オランダの17の大学病院で低リスクのOn-pump CABG 手術患者に対してキセノン，セボフルラン，または全静脈麻酔の3群に無作為に割り付けが行われた．主要評価項目は術後24時間の血中心筋トロポニンI濃度で，二次的な評価項目は，キセノン麻酔の安全性と実施可能性を評価した．結果は術後24時間心筋トロポニンI濃度（ng/mL（四分位範囲））の中央値は，キセノンで1.14（0.76〜2.10），セボフルランで1.30（0.78〜2.67），全静脈麻酔で1.48（0.94〜2.78）であった．術後の転帰を含めた安全性については群間に差はなかった．低リスクのOn-pump CABG 手術患者において術後心筋トロポニンI値は，キセノンはセボフルランに対して非劣勢であった．心筋トロポニンIはキセノン群のみが全静脈麻酔群より低かった．今回の臨床試験ではキセノン麻酔は安全かつ実施可能であることと結論されている．キセノンの臨床応用は以前から亜酸化窒素との比較においてMACの優位性が注目されており，さらに導入覚醒の速さや心血管系における血行動態の安定性，そして脳保護などへの期待が高く，予備的な検討[5]では昇圧薬の使用がセボフルラン群よりも少なかったことが示されたこともあって今回の研究に進んだと推察されるが，デメリット（希少性，高いコストなど）を考えるとさらに重症患者に対する一歩進んだ有用性について検討していく必要があると思われる．

他の臓器保護に関しても吸入麻酔薬の有用性は指摘されているが，今回は肺に対する吸入麻酔薬の異なる結果の報告を取り上げる．

片肺換気による肺切除術後の術後肺合併症，肺および全身性炎症反応について静脈麻酔と吸入麻酔を比較したランダム化比較試験を紹介する[6]．De la Galaらは肺切除術（LRS）に対するプロポフォールに対して吸入麻酔薬の肺保護作用について臨床的術後肺合併症（postoperative pulmonary complications：PPC，術前7項目によるクラス分けによる肺合併症の予測指標[7]）について検討した．患者は2群（プロポフォールまたはセボフルラン）に無作為に割り付けられた．LRSを受けている180人の患者のうち，174人の患者からのデータを解析した．サイトカインの分析は気管支肺胞洗浄（BAL）液を採取した．術中血行動態および呼吸パラメータ，PPC，および最初の1ヵ月および1年間の死亡率を評価した．結果はプロポフォール群ではより多くのPPCが発生し（28.4%対14%，オッズ比（OR）：2.44，95%信頼区間（CI）：1.14〜5.26），またプロポフォール群の1年目以内の死亡率は有意に高かった（12.5%対2.3%，OR：5.37，95% CI：1.23〜23.54）．肺および全身性の炎症性

4) Hofland J, Ouattara A, Fellahi JL et al：Effect of xenon anesthesia compared to sevoflurane and total intravenous anesthesia for coronary artery bypass graft surgery on postoperative cardiac troponin release：an international, multicenter, phase 3, single-blinded, randomized noninferiority trial. Anesthesiology 127：918-933, 2017

5) Al Tmimi L, Van Hemelrijck J, Van de Velde M et al：Xenon anaesthesia for patients undergoing off-pump coronary artery bypass graft surgery：a prospective randomized controlled pilot trial. Br J Anaesth 115：550-559, 2015

6) de la Gala F, Piñeiro P, Reyes A et al：Postoperative pulmonary complications, pulmonary and systemic inflammatory responses after lung resection surgery with prolonged one-lung ventilation. randomized controlled trial comparing intravenous and inhalational anaesthesia. Br J Anaesth 119：655-663, 2017

7) Canet J, Gallart L, Gomar C et al；ARISCAT Group：Prediction of postoperative pulmonary complications in a population-based surgical cohort. Anesthesiology 113：1338-1350, 2010

サイトカインの発現は，セボフルラン群よりもプロポフォール群のほうが多かった．またプロポフォール群では，肺および全身のIL-10放出は少なかった．以上の結果からLRS中のセボフルランの投与はPPCの減少，肺および全身の炎症反応を減弱させたと結論した．

上記の研究に相反する報告もある．Tianらは肺癌切除術を受けた患者の周術期炎症反応，肺機能，認知機能に対するプロポフォールとセボフルラン麻酔の効果を比較検討した[8]．1施設において2014年1月～2016年1月までに肺葉切除術を受けた62人の肺癌患者をプロポフォール群（$n = 31$）とセボフルラン群（$n = 31$）の2群に無作為に分けた．すべての患者は同じ術者によって肺葉切除術を受けた．周術期における患者の炎症反応，肺機能の変化をそれぞれ麻酔導入前（t1），片肺換気前（t2），胸骨閉鎖後（t3），術後24時間（t4）で記録した；2群の患者の抜管時間，開眼時間，反応時間を記録した；ミニメンタルステート検査（MMSE）を用いて患者の認知機能の変化を評価し，麻酔導入前と術後24時間の患者血清中のS100カルシウム結合蛋白β（S100β）の濃度をそれぞれ測定した．主な結果はプロポフォール群における麻酔導入後の患者血清中のIL-6とマトリックスメタロプロテイナーゼ-9（MMP-9）の値はt1より有意に高かったが，IL-10はt1より有意に低かった（$p < 0.01$）．プロポフォール群のIL-6とMMP-9の値はセボフルラン群より有意に低かったが，IL-10の値は有意に高かった（$p < 0.05$）．プロポフォール群の患者の抜管時間，開眼時間，反応時間はセボフルラン群より有意に短かった（$p < 0.05$）．術中から術後24時間までの副作用の発生率はプロポフォール群の患者でセボフルラン群より有意に低かった（$p < 0.05$）．t4における2群の患者のMMSEスコアはそれらのt1より有意に低かったが，S100β濃度はt1より有意に高かった（$p < 0.01$）．t4ではプロポフォール群の患者MMSEスコアはセボフルラン群より有意に高かったが，S100β濃度はセボフルラン群より低かった（$p < 0.05$）．結論としてセボフルラン麻酔と比較してプロポフォール麻酔は肺癌切除術を受けた患者の周術期炎症反応を有意に減少させ，術後回復時間を短縮し，患者の肺機能を保護し，術後認知機能を改善し術中有害反応の発生率を減少させるとした．

8) Tian HT, Duan XH, Yang YF et al：Effects of propofol or sevoflurane anesthesia on the perioperative inflammatory response, pulmonary function and cognitive function in patients receiving lung cancer resection. Eur Rev Med Pharmacol Sci 21：5515-5522, 2017

麻酔と長期予後

プロポフォールによる静脈麻酔は，吸入麻酔と比較してがん患者の予後に有用な麻酔法であるとWigmoreら[9]の後方視的な研究をはじめとして報告されている．実際全静脈麻酔（TIVA）ががんの再発や遠隔転移，さらに長期予後に対し，吸入麻酔薬に対する優位性がいくつかのレビューで指摘されているが，一方で吸入麻酔薬でも高濃度での使用を避けることで予後は変わらないとする報告もあり現在のところ結論をみていない．がん組織の再発や転移にかか

9) Wigmore TJ, Mohammed K, Jhanji S：Long-term survival for patients undergoing volatile versus IV anesthesia for cancer surgery：a retrospective analysis. Anesthesiology 124：69-79, 2016

わる機序として吸入麻酔薬が虚血に対して hypoxia inducible factor-1α（HIF-1α）の発現により臓器保護作用を示すが，がん細胞においては HIF-1α の発現が増加することでがん細胞の増殖，血管新生，転移を促進させることが指摘されている．またプロポフォールは直接がん細胞の増殖，浸潤を抑制することが指摘されている．それに対して吸入麻酔薬が T 細胞を含む免疫の抑制にかかわっていることも以前から指摘されており，**麻酔法の選択は今後がん患者の予後を考えるうえで避けて通ることのできない重要な問題となっている．**

吸入麻酔および静脈麻酔後のがん手術の転帰の系統的レビューを行った論文がある[10]．今回の系統的レビューは，吸入麻酔および TIVA を伴うがん手術後の全体的な死亡率および術後合併症に関する文献を評価した．PRISMA ガイドラインに従って，がんに対する外科手術を受けた患者で TIVA か吸入麻酔で麻酔した者を対象とした研究を含む検索が行われた．データベースには PubMed，Scopus，EMBASE，および Cochrane Library を 2 人の研究者が論文を評価し合計 10,696 人の患者を対象とした 8 件の研究が含まれた．ある研究では，吸入麻酔後の総死亡率が 1.47（95% CI：1.31〜1.64，$p < 0.001$）で増加したと報告されたが，別の研究では TIVA 後の総死亡率減少傾向が報告された（ハザード比（HR）：0.85，95% CI：0.72〜1.00，$p = 0.51$）．3 番目の研究では，全体の死亡率に差はみられなかったが，TIVA 後の再発のない生存期間の延長は 0.48 であった（95% CI：0.27〜0.86，$p = 0.014$）．ある研究では，他の術後合併症は同程度であったが，肺合併症の発生率は TIVA と比較して吸入麻酔後に有意に高かった．結論としてがん手術において TIVA が好ましい麻酔である可能性があるもののエビデンスとしては現在のところ質が低く，無作為化臨床試験がさらに必要であるとした．同時期に Oh らは肺癌患者において TIVA および吸入麻酔で麻酔法の比較を行い，両者で生存率および再発までの期間を観察した[11]．それぞれの群における患者数に違いが認められたためにプロペンシティマッチングを行って解析した結果，長期予後に両者の違いは認められなかった．個人的な意見として，これまでの報告から研究の対象となるがんの種類によってそれぞれの結果は異なる可能性があり，また術後の鎮痛法や術中・術後の局所麻酔薬やステロイドの使用など結果に大きく影響する可能性のある薬剤や疼痛によってもたらされる交感神経の活動性などまで考慮された研究は現在までなく，これらの因子に考慮した大規模研究が待ち望まれる．

さらに免疫と麻酔薬について検討した報告を取り上げる．前述の通り麻酔および鎮痛は，がん患者の免疫抑制に大きく影響する可能性があるが，乳癌切除術を受けた患者の免疫機能に対する周術期麻酔と鎮痛の効果について前向き無作為化試験[12]を行ったものがある．

ナチュラルキラー（NK）細胞は抗腫瘍免疫の重要な部分であるが，著者ら

10) Soltanzadeh S, Degett TH, Gögenur I：Outcomes of cancer surgery after inhalational and intravenous anesthesia：a systematic review. J Clin Anesth 42：19-25, 2017

11) Oh TK, Kim K, Jheon S et al：Long-term oncologic outcomes for patients undergoing volatile versus intravenous anesthesia for non-small cell lung cancer surgery：a retrospective propensity matching analysis. Cancer Control 25：1073274818775360, 2018

12) Cho JS, Lee MH, Kim SI et al：The effects of perioperative anesthesia and analgesia on immune function in patients undergoing breast cancer resection：a prospective randomized study. Int J Med Sci 14：970-976, 2017

は乳癌手術を受けている患者のNK細胞毒性（NKCC）に及ぼす2つの異なる麻酔と鎮痛法の効果を比較した．方法は乳癌切除術を受けた50人の患者を，術後ケトロラク鎮痛法によるプロポフォール・レミフェンタニル麻酔（プロポフォール・ケトロラク群）または術後フェンタニル鎮痛薬（セボフルラン・フェンタニル群）による無作為割り付けを行った．主な評価項目は手術前および24時間後のNKCC活性の測定で，その後術後疼痛スコアおよび炎症反応を評価した．また手術後2年間にわたり6ヵ月ごとに超音波および全身骨スキャンを用いてがんの再発または転移を評価した．結果は術前のNKCCについては2群間で同程度であった（$p = 0.082$）が手術前値と比較して，NKCCはプロポフォール・ケトラク群で増加し（$p = 0.048$），セボフルラン・フェンタニル群で減少しており（$p = 0.032$），その反応は群間で有意に異なっていた（$p = 0.048$）．手術後48時間の疼痛スコアおよび手術後の炎症反応は両群間で同等であった．セボフルラン・フェンタニル群のうち1人に対側への再発がみられ，また転移はどちらのグループにもみられなかった．結論として術後のケトロラクによる鎮痛を行ったプロポフォール麻酔では，乳癌手術を受けている患者におけるセボフルラン麻酔および術後のフェンタニル鎮痛と比較して，NKCCを保存することによって免疫機能に好ましい影響がみられたと結んでいる．

小児麻酔

麻酔薬による神経発達，行動指標に対する有害作用は若年動物で示されてきたが，実際ヒトにおける作用は疫学的研究によって幼児期早期の麻酔薬曝露は，小児の神経発達遅滞のリスクをわずかに上昇させる可能性[13]があると報告されている．現在行われているThe General Anesthesia compared to Spinal anesthesia（GAS）trialは5歳児の神経発達に対する全身麻酔の影響を評価するため26～60 weeksの鼠径ヘルニア手術を受けた小児を対象とした患者の欧米複数国にまたがる前向き無作為化対照多施設試験であり，2016年に中間報告として2年後の神経学的評価について全身麻酔群と局所麻酔群で差がなかったことが示されているが[14]，今回このGAS studyの解析から生まれた論文を紹介する[15]．研究の目的はGAS studyから得られた血圧のデータからそれぞれの麻酔法における術中低血圧の発生率を比較して，危険因子を特定することである．ブピバカインによる局所麻酔（RA）またはセボフルランによる全身麻酔（GA）に割り付けられた鼠経ヘルニア手術を受けるpostmenstrual age 60週以下の722人の小児を対象とし，除外基準は神経発達障害のリスク因子，妊娠26週未満とした．中等度低血圧は平均動脈圧35 mmHg未満，すべての低血圧は平均動脈圧45 mmHg未満と定義し主要評価項目は麻酔開始から手術室退室の間に測定された低血圧とした．この研究では

13）DiMaggio C, Sun LS, Ing C et al：Pediatric anesthesia and neurodevelopmental impairments：a Bayesian meta-analysis. J Neurosurg Anesthesiol 24：376-381, 2012

14）Davison AJ, Disma N, de Graaff JC et al；GAS consortium：Neurodevelopmental outcome at 2 years of age after general anaesthesia and awake-regional anaesthesia in infancy（GAS）：an international multicentre, randomised controlled trial. Lancet 387：239-250, 2016

15）McCann ME, Withington DE, Arnup SJ et al：Differences in blood pressure in infants after general anesthesia compared to awake regional anesthesia（GAS Study-A prospective randomized trial）. Anesth Analg 125：837-845, 2017 intention to treat（ITT）解析，per protocol 解析を行った．結果は RA と比較した GA の麻酔開始から手術室退室の間に測定された 35 mmHg 未満の低血圧の相対リスクは ITT 解析で 2.8（95 % CI：2.0〜4.1，$p < 0.001$），per protocol 解析で 4.5（95% CI：2.7〜7.4，$p < 0.001$）であった．ITT 解析ですべての低血圧と中等度低血圧はそれぞれ全身麻酔で 87%，49%，局所麻酔で 41%，16%に発生した．低血圧に対する治療介入は RA と比較して GA で多く発生した（相対リスク：2.8，95% CI：1.7〜4.4 by ITT）．結論としては鼠径ヘルニア手術を受ける小児に対する RA はセボフルランによる GA と比較して低血圧と治療介入の機会を減少させ，また多変量モデルの解析では**手術時の体重，術中低体温が危険因子であり，特に体重が重要で年齢や出生時の週数よりも強い予測因子であると報告している．**実際の小児のヘルニア手術で我々が日常経験する麻酔ではここまで血圧が下がることはあまり経験しないと思われるが，体重が小児麻酔で最も注意する要因の一つであることは経験上においても首肯できるのではないだろうか．

小児における覚醒および回復については 5 つの麻酔薬の覚醒と回復の特徴についてネットワークメタアナリシス（薬剤比較で結ばれるネットワークを用いたメタアナリシス）を用いて解析した報告がある[16]．小児麻酔で使用されるデスフルラン，ハロタン，イソフルラン，プロポフォール，セボフルランを覚醒と回復の特性（術後興奮，PONV，術後痛）について解析を行った結果，プロポフォールは小児麻酔で最も効果的で副作用が少ない安全な麻酔薬として推奨された．一方吸入麻酔薬のうちデスフルランは覚醒時興奮の発生率が高く，回復が最も悪いことが指摘され，またセボフルラン麻酔は術後鎮痛薬の使用が最も多かったことが示された．ハロタンは吸入麻酔薬の中では回復時の状態が最も好ましい麻酔薬と考えられたが，術後の悪心嘔吐の副作用が問題であった．

集中治療における吸入麻酔薬

欧州各国で使用されているディスポーザブル気化器（AnaConDa）が日本でも臨床使用される．AnaConDa は 20 世紀終わりに開発されたガス吸入器で，イソフルラン，セボフルランの 2 種類の吸入麻酔薬をシリンジポンプでこの気化器内に注入し，内部で気化した薬剤を吸入させることで鎮静効果を発揮する．この気化器は人口鼻のような形状をもち，気管チューブと呼吸回路の間に接続されて呼出された 9 割程度の吸入麻酔薬を吸収し，再呼吸させる（anesthetic reflector）ことで（半）閉鎖回路でない呼吸回路でも比較的経済的に使用できるため集中治療室での鎮静に用いられている．集中治療において最近のレビューについて紹介する[17]．Kim らは集中治療患者における吸入麻酔薬と静脈麻酔薬ミダゾラムまたはプロポフォールによる鎮静の安全性と有効

16）Guo J, Jin X, Wang H et al：Emergence and recovery characteristics of five common anesthetics in pediatric anesthesia：a network meta-analysis. Mol Neurobiol 54：4353-4364, 2017

17）Kim HY, Lee JE, Kim J：Volatile sedation in the intensive care unit：a systematic review and meta-analysis. Medicine（Baltimore）96：e8976, 2017

性の比較について前向き試験のメタアナリシスとシステマティックレビューを発表している．検索はMEDLINE，EMBASE，Web of Science index，Cochrane Central Register of Controlled Trialsを使用して論文の抽出を行い，論文には吸入麻酔薬（デスフルラン，セボフルラン，イソフルラン）と静脈内ミダゾラムまたはプロポフォールを比較した無作為化対照試験が含まれた．主要評価項目は覚醒時間，抜管までの時間（鎮静の終了から抜管までの時間），ICU滞在時間および入院日数を評価した．副次評価項目は心機能（血清トロポニンおよびNT-proBNP），腎機能（血清クレアチニン），悪心嘔吐などであった．その結果13の論文が今回のメタアナリシスに用いられた．鎮静中のセボフルランの呼気終末濃度は0.5～1%，イソフルランでは0.5%が用いられ，鎮静時間は約3～50時間までの幅で行われていた．結果は揮発性麻酔薬と静脈麻酔薬（ミダゾラムまたはプロポフォール）を比較した患者を対象とした試験で吸入麻酔薬を用いた群では覚醒までの時間は短縮し（平均−80.0分）また抜管までの時間も約196分早かった．プロポフォール（平均差，−29.1分，95% CI：−46.7～−11.4，$p = 0.001$）よりもミダゾラム（平均差，−292.2分，95% CI：−384.4～−200.1，$p < 0.00001$）と比較したほうが抜管時間の短縮は大きかった．一方，ICU滞在時間，入院期間に有意差はなかったが吸入麻酔薬群でトロポニン値およびNT-proBNPは有意に低く，心筋保護効果が麻酔濃度以下でも働いている可能性があることを報告した．

急性呼吸窮迫症候群におけるセボフルランによる鎮静について検討した報告がある[18]．著者らは，セボフルランは肺のガス交換を改善し，抗炎症作用に基づいて肺胞浮腫と炎症を軽減するという観点から急性呼吸窮迫症候群（ARDS）においてその治療効果を評価した．2014年4月～2016年2月の間に，フランスの大学病院の3ヵ所の集中治療室で同時期に行われた非盲検単一施設無作為化対照試験の報告である．成人患者を対象に，中等度～重度ARDSを発症して24時間以内にミダゾラム静注またはセボフルラン吸入を48時間受けるように無作為に割り当てが行われた．主要アウトカムは2日目のPaO_2/F_IO_2比とし，副次的アウトカムとして肺胞および血中のサイトカイン，可溶型RAGE値，そして安全性が評価された．結果，PaO_2/F_IO_2比はミダゾラム群よりセボフルラン群で高値であり（mean ± SD，205 ± 56 vs. 166 ± 59，$p = 0.04$），ミダゾラム群と比較してセボフルラン群でサイトカイン，可溶型RAGE値の有意な減少がみられセボフルランによる重篤な有害事象はみられなかった．結論としてARDS患者においてミダゾラムと比較してセボフルランは酸素化を改善し，上皮傷害マーカー，いくつかの炎症マーカーの値を減少させた．

18）Jabaudon M, Boucher P, Imhoff E et al：Sevoflurane for sedation in acute respiratory distress syndrome. a randomized controlled pilot study. Am J Respir Crit Care Med 195：792-800, 2017

7. 悪性高熱症ガイドライン

濱田　宏
広島大学大学院医歯薬保健学研究科 麻酔蘇生学

最近の動向

- 悪性高熱症（MH）の臨床上の発生頻度は依然として10万例に1〜2例程度と考えられるが，MHを引き起こす可能性のある遺伝形質をもった患者の割合は，実際の臨床的発生頻度よりかなり多いと思われる．
- MHの原因遺伝子に関する研究は着実に進んでおり，年々新しい知見が蓄積されつつある．各遺伝形質と臨床的意義との関連についての研究が世界規模で進行中である．
- "activated charcoal filters（ACFs）"を麻酔回路の吸気，呼気両側に装着することにより，90秒以内に麻酔器を吸入麻酔薬フリーの状態にすることができる．英国や米国ではすでにその使用が推奨されており，今後は本邦にも導入される可能性がある．
- 特発性高CK血症患者はMH素因の可能性を考慮して，吸入麻酔薬の使用は控えたほうがよい．

本邦の悪性高熱症ガイドライン

日本麻酔科学会安全委員会，悪性高熱症ワーキンググループが作成した「悪性高熱症患者の管理に関するガイドライン2016」（http：//www.anesth.or.jp/guide/index.html）が2016年8月に発表され，翌年論文として出版されている[1]．このガイドラインでは主に「悪性高熱症の疫学」「悪性高熱症の病態生理」「悪性高熱症・術後悪性高熱症への対処方針」「術前リスク評価と周術期対策」を項目立てて，それぞれについて解説されている．そこで本稿では，これらの項目別に最新の文献を紹介するとともに，筆者の意見を交えて解説したい．

悪性高熱症の疫学

悪性高熱症（MH）は，すべての人種において15,000〜75,000麻酔症例に1例の頻度で発症すると推定されている[2]．しかしMHの発症頻度は，遺伝形質の不完全な浸透率（遺伝子異常をもっている場合に実際に発病する率）とさまざまな表現形が存在するために過小評価されている．実際にはMHを引き

1）Safety Committee of Japanese Society of Anesthesiologists：JSA guideline for the management of malignant hyperthermia crisis 2016. J Anesth 31：307-317, 2017

2）Riazi S, Kraeva N, Hopkins PM：Updated guide for the management of malignant hyperthermia. Can J Anesth 65：709-721, 2018

1884-8516/19/¥100/頁/JCOPY

起こす可能性がある遺伝形質を所持する確率は2,000～3,000例に1例と推定されており，これは臨床的に報告されているMHの頻度よりかなり高い[2, 3]．MHの発症頻度の米国内における地理的な地域差について調べた論文が出ている[4]．カリフォルニア州（西部），フロリダ州（南部），ニューヨーク州（北東部），ウィスコンシン州（中西部）の4州で比較したところ，全体で約970万人の退院記録のうちMHの診断がついていたのは164人で，MHの有病率は10万人の退院者数につき1.68，外科退院患者では2.37という結果だった．しかしいずれも4州の間で有意差を認めなかった．人種間での有意差も認めなかった．一方，女性より男性で，また高齢者より若年者で有意に多かった．

MHの死亡率は，1970年代にダントロレンの登場により80%から5%以下に低下したが，21世紀に入って最初の10年で再び14%に上昇している[2]．これはMHを引き起こす可能性のある麻酔薬を従来の病院以外の場所で使用する機会が増えたことや，現代の吸入麻酔薬ではMHは起こさないという誤解による可能性がある．

臨床的にMHの発生頻度が10万例に1～2例とされていることは，最近の報告でも大きく変わりはなさそうである．しかしMHを引き起こす可能性のある遺伝形質をもった患者の割合は，実際の臨床的発生頻度よりかなり多いものと思われる．各遺伝形質と臨床的意義との関連についての研究が世界規模で進行中であり，その結果が待たれる．ダントロレンの登場により死亡率は格段に低下したものの今世紀に入って再び上昇したことは，たとえ稀な疾患であっても我々麻酔科医が常に正しく理解しておくべきであることを改めて強調している．

悪性高熱症の病態生理

心筋における筋小胞体の過負荷によって誘発されるカルシウムの放出（store overload-induced Ca^{2+} release：SOICR）は心室頻脈性不整脈を起こすことがある．この作用をβブロッカーであるカルベジロールが抑制することが知られている．筋肉内に存在するRYR1受容体の遺伝子変異もSOICRの閾値を下げることが示され，さらにこれをダントロレンと同様にカルベジロールが抑制できることが証明された[5]．カルベジロール長期投与はMHの予防効果があるかもしれない．

悪性高熱症の原因遺伝子としては**リアノジン受容体（RYR1）**および**ジヒドロピリジン受容体（CACNA1S）**[6]が知られているが，近年**SH3 and cysteinrich domain-containing protein 3（STAC3）**も注目されている．STAC3はNative American myopathy（NAM）の原因遺伝子として同定された遺伝子で，NAMの患者はMH素因があることが知られている．Zaharievaら[7]は18例のSTAC3遺伝子変異保持者について検討している．STAC3の遺伝子変

3) Riazi S, Kraeva N, Hopkins PM：Malignant hyperthermia in the post-genomics era：new perspectives on an old concept. Anesthesiology 128：168-180, 2018
4) Lu Z, Rosenberg H, Li G：Prevalence of malignant hyperthermia diagnosis in hospital discharge records in California, Florida, New York, and Wisconsin. J Clin Anesth 39：10-14, 2017
5) Chen W, Koop A, Liu Y et al：Reduced threshold for store-overload-induced-Ca^{2+}-release is a common defect of RyR1 mutations associated with malignant hyperthermia and central core disease. Biochem J 474：2749-2761, 2017
6) Beam TA, Loudermilk EF, Kisor DF：Pharmacogenetics and pathophysiology of CACNA1S mutations in malignant hyperthermia. Physiol Genomics 49：81-87, 2017
7) Zaharieva IT, Sarkozy A, Munot P et al：STAC3 variants cause a congenital myopathy with distinctive dysmorphic features and malignant hyperthermia susceptibility. Hum Mutat 39：1980-1994, 2018

異により起こるMH様の反応とMHが本当に同一のものなのかさらなる検討が必要だが，MHの遺伝子変異検索を行うときにはSTAC3の検索を行うべきと述べている．

現在，MHの新規原因遺伝子の探索が盛んに行われており，その候補としてDHPR-$\beta 1\alpha$，SERCA1，およびCASQ1などが挙げられている．Pereztら[8]はDHPR-$\beta 1\alpha$のV156Aの変異が細胞内のカルシウム動態にどのような影響を及ぼすか調べた結果，CACNA1Sの遺伝子変異に似たような形でカルシウムの調節異常を引き起こすことがわかった．この変異だけでMHを起こすかどうかは定かではないが，MHを発症する潜在性はあるという．

Abeeleら[9]はTRPV1がMHの発症に関与しているのではないかと報告している．TRPV1に遺伝子変異がある細胞にハロゲン化吸入麻酔薬を吸入させると強力なカルシウム放出を起こすこと，およびTRPV1アンタゴニストをMH発症マウスに投与すると熱による代謝亢進を抑制することが報告されている．興味深い知見であるが，これ以外にTRPV1とMHの関係を調べた論文は見たことがないため，さらなる検討が必要であると考える．

MHに関連するリアノジン受容体の遺伝子変異は189個が報告されているが，そのうち機能解析がなされているものは34個しかない（2016年12月31日時点）．Merrittら[10]は新規に発見された7つのRYR1遺伝子変異に関して機能解析を行い，そのうちの6つがMHの原因となることを証明した．このことにより英国で見つかったMH家系の14%で遺伝子による確定診断が行えるようになった．最近，筆者の施設においてもリアノジン受容体の遺伝子変異の一つであるThr84Metの機能解析を行い，MH素因と関連していることを明らかにしたが[11]，彼らは同じことを7つの遺伝子変異で確認したものである．

Cullyら[12]はヒトのスキンドファイバーでリアノジン受容体周辺のカルシウム動態を測定できる実験系を用いて，MH素因者のリアノジン受容体からはカルシウムを放出する刺激がない場合でもより多く放出されている（leaky）ことを証明した．MH素因者のリアノジン受容体がleakyであることは以前から指摘されていたが，今回新しい実験系を構築することにより，さらに詳細にリアノジン受容体周辺のカルシウム動態を測定することができるようになった．

悪性高熱症・術後悪性高熱症への対処方針

MHに対するダントロレンの効果にはマグネシウムイオン（Mg^{2+}）が必要であることをChoiらが報告している[13]．リアノジン受容体を介する筋小胞体からのカルシウムイオン（Ca^{2+}）放出に対して，ダントロレンはMg^{2+}非存在下では影響を与えないが，Mg^{2+}濃度がmMレベルを超えないと効果がない．

8) Perez CF, Eltit JM, Lopez JR et al：Functional and structural characterization of a novel malignant hyperthermia-susceptible variant of DHPR-ß1a subunit（CACNB1）. Am J Physiol Cell Physiol 314：C323-C333, 2018

9) Abeele FV, Lotteau S, Ducreux S et al：TRPV1 variants impair intracellular Ca^{2+} signaling and may confer susceptibility to malignant hyperthermia. Genet Med, 2018 [Epub ahead of print]

10) Merritt A, Booms P, Shaw MA et al：Assessing the pathogenicity of RYR1 variants in malignant hyperthermia. Br J Anaesth 118：533-543, 2017

11) Kondo T, Yasuda T, Mukaida K et al：Genetic and functionall analysis of the RYR1 mutation p.Thr84Met revealed a susceptibility to malignant hyperthermia. J Anesth 32：174-181, 2018

12) Cully TR, Choi RH, Bjorksten AR et al：Junctional membrane Ca^{2+} dynamics in human muscle fibers are altered by malignant hyperthermia causative RyR mutation. PNAS 115：8215-8220, 2018

13) Choi RH, Koenig X, Launikonis BS：Dantrolene requires Mg^{2+} to arrest malignant hyperthermia. PNAS 114：4811-4815, 2017

さらにMH素因者の筋肉でハロタンにより発生する細胞内Ca^{2+}の繰り返し上昇（Ca^{2+} waves）に対して，ダントロレンは安静時の細胞内Mg^{2+}濃度である1 mM存在下では効果を示さないが，1.5 mMに上昇すると抑制効果を発揮する．ダントロレンはリアノジン受容体とMg^{2+}の親和性を高めることで，リアノジン受容体からのCa^{2+}放出を抑制しており，MH素因者では内因性の安静時レベルMg^{2+}濃度（1 mM）では不十分で，少なくとも1.5 mMまでの上昇が必要であると述べている．今後，ダントロレン投与が必要な状況となった場合には，Mg^{2+}製剤の併用も考慮すべきかもしれない．

MHが疑われる場面に遭遇した場合にまず行うべき処置の一つとして，吸入麻酔薬の吸入を中止することと，酸素を高流量で流して麻酔回路から吸入麻酔薬を除去することがある．しかし最近の麻酔器は非金属配管が多く，麻酔薬の吸入を中止しても60分以上に渡って麻酔蒸気が高値のまま残存しているともいわれている．最近の麻酔器で比較検討した結果，吸入麻酔薬の供給を停止して高流量酸素を流した状態でも，安全とされる5 ppm以上の濃度が144分以上測定されたとの報告がある．最近の麻酔器は高価であるため，交換可能な予備の麻酔器を用意しておくというのも経済的に困難であろう．そこで注目されているのが“activated charcoal filters（ACFs）”である．ACFsは麻酔器から吸入麻酔薬を素早く除去するように作られたもので，ACFsを麻酔回路の吸気，呼気両側に装着することにより，90秒以内に麻酔器を吸入麻酔薬フリー（濃度5 ppm未満）の状態にすることができる．英国MH調査センター（http：//www.ukmhr.ac.uk/operating-theatre-staff/preparing-a-known-mh-case/）や米国MH協会（https：//www.mhaus.org/healthcare-professionals/managing-a-crisis/）ではすでにACFsが推奨されている[14]．今後はガイドラインでその使用が推奨される可能性もあり，本邦においても導入の検討を要する．

MHに対処する場合にチェックリストの有無が麻酔科医のパフォーマンスにどのように影響するかを，シミュレーショントレーニングで調べた報告が出ている[15]．フランス麻酔集中治療学会（SFAR）のMHチェックリストを使用した群と使用しなかった群で，MHシミュレーション下での麻酔科医の技術的な，そして非技術的なパフォーマンスを比較したところ，チェックリストを使用した群で両パフォーマンスとも有意に高い評価が得られた．緊急時の対応においてチェックリストの有用性を強く示唆した報告であり，すでに類似のリストを各手術室に常備している施設もあると思われるが，緊急時に着実にガイドラインに沿った対処を行うため，ぜひ用意しておきたい．

術前リスク評価と周術期対策

MHは稀な麻酔合併症ではあるが，ひとたび発症した場合は一刻を争う対応

14) Bickmore EG, Aziz E：The use of activated charcoal filters in anaesthetic circuits in suspected malignant hyperthermia. Anaesthesia 72：1423-1424, 2017

15) Hardy J-B, Gouin A, Damm C et al：The use of a checklist improves anaesthesiologists' technical and non-technical performance for simulated malignant hyperthermia management. Anaesth Crit Care Pain Med 37：17-23, 2018

が求められるため，いつでもダントロレンがすぐ使用できるように準備しておくことは重要である．しかし極めて使用頻度の少ないダントロレンを，どのくらい手元に準備しておくかは悩ましい．Ho ら[16] は MH のトリガーとなりうる麻酔薬を使用することが稀な産科施設において，ダントロレンを含めた MH カートを配置し維持することに関して費用対効果を分析している．その結果，こういった施設にフルに内容を揃えた MH カートを配置し維持することは，費用が効果を大きく上回ることから初期投与分のダントロレンのみの配置が適当であると結論している．多くの手術が行われている通常の病院では十分量のダントロレンを含めた蘇生キットを手術室に準備しておくべきだが，ほとんど全身麻酔が行われない施設においてはこの研究結果は参考になろう．

種々のミオパチーを合併した患者が手術を受ける場合，しばしば MH との関連で麻酔上問題になる．ミオパチーは一般的に MH と関連していると長年考えられてきたが，ほとんどのミオパチーにおける MH 様反応は全く別の病態であると今は理解されている[17]．先天性ミオパチーの中で MH と関連している例として，central core disease，King-Denborough disease，Evans ミオパチーがある[17]．筋ジストロフィー，筋緊張性ミオパチー，ミトコンドリアミオパチーは現在のエビデンスによると MH との関連はないと考えられる[17]．MH と関連がないとされているミオパチーでは，リスク / ベネフィットを考慮のうえで吸入麻酔薬の使用は許容されるが，スキサメトニウムの使用はすべてのミオパチー患者で禁忌である[17]．

術前検査で creatine kinase（CK）が高値の患者も，しばしば MH との関連で問題になる．Santos ら[18] は MH センターで *in vitro* contracture test（IVCT）で MH 素因を調べられた 172 人の患者の中から，特発性高 CK 血症と診断されていた 9 人を研究対象として，IVCT や血液検査，そして DNA が利用できる 5 人については遺伝子解析も行った．その結果，9 人中 6 人で IVCT 検査が陽性であった．遺伝子解析では神経筋疾患の原因として知られる遺伝子異常は認められなかったが，RYR1 や CACNA1S などにいくつかの遺伝子多型が認められた．結論として特発性高 CK 血症患者は MH 素因の可能性を考慮することが極めて重要であると述べている．**原因がはっきりしない CK 高値が術前に認められた場合，吸入麻酔薬の使用は避けたほうがよい．**

労作性横紋筋融解症（ER）は激しい運動後に発症し，筋痙攣，体温上昇，頻脈，頻呼吸，高カリウム血症，CK 値上昇など，MH と共通した臨床的特徴をもつ疾患である．MH の既往も家族歴もない ER 患者が MH のテストで陽性だったとの報告もあり，さらに ER の最大 30% で MH に関連した RYR1 変異が原因である可能性も指摘されている．MH 素因ありと診断された ER 患者を後方視的に調べた研究[19] によると，ER 患者 17 人中 10 人で MH の原因とされている RYR1 あるいは CACNA1S 変異をもっていた．一方，システマ

16) Ho PT, Carvalho B, Sun EC et al：Cost-benefit analysis of maintaining a fully stocked malignant hyperthermia cart versus an initial dantrolene treatment dose for maternity units. Anesthesiology 129：249-259, 2018

17) Schieren M, Defosse J, Böhmer A et al：Anaesthetic management of patients with myopathies. Eur J Anaesthesiol 34：641-649, 2017

18) Santos JM, Andrade PV, Galleni L et al：Idiopathic hyperCKemia and malignant hyperthermia susceptibility. Can J Anesth 64：1202-1210, 2017

19) Kraeva N, Sapa A, Dowling JJ et al：Malignant hyperthermia susceptibility in patients with exertional rhabdomyolysis：a retrospective cohort study and updated systematic review. Can J Anesth 64：736-743, 2017

ティックレビューにより，MHの原因であると確定されていないものも含む39の異なるRYR1変異がER患者の78％で明らかになった[19)]．ERの既往のある患者もMH発症のリスクになる可能性を示唆しており，MHとの関連性が判明していない神経筋疾患はまだ他にも存在するものと思われる[20)]．MHとの関連の可能性が憂慮される場合には，トリガーとなりうる薬剤の使用は避けるほうがよい．

20）De Wel B, Claeys KG：Malignant hyperthermia：still an issue for neuromuscular diseases?. Curr Opin Neurol 31：628-634, 2018

8. 静脈麻酔薬（麻薬を除く）

櫛方哲也（くしかたてつや）
弘前大学大学院医学研究科 麻酔科学講座

最近の動向

- デクスメデトミジンによる鎮静，術後せん妄に対する研究が続けられている．一時期に比べ，研究の件数は減少した印象がある．デクスメデトミジンがこの分野では最有力であることに変わりはないようであるが，他の代替法の確立に向けて模索が続いている状況と思われる．確定的なことが定着するまでは今しばらくの時間が必要のようである．
- ケタミンの抗うつ作用については多くの報告がなされてきている．基礎研究の分野では作用機序の解明が盛んになされているようである．抗うつ作用についてはケタミンだけではなく他のいわゆる「全身麻酔薬」にもその効果が期待できるかもしれないという機運がある．この分野は手術時の臨床麻酔管理，集中治療を含めた周術期管理，疼痛制御（ペインクリニック），緩和医療など既存の担当分野に加え，麻酔科医の新しい活躍の場になるかもしれない．また，ケタミンについてはプロポフォールなどとの組み合わせで個々の薬剤の望ましくない副作用を軽減できる可能性が示され，特に小児を含めさまざまな鎮静に用いられている．
- プロポフォールについては多彩な研究が基礎，臨床を問わず行われている．人工心肺使用例，肥満を含めた特殊な病態での投与法の研究，monitored anesthesia care への応用，心筋保護作用について他の麻酔薬，特にデスフルランとの比較などが臨床麻酔管理分野で行われている．また，プロポフォール注入症候群の病理についても電子顕微鏡所見をはじめ，一層の発展がみられた．

デクスメデトミジン

鎮静，術後せん妄に対する研究が主体である印象がある．デクスメデトミジン自体の有益性に関する研究とデクスメデトミジンの代替になる方法が模索されている．代替法が模索される背景には経済的な要因もあると思われる．

デクスメデトミジンの周術期せん妄（POCD）予防の効果についての systematic review/meta-analysis がある[1]．デクスメデトミジンの POCD 予防に対する評価はまだ確定しているとはいえない．デクスメデトミジンが POCD 予防に効果があるか否か投与量と症例の年齢の関連を研究した．2017 年より PubMed と Cochrane Library を対象に文献をレビューしている．18

1）Duan X, Coburn M, Rossaint R et al：Efficacy of perioperative dexmedetomidine on postoperative delirium：systematic review and meta-analysis with trial sequential analysis of randomised controlled trials. Br J Anaesth 121：384-397, 2018

1884-8516/19/¥100/頁/JCOPY

歳以上の外科手術を対象（n = 3,309）にした．総じてデクスメデトミジンの投与はPOCDを予防した（オッズ比（OR）：0.35，95%信頼区間（CI）：0.24～0.51）．内訳は心臓外科（OR：0.41，95% CI：0.26～0.63），非心臓外科（OR：0.33，95% CI：0.18～0.59）であった．65歳以下の症例では（OR：0.19，95% CI：0.10～0.36），65歳以上の症例では（OR：0.44，95% CI：0.30～0.65）とPOCDを低下させた．**最適な量とタイミングの決定はさらなる検討が必要だが，デクスメデトミジンはPOCD予防に効果がある**という．

神経集中治療における鎮静薬としてデクスメデトミジンが頻用されるようになってきているが，初期の研究ではデクスメデトミジンによる脳血流量の低下は脳の代謝の低下を上回る危険，すなわち虚血による脳神経障害を助長する懸念が示されていた．この研究[2]では脳の局所ブドウ糖消費量（CMRglu）を指標として他の鎮静薬とデクスメデトミジンとの比較を試みている．鎮静の程度は対象となる薬剤でほぼ等しくなるように各群50%の被験者が呼名に反応するよう投与量を調整した．160人の健常成人を対象デクスメデトミジン（1.5 ng/mL，n = 40），プロポフォール（1.7 μg/mL，n = 40），セボフルラン（0.9% end-tidal，n = 40），S-ケタミン（0.75 μg/mL，n = 20），プラセーボ（n = 20）におけるブドウ糖消費を定量（全脳と15ヵ所の局所）．デクスメデトミジンのブドウ糖消費量ほぼすべての部位で最低であり，S-ケタミンはプラセーボと有意差がなかった．この研究はデクスメデトミジンが脳血流低下に見合うだけの脳代謝を低下させることを示唆しており，健常人のデータではあるものの**神経集中治療中の鎮静にデクスメデトミジンの使用が脳神経障害をもたらすという懸念が少ないことを示唆**している．

外来で食道エコーを行う場合の鎮静薬としてデクスメデトミジン（200 μg を20 mLに調整）とケタミンとプロポフォールの混合剤（Ketofol：ケタミン1 mg，プロポフォール3 mgを計20 mLに調整した合剤，PK）の比較をした研究がある[3]．18～60歳の成人50人を対象とし1 mL/kg/hの用量でで持続静注を開始，Ramsay Sedation Score（RSS）が3以上に到達したところで0.5 mL/kg/hに投与速度を下げ終了まで持続投与した．RSS 3以上となる時間はKetofol群が260秒（中央値69秒）デクスメデトミジン群460秒（中央値137秒）とPKが有意に短かった（$p < 0.05$）．実際の臨床の場で1分程度の差がどのような意味があるかだが，このような方法もあるということである．

心臓外科の術後にはさまざまなタイプの頻脈が生じ，術後経過に悪影響を及ぼす．ICUの鎮静薬として盛んに使用されているデクスメデトミジンが何らかの抗不整脈作用を有するか否か**MEDLINE，Embase（OVID SP）and the Cochrane Central Register of Controlled Trials（CENTRAL）**の3つのデータベースに登録されているrandomized controlled trialの英文論文を対象にメタアナリシスを行った[4] 2,587の研究がスクリーニングされ9つの研究（n =

2) Laaksonen L, Kallioinen M, Langsjo J et al：Comparative effects of dexmedetomidine, propofol, sevoflurane, and S-ketamine on regional cerebral glucose metabolism in humans：a positron emission tomography study. Br J Anaesth 121：281-290, 2018

3) Sruthi S, Mandal B,Rohit MK et al：Dexmedetomidine versus ketofol sedation for outpatient diagnostic transesophageal echocardiography：a randomized controlled study. Ann Card Anaesth 21：143-150, 2018

4) Ling X, Zhou H,Ni Y et al：Does dexmedetomidine have an antiarrhythmic effect on cardiac patients? a meta-analysis of randomized controlled trials. PLoS One 13：e0193303, 2018

1,290）が分析対象となった．心室性不整脈の発症頻度はデクスメデトミジンが有意させたが（OR：0.24，95％ CI：0.09～0.64，I2＝0％，$p=0.005$），心房細動に関しては有意な効果はなかった（OR：0.82，95％ CI：0.60～1.10，I2＝25％，$p=0.19$）．心房細動は時に治療に難渋するが，デクスメデトミジンによる鎮静と一石二鳥というわけにはいかないようである．

ケタミン

ケタミンに関するトピックはここ数年抗うつ作用に関するものが相変わらず多いが，基礎的な研究も散見される．

まずは基礎研究を挙げる．ケタミンの意識変容の機序解明の試みである．15人の成人健康ボランティアに麻酔量以下のケタミン（0.5 mg/kg：知覚低下と離人体験をもたらす量）を40分間持続静注し脳表の複数部位の脳波を分析した研究がある[5]．ケタミンは低周波帯域のパワー（脳波電位の2乗：uV^2）を広範に低下させた．とりわけアルファ帯域（8～12 Hz）は頭頂葉で－0.94 dB後頭葉で－1.8 dBと強く抑制（$p<0.001$）させた．これらの部位はさまざまな感覚入力の統合部位なのでケタミンによる意識変容の機序の一端を示唆しているかもしれない．類似の研究はプロポフォールでも行われており脳の各部位の情報伝達の可逆的阻害が全身麻酔薬による意識消失機序の一端であろう．ただし，麻酔量と麻酔量以下では脳波の変化も同一ではないから結果の解釈は単純ではない．

鎮静薬としてのケタミンをプロポフォールと比較した研究を紹介する．小児の上部消化管検査の鎮静には一般にプロポフォールが使用されているが時に循環抑制をきたす危険がある．ケタミンをプロポフォールに添加することでこの副作用減らせるか否か検討した[6]．ケタミンを0（対照），0.25，0.5，1.0 mg/kgを添加し有効性を検討した．ケタミン1.0 mg/kg投与群はプロポフォールの総投与量を減少させた．平均血圧はケタミン0 mg/kg対1.0 mg/kgで有意に上昇し，悪心視覚異常も有意に多かった．症例の病態に応じ，ケタミンとプロポフォールの利点欠点を勘案し組み合わせる必要があると思われる．

以下，ケタミンの抗うつ作用に関する報告を挙げる．

精神科電気けいれん療法（ECT）では実施時の鎮静薬としてさまざまな麻酔薬が選択されている．ケタミンはそれ自身の抗うつ作用を期待され一部のECT症例で使用されてきているが，その他の麻酔薬（プロポフォール，チオペンタール，メトヘキシタール）と効果を比較検討したシステマティックレビューである[7]．ケタミンは発症早期のうつに対するECTに使用した場合に利点があるかもしれないが，総じてうつ状態からの寛解にはECT自体の作用のほうが主体と考えられるという．ケタミンの副作用が好ましくない症例も存在するため一概にケタミンがECTにおいて最適な薬剤とはいえず，選定にあ

5）Vlisides PE, Bel-Bahar T, Nelson A et al：Subanaesthetic ketamine and altered states of consciousness in humans. Br J Anaesth 121：249-259, 2018

6）Hayes J, Matava C, Pehora C et al：Determination of the median effective dose of propofol in combination with different doses of ketamine during gastro-duodenoscopy in children：a randomised controlled trial. Br J Anaesth 121：453-461, 2018

7）Cobb K, Nanda M：Ketamine and electroconvulsive therapy：so happy together?. Curr Opin Anaesthesiol 31：459-462, 2018

たっては各々の症例に応じて適用決める必要があるという.

抗うつ作用に関してはケタミンのみならず，他の麻酔薬にも類似の効果があるらしい[8]．他の麻酔薬とは**亜酸化窒素，イソフルラン，プロポフォールであって3剤とも何らかの抗うつ作用がみられるという**．亜酸化窒素の「抗うつ作用」に関してはケタミン同様NMDA受容体関連の機序が関与しているという．一方，イソフルランとプロポフォールはこれらの麻酔薬による脳波のburst suppressionが「抗うつ作用」の発現の一序と考えられている．麻酔薬とECTのいずれが「抗うつ作用」に優位かという問いにはECTが優位とされているが，この研究では麻酔薬がECTの代替としてうつ病の治療に用いられる可能もあるという今後の展開に注目したい

うつ病の治療に全身麻酔薬を使用することは麻酔科医の全く新しい活躍の場となるかもしれない[9]．

プロポフォール

静脈麻酔薬としてフォスプロポフォール，レミマゾラム，アルファキサロンなどの研究も続いているが[10]，プロポフォールが主体であることに変わりはない．

トピックは多彩であるがまずは基礎研究から一つ取り上げたい．

意識の維持には大脳皮質と皮質下の情報の連携が一つのキーであると考えられている．ヒトではプロポフォールによる意識消失機序の一つとして脳波の脳波のアルファ帯域（7～13 Hz）とガンマ帯域（30～90 Hz）のパワー（脳波電位の2乗：μV^2）と同期性の変化が考えられている．特に大脳帯状皮質の前部に注目が集まっている[11]．

次に臨床領域として薬物動態の研究を挙げる．

肥満に対するTCIモデルの進歩についての研究である．薬物のクリアランスの変化は体重をもとにした場合，線形ではなく非線形であると知られている．そのため標準体型の投与法をそのまま適用するのは適当ではない．他の要素つまり体表面積，理想体重，脂肪体重，脂肪重量を加味したモデルの構築が望ましい．プロポフォールとレミフェンタニルではそのようなモデルの開発が進みつつあるという[12]．線形とは任意のx，yに対して $f(x+y) = f(x) + f(y)$ 任意のx，αに対して $f(\alpha x) = \alpha f(x)$ を満たすことであり，ごく単純に考えれば（不正確は承知のうえで）体重が2倍になれば2倍になるという理解になる．投与量の変化がそう単純ではなかろうということは臨床の現場では感じられる．

全静脈麻酔（TIVA）の麻酔薬投与システムはさまざまに開発されているが特殊な条件，例えば極端な肥満では正確性に欠ける憾みが残っている．人工心肺を要する心臓手術麻酔もその特殊な条件の一つであって人工心肺導入時に麻

8) Tadler SC, Mickey BJ：Emerging evidence for antidepressant actions of anesthetic agents. Curr Opin Anaesthesiol 31：439-445, 2018

9) Vutskits L：General Anesthetics to treat major depressive disorder：clinical relevance and underlying mechanisms. Anesth Analg 126：208-216, 2018

10) Sear JW：Challenges of bringing a new sedative to market!. Curr Opin Anaesthesiol 31：423-430, 2018

11) Huang Y, Wu D, Bahuri NFA et al：Spectral and phase-amplitude coupling signatures in human deep brain oscillations during propofol-induced anaesthesia. Br J Anaesth 121：303-313, 2018

12) Cortinez LI, Anderson BJ：Advances in pharmacokinetic modeling：target controlled infusions in the obese. Curr Opin Anaesthesiol. 31：415-422, 2018

酔薬の血中濃度が大きく変動するため投与モデルの適用が難しい．特に術中覚醒の懸念がある．この研究[13]では46～81歳の待機的心臓手術の症例を対象としBISを30～60に保つようプロポフォールを投与，血中濃度を実際に測定，シュナイダーのモデルによる予測値と比較検討した．**人工心肺中のプロポフォール血中濃度は予測値と乖離し，予測値のほうが低かったという．この結果は術中覚醒の懸念は少ないものの，低血圧などプロポフォールによる循環抑制がみられる懸念がある．特殊な条件下の投与モデルの確立も望まれる．**

プロポフォールをはじめとする静脈麻酔薬は吸入麻酔薬と比較して麻酔に必要な量および投与中止から覚醒に至るまでの時間に個人差が大きいことが知られている．この原因は一つの要因からなる単純なものではないが遺伝子の多型性に注目した研究がある[14]．ヒト（n = 83）を対象プロポフォール2 mg/kgを単回投与，投与後1，5，10，15分後にvの血中濃度を測定しAUC15分を算出，年齢，BMI，ICG消失時間，肝血流量，術前のヘモグロビン値，性別，代謝酵素であるUGTIA9，CYP2B6との関連を多変量解析した．BMIのみが独立変数であった．本研究で代謝の要素が時間的に関与するには測定時間が少し短いかもしれない．持続投与なのでもう少し長時間の測定を行うと結論も変わる可能性はあるが麻酔投与ソフト開発の根拠にはなるだろう．

人口の高齢化に伴い60歳以上の症例にプロポフォールを使用する状況が増加しているが，術後24～72時間後に術後せん妄（POCD）を生じる割合は高齢者の60％にものぼるといわれている．POCDは術後の経過に悪影響与えるためその予防が重要であるが，現時点で確固たる予防法がない．高齢者の非心臓手術における全身麻酔薬としてプロポフォールを使用したTIVA群と吸入麻酔薬を使用した群でPOCD，死亡率，低血圧，post anesthesia care unit（PACU）滞在時間，入院期間に差異があるか否かを検討したメタアナリシス[15]がある．28のRCT（n = 4,507）を対象としさまざまな手術（多くは血管，腹腔鏡，開腹，整形外科領域，眼科領域の手術）で上記の項目を検討したTIVAと吸入麻酔で明らかな差異は見出せなかった．現在進行中の研究が11あるため今後の展開に期待したい．

ICUでは周囲の雑音や侵襲的なモニタリングのため睡眠が障害される傾向にある．睡眠障害はさまざまな肉体的・精神的悪影響をもたらすため可能な限り是正する必要がある．プロポフォールは睡眠障害を是正するといういくつかの研究があるが，ICUでの睡眠障害をも是正するか検討した研究がある[16]．16歳以上の成人のICU滞在症例を対象とし睡眠障害で生じた悪影響を是正するか否かを検討したメタアナリシスである．対象としたデータベースはCochrane Central Register of Controlled Trials（CENTRAL；2017, Issue 10），MEDLINE（1946～2017年10月まで），Embase（1974～2017年10月まで），the Cumulative Index to Nursing and Allied Health Literature

13) Lee AKY, Kong AYH, Kong CF：Performance of TCI propofol using the schnider model for cardiac surgery on cardiopulmonary bypass-A pilot study. J Cardiothorac Vasc Anesth 32：723-730, 2018

14) Kanaya A, Sato T, Fuse N et al：Impact of clinical factors and UGT1A9 and CYP2B6 genotype on inter-individual differences in propofol pharmacokinetics. J Anesth 32：236-243, 2018

15) Miller D, Lewis SR, Pritchard MW et al：Intravenous versus inhalational maintenance of anaesthesia for postoperative cognitive outcomes in elderly people undergoing non-cardiac surgery. Cochrane Database Syst Rev 8：CD012317, 2018

16) Lewis SR, Schofield-Robinson OJ, Alderson P et al：Propofol for the promotion of sleep in adults in the intensive care unit. Cochrane Database Syst Rev 1：CD012454, 2018

(CINAHL)(1937～2017年10月まで),PsycINFO(1806～2017年10月まで)とし,対象とした研究はヒトの生理的睡眠時間(午後10時～午前7時までなど)にプロポフォールもしくは他の鎮静剤(ベンゾジアゼピンなど)を投与した研究のみとした.結果としてこの条件ではいまだプロポフォールが睡眠障害訂正するか否か十分な根拠が得られていない.

悪性腫瘍の切除には吸入麻酔よりもTIVAのほうが望ましいという報告が増えている.実態はどうだろうか.オーストラリアニュージーランド(ANZA)の麻酔科学会所属の麻酔科医5,300人のうち1,000人を無作為に抽出し悪性腫瘍の全身麻酔管理についてメールで質問を送付した研究がある[17].回答は275人(27.5%)で得られ,そのうち18%がTIVAを主に選択していた.それに対し46%の麻酔科医がTIVAの選択症例20%以下という結果であった.TIVA選択の基準として悪心嘔吐のハイリスク群,脳神経外科領域の手術,悪性高熱発症の懸念が挙げられた.全回答のうち4%がTIVAのセットアップがより簡単になればTIVAを選択すると回答した.全回答43%がTIVAは悪性腫瘍の再発率の低下に寄与するとした一方,46%が関連はないと回答した.ANZAでは悪性疾患の麻酔管理においてTIVAの実施率が低く,麻酔科医がTIVAを選択するにはより広範なランダムコントロールテストが必要という.他の国々もおそらく同様であろう.

MRI検査時の鎮静にプロポフォールが使用されるが循環抑制,呼吸抑制などの副作用が懸念されている.この研究[18]はプロポフォール単独とプロポフォール+ケタミン(PK)の組み合わせの2群で比較した研究である.3ヵ月～10歳の外来での予定MRI検査の症例(n = 347)を対象とし,プロポフォール単独では10 mg/kg/hの持続静注,PK群では1 mg/kg/のケタミン静注後にプロポフォール5 mg/kg/hで持続静注とした.primary outcomeは完全覚醒までの時間(modified mold rate score = 10)とした.症例の年齢分布は4.0(0.25～10.9),体重15.6(5.3～54)kg,ASA(I/Ⅱ/Ⅲ = 141/188/18)PKで完全覚醒時間は38(22～65)分,プロポフォール単独群で54(37～77)分と有意にPK群で短かった.血圧はPK群で高めに保持されたが体動もまた多かった.呼吸抑制,覚醒時不隠,術後のPONVは両群で有意差がみられなかった.外来小児の検査にケタミン併用は覚醒が早いがMRIで体動が生じるのは望ましくない.ただし,小児領域ではいわゆるプロポフォール注入症候群(PRIS)の発症が懸念されるため,プロポフォールの投与量を減らしたいという意図の研究は続くであろう.

プロポフォール注入症候群については組織学的所見と電子顕微鏡所見が症例報告されている[19].本症候群の病理が全身に渡る広範なミトコンドリア損傷を中心にしたものだという.対象となった症例は脳内血腫除去術が施行された19歳の男性.術後に脳浮腫が生じたため複数回の手術を受けた.経過中の鎮

17) Lim A, Braat S, Hiller J et al：Inhalational versus propofol-based total intravenous anaesthesia：practice patterns and perspectives among Australasian anaesthetists. Anaesth Intensive Care 46：480-487, 2018

18) Schmitz A, Weiss M, Kellenberger C et al：Sedation for magnetic resonance imaging using propofol with or without ketamine at induction in pediatrics-a prospective randomized double-blinded study. Paediatr Anaesth 28：264-274, 2018

19) Vollmer JP, Haen S, Wolburg H et al：Propofol related infusion syndrome：ultrastructural evidence for a mitochondrial disorder. Crit Care Med 46：e91-e94, 2018

静はプロポフォール持続静注．経過中に左心不全，発熱，腎不全を続発して死亡した．骨格筋，心筋，肝臓のミトコンドリア領域の光電子密度沈着物（電子顕微鏡では暗色として指認される）が観察された．この沈着物は遊離脂肪酸が蓄積していることを示しており，ミトコンドリア損傷を示している．プロポフォール注入症候群の病理を直接視覚的に示した第一例目という．

以下，臨床科領域のトピックを挙げる．

脳外科領域では，くも膜下出血のクリッピングの全身麻酔管理に使用した麻酔薬で術後の死亡率についての差異があるか検討した研究がある[20]．対象とした麻酔薬はプロポフォールとデスフルランで各35人の症例について検討した．プロポフォール群はプロポフォールとフェンタニルで，デスフルラン群はデスフルランとフェンタニルで全身麻酔を維持した．頸静脈酸素飽和度（$SjVO_2$），脳腫脹の程度，麻酔薬投与中止から気管挿管抜管までの時間，術後の入院日数，退院時のmodified Rankin score（MRS：脳卒中の概括予後評価尺度として頻用されているスコア）を比較検討した．プロポフォール群の入院中央値は9日（6〜14）デスフルラン群も9日で有意差なし．MRS 0〜1の良好な経過をたどった症例はプロポフォール群18，デスフルラン群14と有意差がない．覚醒時の血圧上昇はデスフルラン群有意，$SjVO_2$もデスフルラン群で有意に高値であった．以上の指標からからくも膜下出血のクリッピングの全身麻酔管理においてはプロポフォールとデスフルランは異質なものではなく，症例の病態の諸条件を勘案していずれかの麻酔薬を選択可能ということである．

循環器領域では，従来は侵襲的治療の適応にならなかった重症弁膜症例にも新しい治療法として経カテーテル的大動脈弁植え込み術（trans-catheter aortic valve implantation：TAVI）が適用されるようになってきた．このような症例はそもそも全身麻酔そのものがリスク因子になりうるため，全身麻酔ではないmonitored anesthesia care（MAC）選択されることが多い．しかしながらMACでのTAVIアウトカムの研究はまだ少ないのが現状である．2014年11月〜2016年6月までの期間でMACに使用する薬剤により術後経過に差異があるか否かを検討したpilot study[21]であるが一つ報告がある．プロポフォール単独群（$n = 39$），プロポフォールとデクスメデトミジンの組み合わせ（$n = 34$）という2群間で術後せん妄およびICU滞在時間の点において有意差が認められなかった．TAVIの麻酔管理は今後症例の増加が見込まれるため，今後の研究が切望される分野である．これに加えてTAVIの麻酔管理に使う麻酔薬の種類で周術期心筋障害（PMD）に差異が生じるか検討した研究[22]．単一施設のretrospective studyである．研究期間は2015年1月〜2017年3月まで比較対象はデスフルラン（$n = 72$）とプロポフォール（$n = 68$）．心筋障害の評価は術後72時間以内のcreatine kinase myocardial band（CK-MB）とtroponin Iの濃度変化を指標とした．CK-MBは正常値の5倍，

20）Bhardwaj A, Bhagat H, Grover VK et al：Comparison of propofol and desflurane for postanaesthetic morbidity in patients undergoing surgery for aneurysmal SAH：a randomized clinical trial. J Anesth 32：250-258, 2018

21）Chen EY, Sukumar N, Dai F et al：A pilot analysis of the association between types of monitored anesthesia care drugs and outcomes in transfemoral aortic valve replacement performed without general anesthesia. J Cardiothorac Vasc Anesth 32：666-671, 2018

22）Okitsu K, Iritakenishi T, Imada T et al：Choice of desflurane or propofol for the maintenance of general anesthesia does not affect the risk of periprocedural myocardial damage in patients undergoing transfemoral transcatheter aortic valve implantation. J Anesth 32：82-89, 2018

troponin I は15倍に上昇した場合に心筋障害とした．デスフルランとプロポフォールでPMDでの発症率はデスフルラン（72.2％）とプロポフォール（70.6％）と有意差なし．CK-MBの変化はデスフルラン群7.85（1.3～72.7）ng/mL，プロポフォール群8.45（1.8～49.7）ng/mLと有意差なし（p = 0.59）．Troponin I はデスフルラン群1.061（0.050～10.8）ng/mL，プロポフォール群1.214（0.036～29.0）ng/mLと有意差なし p = 0.97．PMDの発症率は術中の出血量に依存していた（オッズ比（OR）：1.49/100 mL，p = 0.048）．また，ペースメーカ留置でPMDの発症率が低下した（OR：0.17，p = 0.02）．**TAVIの麻酔管理においては麻酔薬の選択に明確な指標はいまだ示されていない．**

心筋保護に対するイソフルランとプロポフォールの効果の資格の研究[23]がある．人工心肺下の待機的冠動脈バイパス術を対象とし，心筋保護の指標としてN-terminal brain natriuretic peptide（NT-proBNP），CKMB，血圧，心拍数，循環作動薬の使用頻度を比較検討．プロポフォール群のほうが循環変動は大きかった（胸骨切開時の心拍数，平均動脈圧の変動が麻酔前の20％を超える変動）が，人工呼吸を必要とした期間，ICU滞在時間に両者で有意差は認められなかった．NT-proBNPの変動はイソフルラン群が小さい傾向にあったが有意ではなかった．全身麻酔薬の虚血に対する効果はリモデリングを含め多面的に検討されているが優劣はいまだ確定していないようである．

頭頸部領域では，喉頭マイクロ手術において，気管チューブの存在はそれ自体患者の生命維持（呼吸管理）に必修とはいえ手術操作の妨げになってきたのは事実である．TIVAを上手く適用することで自発呼吸化の「tubeless手術」が可能になりつつあるという．2014年6月～2016年9月までのretrospective review[24]．全身麻酔の導入はプロポフォール持続静注で行い，呼名反応が消失した時点で自発呼吸を維持可能な程度に投与量を減量．声帯と気管に4％リドカインで表面麻酔を施行．必要に応じフェンタニル，レミフェンタニル，デクスメデトミジン，ケタミンを併用．酸素をカニューラで投与し SpO_2 値90％を維持可能であったという．対象となった症例は平均年齢50.6歳（男性16，女性19），延べ66回の手術回数という条件である．症例の41.6％が声帯下または気管狭窄，19.4％が喉頭病変，13.9％が再発した乳頭腫，8.3％が声門上狭窄，16.8％がその他であった．そのうち8例で呼吸管理（6例で一時的な気管挿管，2例は高頻度換気）を要したという．危険はないのだろうか？

瞳孔径は侵害刺激によって変化する．全身麻酔中の侵襲程度の評価に，瞳孔径の変化の応用が考えられているが，瞳孔径はオピオイドの投与，全身麻酔の鎮静の程度に影響される可能性があり評価を困難にしている．この研究[25]ではレミフェンタニルのeffect site target濃度を1 ng/mLと固定したうえで前腕に執刀前の時点でテタヌス刺激（60 mA，100 Hz，5秒）を加え瞳孔径の変

23）Kuppuswamy B, Davis K, Sahajanandan R et al：A randomized controlled trial comparing the myocardial protective effects of isoflurane with propofol in patients undergoing elective coronary artery bypass surgery on cardiopulmonary bypass, assessed by changes in N-terminal brain natriuretic peptide. Ann Card Anaesth 21：34-40, 2018

24）Yoo MJ, Joffe AM, Meyer TK：Tubeless total intravenous anesthesia spontaneous ventilation for adult suspension microlaryngoscopy. Ann Otol Rhinol Laryngol 127：39-45, 2018

25）Sabourdin N, Peretout JB, Khalil E et al：Influence of depth of hypnosis on pupillary reactivity to a standardized tetanic stimulus in patients under propofol-remifentanil target-controlled infusion：a crossover randomized pilot study. Anesth Analg 126：70-77, 2018

化を評価している．鎮静度はBIS 55と25の2群とした．その結果，BIS 55群では変化率が32.1＋/－5.3%，BIS 25群では10.4＋/－2.5%とBIS 55群のほうで瞳孔径変化率が有意に大きかった（$p<0.001$）．侵害刺激の客観的な指標として開発が望まれる．

9. 筋弛緩薬と拮抗薬

鈴木孝浩（すずき たかひろ）
日本大学医学部 麻酔科学系麻酔科学分野

最近の動向

- 腹腔鏡手術や開腹手術時の筋弛緩深度と手術環境の話題は継続して増えているが，やはり深部遮断が有利と評価すべきであろう．
- スガマデクスによるアナフィラキシー発症例は確実に増えてはいるが，発症頻度は報告によって大きく異なる．
- ネオスチグミンで拮抗不十分時にスガマデクスを加えるという方法は，ネオスチグミンによる脱分極性遮断を誘発するため危険である．

開腹手術に適した筋弛緩は？

腹腔鏡下手術における筋弛緩深度と術野環境の関係性は，ここ数年で多くの報告がなされてきた．その結果，優良な術野環境として深部遮断を外科医が求めていることがわかった．

腹腔鏡下腹壁ヘルニア修復術においての検討でも，トロッカーを介した内視鏡の手術視野に関しては差がなかったが，ヘルニア欠損部分の縫合時の術野環境には，有意差をもって深部遮断が有利であることがわかった[1)]．

では上腹部開腹手術における筋弛緩深度と術野環境の関係はどうであろうか？ ロクロニウムによるポストテタニックカウント（PTC）0～1の深部遮断維持群と，筋弛緩が不十分と外科医が判断した際にロクロニウムを間欠的に追加投与する群で比較したところ，外科医の主観的評価ではあるが，腹腔内操作時および腹膜閉鎖時の評価が深部遮断群で有意に高かった[2)]．手術時間や術後創感染，創離開の頻度には差がなかったが，上腹部開腹手術でもやはり深部遮断が手術環境を向上するようである．そろそろ外科医の主観的評価ではなく，何かしら麻酔科医を納得させる客観的評価がほしいところではある．

筋弛緩深度は術後患者回復に影響するか？

腎臓摘出術や前立腺摘出術などの腹腔鏡下後腹膜腔手術において，ロクロニ

1）Söderström CM, Medici RB, Assadzadeh S et al：Deep neuromuscular blockade and surgical conditions during laparoscopic ventral hernia repair. a randomized, blinded study. Eur J Anaesthesiol 35：876-882, 2018

2）Madsen MV, Scheppan S, Mørk E et al：Influence of deep neuromuscular block on the surgeon's assessment of surgical conditions during laparotomy：a randomized controlled double blinded trial with rocuronium and sugammadex. Br J Anaesth 119：435-442, 2017

1884-8516/19/¥100/頁/JCOPY

ウムを高用量で使用した群と低用量で使用した群で，手術30日以内の予期しない再入院率を比較したところ，高用量群の3.8%に比較して，低用量群では12.7%（オッズ比（OR）：0.33）と有意に高かった[3]．再入院となった原因は，循環虚脱，腸炎，尿路系のリーク，尿路感染，尿閉などであり，筋弛緩が不十分な状態で狭い後腹膜腔での術野環境が整わず，軽微な組織損傷が生じ，術後合併症につながった可能性があると推測される．

3) Boon M, Martini C, Yang HK et al：Impact of high-versus low-dose neuromuscular blocking agent administration on unplanned 30-day readmission rates in retroperitoneal laparoscopic surgery. PLoS ONE 13：e0197036, 2018

TUR手術時の大腿内転を筋弛緩薬で抑制するには？

経尿道的膀胱腫瘍切除の場合，電気メスによる大腿内転筋反射防止のために，一般的には脊髄くも膜下麻酔に閉鎖神経ブロックを併用し麻酔管理されてきたが，最近では全身麻酔で維持し，筋弛緩薬によって内転筋反射を予防することも増えてきた．しかしこの際，大腿の内転運動を予防するために，母指内転筋モニタリングではどの程度の筋弛緩深度が必要なのであろうか？ 本研究[4]では母指内転筋反応を加速度感知型筋弛緩モニタで評価しながら，同時に超音波ガイド下に閉鎖神経前枝を電気刺激し，内転筋運動を観察し，ロクロニウムを少量ずつ静脈内投与した．11人の対象中，大腿内転筋運動消失に，7人で0.3 mg/kg，4人では0.45 mg/kgを要した．大腿内転筋運動消失時の母指内転筋反応は，PTC1の深部遮断からTOF比が測定できる浅い筋弛緩まで個々の症例で大きく異なり，相関性が認められなかった．つまり母指のモニタリングでは大腿内転筋の筋弛緩状態を推定できないため，すべての症例で手術を安全に遂行するには，ロクロニウム0.45 mg/kgの投与あるいは母指でPTC≤1の深部遮断が必要ということになる．

4) Fujimoto M, Kawano K, Yamamoto T：The adequate rocuronium dose required for complete block of the adductor muscles of the thigh. Acta Anaesthesiol Scand 62：304-311, 2018

スガマデクスのアナフィラキシー

2010年7月～2016年3月までの約6年間のDPCデータベースから抽出された全身麻酔を受けた小児835,405人中，149人（0.018%）のアナフィラキシーショック例が確認された．この症例をもとにしたケースコントロールスタディーから，アナフィラキシーとの関連性のある事象が検討された．アナフィラキシーショックとの関連性が認められたのは，まずは麻酔時間の長さで，発症のオッズ比（OR）は1時間以上の場合に4，2時間を超えると5，3時間以上で7であった．次に輸血で，ORは1.2であった．一方，小児における周術期のアナフィラキシーショックの発症とスガマデクス使用の有無との間に関連性は認められなかった（OR：0.8）[5]．つまりスガマデクスが使用できるようになって，小児周術期のアナフィラキシー発症の頻度が増大しているわけではないといえる．

単施設で過去3年間のアナフィラキシー発症症例に関する後ろ向き調査[6]がなされた．すべて原因薬物の確定診断には至っていないが，スガマデクスが

5) Tadokoro F, Morita K, Michihata N et al：Association between sugammadex and anaphylaxis in pediatric patients：a nested case-control study using a national inpatient database. Pediatric Anesthesia 28：654-659, 2018
6) Miyazaki Y, Sunaga H, Kida K et al：Incidence of anaphylaxis associated with sugammadex. Anesth Analg 126：1505-1508, 2018

関与したと推定される症例は15,479症例中6症例で，頻度は0.039％であり，発売企業の調査と比較すると15倍程度高い頻度であった．皮膚テストなどの診断が実施されていないのが惜しい．原因は不明だが，他施設に比較し，症例が集積しているようにも感ずる．引き続きの調査を期待したい．

スガマデクスの抗原性はどこにあるのか？ 変性したスガマデクスがアナフィラキシーの原因となっている可能性が示唆された[7]．蛍光灯光（1,000ルクス：手術室の明るさ相当）を室温で2時間照射したスガマデクスは，分子辺縁の側鎖が外れ，γ-シクロデキストリンの環状構造のみに変性することがある．γ-シクロデキストリンは食品などに含まれるため，日常生活において感作が生じている患者がいると推定される．実際にアナフィラキシーを起こした患者で好塩基球活性化試験を実施したところ，ナイーブなスガマデクスでは陰性であったが，光照射したスガマデクスでは陽性になったことから，変性したスガマデクスが原因物質となった可能性がある．スガマデクスは遮光保存が安全なようである．

ネオスチグミンとスガマデクス併用は危険！

健常成人ボランティアに，非筋弛緩状態でネオスチグミン2.5 mg（平均投与量：35 μg/kg）を静脈内投与すると，握力は20％減，母指の単収縮高は14％減，予測1秒量は15％減，予測肺活量は20％減となった．投与を繰り返すと，各測定値はさらに減少した[8]．ネオスチグミンは神経筋接合部のアセチルコリン濃度を上げることで，非脱分極性筋弛緩薬の非作用下では逆に脱分極性遮断を起し，神経筋活動を妨げてしまう．無用なネオスチグミンの投与は禁物である．

ロクロニウム投与後，TOFカウント2に回復した段階で，ネオスチグミン50 μg/kg，スガマデクス2 mg/kgあるいはネオスチグミン50 μg/kg＋スガマデクス2 mg/kgを投与し，TOF比が90％となり，自発呼吸再開後の横隔膜の筋電図活動を評価したところ，スガマデクス投与群に比較し，ネオスチグミン＋スガマデクス群では，筋活動電位が有意に低値であった[9]．つまりスガマデクスにより完全に筋弛緩拮抗されている状態でネオスチグミンが作用すると，横隔膜活動の奇異的な抑制が生じる．おそらくこの現象はネオスチグミンにより増加したアセチルコリンが脱分極性遮断を起したと推定される．**ネオスチグミン投与直後にスガマデクスを補足的に投与することは，脱分極性遮断の発現を招くことは必至であり，あるいは脱感作性遮断の可能性もあるため非常に危険である．**

スガマデクス投与後の筋硬直

高用量のスガマデクス投与後に胸壁硬直が生じた報告[10]である．生後7ヵ

7) Yamada T, Suzuki T, Murase R et al：Anaphylactic reactions to native and light-exposed sugammadex suggested by basophil activation test：a report of 2 cases. A A Pract 11：181-183, 2018

8) Kent NB, Liang SS, Phillips S et al：Therapeutic doses of neostigmine, depolarizing neuromuscular blockade and muscle weakness in awake volunteers：a double-blind, placebo-controlled, randomized study. Anaesthesia 73：1079-1089, 2018

9) Cammu G, Schepens T, De Neve N et al：Diaphragmatic and intercostal electromyographic activity during neostigmine, sugammadex and neostigmine-sugammadex-enhanced recovery after neuromuscular blockade. a randomized controlled volunteer study. Eur J Anaesthesiol 34：8-15, 2017

10) Sagan A, Aktas F, Barbicer H：Chest wall rigidity due to high dose sugammadex. J Clin Anesth 43：3, 2017

月，体重 8 kg の男児，異物誤嚥に対する気管支鏡が行われた．チオペンタール 40 mg，フェンタニル 8 μg，ロクロニウム 5 mg で麻酔導入し，マスク換気にてセボフルラン 1MAC を吸入させた．筋弛緩が得られた後，すぐに気管支鏡が施行され，問題なく終了した．スガマデクス 36 mg（4.5 mg/kg）を投与したところ，マスク換気ができなくなり酸素化が困難となった．セボフルランの吸入を再開したが，胸壁硬直は改善せず，再挿管を余儀なくされた．ロクロニウム 5 mg を再度投与し，気管挿管後には胸壁硬直は消失した．著者らは本現象を高用量のスガマデクスの副作用と捉えているが，筋弛緩モニタリングはされていないようであり，気管支鏡終了時の筋弛緩状態が評価されていないため，実際に高用量投与であったのか不明である．むしろ筋弛緩効果がスガマデクスにより迅速に拮抗されたことにより，残存するフェンタニルの胸壁硬直が顕現したと判断すべきであろう．

10. 局所麻酔薬

小田　裕（おだ　ゆたか）
大阪市十三市民病院 麻酔科

最近の動向

- 局所麻酔薬とがんの関係については，今後 *in vivo* whole animal での研究が期待される．
- 人工膝関節置換術中のリポソーム型ブピバカインの局所投与は，臨床的に有意義な術後の麻薬性鎮痛薬処方量の減少や，これによる合併症の防止，入院日数の短縮には寄与しない．
- 局所麻酔薬の中枢神経毒性は，ナトリウムチャネルの遮断とは異なり，アストロサイトでのミトコンドリア機能の阻害が直接の誘因となって生ずる可能性が，海馬培養細胞を用いた研究で示された．
- 脂肪乳剤による局所麻酔薬中毒治療のメカニズムについては，心筋に対する直接の作用が解明されつつある．分子生物学的方法を用い，多面的なデータに基づく研究が進んでいる．

局所麻酔薬のがん細胞および多臓器への転移に対する効果

局所麻酔薬そのものや区域麻酔の実施により，がん細胞の増殖や転移が抑制されることが示されている．そのメカニズムとして，①がんの増殖を促進する可能性のあるオピオイド使用量の減少，②軸索輸送の抑制による，術中のがん細胞の播種の減少，③直接のがん細胞の増殖の抑制，などが考えられている．がん細胞に対する局所麻酔薬の作用は従来，肺がん，甲状腺がん，大腸がん，膵臓がんなどの細胞を用いて検討されてきたが，細胞や麻酔薬の種類によって異なる結果が報告されている．肝細胞がんは術後に再発を生じやすいが，がん細胞に対する局所麻酔薬の作用は，プロカインを除いては明らかにされていない．Le Gac ら[1]は，2 種類のヒト肝がん細胞（HuH7，HepaRG）の生存率，増殖サイクル，アポトーシスに対するリドカインとロピバカイン（10^{-2}～10^{-5} M）の効果を検討した．その結果，リドカイン，ロピバカインとも，HuH7 および増殖前駆期の HepaRG 細胞（progenitor cells）の生存や増殖を濃度依存的に抑制することが明らかになった．一方高分化型（well-differentiated）HepaRG 細胞の生存率は，いずれの麻酔薬を加えても変化がなかった．ロピバカインは細胞増殖サイクル制御因子である cyclin A2，B1，B2 および cyclin-

1) Le Gac G, Angenard G, Clement B et al : Local anesthetics inhibit the growth of human hepatocellular carcinoma cells. Anesth Analg 125 : 1600-1609, 2017

1884-8516/19/¥100/頁/JCOPY

dependent kinase 1 の mRNA 量を減少させ，細胞増殖の G2 phase を抑制することが示された．一方リドカインは増殖サイクルには影響を及ぼさなかった．また両麻酔薬とも，HuH7，HepaRG progenitor 細胞のアポトーシスを誘発することが明らかになった．

局所麻酔薬ががんに及ぼす作用に関しては，細胞を用いた *in vitro* の研究が主体で，*in vivo* whole animal での研究は比較的少なかった．Johnson ら[2] は，雌マウス（BALB/c mice）の乳腺に乳がん細胞（4T1 cancer cells）を皮下注射，1 週間後に全身麻酔下で切除を行い，3 週間後に肺・肝臓の転移巣の数を調べた．その結果，セボフルランを用いて全身麻酔を行った場合，麻酔時にリドカインを併用（1.5 mg/kg bolus，2 mg/kg/h で 25 分間持続静脈内投与）すると，併用しない場合に比べて肺における転移巣の数が減少することが明らかになった．一方ケタミンとキシラジンで全身麻酔を行った場合は，リドカインの併用により逆に，肺転移を生じた動物の割合が増加した．なおいずれの全身麻酔薬を用いた場合も，肝臓における転移巣の数や乳腺での局所再発を生じた割合は，リドカイン併用の有無で有意差はなかった．この原因として，ケタミンによるリドカインの抗炎症作用・血管新生抑制作用の阻害が考えられる．乳がんモデルを選んだ理由として体表面からの切除が可能であること，術後の観察期間が比較的短く，合併症等を生ずる確率が低いことが挙げられている．なお臨床の現場では静脈麻酔薬としてプロポフォールが最も汎用され，最近発表されたメタ解析[3] でも，乳がん手術に際してはプロポフォール・区域麻酔・非オピオイド鎮痛薬の組み合わせが，術後の回復や予後に関して最も優れていることが示されている．しかしプロポフォールは安全性の点から動物実験には使用が困難で，本研究においてもケタミンとキシラジンが用いられている点には留意すべきである．本論文では脱落した動物数やその原因も含め，研究方法・過程が非常に詳しく記載されているのが印象的である．

リポソーム型ブピバカインの使用により，麻薬性鎮痛薬の術後使用量は減少するか？

リポソーム型ブピバカイン（以下，本剤）は 2011 年に，米国食品医薬品局（FDA）によって，人工膝関節置換術後の鎮痛を目的とした局所投与が認可された．本剤は投与 12 時間以降に血中濃度が最高に達し，半減期も長いことから，数日間の鎮痛効果が得られる利点がある．一方，投与部位からの吸収が遅いため効果の発現までに長時間を要し，手術直後の鎮痛効果が十分でない欠点がある．本剤の最大投与量は 266 mg とされるが，FDA は本剤の半量以下のブピバカインの併用を認めており，一部の施設では併用投与がなされている．Buys ら[4] は，全身麻酔または脊髄くも膜下麻酔で人工膝関節置換術を受ける 40 人に対し，本剤 266 mg（20 mL），30 万倍アドレナリン添加 0.25％ブピバ

2）Johnson MZ, Crowley PD, Foley AG et al：Effect of perioperative lidocaine on metastasis after sevoflurane or ketamine-xylazine anaesthesia for breast tumour resection in a murine model. Br J Anaesth 121：76-85, 2018

3）Eden C, Esses G, Katz D et al：Effects of anesthetic interventions on breast cancer behavior, cancer-related patient outcomes, and postoperative recovery. Surg Oncol 27：266-274, 2018

4）Buys MJ, Murphy MF, Warrick CM et al：Serum bupivacaine concentration after periarticular injection with a mixture of liposomal bupivacaine and bupivacaine hcl during total knee arthroplasty. Reg Anesth Pain Med 42：582-587, 2017

カイン125 mg（50 mL），生食40 mL（計110 mL）の混合液を調製し，人工関節挿入前に30 mL，骨セメントの硬化を待つ間に60 mL，手術終了前に20 mLを関節周囲に投与し，ブピバカインの総血中濃度を求めた．その結果，血中濃度が最高に達するまでの時間は10分～48時間後と個体差が大きかった．投与後10分以内は血中濃度が低い場合が多いが（≤ 0.1 μg/mL），回帰曲線を求めると，投与後48時間に渡って上昇を続けることが判明した．なお最高血中濃度は1.2 μg/mLで，中毒域には達しないことが明らかになった．また，年齢やASA分類，body mass indexは血中濃度には影響を及ぼさなかった．

米国では年間70万件以上の人工膝関節置換術が行われているが，本剤の導入により，術後の麻薬性鎮痛薬の必要量やそれに伴う合併症の発生率が減少することが期待されている．しかし二重盲検法に基づく近年の研究からは，本剤266 mgの術中関節周囲への投与を行った場合，従来から用いられているブピバカインの持続投与と比べ，術後の疼痛や麻薬性鎮痛薬の消費量に差がないことが示され[5]，より大規模な研究が望まれていた．Pichlerら[6]は，2013～2016年の3年間に単回投与の末梢神経ブロックを併用して人工膝関節置換術（麻酔法は主に全身麻酔または硬膜外・脊髄麻酔）を受けた約88,000人を対象に，本剤使用の有無で術後経過に違いが生ずるかを，医療費請求のデータベース（Premier Healthcare database）に基づいて検討した．その結果，対象症例の約20％で本剤が用いられたが，臨床的に有意と考えられる麻薬性鎮痛薬の処方量の減少や入院期間の短縮効果は得られず，これらの鎮痛薬による合併症の発生頻度にも差はないことが明らかになった．なお本研究では，末梢神経ブロックを併用した症例のみを対象としているため，これを併用しない場合は本剤の有効性が増す可能性があるが，ランダム化された研究結果からは，神経ブロックを施行しない場合も，従来のブピバカインから本剤に切り替えるメリットはないか，仮にあってもごく小さいと考えられる[7]．現在，本剤は腹直筋鞘ブロックや斜角筋間ブロックにおいても使用が認められている．

局所麻酔薬による中枢神経毒性の発現機序：アストロサイトが関与か？

局所麻酔薬は心筋の電位依存性ナトリウムチャネルの遮断により不整脈や心停止などの心毒性を生ずる．一方心毒性を生ずるよりも低い血中濃度で中枢神経毒性を誘発する．この原因は半世紀近くにわたって，「GABA作動性抑制性神経が，興奮性神経に比べて低い濃度で遮断されるからである」とされてきた．しかし最近では，ナトリウムチャネルを介した神経遮断以外のメカニズムが関与していることが示されている．また中枢神経系においては，アストロサイトなど神経細胞以外も重要な働きをしている．Xingら[8]は，ラット胎児の海馬から得た培養神経細胞およびアストロサイトに対してブピバカインが異な

5) Smith EB, Kazarian GS, Maltenfort MG et al：Periarticular liposomal bupivacaine injection versus intra-articular bupivacaine infusion catheter for analgesia after total knee arthroplasty：a double-blinded, randomized controlled trial. J Bone Joint Surg Am 99：1337-1344, 2017

6) Pichler L, Poeran J, Zubizarreta N et al：Liposomal bupivacaine does not reduce inpatient opioid prescription or related complications after knee arthroplasty：a database analysis. Anesthesiology 129：689-699, 2018

7) Ilfeld BM, Gabriel RA, Eisenach JC：Liposomal bupivacaine infiltration for knee arthroplasty：significant analgesic benefits or just a bunch of fat?. Anesthesiology 129：623-626, 2018

8) Xing Y, Zhang N, Zhang W et al：Bupivacaine indirectly potentiates glutamate-induced intracellular calcium signaling in rat hippocampal neurons by impairing mitochondrial function in cocultured astrocytes. Anesthesiology 128：539-554, 2018

る作用を有することを明らかにし，中枢神経毒性の発現機序の解明の端緒とした．

この研究によると，臨床使用の際に生じ得る濃度（0.3～300 μM）のブピバカインは，アストロサイトと神経細胞を同時に培養した場合，アストロサイトにおけるグルタミン酸を介した細胞内カルシウム濃度の上昇を抑制するが，神経細胞においては逆にその濃度を大きく上昇させた．ロピバカインでも同様の結果が得られたが，テトロドトキシンではこれらの変化は認められなかったことから，細胞内カルシウム濃度の変化にはナトリウムチャネルは関与していないことが示された．一方これらの細胞を単独で別々に培養した場合，ブピバカインは神経細胞においては，グルタミン酸を介した細胞内カルシウム濃度の上昇に影響を与えなかったが，アストロサイトでは細胞内カルシウム濃度の上昇を抑制した．またブピバカインによりアストロサイトのミトコンドリア膜電位は大きく低下し，活性酸素の産生量が増加したが，神経細胞においてはこれらの変化は認められなかった．これらの結果から，ブピバカインは直接アストロサイトのミトコンドリア機能を阻害することによりグルタミン酸の取り込みを抑制すること，これにより間接的に神経細胞のグルタミン酸の取り込みが増加し，細胞内カルシウム濃度が上昇すると考えられ，中枢神経系の興奮との関係が示唆された．本研究はアストロサイト，すなわち神経細胞以外に着目した点が画期的であるといえる．

脂肪乳剤の作用機序：lipid sink から non-scavenging effect の解明に

脂肪乳剤による局所麻酔薬中毒の治療効果は，さまざまな動物実験や症例報告から裏づけられている．2017 年には日本麻酔科学会から「局所麻酔薬中毒への対応プラクティカルガイド」が発表された．脂肪乳剤は脂溶性の高い薬物に対する結合率が高く，これらによる中毒に対して有効性が高いとされている．現在使用されているさまざまな局所麻酔薬は脂溶性に大きな違いがあるが，それらによる中毒に対する脂肪乳剤の効果の違いを検討した報告はほとんどなかった．吉本ら[9]は，気管切開・覚醒状態のラットモデルを用いて，心停止後の脂肪乳剤による循環回復効果を，レボブピバカイン（高脂溶性）とロピバカイン（低脂溶性）の間で比較した．方法はこれらの局所麻酔薬を 2 mg/kg/min で持続投与し，心停止誘発後に投与中止，同時に胸骨圧迫，100％酸素での人工呼吸，脂肪乳剤または生食の投与（5 mL/kg bolus 投与後，0.5 mL/kg/min で 10 分間持続投与）した．その結果，レボブピバカインによる心停止後は，脂肪乳剤投与群は対照群に較べ平均血圧・心拍数が有意に高かったのに対し，ロピバカインによる心停止後は脂肪乳剤投与の有無で平均血圧・心拍数のいずれにも有意差はなかった．また脂肪乳剤投与群では，レボブピバ

9) Yoshimoto M, Horiguchi T, Kimura T et al：Recovery from ropivacaine-induced or levobupivacaine-induced cardiac arrest in rats：comparison of lipid emulsion effects. Anesth Analg 125：1496-1502, 2017

カインによる心停止後は，ロピバカインの場合に比べて平均血圧が高いことが明らかになった．これらの結果から，脂肪乳剤は高脂溶性の局所麻酔薬による心停止に対してより有効性が高いことが示唆された．Weinbergらの一連の研究が，全身麻酔・人工呼吸下でのラットを用いているのに対し，本研究では覚醒状態のラットを用いている点で，より実際の臨床での状況に近いと考えらえる．

脂肪乳剤による局所麻酔薬中毒の蘇生効果（lipid resuscitation）についてはさまざまな*in vivo*，*in vitro*の研究がなされてきたが，その詳細なメカニズムについてはいまだに明らかにされていない．従来は，脂肪乳剤に含まれるリン脂質内への局所麻酔薬の取り込みやリン脂質表面へのイオン結合による血液中の蛋白非結合分画濃度の低下，すなわちlipid sinkが重要なメカニズムとされてきた．しかし近年の研究では，心筋中の局所麻酔薬の濃度の低下のみでは収縮力の急速な回復が合理的に説明できないことが指摘されてきた．FettiplaceおよびWeinberg[10]は，従来の研究をふまえ，脂肪乳剤による局所麻酔薬中毒の治療効果に関する以下の総説を発表した．

脂肪乳剤の作用は大きく，“scavenging”と“non-scavenging”に分けられ，前者は従来“lipid sink”とされてきた．脂肪乳剤により上述のメカニズムで局所麻酔薬の血中濃度が低下すると，局所麻酔薬は脳や心筋から血液中に放出後，血流を介して筋肉や肝臓などの毒性を生じ難い臓器へと運搬され，肝臓での代謝やその後の排泄が促される．後者としては，脂肪乳剤による直接の容量効果や，ミトコンドリアへの脂肪酸の移動の促進，脂肪酸代謝の改善などが挙げられている．また，インスリンシグナルを介して心筋収縮力の回復を生ずることも示されている[11]．Scavengingに関する研究が，主に*in vivo* whole animalでなされてきたのとは対照的に，non-scavengingについては灌流臓器や精製ミトコンドリア，さらに分子生物学的方法を用いた多面的な研究がなされている．

10）Fettiplace MR, Weinberg G：The mechanisms underlying lipid resuscitation therapy. Reg Anesth Pain Med 43：138-149, 2018

11）Fettiplace MR, Kowal K, Ripper R et al：Insulin signaling in bupivacaine-induced cardiac toxicity：sensitization during recovery and potentiation by lipid emulsion. Anesthesiology 124：428-442, 2016

糖尿病の合併による，末梢神経に対する局所麻酔薬の作用の変化

糖尿病患者においては四肢の神経症状を生じやすいうえ，局所麻酔薬による神経ブロックの効果が増強・延長することが知られている．しかしこのメカニズムを*in vivo*，*in vitro*の両面から解明した報告はなかった．Ten Hoopeら[12]は2型糖尿病ラットモデル（Zucker Diabetic Fatty rats，以下，糖尿病ラット）を用いてこれを解明した．リドカインを用いて坐骨神経ブロックを行ったところ，糖尿病ラットではその運動神経遮断時間が延長するとともに，神経遮断に必要なリドカインの濃度が低下することが明らかになった．また糖尿病ラットにおいては神経ブロック後の坐骨神経内のリドカイン濃度が対照に比べ

12）Ten Hoope W, Hollmann MW, de Bruin K et al：Pharmacodynamics and pharmacokinetics of lidocaine in a rodent model of diabetic neuropathy. Anesthesiology 128：609-619, 2018

て上昇すること，糖尿病ラットの脊髄後根神経節より得た細胞では，脱分極刺激により生ずるスパイク数が対照に比べ増加することが示された．なお１型と２型糖尿病は成因や臨床像に大きな違いがあり，糖尿病ラットモデルも同様である．実験結果を解釈する際には，どのようなモデル動物が用いられているかにも注意を払う必要がある．

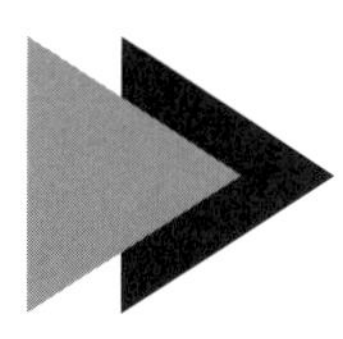

11. 心・血管作動薬

田中克哉（たなかかつや）
徳島大学大学院医歯薬学研究部 麻酔・疼痛治療医学分野

最近の動向

- 一般の手術および帝王切開術中の低血圧に対するノルアドレナリンの有効性の研究は引き続き報告されている.
- 周術期のβブロッカーの有効性が評価されている.
- βブロッカーのがんに対する作用も注目されている.
- レボシメンダンの有効性の評価がされている.

周術期の低血圧に対する昇圧薬（ノルアドレナリン）の有用性

Futierらは，周術期の低血圧が術後の合併症や死亡率増加に関連しているが，適切な血圧管理方法が確立されていないことに注目した．そこで，術前に急性腎傷害（AKI）のリスクがある患者などハイリスク患者298人を対象とした多施設前向き無作為臨床研究を実施した[1]．個別管理法は術前安静時の収縮期血圧の10％以内に変動を抑えることを目標とし，ノルアドレナリンを持続投与した．一方，標準管理法は収縮期血圧が80 mmHg未満または術前安静時の血圧の40％を下回ったらエフェドリンを投与した．手術中の収縮期血圧は個別管理法のほうが有意に高かった．主要評価項目は術後7日以内の全身性炎症性反応症候群または少なくとも一つの臓器障害の発生であったが，個別管理法は38.1％で標準管理法51.7％より有意に少なかった．30日後の一つ以上の臓器障害の発生は個別管理法46.3％が標準管理法63.4％より有意に低かった（リスク比（RR）：0.66，95％信頼区間（CI）：0.52～0.84）．死亡率や重篤な合併症の発生は両群に差がなかった．**これらの結果はリスクのある患者では術中厳重に血圧管理を行ったほうが臓器障害の発生が少ないことを示している．**

Wuらは，高血圧のある高齢者（65歳～80歳）で消化管手術を受ける患者678人を対象に手術中の平均動脈圧（MAP）をレベルⅠ（65～79 mmHg），レベルⅡ（80～95 mmHg），レベルⅢ（96～100 mmHg）に無作為に割り当てて

1）Futier E, Lefrant JY, Guinot PG et al：Effect of individualized vs standard blood pressure management strategies on postoperative organ dysfunction among high-risk patients undergoing major surgery. a randomized clinical trial. JAMA 318：1346-1357, 2017

1884-8516/19/¥100/頁/JCOPY

術後のAKIの発生率を調査した[2]．MAPは，それぞれの患者の目標値から逸脱した場合，ノルアドレナリン（0.03 μg/kg/min）またはニトログリセリン（0.03 μg/kg/min）で開始し，あるいはフェニレフリン（10～100 μg）またはフェントラミン（0.5～3 mg）を単回投与した．その結果，術後AKIの発生率はレベルⅡ群（6.3%：13/206）がレベルⅠ群（13.5%：31/230），レベルⅢ群（12.9%：27/210）より有意に低かった．また，肺炎の発生率とICU入室率，ICU入室期間でレベルⅡ群が有意に少なかった．これらの結果は，**リスクの高い患者において手術中はノルアドレナリンを含む血管作動薬を積極的に用いて平均動脈圧を80～95 mmHgに保つことで術後の合併症を軽減できることを示している．**

欧米ではintermediate care unit（IMCU）が存在する．このunitは，ICUほど直接看護を必要としないが，一般病棟よりは直接看護が必要なunitであり，近年，高齢や多臓器障害などのためにICUに入室できない患者がIMCUで管理されることが増加している．この研究は，スウェーデンの単施設の後方視的研究でIMCUで敗血症性ショックに対してノルアドレナリンを使用した患者（91人）の生存率などを調査した[3]．年齢の中央値（範囲）は81（43～96）歳であり，入院期間中，30日後，90日後の死亡率はそれぞれ27.5%，47.2%，58.2%であった．平均動脈圧65 mmHgを12時間以内に達成できなかった患者は有意に死亡率が高かった．ICU以外のIMCUでも高齢者の敗血症性ショックに対してノルアドレナリンを使用して血圧を管理することで死亡率が改善することが示された．

帝王切開術中の低血圧に対するノルアドレナリンの影響

Ngan Keeは，脊髄くも膜下麻酔での帝王切開術中の低血圧に対してノルアドレナリン単回投与とフェニレフリン単回投与の相対的な効果について調査した[4]．帝王切開術が予定された妊婦180人を対象とし，最初の低血圧に対してノルアドレナリンとフェニレフリンそれぞれ異なる6つの投与量を単回投与して血圧の反応を調べた．その結果，推定されるED_{50}値はノルアドレナリン10 μg（95% CI：6～17 μg），フェニレフリン137 μg（95% CI：79～236 μg）であった．収縮期血圧の反応性からフェニレフリン100 μg単回投与に相当するのはノルアドレナリン8 μg単回投与であると報告している．

別の臨床研究では，コントロール群，ノルアドレナリン5，10，15 μg/kg/min持続投与の4つの群に割り振り血圧の変化などを調査した．その結果，ノルアドレナリン5～10 μg/kg/minで持続投与すると低血圧や高血圧が少なく母体・胎児に有害事象をきたさなかったと報告している[5]．

ノルアドレナリンの予防的投与の有効性についても調査されている．110人の予定帝王切開術が予定されている妊婦を2群に振り分け，ノルアドレナリン

2) Wu X, Jiang A, Ying J et al：Optimal blood pressure decrease acute kidney injury after gastrointestinal surgery in elderly hypertensive patients：a randomized study. Optimal blood pressure reduces acute kidney injury. J Clin Anesth 43：77-83, 2017

3) Hallengren M, Astrand P, Eksborg S et al：Septic shock and the use of norepinephrine in an intermediate care unit：Mortality and adverse events. PloS ONE 12：e0183073, 2017

4) Ngan Kee WD：A random-allocation graded dose-response study of norepinephrine and phenylephrine for treating hypotension during spinal anesthesia for cesarean delivery. Anesthesiology 127：934-941, 2017

5) Chen D, Qi X, Huang X et al：Efficacy and safety of different norepinephrine regimes for prevention of spinal hypotension in cesarean section：a randomized trial. BioMed Res Int 2018：ID 2708175, 2018

2.5 μg/minで局所麻酔薬投与後から持続投与し血圧を維持した群と予防投与なしで血圧低下時に5 μgを単回投与する群で血圧変化や児の状態を観察した[6]．予防的投与群で血圧を効果的に維持でき，低血圧の発生頻度（17% vs. 66%）が有意に低かった．児に有害事象は認められなかった．

子癇前症を合併する妊婦の帝王切開術の低血圧に対してエフェドリン4 mgとフェニレフリン50 μg投与する群にそれぞれ割り付ける前向き研究[7]で，フェニレフリン群で心拍数が有意に低下したが，血圧の変化，胎児への影響は両群で差がなかったことが示された．

オンダンセトロンは，左心室でのセロトニンが5-HT3受容体に結合するのを阻害してBezold-Jarisch reflexを抑制し，結果的に高血圧と頻脈を誘発する．そこで，オンダンセトロン8 mg予防的に投与した群としなかった群に割り振り低血圧の頻度，ノルアドレナリンの使用量，児の状態などが調査された[8]．その結果，オンダンセトロン投与群のほうが低血圧の頻度とノルアドレナリンの使用量が少ないことが示された．

これらの報告は，**帝王切開術中の低血圧に対して，昇圧薬（特にノルアドレナリン）の具体的な使用方法を模索しているものが多く，今後もしばらくノルアドレナリンを中心に帝王切開術中の昇圧剤の使用方法の有効性の研究が行われることが予想される．**

帝王切開術中の昇圧剤の使用についてのガイドラインも報告されている．Kinsellaらは脊髄くも膜下麻酔で行う帝王切開術中の昇圧薬による低血圧の管理に関するガイドライン作成を試みた[9]．この中で，昇圧薬に関する部分の一部を抜粋すると，「αアゴニストは脊髄くも膜下麻酔に続く低血圧の処置・予防に最も適している昇圧薬である．これらの昇圧薬に少量のβアゴニストを追加すること（ノルアドレナリンなど）は最適な形かもしれないが，フェニレフリンはこれまで多くのデータが支持しているので，現在最も推奨されるものである」とある．**これはノルアドレナリンの有用性を認めつつも，現在のゴールドスタンダードはいまだフェニレフリンであるとしていると捉えられる**ので，今後ノルアドレナリンの位置づけがどのように変化していくか注目していく必要がある．

周術期のβブロッカーの使用の影響について

Blessbegerらは，周術期のβブロッカー投与が合併症や死亡率に及ぼす影響についてシステマティックレビューを行った[10]．88の無作為臨床試験から19,161人の患者のデータを解析した．心臓手術（53試験）においては，1死亡率，2急性心筋梗塞，3心筋虚血，4脳血管障害，5低血圧，6徐脈，7うっ血性心不全についてβブロッカーの明らかな効果を認めなかった．一方，心室性不整脈と上室性不整脈の発生を有意に抑制して入院期間を0.54日短縮した．

6) Ngan Kee WD, Lee SWL, Ng FF et al：Prophylactic norepinephrine infusion for preventing hypotension during spinal anesthesia for cesarean delivery. Anesth Analg 126：1989-1994, 2018
7) Mohta M, Duggal S, Chilkoti GT：Randomised double-blind comparison of bolus phenylephrine or ephedrine for treatment of hypotension in women with pre-eclampsia undergoing caesarean section. Anaesthesia 73：839-846, 2018
8) Karacaer F, Biricik E, Unal L et al：Dose prophylactic ondansetron reduce norepinephrine consumption in patients undergoing cesarean section with spinao anesthesia?. J Anesth 32：90-97, 2018
9) Kinsella SM, Carvalho B, Dyer RA et al：International consensus statement on the management of hypotension with vasopressors during caesarean section under spinal anaesthesia. Anaesthesia 73：71-92, 2018
10) Blessberger H, Kammler J, Domanovits H et al：Perioperative beta-blockers for preventing surgery-related mortality and morbidity（Review）. Cochrane Database of Systematic Reviews 3：CD004476, 2018

非心臓手術（35試験）では，βブロッカーの使用は死亡率，低血圧，徐脈のリスクが有意に増加することが示された．一方で，急性心筋梗塞，心筋虚血，上室性不整脈の発生は有意に低下した．これらの結果から，**心臓手術ではβブロッカーはいまだ重要な役割を果たしているが，非心臓手術では死亡率増加を示し，その使用法には注意が必要である．**

超短時間作用性βブロッカー，ランジオロールの低用量持続投与が心臓手術後の心房細動の発生を予防するかメタ解析が報告されている[11)]．6つの前向き研究から，心臓手術後の心房細動の発生率について調査し，術後の心房細動の発生率（オッズ比（OR）：0.27，95％ CI：0.18～0.42）はランジオロール群で有意に低かったと示された．

ICUでの報告もなされている[12)]．敗血症性ショックでは死亡が高い交感神経系緊張に関連しているようであるので，交感神経系を拮抗すると生存率が改善する可能性がある．そこで無作為臨床試験の準備段階として，前向き単群観察研究が行われた．敗血症性ショックと頻脈に対してエスモロールで心拍数が80～90/minとなるように管理した．患者数は7人で，入院期間，28日，90日死亡は0であった．これらの結果から，敗血症性ショック患者の頻脈にエスモロールを持続的に投与することは有用である可能性が示された．

最近，βブロッカーによるがんの再発抑制効果が研究されている．周術期の過剰なカテコラミンとプロスタグランジンの放出はがんの再発を助長し疾患フリーの生存を減少させる．そこで，Shaashuaらは，早期乳癌患者38人を対象にプロプラノロールとCOX-2阻害薬を手術5日前から術前，手術術日，術後5日に渡り11日間投与した群とプラセボ群で，組織および血液中の転移に関連するバイオマーカを比較した[13)]．その結果，COX-2阻害薬とβブロッカーを乳癌患者の周術期に投与するとがんの再発に関連するバイオマーカを好ましい方向に動くことが示された．一方で，βブロッカーの使用ががん再発と生存率に及ぼす影響を疫学的にメタ解析した報告も出ている[14)]．27の前向き研究の結果，βブロッカーの使用はがん再発に何の影響を与えていなかった．サブ解析の結果，メラノーマにおいてはβブロッカーの使用は疾病フリー生存期間（ハザード比（HR）：0.03，95％ CI：0.01～0.17）と最終的な生存期間（HR：0.04，95％ CI：0.00～0.38）を改善した．一方で，子宮内膜癌ではどちらも悪化させた．これらの結果からβブロッカーの使用はがん再発に何ら影響を与えないが，βブロッカーの疾病フリー生存率と生存期間の恩恵的な効果は疫学的な面や周術期の設定などに影響され，まだ現在では低レベルのエビデンスであると結論されている．したがって，今後もβブロッカーの多面的な作用が注目され研究の成果が報告されることが予想される．

11）Tamura T, Yatabe T, Yokoyama M：Prevention of atrial fibrillation after cardiac surgery using low-dose landiolol：a systematic review and meta-analysis. J Clin Anesth 42：1-6, 2017

12）Brown SM, Beesley SJ, Lanspa MJ et al：Esmolol infusion in patients with septic shock and tachycardia：a prospective, single-arm, feasibility study. Pilot and Feasibility Studies 4：132, 2018

13）Shaashua L, Shabat-Simon M, Haldar R et al：Perioperative COX-2 and β-adrenergic blockade improves metastatic biomarkers in breast cancer patinets in a phase-Ⅱ randomized trial. Clin Cancer Res 23：4651-4661, 2017

14）Yap A, Lopez-Olivo MA, Dubowitz J et al：Effect of beta-blockers on cancer recurrence and survival：a meta-analysis of epidemiological and perioperative studies. Br J Anaesth 121：45-57, 2018

レボシメンダンの有効性について

レボシメンダンの特徴はPDE阻害薬でありながら，Ca増感作用により心筋酸素需要を増加させないという他の強心薬にない好ましい特徴を有することである．心臓手術後の腎機能を保護するための多くの研究がなされている．Kim[15]らは95の無作為研究から28,833人の患者を対象にしてメタ解析を行った．この中でレボシメンダン，ANP，BNPなどの薬が腎機能保護にどうかかわっているか調査された．その結果，レボシメンダンは有意に死亡率を低下し（OR：0.49，95％CI：0.27～0.91），死亡率とICU滞在期間について最も良い効果を示した．また，前向き多施設無作為研究[16]では高リスクの心臓手術を受ける患者90人が対象となり，レボシメンダン群とコントロール群に分けた．レボシメンダンは0.025～0.2 μg/kg/minで投与し，コントロール群は一般的な強心薬が投与された．術後のAKI発生はレボシメンダン群30％に対しコントロール群52％と有意に低かった．

Sanfilippoらは，心臓手術後の重症左室収縮能低下（LVEF < 35％）または低心拍出量患者に対するレボシメンダンの効果についてのメタ解析を行った[17]．6つの前向き無作為試験が解析された結果，死亡率は差がなかったが，LVEF < 35％のサブ解析を行うと死亡率（OR：0.51，95％CI：0.32～0.82）はレボシメンダンで有意に低下した．また，LVEF < 35％で術後低心拍出量症候群になっている患者でレボシメンダンが投与されている患者は有意にAKIと人工呼吸期間が短縮した．これらから，**レボシメンダンは左室駆出率が低下している重症患者において死亡率を下げることが示唆される．**

プロスタサイクリンとPDE阻害薬であるミルリノンなどは肺血管抵抗を下げることが期待される．しかし，全身投与では体血管抵抗も低下するためNOのように吸入させて肺血管により効果を期待することができるため，肺高血圧患者に術後ミルリノン，レボシメンダン，生理食塩水を吸入させた群で血行動態を比較した[18]．その結果，吸入後体血圧に3群に有意な差はなかったが，肺動脈圧はレボシメンダン群で吸入後2.5～3時間有意に低下した．これらからレボシメンダン吸入は肺血管をより選択的に拡張させる作用があり，ミルリノンよりもその作用が強く，今後新たな使用方法が開発される可能性を示唆している．

15) Kim WH, Hur M, Park SK et al：Pharmacological interventions for protecting renal function after cardiac surgery：a Bayesian network meta-analusis of comparative effectiveness. Anaesthesia 73：1019-1031, 2018

16) Zangrillo A, Alvaro G, Belletti A et al：Effect of levosimendan on renal outcome in cardiac surgery patients with chronic kidney disease and perioperative cardiovascular dysfunction：a substudy of a multicenter randomized trial. J Cardio Vasc Anesth 32：2152-2159, 2018

17) Sanfilippo F, Knight JB, Scolletta S et al：Levosimendan for patients with severely reduced left ventricular systolic function and/or loe cardiac output syndrome undergoing cardiac surgery：a systematic review and meta-analysis. Critical Care 21：252, 2017

18) Kundra TS, Prabhakar V, Kaur P et al：The effect of inhaled milrinone versus inhaled levosimendan in pulmonary hypertension patients undergoing mitral valve surgery – a pilot randomized double-blind study. J Cardio Vasc Anesth 32：2123-2129, 2018

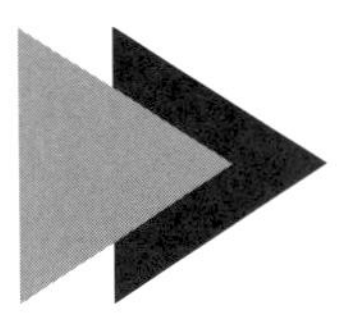

12. 麻酔に用いられる麻薬性鎮痛薬

山口重樹（やまぐち しげき）
獨協医科大学医学部 麻酔科学講座

最近の動向

- レミフェンタニルを用いた深麻酔による低血圧麻酔が行われているが，術後のシバリングや術鎮痛薬の必要量の増加などの問題が指摘され，デクスメデトミジンといった他の麻酔薬の使用が検討されるようになっている.
- レミフェンタニルは早期の覚醒を得ることができるが，回復の質を考慮して，投与量など適正使用についても議論が必要である.
- レミフェンタニル投与後によって生じる痛覚過敏にはさまざまな機序，要因が考えられ，その対応は薬物療法のみに頼るのではなく，患者の術前の不安に対応するなど，包括的な対策が重要となる.
- 帝王切開術の全身麻酔の導入においてレミフェンタニルは母体に対しては有効であるが，娩出後の新生児の安全性を担保するために，適応，投与量について再考する必要がある.
- 無痛分娩でのレミフェンタニルの使用については，母体および胎児における安全性の担保，例えば，母体の低酸素症や徐脈の回避が重要な課題である.

レミフェンタニルと低血圧麻酔

術野の出血を抑える目的に低血圧麻酔が行われるが，一つの方法として深麻酔がある．深麻酔を維持するための手段として，レミフェンタニルの投与量の調節がある．レミフェンタニルは，侵害刺激を完全遮断する，交感神経系を抑制することで低血圧麻酔を可能にする．Cantarellaら[1]は，中耳手術を対象とした低血圧麻酔において，レミフェンタニルとニトログリセリンの比較検討を行っている．レミフェンタニルの投与量による調節によってニトログリセリンと同様の低血圧麻酔を維持することが可能で，さらにはニトログリセリンで出現する頻脈が見られないなどの利点もみられた．しかしながら，レミフェンタニルの用量調節による低血圧麻酔では，術後のシバリングや術鎮痛薬の必要量の増加などの問題も指摘されている[2]．最近では，レミフェンタニルの用量調節ではなくデクスメデトミジンの使用を推奨する報告[3]がみられるようになっている.

1) Cantarella G, La Camera G, Di Marco P et al : Controlled hypotension during middle ear surgery : hemodynamic effects of remifentanil vs nitroglycerin. Ann Ital Chir 89 : 89 : 283-286, 2018
2) Javaherforooshzadeh F, Monajemzadeh SA, Soltanzadeh M et al : A comparative study of the amount of bleeding and hemodynamic changes between dexmedetomidine infusion and remifentanil infusion for controlled hypotensive anesthesia in Lumbar Discopathy Surgery : a double-blind, randomized, clinical trial. Anesth Pain Med 8 : e66959, 2018
3) Modir H, Modir A, Rezaei O et al : Comparing remifentanil, magnesium sulfate, and dexmedetomidine for intraoperative hypotension and bleeding and postoperative recovery in endoscopic sinus surgery and tympanomastoidectomy. Med Gas Res 8 : 42-47, 2018

1884-8516/19/¥100/頁/JCOPY

レミフェンタニルと回復の質

超短時間作用用性オピオイド鎮痛薬であるレミフェンタニルはフェンタニルと比べ調節性が優れているという理由で，全身麻酔管理において必須の鎮痛薬となっている．しかしながら，レミフェンタニルを用いた麻酔管理後のさまざまな問題も明らかになり，術中に使用するオピオイド鎮痛薬の選択についての議論も始まっている．Asakuraら[4]は，回復の質尺度であるQuality recovery 40（QoR-40）を用いて，術後24時間の回復の質をレミフェンタニルとフェンタニルとで比較検討している．そして，フェンタニルと比較してレミフェンタニルを投与された患者においてQoR-40が低い傾向を認め，今後さらなる検討を行っていく必要性について述べている．麻酔管理では，術中管理にとどまらず，術後の回復まで視野に入れた麻酔薬の選択が重要である．レミフェンタニルは必須の鎮痛薬であるが，今後はレミフェンタニルの適正使用について議論していく必要があろう．

4) Asakura A, Mihara T, Goto T：Does fentanyl or remifentanil provide better postoperative recovery after laparoscopic surgery? a randomized controlled trial. BMC Anesthesiol 18：81, 2018

レミフェンタニルと痛覚過敏

レミフェンタニルの臨床における最大の関心事はオピオイド誘発性痛覚過敏（opioid induced hyperalgesia：OIH）であろう．レミフェンタニル投与後のOIHはレミフェンタニル誘発性痛覚過敏（remifentanil induced hyperalgesia：RIH）も呼ばれている．OIHあるいはRIHに関しては，臨床での存在そのもの，発生機序，予防法等いまだ不明な点が多い．

最新の知見をもとにまとめられたSantonocitoら[5]の総説を以下に概説する．①レミフェンタニルは他のオピオイド鎮痛薬と比較して特有の薬理学的性質を有し，高い利便性を有する，②レミフェンタニルは最もOIHの発生率が高いオピオイド鎮痛薬である，③痛覚過敏の発症は患者にとってとても不快な副作用であるが，術後回復の遷延，退院の遅延など問題にもつながる，④痛覚過敏を軽減するためにいくつかの薬物療法が提案されているが，多くが小規模の検証であるため確固たるエビデンスはない，⑤正確な痛覚過敏の診断方法の確立および大規模な無作為化試験による対応法についてのさらなる検証が必要である．

5) Santonocito C, Noto A, Crimi C et al：Remifentanil-induced postoperative hyperalgesia：current perspectives on mechanisms and therapeutic strategies. Local Reg Anesth 11：15-23, 2018

このような総説がある中，RIHの臨床的存在，発生機序，予防法に関する研究が続き，少しずつその大枠もわかりつつある．

臨床におけるRIHの検証については，心臓手術中のレミフェンタニルの術中使用は手術後1年の慢性術後疼痛に影響を及ぼさないが，手術後3ヵ月まで鎮痛薬の必要量および胸痛を増加させるため，心臓手術中のレミフェンタニルの使用はあまり好ましくないとの報告がある[6]．

RIHの予防の可能性については，Kooら[7]が，甲状腺手術を受けた患者を対象として少量のナロキソン（0.05 ng/kg/h）の投与が高用量のレミフェンタ

6) de Hoogd S, Ahlers SJGM, van Dongen EPA et al：Randomized controlled trial on the influence of intraoperative remifentanil versus fentanyl on acute and chronic pain after cardiac surgery. Pain Pract 18：443-451, 2018
7) Koo CH, Yoon S, Kim BR at al：Intraoperative naloxone reduces remifentanil-induced postoperative hyperalgesia but not pain：a randomized controlled trial. Br J Anaesth 119：1161-1168, 2017

ニルを使用した際の術後の痛覚過敏を抑制したことを報告している.

RIH 発生機序に関する検討も少しずつであるが, 臨床, 基礎研究ともに進んでいる. ラットの脊髄スライス標本用いた研究では[8], プロテインキナーゼCおよびカルシウム/カルモジュリン依存性プロテインキナーゼⅡ活性化を介したN-methyl-D-aspartate receptor (NMDA) 受容体のサブユニットのリン酸化により惹起されるNMDA受容体の機能的および質的増加がRIHの発生機序であることを報告している

その一方, 脊髄より中枢での機序も指摘されるようになっている. 健常ボランティア成人を用いた研究においては, 視床皮質シナプス全体を調節する経頭蓋直流電気刺激がRIHを抑制し, RIHの機序として疼痛抑制系および侵害受容伝達系の機能不全であることが推察されている[9].

また, 興味深い報告としては, Zengら[10]が動物実験において, 気分, 特に不安を調節している前帯状皮質がRIHに重要な働きをしているのではないかと推察している. さらに, RIH発生の個体差には不安が関与しているのではないかという興味深い考察をしている.

OIHとは直接関係ないが, 米国ではオピオイド依存患者の麻酔管理が日常的になっており, オピオイド鎮痛薬の耐性による術中, 術後のオピオイド鎮痛薬の必要量が健常者と比べ増大していることが指摘されている. オピオイド依存を有するがん患者の手術において, 術中のレミフェンタニル必要量は40%増大し, 術後のモルヒネ必要量は最大で140%増大していたとの報告がある[11].

レミフェンタニルと帝王切開術

帝王切開術においてもレミフェンタニルの薬理学的特徴を考慮した有用性が指摘され,使用頻度も増えつつあり,メタ解析やさまざまな臨床研究が行われている.

帝王切開術の全身麻酔におけるレミフェンタニルの有用性についてのメタ解析[12]では, 合計7件のランダム化比較試験を解析し, 現時点では母体における有用性は指摘できるものの, 娩出後の新生児への有用性についはさらなる検討が必要であることが報告されている.

Kartら[13]は, 帝王切開術に対する全身麻酔の導入において, プロポフォール (2 mg/kg) 単独群, デクスメデトミジン (1 μg/kg) 併用群, レミフェンタニル (1 μg/kg) 併用群について, 母体の麻酔中の覚醒状態 (Bispectral Indexで評価), 娩出後の新生児の状態 (Apgar scoreで評価), 母体の各種侵害刺激に対する交感神経系の反応について調べている. そして, 母体の覚醒状態, 新生児の状態に有意な差は認められなかったが, レミフェンタニル併用群では母体の各種侵害刺激に対する交感神経系の反応が有意に抑制されていたことを確認し, 帝王切開術の全身麻酔の導入におけるレミフェンタニルの有用性と安全性について報告している. 帝王切開術の全身麻酔の導入におけるレミ

8) Braulio G, Passos SC, Leite F et al：Effects of transcranial direct current stimulation block remifentanil-induced hyperalgesia：a randomized, double-blind clinical trial. Front Pharmacol 9：94, 2018

9) Li S, Zeng J, Wan X et al：Enhancement of spinal dorsal horn neuron NMDA receptor phosphorylation as the mechanism of remifentanil induced hyperalgesia：roles of PKC and CaMKII. Mol Pain 13：1744806917723789, 2018

10) Zeng J, Li S, Zhang C et al：The mechanism of hyperalgesia and anxiety induced by remifentanil：phosphorylation of GluR1 receptors in the anterior cingulate cortex. J Mol Neurosci 65：93-101, 2018

11) Motamed C, Audibert J, Albi-Feldzer A et al：Postoperative pain scores and opioid consumption in opioid-dependent patients with cancer after intraoperative remifentanil analgesia：a prospective case-controlled study. J Opioid Manag 13：221-228, 2017

12) Zhang Y, Lu H, Fu Z et al：Effect of remifentanil for general anesthesia on parturients and newborns undergoing cesarean section：a meta-analysis. Minerva Anestesiol 83：858-866, 2017

13) Kart K, Hanci AJ：Effects of remifentanil and dexmedetomidine on the mother's awareness and neonatal Apgar scores in caesarean section under general anaesthesia. Int Med Res 46：1846-1854, 2018

フェンタニル（最初の10分間2 μg/kg，続いて7分間2 μg/kg/hの持続注入）とデクスメデトミジン（最初の10分間0.4 μg/kg，続いて0.4 μg/kg/hの持続注入）を同様に比較検討したのZhouら[14]の報告では，両者の有効性と安全性は同等であったことが示されている．

Huら[15]は，帝王切開術の全身麻酔の導入をレミフェンタニル（初回1 μg/kg，引き続き7 μg/kg/h），プロフォール（初回1 mg/kg，引き続き3 mg/kg/h），で行った際の母体動脈血，胎児臍帯動脈血および静脈の両者の血漿濃度を調べ，母体および新生児における安全性と有効性を報告している．ヒツジを用いた研究ではあるが，レミフェンタニル濃度の胎児対母体比は定常状態では一定に保たれえることが報告され[16]，母体へのレミフェンタニル投与量による胎児および娩出後の新生児のレミフェンタニルの血漿濃度もある程度予測できることが推測される．

しかしながら，重症子癇前症母体での同様の研究[17]では，デクスメデトミジン（0.4 μg/kg/h）と比較して，レミフェンタニル（0.1 μg/kg/min）の術前投与は，各種侵襲刺激に対する母体の循環変動を有意に抑制したものの，母体の低血圧と新生児の呼吸抑制の発生頻度が高かったことを報告し，帝王切開術におけるレミフェンタニルの適応，投与量について再考が必要であること指摘している．

14) Zhou X, Jin LJ, Hu CY et al：Efficacy and safety of remifentanil for analgesia in cesarean delivery. Medicine（Baltimore）96：e8341, 2017

15) Hu L, Pan J, Zhang S et al：Propofol in combination with remifentanil for cesarean section：placental transfer and effect on mothers and newborns at different induction to delivery intervals. Taiwan J Obstet Gynecol 56：521-526, 2017

16) Sato M1, Masui K, Sarentonglaga B et al：Influence of maternal remifentanil concentration on fetal-to-maternal ratio in pregnant ewes. J Anesth 31：517-522, 2017

17) El-Tahan MR, El Kenany S, Abdelaty EM et al：Comparison of the effects of low doses of dexmedetomidine and remifentanil on the maternal hemodynamic changes during caesarean delivery in patients with severe preeclampsia：a randomized trial. Minerva Anestesiol 84：1343-1351, 2018

レミフェンタニルと無痛分娩

海外ではレミフェンタニルが無痛分娩に使用され，さまざまな研究が報告されてきたが，最近，2つのシステマティックレビューが発表され[18, 19]，①非経口オピオイド鎮痛薬と比べ母体の満足度が高い，②他のオピオイド鎮痛薬（非経口投与）と比べ母体の満足度が高い，③硬膜外鎮痛と比べ母体の満足度が低い，④母体および娩出後の新生児への安全性については結論することができない，⑤母体および娩出後新生児の呼吸抑制の発生の報告があり，注意深い観察が必要である，などの結論が見出されている．

そのため，レミフェンタニルを用いた無痛分娩における安全性を担保するためのシステム構築に関する研究も行われている．Leongら[20]は，母体のパルスオキシメータの情報（酸素飽和度と心拍数）をリンク付けたレミフェンタニルの投与システムpatient-assisted intravenous analgesia（VPIA）を開発し，その有用性について検証している．この報告ででは，60秒以上の酸素飽和度の低下（95%未満）が52%（29人被検者中15人），60秒を超える徐脈（60回/min未満）が24%（29人被検者中7人）に検出され，それらの状態に呼応して投与量の減量，一時的にレミフェンタニル投与が中止され，さらなる低酸素症および徐脈を回避したされ，VPIAの有用性を指摘している．

18) Weibel S, Jelting Y, Afshari A et al：Patient-controlled analgesia with remifentanil versus alternative parenteral methods for pain management in labour. Cochrane Database Syst Rev 4：CD011989, 2017

19) Jelting Y, Weibel S, Afshari A et al：Patient-controlled analgesia with remifentanil vs. alternative parenteral methods for pain management in labour：a Cochrane systematic review. Anaesthesia 72：1016-1028, 2017

20) Leong WL, Sng BL, Zhang Q et al：A case series of vital signs-controlled, patient-assisted intravenous analgesia（VPIA）using remifentanil for labour and delivery. Anaesthesia 72：845-852, 2017

13. 麻酔と呼吸機能

いその　しろう
磯野史朗
千葉大学大学院医学研究院 麻酔科学

最近の動向

- 周術期管理を進めるにあたり，術前インセンティブスパイロメトリ，口腔ケア，運動療法などの術前介入の臨床結果には，麻酔科医も注目すべきと考える．全国的な周術期管理センターの整備に伴い今後多施設共同研究も進むことが期待できる．
- 術中の酸素濃度に関する研究は，高濃度酸素投与を避けるべきであるという点では結論が出たように考える．
- 鎮静に関する臨床研究は，麻酔科領域ばかりでなく，内視鏡治療を行う医療者にも大きく注目されるホットな研究領域である．

周術期インセンティブスパイロメトリ使用は術後肺合併症を減少させるか？

周術期管理センターなどの設置により周術期管理を系統的に行う施設も増えているが，その中で呼吸リハビリ，インセンティブスパイロメトリ活用，口腔ケア，運動療法などの術前介入は，術後合併症低下や早期回復に有用なのだろうか？　インセンティブスパイロメトリに関しては，術後肺合併症低下の高いエビデンスレベルが存在するとしてその有用性は広く認められてきたが，最近の臨床研究ではさまざまな課題が指摘されている．Eltoraiらの研究グループは，インセンティブスパイロメトリの使用に関して，呼吸療法士や看護師を対象としソーシャルネットワークなどを利用した調査結果を報告している[1]．患者は，インセンティブスパイロメトリの使用を忘れ，かつ使用方法も適切でなく，使用頻度も非常に低いという結果であった．Martinらは，**調査した26%の患者は使用方法が正しくなく，38%の患者は一度も使用していなかった**と報告している[2]．患者の近くに器具があること，以前の使用経験がインセンティブスパイロメトリ使用成功の因子であり，**短時間の教育で74%の患者はその後適切に使用できる**ようである．最近の多くの研究で，インセンティブスパイロメトリの有用性を疑問視する研究結果が報告されている．Malikらは，

1) Eltorai AEM, Baird GL, Eltorai AS et al：Incentive spirometry adherence：a national survey of provider perspectives. Respir Care 63：532-537, 2018

2) Martin TJ, Patel SA, Tran M et al：Patient factors associated with successful incentive spirometry. R I Med J (2013) 101：14-18, 2018

1884-8516/19/¥100/頁/JCOPY

呼吸器外科手術患者を対象としてRCTの研究デザインで，その有効性を評価したが，術後肺合併症の頻度は，使用群12.3％に対して非使用群13％で有意差を認めなかった[3]．さらに，Valkenetらは，この介入の有効性が最も期待できる食道癌患者を対象として，その有効性を多施設RCTで検証している[4]．術前の吸気筋力は使用群で改善してはいるが，術後肺炎は使用群で47％，非使用群で43％とその統計学的違いを見出せなかった．これらの結果は，**真にインセンティブスパイロメトリが有効でないのか，適切に使用できていない患者がインセンティブスパイロメトリ使用群の結果に影響したかは未解決**であり，インセンティブスパイロメトリが無効であると結論づけるのは性急であると考えることもできるだろう．Eltoraiらは，ルーチンにインセンティブスパイロメトリを使用すべきでないと提言している[5]．そのためには，この介入でメリットを受ける患者とそうでない患者をあらかじめ知りたいものである．さらに，インセンティブスパイロメトリを評価する研究でも両群で肺理学療法は実施されており，インセンティブスパイロメトリが無効であることは，術前の呼吸リハビリの有効性を否定することにはならない点も注意すべきである．

周術期口腔ケアは，術後肺合併症を減少させるか？

術前口腔ケアと術後肺合併症の研究は，ほとんどすべて日本で行われた臨床研究である．静岡がんセンターからは，食道癌患者に口腔ケアを歯科スタッフが行い，最終的に口腔内衛生環境を維持あるいは改善できた患者39人での術後肺炎は4人（10％）にとどまったが，口腔内衛生環境を改善できなかった7人中4人（57％）が術後肺炎を起こしたとの後ろ向き調査結果を報告している[6]．岡山大学からは，食道癌患者を対象としたICUでの口腔ケアの効果検証結果として，口腔内バクテリア数と術後ICUでの熱発の日数が口腔ケアにより改善したと報告されている[7]．東京大学からは，日本の診療情報データベースの解析結果が報告されている[8]．2012～2015年の509,179人（頭頸部，食道，胃，大腸，肺，肝領域のがんに対する手術患者）のうち，16％に術前口腔ケアが実施されていた．術前の歯科医による口腔ケア実施は，術後肺炎を有意に減少させ（3.28％ vs. 3.76％），術後30日死亡率も有意に低下させていた（0.30％ vs. 0.42％）．**術前口腔ケアに関しては，その有効性を支持する研究結果が多く報告されているが，日本からの報告にとどまる**ことと，多施設RCTの結果が報告されていないことなど，これらの研究結果の解釈は注意すべきである．国内での周術期管理センター整備に伴い，多施設RCT実施の環境も整ってきているので，今後の展開が楽しみである．

3) Malik PRA, Fahim C, Vernon J et al：Incentive spirometry after lung resection：a randomized controlled trial. Ann Thorac Surg 106：340-345, 2018
4) Valkenet K, Trappenburg JCA, Ruurda JP et al：Multicentre randomized clinical trial of inspiratory muscle training versus usual care before surgery for oesophageal cancer. Br J Surg 105：502-511, 2018
5) Eltorai AEM, Szabo AL, Antoci V Jr et al：Clinical effectiveness of incentive spirometry for the prevention of postoperative pulmonary complications. Respir Care 63：347-352, 2018
6) Yamada Y, Yurikusa T, Furukawa K et al：The effect of improving oral hygiene through professional oral care to reduce the incidence of pneumonia post-esophagectomy in esophageal cancer. Keio J Med, 2018［Epub ahead of print］
7) Mizuno H, Mizutani S, Ekuni D et al：New oral hygiene care regimen reduces postoperative oral bacteria count and number of days with elevated fever in ICU patients with esophageal cancer. J Oral Sci 60：536-543, 2018
8) Ishimaru M, Matsui H, Ono S et al：Preoperative oral care and effect on postoperative complications after major cancer surgery. Br J Surg 105：1688-1696, 2018

術前の運動は，術後合併症を低下させるか？

術後の早期離床・早期回復のためには，術後合併症を確実に予防することと，術後の廃用筋萎縮を確実に予防することが重要であろう．術前の運動機能が良好であっても，術後の運動機能は低下するが，術前から運動機能が障害されていれば，術後の早期離床の妨げにもなるであろう．Petrucci らは，327 人の腹部手術を受ける高齢者の術前・術後の身体機能を前向きに調査した[9]．79％の患者は，術前は自宅で歩行が可能であるが，12％は介助が必要であり，9％は歩行が不可能であった．術後には，25％の患者で運動機能が失調した．87％の患者は退院時にはリハビリのゴールを達成し，自宅に戻った．**術後の運動失調と退院時の痛みが術後の歩行機能と退院の予測因子**であった．Hanada らは，胸腔鏡下に食道癌手術を行った 118 人に術前運動療法と早期離床を目指すプログラムを実施した[10]．**術後早期離床ができた患者での術後肺合併症発生率は有意に低下**し，多変量解析では，術前肺活量が小さいほど，歩行開始日が遅いことが術後無気肺の独立危険因子であった．Boujibar らは，1 回約 90 分の運動を週に 3〜5 回，術前から実施した患者と実施しなかった患者での呼吸器外科手術後の合併症発生率を前向きに調査した．**平均 17 回の運動を術前に実施した患者群は，このプログラムを実施しなかった患者群よりも術後合併症発生率，合併症の重症度が有意に改善した**と報告している[11]．10 の臨床研究を対象とした systematic review でも，身体機能の改善，筋力増加，QOL 改善，入院期間の短縮など，その利点を支持する結果が報告されているが，運動療法のプログラム内容が一定していないこと，対象患者や評価方法がまちまちであることなど，適切な研究デザインによる検証の必要性が指摘されている[12]．運動は身体機能ばかりでなく，さまざまな生理学的機能を改善することが多くの基礎研究でも証明されているので，今後の研究結果が期待される．

術中呼吸管理：
吸入酸素濃度は術後肺合併症の原因となるか？

手術中の患者の多くは，術前に肺合併症があるわけではないが，術中の人工呼吸管理方法によって手術後の合併症に頻度に差が出てくるという研究結果が報告されている．したがって，自施設，あるいは他施設での術中人工呼吸管理方法が気なるところである．Suzuki らは，岡山大学病院とその協力施設 43 病院での全身麻酔開始 1 時間後の人工呼吸器設定と吸入酸素濃度について，2015 年の約 5 日間 2,075 人を対象に前向き調査を行った[13]．解析可能であった 1,498 人の **92％では F_IO_2 が 0.31〜0.60 で管理**され，0.30 以下は 1％のみであった．83％の患者は避けることのできる高酸素血症状態（F_IO_2 0.21 で酸素飽和度 98％以上の状態）であり，32％は明らかに高濃度酸素曝露状態（酸素

9) Petrucci L, Monteleone S, Ricotti S et al：Disability after major abdominal surgery：determinants of recovery of walking ability in elderly patients. Eur J Phys Rehabil Med 54：683-689, 2018

10) Hanada M, Kanetaka K, Hidaka S et al：Effect of early mobilization on postoperative pulmonary complications in patients undergoing video-assisted thoracoscopic surgery on the esophagus. Esophagus 15：69-74, 2018

11) Boujibar F, Bonnevie T, Debeaumont D et al：Impact of prehabilitation on morbidity and mortality after pulmonary lobectomy by minimally invasive surgery：a cohort study. J Thorac Dis 10：2240-2248, 2018

12) Piraux E, Caty G, Reychler G：Effects of preoperative combined aerobic and resistance exercise training in cancer patients undergoing tumour resection surgery：a systematic review of randomised trials. Surg Oncol 27：584-594, 2018

13) Suzuki S, Mihara Y, Hikasa Y et al：Okayama Research Investigation Organizing Network（ORION）investigators：Current ventilator and oxygen management during general anesthesia：a multicenter, cross-sectional observational study. Anesthesiology 129：67-76, 2018

飽和度92%以上かつF_IO_2 0.50以上）であった．多変量解析では，**高齢，緊急手術，片肺換気が高濃度酸素曝露の独立危険因子**であった．従量式人工呼吸，高いPEEP圧は，高濃度酸素曝露を低下させる因子であった．**片肺換気が高濃度酸素曝露の最も強いリスク因子であった．不必要に高濃度酸素を使用している実態が明らかとなった．**同じ岡山大学の研究グループは，この研究の前年に，2施設の前向き観察研究の結果として，片肺換気時の高濃度酸素曝露と術後肺合併症の関連性を指摘しているので[14]，この現状調査結果は，不必要な高濃度酸素投与を控えることで術後肺合併症を予防できる可能性も示唆している．2017年の本レビューでも紹介したが，MGHのStaehr-Ryeらの研究グループから，吸入酸素濃度が術後肺合併症の容量依存的な独立危険因子であること，F_IO_2 0.79では，術後呼吸合併症を1.99倍，術後死亡率も1.97倍増加させることが報告されており，その結果に一致するものである[15]．岡山大学の現状調査結果は，まさに日本国内の現状と考えるべきであり，筆者の施設でも真剣に吸入酸素能の適正化を行うべき時期にあると考えている．

全身麻酔導入時のマスク換気方法：なぜ，換気経路が重要か？

閉塞性睡眠時無呼吸（OSA）患者では，全身麻酔導入後のマスク人工呼吸が難しいことが多いが，Satoらは，**マスク換気困難時には呼気流量制限を示唆する呼吸流量波形を伴う**ことを指摘している[16]．Okuyamaらは，そのメカニズムを解明するため，OSAが存在する患者と存在しない患者で経鼻的に人工呼吸を行った場合の軟口蓋後壁気道の動的変化を内視鏡的に観察し比較した[17]．**OSA患者群では，呼気流量制限波形を高率に認め，内視鏡では呼気時のみに軟口蓋後壁部の動的閉塞を認めた．**Okuyamaらは，経鼻的に人工呼吸を行う場合には，**PEEPがこの軟口蓋閉塞解除に有効**であることも示しているが，軟口蓋が閉塞しても，**開口によって経口的に人工呼吸を行うことで，このマスク換気困難は解決可能である**としている．経鼻的人工呼吸時の軟口蓋閉塞現象は，1960年にmouth-to-mouth呼吸を提唱するに至ったSafarが，valve-like-behavior of the soft palateと予測した現象に一致するものであった[18]．興味深いことに，OSA患者の睡眠時には，自発呼吸であっても呼気流量制限が生じ，人工呼吸時と全く同じ呼気流量波形を呈することも最近報告されている[19]．鼻気道と口腔気道の中間に垂れ下がっている軟口蓋は，構造上呼気時の気流の方向を調整するバルブ（呼気弁）として機能しているようである[20]．喉頭蓋も気道内に突出した構造物であるが，その位置からは吸気時の気流を調整する吸気弁として働いていることが最近報告されている[20,21]．

14) Okahara S, Shimizu K, Suzuki S et al：Associations between intraoperative ventilator settings during one-lung ventilation and postoperative pulmonary complications：a prospective observational study. BMC Anesthesiol 18：13, 2018

15) Staehr-Rye AK, Meyhoff CS, Scheffenbichler FT et al：High intraoperative inspiratory oxygen fraction and risk of major respiratory complications. Br J Anaesth 119：140-149, 2018

16) Sato S, Hasegawa M, Okuyama M et al：Mask ventilation during induction of general anesthesia：influences of obstructive sleep apnea. Anesthesiology 126：28-38, 2017

17) Okuyama M, Kato S, Sato S et al：Dynamic behaviour of the soft palate during nasal positive pressure ventilation under anaesthesia and paralysis：comparison between patients with and without obstructive sleep-disordered breathing. Br J Anaesth 120：181-187, 2018

18) Safar P：Ventilatory efficacy of mouth-to-mouth artificial respiration：airway obstruction during manual and mouth-to-mouth artificial respiration. J Am Med Assoc 167：335-341, 1958

19) Azarbarzin A, Sands SA, Marques M et al：Palatal prolapse as a signature of expiratory flow limitation and inspiratory palatal collapse in patients with obstructive sleep apnoea. Eur Respir J 51, 2018

20) Isono S：Two valves in the pharynx. Eur Respir J 50, 2017

21) Azarbarzin A, Marques M, Sands SA et al：Predicting epiglottic collapse in patients with obstructive sleep apnoea. Eur Respir J 50, 2017

鎮静下内視鏡術中の呼吸モニター：カプノグラムよりも優れた呼吸モニター？

鎮静中のモニターとして**パルスオキシメータはMUSTであるが，呼吸モニターよりも呼吸異常の発見が遅れる．**現在，鎮静中の呼吸モニターとしてその地位を確立しつつあるのはカプノグラムである．2017年のsystematic reviewにおいても，13のRCTの分析から，カプノグラムの使用で，軽度・重度の低酸素血症の発生頻度と気道確保などの呼吸補助の必要性を減少させると結論されている[22]．昨年の本書では，比較的新しく開発された換気量測定も可能なRVM（Respiratory Volume Monitor, Respiratory motion Inc., Boston, USA）とカプノグラムを比較した研究を紹介し，特に鎮静下にカプノグラムで換気量を推定することの困難さを指摘した[23]．Mathewsらは，RCTの研究デザインで，このRVM呼吸モニターの有用性を検討し，このRVMモニターを使用したほうが鎮静中の換気量を維持できたと報告している[24]．鎮静下と同様に意識レベルの低下した**睡眠中の呼吸状態評価としては，カプノグラムの信頼性は鼻内圧測定やサーミスタなどよりも劣るとされ，**カプノグラムはすでに使用されていない．現時点ではRVMの有用性に関するエビデンスが蓄積されている状態であるが，今後，同様に換気量を推定可能な他の呼吸モニターの有用性を示唆する研究結果も報告されてくることを期待したい．

22）Saunders R, Struys MMRF, Pollock RF et al：Patient safety during procedural sedation using capnography monitoring：a systematic review and meta-analysis. BMJ Open 7：e013402, 2017

23）Mehta JH, Williams GW 2nd, Harvey BC et al：The relationship between minute ventilation and end tidal CO_2 in intubated and spontaneously breathing patients undergoing procedural sedation. PLoS One 12：e0180187, 2017

24）Mathews DM, Oberding MJ, Simmons EL et al：Improving patient safety during procedural sedation via respiratory volume monitoring：a randomized controlled trial. J Clin Anesth 46：118-123, 2018

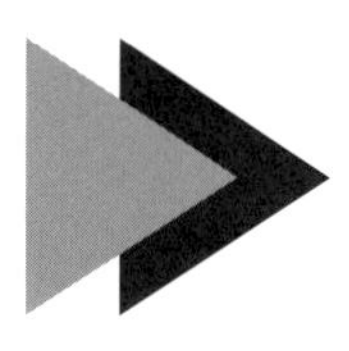

14. 麻酔と心機能

平田直之（ひらた なおゆき）
札幌医科大学医学部 麻酔科学講座

最近の動向

- 周術期心筋傷害が術後死亡率，合併症発生率にかかわっていることが継続的に報告されている．周術期心筋傷害や心筋梗塞の診断に検出率の高い高感度トロポニンTが使用されるようになってきている．
- 術中低血圧や頻脈だけでなく，術後低血圧も周術期心筋傷害の要因となる．
- 吸入麻酔薬の使用や硬膜外麻酔の併用が非心臓手術後の主要心臓有害事象の発生に及ぼす影響について継続的に検証がなされている．
- 周術期β遮断薬の是非についていまだ議論が続いている．β遮断薬を使用している患者が，周術期に中断したことによる予後への影響について新たな知見が報告された．

非心臓手術における周術期心筋傷害

近年，非心臓手術における周術期心筋傷害（periopepative myocardial injury：PMI）が予後にかかわることが多くの研究で明らかになってきた．

Puelacherらは，心血管リスクを有する非心臓手術患者2,546人を対象とした研究において，高感度トロポニンT（high sensitivity troponin T：hsTnT）を指標としてPMIを診断し予後との関連を調べた[1]．手術前後でhsTnTが14 ng/L以上上昇した場合をPMIと定義した．その結果，PMIは全体の16%で生じ，PMIの多くが無症候性であることが確認された．非PMI患者の30日死亡率，1年後死亡率はそれぞれ1.5%，9.3%であったのに対し，PMI患者では8.9%，22.5%と上昇し（$p < 0.001$），PMIの30日死亡率に対する調整ハザード比（HR）は2.7（95%信頼区間（CI）：1.5～4.8）であった．急性心筋梗塞の所見（虚血症状，心電図変化，生存心筋減損を示す画像所見）が全くなかったPMI患者の30日死亡率（10.4%，95% CI：6.7～15.7）と急性心筋梗塞の所見を呈したPMI患者の30日死亡率（8.7%，95% CI：4.2～16.7）には差がなかった．つまり，**PMIは無症状であることが多いにもかかわらず，その死亡率は術後急性心筋梗塞による死亡率と同等である可能性が示された．**

1）Puelacher C, Lurati Buse G, Seeberger D et al：Peioperative myocardial injury after noncardiac surgery：incidence, mortality, and characterization. Circulation 137：1221-1232, 2018

1884-8516/19/¥100/頁/JCOPY

周術期血行動態がPMIの発生に関連していることが継続的に報告されている．

VISION（Vascular Events in Noncardiac Surgery Cohort Evaluation）studyの二次解析を行った研究では，術中血圧および心拍数と非心臓手術後心筋傷害（myocardial injury after non-cardiac surgery：MINS）との関連について検討した[2]．45歳以上の非心臓手術患者15,109例で術後にトロポニンT上昇を示し，MINSと診断された症例は7.9％であった．術中心拍数100回/min以上および最低収縮期血圧100 mmHg未満は，MINS，心筋梗塞，死亡率と関連しており，両者が同時に生じた場合にはMINSと強い関連が認められた（オッズ比（OR）：1.42（1.15～1.76），$p < 0.01$）．一方，最小心拍数55回/min未満は，MINSのリスクを減少させた（OR：0.70（0.59～0.82），$p < 0.01$）．

van Lierらは，60歳以上の非心臓手術患者2,211人を対象として術後低血圧が術後心筋傷害へ及ぼす影響について検討した[3]．術後最低平均血圧に応じて患者を4群に分け，hsTnT 14 ng/L以上をトロポニン上昇と定義し，術後血圧と術後hsTnTとの関連を調べた．術後53.2％の患者でhsTnT上昇を認め，術後平均血圧が最も低い群（median 61 mmHg（minimum 31.0 – maximum 67.0 mmHg））でhsTnTの上昇と術後死亡率に関連が認められた（$p < 0.001$）．

周術期血行動態が心筋傷害の要因となり予後にかかわることが明らかとなってきたが，周術期心筋傷害を認識した後，どのような介入を行うべきかが今後の課題である．

トロポニンに関する最近の知見

トロポニンを指標とした周術期心筋傷害に関する研究の多くは，高齢者や心血管合併症を有する患者を対象としている．一方，心血管合併症のない若年者での周術期の変動については明らかになっていない．Dumaらは，心血管合併症のない18～35歳までの整形外科手術症例95人を対象に，術前術後のhsTnTの変動について研究を行った[4]．術前と比較して術後hsTnTの上昇率が20％未満だった患者が73％を占めたが，20～49％上昇した症例が18％，50～84％上昇した症例が7％，85％以上上昇した症例が3％あり，1症例で心筋傷害が疑われた．心血管合併症のない若年患者でも，約25％の患者で術後hsTnTの軽度上昇を認めたことから，**hsTnTは周術期には生理的過程でも変動することが示された．**

周術期心筋傷害とトロポニンに関する研究を読み解くうえで，トロポニンの精度について理解しておく必要がある．Brownらは，これまで研究で広く用いられてきたトロポニンI（TnI）と最近使用されるようになったhsTnTを用

2) Abbott TEF, Pearse M, Archbold RA et al：A prospective international multicenter cohort study of intraoperative heart rate and systolic blood pressure and myocardial injury after noncardiac surgery：results of the VISION study. Anesth Analg 126：1936-1945, 2018

3) van Lier F, Wesdorp FHIM, Liem VGB et al：Association between postoperative mean arterial blood pressure and myocardial injury after noncardiac surgery. Br J Anaesth 120：77-83, 2018

4) Duma A, Wagner C, Titz M et al：High-sensitivity cardiac troponin T in young, healthy adults undergoing non-cardiac surgery. Br J Anaesth 120：291-298, 2018

いて，周術期心筋傷害および心筋梗塞の検出率を比較した[5]．605人の非心臓手術患者を対象とした研究では，従来のTnI（≧0.07 μg/L）を用いた場合には，82人（14％）が心筋傷害，31人（5.1％）が心筋梗塞と診断された．一方，hsTnT（男性hsTnT≧14.5 ng/L，女性hsTnT≧10 ng/L，術前から50％以上上昇）を用いた場合には，134人（22.2％）が心筋傷害，67人（11.1％）が心筋梗塞と診断され，TnIを用いた場合よりも約2倍の検出率であった．hsTnTは術前から高値を示す症例があるため，術前術後の絶対値の変動や変動率で周術期心筋傷害を評価する必要があるが，変動の基準をどう設定するかにより心筋傷害発生率が大きく異なることが明らかになった．hsTnTを術後にのみ測定し，心筋傷害を診断している場合には，過大評価となる可能性がある[6]．**心筋傷害の診断には基準値（男性hsTnT≧14.5 ng/L，女性hsTnT≧10 ng/L）を上回り，かつ術前よりhsTnTが50%以上の上昇が評価基準として推奨されている．**

麻酔方法と心筋傷害

心血管合併症を有する患者では，術後の心筋梗塞，不整脈，心不全などの主要心臓有害事象（major adverse cardiac events：MACE）が問題となる．心臓手術では，吸入麻酔薬の使用がMACEの発生減少に有用であると考えられているが[7]，非心臓手術では麻酔法によるMACEへの影響についてはいまだ議論が分かれている．Anらは心血管リスク患者に対する非心臓手術後のMACEに対する麻酔法の影響について，メタ解析を行った[8]．35,340人の患者を含む27のRCTを用いたメタ解析により，セボフルランで麻酔を行った群ではプロポフォールによる麻酔群と比較して，術後1日目の心筋トロポニンI（cTnI）上昇と術後3日間の心筋虚血の発生が抑制された．一方，30日後および1年後のMACEと死亡率には差を認めなかった．硬膜外麻酔併用全身麻酔では，全身麻酔単独よりも術後3日目のcTnI上昇を抑制したが，心筋梗塞や死亡率に差がなかった．心血管リスクを有する患者の非心臓手術では，吸入麻酔薬の使用，硬膜外麻酔の併用により術後早期の心保護作用を示すが，長期的な効果は認められなかった．

術後心房細動，β遮断薬に関する最近の知見

術後の新規心房細動は長期予後に影響し，術後合併症発生率や死亡率を上昇させる．心臓手術では，術後心房細動の発生率は30％に及ぶとされる[9]．一方，腹部外科手術における術後心房細動についてはよくわかっていない．

Chebboutらは腹部外科手術術後における新規心房細動の発生状況とリスクファクターを調べる目的で，系統的レビューを行った[10]．52,959人の患者を含む13の研究で解析したところ，新規心房細動発生率は10.94％（95％ CI：

5）Brown JC, Samaha E, Rao S et al：High-sensitivity cardiac troponin T improves the diagnosis of perioperative MI. Anesth Analg 125：1455-1462, 2017

6）Mandawat A, Newby LK：High-sensitivity troponin in noncardiac surgery：pandra's box or opportunity for precision perioperative care?. Circulation 137：1233-1235, 2018

7）El Dib R, Guimarães Pereira JE, Agarwal A et al：Inhalation versus intravenous anaesthesia for adults undergoing on-pump or off-pump coronary artery bypass grafting：a systematic review and meta-analysis of randomized controlled trials. J Clin Anesth 40：127-138, 2017

8）An R, Pang QY, Chen B et al：Effect of anesthesia methods on postoperative major adverse cardiac events and mortality afternon-cardiac surgeries：a systematic review and meta-analysis. Minerva Anesthesiol 83：749-761, 2017

9）Gillinov AM, Bagiella E, Moskowitz AJ et al：Rate control versus rhythm control for atrial fibrillation after cardiac surgery. N Engl J Med 374：1911-1921, 2016

10）Chebbout R, Heywood EG, Drake TM et al：A systematic review of the incidence of and risk factors for postoperative atrial fibrillation following general surgery. Anaesthesia 73：490-498, 2018

7.22〜15.33）であった．食道手術では17.66％（95％ CI：12.16〜21.47）とその他の腹部外科手術よりも発生率が高かった．リスク因子としては，高齢，心疾患の既往，術後合併症（敗血症，肺炎，胸水）が挙げられた．心臓手術および肺手術以外の腹部外科手術でも術後心房細動の発生率は比較的高く，リスク層別化を行ったうえで予防策を講じることが今後の課題と考えられる．

周術期β遮断薬の使用が術後心房細動の発生に及ぼす影響についても継続的に研究がなされている．心臓手術を対象とした研究では，術前β遮断薬内服が術後心房細動を減少させたとする報告[11]がある一方，予後の改善にも悪化にも寄与しないという報告[12]もあり今後も議論が続くと思われる．

非心臓手術におけるβ遮断薬に関してもいまだ議論が分かれている．Jørgensenらは，周術期β遮断薬に関する総説において[13]，重度の心血管合併症を有する患者におけるβ遮断薬の有用性と合併症のない患者での有害性について言及し，今後勘案されるべき問題点を列挙している．その中で注目されている問題点として，β遮断薬の周術期中断が予後へ及ぼす影響が挙げられている．

Kertaiらは，β遮断薬の中断が術後の死亡率や心血管関連因子に及ぼす影響について調べた[14]．β遮断薬を使用していた66,755人の非心臓手術患者を対象とした後ろ向き研究で，周術期にβ遮断薬を中断した患者3,829人とプロペンシティマッチングさせたβ遮断薬継続患者19,145人で解析を行った．解析の結果，β遮断薬中断は術後の死亡率上昇と関連していた（OR：3.61）．一方，β遮断薬の中断は，術後48時間以内において，血管収縮薬による循環サポートのリスク（OR：0.84）と麻酔後ケアユニットの滞在を短縮させた（OR：0.69）．

心血管リスクを有する患者では，β遮断薬の継続が予後改善のために有用と考えられるが，その前提として術中術後の血行動態の適切な管理が必要であると考えられる．

新たな周術期心拍出量モニター

心拍出量は従来，肺動脈カテーテルが用いられてきたが，テクノロジーの進歩に伴い低侵襲化が進んでいる．

Magliocca らは肝移植手術患者を対象として，脈波伝播時間（pulse wave transit time：PWTT）から非侵襲的に算出される心拍出量esCCO（estimated continuous cardiac output）と胸壁バイオインピーダンスにより非侵襲的に算出される心拍出量ICONを測定し，肺動脈カテーテル熱希釈法から算出される心拍出量TDCO（thermodilution cardiac output）と比較し精度を検討した[15]．TDCOと比較したesCCO，ICONの平均バイアスはそれぞれ−2.0 L/min（SD，±2.7 L/min），−3.3 L/min（SD，±2.8 L/min），パーセ

11）Thein PM, White K, Banker K et al：Preoperative use of oral beta-adrenergic blocking agents and the incidence of new-onset atrial fibrillation after cardiac surgery：a systematic review and meta-analysis. Heart Lung Circ 27：310-321, 2018

12）O'Neal JB, Billings FT 4th, Liu X et al：Effect of preoperative beta-blocker use on outcomes following cardiac surgery. Am J Cardiol 120：1293-1297, 2017

13）Jørgensen ME, Andersson C, Venkatesan S et al：Beta-blockers in noncardiac surgery：did observational studies put us back on safe ground?. Br J Anaesth 121：16-25, 2018

14）Kertai MD, Cooter M, Pollard RJ et al：Is compliance with surgical care improvement project cardiac（SCIP-Card-2）measures for perioperative βblockers associated with reduced incidence of mortality and cardiovascular-related critical quality indicators after noncardiac surgery?. Anesth Analg 126：1829-1838, 2018

15）Magliocca A, Rezoagli E, Anderson TA et al：Cardiac output measurements based on the pulse wave transit time and thoracic impedance exhibit limited agreement with thermodilution method during orthotopic liver transplantation. Anesth Analg 126：85-92, 2018

ント誤差は，それぞれ69%と77%であった．一致相関係数は，esCCO 0.653（95% CI：0.283〜0.853），ICON 0.310（95% CI：−0.167〜0.669）であったが，トレンドは，TDCOと概ね一致していた（トレンドの一致率：esCCO 95%（95% CI：88〜100），ICON 100%（95% CI：93〜100））．非侵襲的心拍出量モニターであるesCCO，ICONはトレンドがTDCOと概ね一致したものの，精度については今後の改善が待たれる．

最近，モニター上の動脈圧波形を画像として取り込み，脈圧変動（pulse pressure variation：PPV）と心拍出量を測定できるスマートフォンアプリケーションCapstesiaが開発された．Joostenらは，Capstesiaを用いたPPV_{CAP}と従来の動脈圧波形解析によるPPV_{PC}を比較し，輸液反応性の指標として精度を検証した[16]．また，Capstesiaにより測定される心拍出量CO_{CAP}と熱希釈法で測定される心拍出量CO_{TD}を比較しその精度について検討した．48人の冠動脈バイパス手術患者を対象とし，麻酔導入後または胸骨閉鎖後に評価を行った．血行動態が安定したところで，膠質輸液負荷（5 mL/kg）を行い，CD_{TD}が投与前より10%上昇した場合を輸液反応性ありとした．輸液反応性におけるAUROC（area under the receiver-operating characteristic curve）はPPV_{CAP} 0.74（95% CI：0.60〜0.84），PPV_{PC} 0.68（95% CI：0.54〜0.80）でPPV_{CAP}は臨床で広く用いられているPPV_{PC}と同等であった．一方，CO_{CAP}は，CO_{TD}と比較すると平均バイアスが0.3 L/min（一致限界：−2.8〜3.3 L/min），パーセント誤差は60%，トレンド一致率も70%にとどまりCO_{CAP}は制度の改善が必要と考えられた．

現在，臨床で広く用いられている動脈圧波形解析による心拍出量モニターは，精度が徐々に高められて臨床で受け入れられてきたことを考えると，今後，上記のモニターについても改良により精度が改善されれば，臨床現場に普及する可能性は十分にある．

16）Joosten A, Boudart C, Vincent JL et al：Ability of a new smartphone pulse pressure variation and cardiac output application to predict fluid responsiveness in patients undergoing cardiac surgery. Anesth Analg, 2018［Epub ahead of print］

15. 麻酔と冠循環

金　信秀（きん　のぶひで）
医療法人社団誠馨会新東京病院 麻酔科

最近の動向

●冠動脈バイパス手術（CABG）と最新のDES（drug-eluting stent）を用いたPCI（percutaneous coronary intervention）とを比較する議論は活発だが，長期死亡率に関して，少なくとも多枝病変と糖尿病患者におけるCABGの優位性を示す決定的な論文が発表された．CABGに関しては完全に動脈グラフトのみを用いる術式や，オフポンプ手術の利点も多く論じられている．ロボットを使用したMIDCAB（minimally invasive direct coronary artery bypass），MIDCABとPCIを組み合わせたハイブリッド手術への期待も強い．2016年に改訂されたPCI後の抗血小板薬ガイドラインへの対応について麻酔科からの見解も出されている．欧州に続いて米国で高感度トロポニンTの測定が認可されたのに伴い，これを用いて周術期心筋傷害と予後を調査した論文が数多く発表された．

CABG後のグラフト長期開存率と糖尿病（DM）

11,519人の患者を対象としたCABG後20年でのグラフト開存率は，内胸動脈で96%（DMあり）と93%（DMなし），静脈グラフトで42%（DMあり）と41%（DMなし）であり，DM罹患の有無で長期開存率に差がなかった[1]．ただし，長期死亡率はDM患者のほうが高かった．一般的にDM患者では静脈グラフトの長期的な粥状硬化が進行しやすいと考えられており，実際にそのような結果となった研究も複数あるので，静脈グラフト長期開存率にDMが影響しなかったことは驚きをもって受け止められ，別のジャーナルでこの論文に対するexpert opinionsが発表された[2,3]．DM患者の多くが冠動脈造影（CAG）の評価から抜け落ちているなどの点を批判するとともに，内胸動脈グラフトの開存率がDM患者において非DM患者より悪いという結果は今まで発表されていないことや，DM患者における内胸動脈および橈骨動脈グラフトの長期生存率における優位性を示すデータが増えていることから，DM患者へのCABGでは，動脈グラフト複数使用が重要であると改めて強調された．

1）Raza S, Blackstone EH, Houghtaling PL et al：Influence of diabetes on long-term coronary artery bypass graft patency. J Am Coll Cardiol 70：515-524, 2017

2）Kurlansky P：Graft patency in diabetic patients and the discomfort of thought. J Thorac Cardiovasc Surg 155：2316-2321, 2018
3）Sellke FW：Surprises happen all the time. J Thorac Cardiovasc Surg 155：2322-2323, 2018

1884-8516/19/¥100/頁/JCOPY

CABG 後と PCI 後における総死亡率の差

CABG と PCI を比較した 11 の無作為試験の研究者に依頼してそれぞれの患者データを集め（急性心筋梗塞患者を除く），11,518 人（CABG：5,765 人，PCI：5,753 人），平均 3.8 年のフォローアップデータをプールして分析した[4]．**術後 5 年の総死亡率は CABG：9.2%，PCI：11.2%と，CABG のほうが有意に低かった．**サブグループ分析では多枝病変患者，その中でも特に糖尿病合併患者と，SYNTAX スコアが高い（＝冠動脈病変が複雑）患者で CABG のほうが優位であった．左主幹部病変患者では総死亡率に差はなかった．**多枝病変患者に対する CABG は，PCI（最新の DES を使用したもの）と比較して再血行再建率が低いことは以前から示されていたが，この研究は死亡率での優位性を示した初の大規模研究である．**CABG と PCI ともに施行可能な多枝病変患者で特に PCI を推奨できるのは，急性心筋梗塞後・非常に高齢（で長期予後の重要性が相対的に低い）・非 DM 患者・脳卒中のリスクが高い・早期回復を強く希望する，などの限られた場合のみであるとされ，内科外科双方が揃うハートチームでの議論と患者の志向を尊重する重要性が強調されている[5]．

4) Head SJ, Milojevic M, Daemen J et al：Mortality after coronary artery bypass grafting versus percutaneous coronary intervention with stenting for coronary artery disease：a pooled analysis of individual patient data. Lancet 391：939-948, 2018

5) Bhatt DL：CABG the clear choice for patients with diabetes and multivessel disease. Lancet 391：913-914, 2018

CABG の最先端

現在の CABG についてその適応・手技・成績などがまとめられている[6]．より重症で複雑な冠動脈病変，また，動脈硬化が進行しやすい DM 患者に対しては PCI よりも CABG のほうが適している．虚血性心筋症の状態になった患者への CABG も正当化されている．FFR（血流予備量比）に基づいたバイパス標的部位の決定については賛否両論ある[7]．現在，CABG の周術期死亡率（1～2%）や脳卒中（1～3%）・心筋梗塞（2～4%）・人工透析（1%）・縦隔炎（0.5～3%）の発生率はいずれも低く，心房細動発生率が 15～30%である．術後長期予後改善のためには，生活習慣の改善に加えて抗血小板薬・スタチン・低心機能患者への β ブロッカーやアンジオテンシン変換酵素阻害薬（こちらは腎機能が保たれている場合のみ）を投与するべきである．現在ほとんど（90～95%）の CABG は左内胸動脈グラフトの左前下行枝吻合に加え，静脈グラフトを使用して完全血行再建を遂行しているが，静脈グラフトよりも両側内胸動脈の使用が，特に若年患者においてはより適しており，長期成績が優れている．その場合，肥満女性・糖尿病・腎不全・COPD 患者では胸骨感染のリスクが高い．胸骨感染リスクを下げるためには内胸動脈周囲の組織を完全に外しながら採取する（skeletonize）のがよい．橈骨動脈グラフトも有効であるが，狭窄の強い（90%以上）部位のバイパスに用いないとフローが負けてしまい，グラフト閉塞につながる．静脈グラフト開存率を上げるために，採取時の no touch technique（周囲の組織を除かない），採取したグラフトを生理食塩水で

6) Head SJ, Milojevic M, Taggart DP et al：Current practice of state-of-the-art surgical coronary revascularization. Circulation 136：1331-1345, 2017

7) Paterson HS, Bannon PG, Taggart DP：Competitive flow in coronary bypass surgery：the roles of fractional flow reserve and arterial graft configuration. J Thorac Cardiovasc Surg 154：1570-1575, 2017

はなく緩衝液につける，グラフト外側にステントを装着して血流による力がかかるのを防ぐ，などの有効性が示されている．術中のグラフト評価はフローメータでの測定に加えてepicardiacエコーで直接吻合部を観察するとより正確になる．オフポンプCABGは短期的な脳卒中や腎不全のリスクは低下させるが，死亡率を改善するのはハイリスク患者においてのみである．また，術後短期生存率はオフポンプのほうがよいが，5年あるいは10年以上の長期ではオンポンプよりも悪くなるというデータも発表されている[8, 9]．オフポンプの成績を上げるためには術者のみならず，手術室スタッフなど手術にかかわる全員がその術式に習熟していることが必要である[10]．両側内胸動脈グラフト（＋内胸動脈に橈骨動脈を吻合した複合グラフト）を使用したオフポンプCABGであれば，大動脈への操作が完全になくなり脳卒中のリスクを大幅に下げられる．大動脈（サイド）クランプが必要な場合はepiaorticエコーを使用すべきである．左前胸部小開胸によるMIDCAB，内胸動脈の採取や左前下行枝への吻合にロボットを使用したMIDCAB，MIDCABとPCIを同時に，あるいは短期間のうちに連続して行うハイブリッド手術は今後大きな可能性があるとされた．

非心臓手術後の急性冠症候群（ACS）

非心臓手術後30日以内にACSの診断でCAGを施行された146人の患者を分析した[11]．入院中の診断は80％がST上昇型心筋梗塞（MI），14.4％は非ST上昇型MI，5.5％は不安定狭心症であった．診断についての情報を知らされていない循環器内科医がCAG画像をレビューしたところ，73％が心筋酸素需要供給バランス不均衡型MI（タイプ2　MI），27％が冠動脈あるいはステント血栓症（タイプ1あるいは4B　MI）とされた．146人中39人（26.7％）の患者ではCAGレビューで有意な冠動脈病変がなく，14人（9.6％）はストレス誘発性心筋症（たこつぼ心筋症）がACSの原因と考えられた．周術期MIはタイプ2が多いといわれているが，この研究でもそれを肯定する結果となり，**周術期における心筋酸素需給バランス改善の重要性が強調された**[12]．

高感度トロポニンTで診断した非心臓手術後心筋傷害（MINS）と術後死亡

非心臓手術を予定されたハイリスク患者（65歳以上，あるいは45歳以上で冠動脈疾患・末梢動脈疾患・脳卒中のいずれかの既往がある）に対して術前と術後にルーティンで高感度トロポニンT（hsTnT）を測定し，術後7日以内に14 ng/L以上上昇した場合をMINS（myocardial injury after non-cardiac surgery）と定義して，その頻度と術後死亡率との関連を調査した[13]．2,546の手術のうち397（16％）にMINSが発生したが，うち典型的な胸痛があった

8) Filardo G, Hamman BL, da Graca B et al：Efficacy and effectiveness of on- versus off-pump coronary artery bypass grafting：a meta-analysis of mortality and survival. J Thorac Cardiovasc Surg 155：172-179, 2018
9) Takagi H, Ando T, Mitta S：Meta-analysis comparing ≥10-year mortality of off-pump versus on-pump coronary artery bypass grafting. Am J Cardiol 120：1933-1938, 2017
10) Benedetto U, Lau C, Caputo M et al：Comparison of outcomes for off-pump versus on-pump coronary artery bypass grafting in low-volume and high-volume centers and by low-volume and high-volume surgeons. Am J Cardiol 121：552-557, 2018
11) Helwani MA, Amin A, Lavigne P et al：Etiology of acute coronary syndrome after noncardiac surgery. Anesthesiology 128：1084-1091, 2018
12) London MJ：Type 2 perioperative myocardial infarction：can we close pandora's box?. Anesthesiology 128：1055-1059, 2018
13) Puelacher C, Lurati Buse G, Seeberger D et al：Perioperative myocardial injury after noncardiac surgery：incidence, mortality, and characterization. Circulation 137：1221-1232, 2018

のは6%のみ，心電図変化や画像上心筋傷害を示唆する所見など，hsTnT上昇以外のMI基準を満たしたのは29%のみであった．MINSを起こした患者の術後30日死亡率は8.9%であったのに対し，起こさなかった患者では1.5%であった．1年後死亡率も22.5%対9.3%であった．MINSを起こした患者の術後30日死亡率は，hsTnT上昇以外のMI基準を満たした場合も，hsTnT上昇のみで他の基準を満たさなかった場合も同様であった．ハイリスク患者に対しては，hsTnTを含めたより詳細な検査と投薬の強化が必要なのかもしれない[14]．VISION（the Vascular Events in Noncardiac Surgery Patients Cohort Evaluation）Studyという大規模な国際研究では，45歳以上で非心臓手術を受けた患者21,842人の術後3日までのhsTnT値と術後30日死亡率との関係が調査された[15]．20 ng/L未満では0.5%であったのに対し，20〜65 ng/L未満では3.0%，65〜1,000 ng/L未満では9.1%，1,000 ng/L以上では29.6%と段階的な相関性があった．3,904人（17.9%）がMINS（基本的に術後ピークのhsTnT値が14 ng/L以上）と診断されたが，症状があったのはそのうち7%のみであった．欧州，および2017年には米国でhsTnT測定が認可され心筋梗塞の診断に用いられるようになって，**MINSが頻繁に発生していること，術後死亡と密接に関連していること，胸痛・心電図変化などを伴わないものが多い**ということがわかってきている．しかしhsTnTは心筋傷害以外に，肺塞栓・敗血症などが原因で上昇することもあるので，それらを除外することも重要である．MINSと診断された患者の3分の1に冠動脈CTで肺塞栓が発見されたという報告もある[16]．術後hsTnTの上昇は，非心臓手術後の死亡率と関連しているのみならず，人工心肺を使用した心臓手術（CABGと弁手術）後の術後30日および1年後死亡と，独立因子として相関しているという結果も発表された[17]．

PCI後の待機的非心臓手術周術期におけるDAPT

現在使用されている第二世代DESは，以前のものと比較してステント留置部位の内皮化が早期に完成するためステント血栓症のリスクが低下した．それを受けて2016年にACC/AHAガイドラインが改訂され，安定狭心症に対する第二世代DES留置後は最低6ヵ月（以前は12ヵ月），急性冠症候群に対する第二世代DES留置後は最低12ヵ月のDAPT継続が推奨されるようになった[18]．これはあくまで一般の内科患者に対するガイドラインであるが，それに対して外科手術が必要な患者に対しては，PCIを施行したベースとなる冠動脈疾患（安定狭心症か急性冠症候群か）にかかわらず，DES留置後6ヵ月以降であれば非心臓手術を予定してよいとされた（2014年のガイドラインでは12ヵ月以降であった）．しかし手術侵襲に由来する炎症物質や組織因子の放出によって過凝固状態になることや，血行動態の変動でステント内血流うっ滞を

14) Mandawat A, Newby LK：High-sensitivity troponin in noncardiac surgery：pandora's box or opportunity for precision perioperative care?. Circulation 137：1233-1235, 2018

15) **Devereaux PJ, Biccard BM, Sigamani A et al：Association of postoperative high-sensitivity troponin levels with myocardial injury and 30-day mortality among patients undergoing noncardiac surgery. JAMA 317：1642-1651, 2017**

16) Grobben RB, van Waes JAR, Leiner T et al：Unexpected cardiac computed tomography findings in patients with postoperative myocardial injury. Anesth Analg 126：1462-1468, 2018

17) Mauermann E, Bolliger D, Fassl J et al：Postoperative high-sensitivity troponin and its association with 30-day and 12-month, all-cause mortality in patients undergoing on-pump cardiac surgery. Anesth Analg 125：1110-1117, 2017

18) Levine GN, Bates ER, Bittl JA et al：2016 ACC/AHA Guideline focused update on duration of dual antiplatelet therapy in patients with coronary artery disease：a report of the American College of Cardiology/American Heart Association Task Force on Clinical Practice Guidelines. J Am Coll Cardiol 68：1082-1115, 2016

引き起こす可能性を考えると，一律6ヵ月後以降手術可能とするのは危険である．やはり急性冠症候群に対するDES留置後は，非心臓手術を12ヵ月待ったほうがよいのではないかと提案されている[19]．また，患者要因（悪性腫瘍・糖尿病・肥満・低心機能・慢性腎機能障害）や冠動脈病変（分岐部や左主幹部へのPCI・複数のステント）によるステント血栓症リスクの増大も考慮すべきである．ステント血栓症のリスクが高い患者に対してPCI後12ヵ月以内に出血リスクの低い手術を施行する場合は，周術期のDAPT継続も選択枝となる．PCI後に手術を施行する場合は，ステント血栓症にすぐ対応できる体制下に，術後の心電図・心筋逸脱酵素などを厳重にモニターしていく必要がある．また，**DAPT中止中もアスピリンは決して中断してはならない**．

心房細動合併患者におけるPCI後の抗凝固薬と抗血小板薬

心房細動を合併したPCI後患者に対するアスピリン，P2Y12阻害薬，抗凝固薬（非ビタミンK拮抗経口抗凝固薬のダビガトラン）の3剤投与と，アスピリンを除く2剤投与を比較した研究結果が報告された[20]．2剤のほうが出血性合併症のリスクは約半分となり，ステント血栓症のリスクはほぼ変わらなかった．抗凝固薬にワルファリンまたはリバーロキサバンを使って同様の比較をした以前の研究でも同様の結果が出ており，現在のDES留置後心房細動合併患者に対しては，「P2Y12阻害薬＋抗凝固薬」の2剤投与が適切であろうとされている[21]．

anesthetic preconditioning（APC）・remote ischemic preconditioning（RIPC）

動物実験・細胞レベルでは繰り返し証明されているAPCとRIPCだが，実際の臨床での有効性を示したものは少ない[22, 23]．確立しているのは，オンポンプCABGで揮発性麻酔薬を，プレコンディショニング（＝使用とその後のwash outを虚血イベントの前に行う）としてではなく，術中継続的に使用した場合の心保護効果のみである．周術期の転帰に影響するのは，APCを目指してどの薬剤を使用するかよりも，いかに血行動態を安定させられるかということであろう[24]．RIPCに関しては，大規模なメタアナリシスで，心筋梗塞のリスクを減少させるとしたものが一つあるが，それ以外はほとんどが有効性を示せていない[23]．

19) Essandoh M, Dalia AA, Albaghdadi M et al：Perioperative management of dual-antiplatelet therapy in patients with new-generation drug-eluting metallic stents and bioresorbable vascular scaffolds undergoing elective noncardiac surgery. J Cardiothorac Vasc Anesth 31：1857-1864, 2017

20) Cannon CP, Bhatt DL, Oldgren J et al：Dual antithrombotic therapy with dabigatran after PCI in atrial fibrillation. N Engl J Med 377：1513-1524, 2017

21) Piccini JP, Jones WS：Triple therapy for atrial fibrillation after PCI. N Engl J Med 377：1580-1582, 2017

22) Pagel PS, Crystal GJ：The discovery of myocardial preconditioning using volatile anesthetics：a history and contemporary clinical perspective. J Cardiothorac Vasc Anesth 32：1112-1134, 2018

23) Maldonado Y, Weiner MM, Ramakrishna H et al：Remote ischemic preconditioning in cardiac surgery：is there a proven clinical benefit?. J Cardiothorac Vasc Anesth 31：1910-1915, 2017

24) De Hert S, Moerman A：Anesthetic preconditioning：have we found the holy grail of perioperative cardioprotection?. J Cardiothorac Vasc Anesth 32：1135-1136, 2018

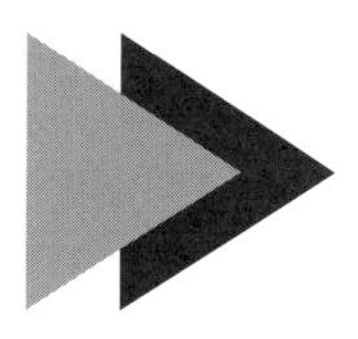

16. 麻酔と肝機能

さかぐちよしろう
坂口嘉郎
佐賀大学医学部 麻酔・蘇生学

最近の動向

- ●肝硬変患者の術後死亡予測モデルが日本のDPCデータベースをもとに作成された.
- ●肝切除術中では流入路閉塞手技（プリングル手技）に合わせてロクロニウム必要量が変化することが示された.
- ●肝切除後鎮痛法の比較研究が今回も多く報告された. 腹横筋膜面（TAP）ブロック, 創部持続浸潤法が硬膜外鎮痛に代わる手段となりうるかは引き続き検討が必要である.
- ●デクスメデトミジン（DEX）の術後鎮痛効果が, 静脈投与のみならず末梢神経ブロック注入によっても検討されている.
- ●肝移植術では術後急性腎障害（AKI）のリスク検討がトピックスであるが, 今回の研究では再灌流後症候群と古い赤血球輸血が示唆された.

術後肝障害の発症

1. 吸入麻酔薬による肝障害

デスフルラン麻酔後に肝障害をきたした肥満症例が報告された[1]. 身長162 cm, 体重105 kgの女性に腹腔鏡下胃切除術が施行された. 全身麻酔をフェンタニル, プロポフォール, ロクロニウムで導入し, BIS（bispectral index）値が40となるようにデスフルラン（呼気濃度5.2%）, レミフェンタニルで維持した. 術翌日, 倦怠感, 嘔気嘔吐, 腹痛を訴え, ALTが435 U/Lまで上昇したが術後6日目には正常化した. 本報告ではデスフルランが原因であることを証明できていない. しかしながら, デスフルランはハロタン同様生体内代謝によりトリフルオロ酢酸が生成される. 代謝率は0.02%と低いが, 免疫学的機序による肝障害発生は起こりうる.

2. レミフェンタニルの効果

レミフェンタニルは強力な鎮痛作用により術中の循環変動を安定化させるが, 術後肝障害を軽減させるだろうか？ 肝臓癌手術60人の患者を, プロポフォール（6.5〜9.0 mg/kg/h）とイソフルラン（2〜3%）で麻酔する対照群

1) Gabellini G, Graziano A, Carron M : Hepatotoxicity after desflurane anesthesia in a morbidly obese patient. J Clin Anesth 51 : 55-56, 2018

1884-8516/19/¥100/頁/JCOPY

(30人)とプロポフォール(7～10 mg/kg/h)とレミフェンタニル(0.3～0.5 μg/kg/min)で麻酔する群(30人)に分けたところ，後者では前者に比べて術中血圧上昇が有意に少なく，肝障害のバイオマーカーであるintercellular adhesion molecule-1(ICAM-1)の発現率は有意に低かった[2]．レミフェンタニルは術後肝障害の抑制に有利かもしれない．

2) Jiang Q, Song X, Chen Z et al：Effects of remifentanil on hemodynamics, liver function and ICAM-1 expression in liver cancer patients undergoing surgery. Oncol Lett 14：872-876, 2017

肝硬変患者の麻酔管理

1. 手術リスク評価

肝障害患者の手術適応を検討する際にはリスク評価が必要である．**日本の肝硬変患者2,197人のDPCデータベースをもとに，主要外科手術後の院内死亡の予測モデルが作成された**[3]．予定手術，緊急手術の院内死亡率はそれぞれ4.7％，20.5％であった．多変量解析の結果，予定手術では年齢，Child-Pughクラス，Charlson Comorbidity Index(CCI)，麻酔時間が院内死亡率と有意に関連し，緊急手術ではChild-Pughクラス，麻酔時間が関連していた．これらの因子をスコア化した**Adequate Operative Treatment for Liver Cirrhosis(ADOPT-LC) score**を作成し，その妥当性を検討したところ，area under the curve(AOC)が0.881と高かった．

3) Sato M, Tateishi R, Yasunaga H et al：The ADOPT-LC score：a novel predictive index of in-hospital mortality of cirrhotic patients following surgical procedures, based on a national survey. Hepatol Res 47：E35-E43, 2017

2. DEXによるリスク軽減の可能性

DEXを麻酔薬に加えることで，手術侵襲に伴うストレス反応および炎症反応を抑制するかもしれない．94人の肝硬変患者において，レミフェンタニルを用いた対照群に比べて，DEXを加えた群では術中の平均血圧が有意に低く，術後6，12，24時間後のVAS(Visual Analogue Scale)値が有意に低く，術中・術後4時間のIL-2，TNF-αが有意に低かった[4]．嘔気嘔吐，低酸素血症，覚醒遅延，Tリンパ球数に群間で有意差はなかった．

4) Wang L, Zhang A, Liu W et al：Effects of dexmedetomidine on perioperative stress response, inflammation and immune function in patients with different degrees of liver cirrhosis. Exp Ther Med 16：3869-3874, 2018

肝切除術の麻酔法

1. 肝再生に対する麻酔薬の影響

肝切除後の肝再生に麻酔薬の種類は影響するかどうか検討された[5]．右葉切除の肝移植ドナー1,629人でCT画像をもとに計算すると，残肝容積の回復(肝再生指標)は術後1週間で63.3％±41.5％，1～2ヵ月で93.7％±48.1％であった．傾向スコアマッチングしたセボフルラン群(403人)とデスフルラン群(403人)で比較したところ，早期・晩期ともに肝再生指標に有意差はなかった．ロジスティック回帰分析の結果，男性，残肝容積が早期肝再生指標に影響していた．

5) Jung KW, Kim WJ, Jeong HW et al：Impact of inhalational anesthetics on liver regeneration after living donor hepatectomy：a propensity score-matched analysis. Anesth Analg 126：796-804, 2018

2. セボフルランの入院コスト削減効果

吸入麻酔薬には虚血再灌流障害時の臓器保護効果があるとされる．Eichlerらはすでに2つのRCTにおいて，セボフルランのpre/post-conditioningが全静脈麻酔に比べて肝切除術の合併症を減少させると報告していた．今回，コストを比較し，**セボフルランのpre/post-conditioningは合併症発生が減少することにより全入院コストを抑制できることを示した**[6]．

3. ロクロニウム必要量

プリングル手技を伴う肝切除術中のロクロニウム必要量が検討された[7]．ロクロニウムを導入に0.6 mg/kg，その15分後から7.5 μg/kg/minで持続投与し，TOF比3〜10%となるように速度調節した．プリングル手技前，手技中，手技後の投与速度はそれぞれ，7.2 ± 1.8，4.2 ± 1.4，4.7 ± 1.5 μg/kg/min（平均 ± SD）であった．**肝切除術では肝代謝の変化に合わせてロクロニウム投与量を調節する必要がある**ことが示された．

4. 経皮的ラジオ波焼灼術（PRFA）の局所麻酔法

肝腫瘍に対するPRFA中の麻酔法について，局所浸潤麻酔（2%リドカイン5〜10 mL；30人）と右胸部傍脊椎ブロック（TPVB：T7とT9の高さに0.5%ブピバカイン12.5 mLずつ投与；30人）を比較した[8]．両群ともミダゾラム20 μg/kgとフェンタニル0.5 μg/kgを投与した．**TPVBは局所浸潤麻酔に比べて術中術後のVAS値，全身麻酔移行率が有意に低く，患者と施術者の満足度が有意に高かった**．合併症の発生率に有意差はなかった．肝臓はT6〜T11の交感神経と迷走神経の神経支配を受けている．TPVBでは交感神経ブロックによる内臓神経の疼痛抑制も期待できる．

肝切除術の予後・合併症

1. 腹腔鏡下肝切除術における術後回復力強化プログラム（ERAS）

これまでERASの有効性がさまざまな手術で検討されているが，今回，腹腔鏡下肝切除術においてERASの有効性を示すRCTが出た[9]．ERASの構成には周術期教育，看護師によるナビゲーション，栄養管理，呼吸管理，手術2時間前の経口炭水化物摂取，術後の早期離床，目標指向型輸液療法，ドレナージ非実施，PONV予防策，マルチモーダル鎮痛が含まれていた．ERAS群（58人）は従来群（61人）に比べて有意に入院期間が短く，術後合併症発生率，入院コストが低かった．

2. 術後凝固障害のリスク因子

硬膜外鎮痛は優れた鎮痛法であるが，術後凝固障害を伴う可能性のある肝切除術では硬膜外血腫など術後合併症発生が懸念される．前向き多施設研究をレビューした結果[10]，対象1,371人中759人（53.5%）で術後凝固障害（INR ≧ 1.5または血小板数＜8万/mm³）が生じていた．INR延長は術後1日目，血小板数低下は術後2，3日目がピークであった．多変量解析の結果，術前肝硬変の存在，術前INR ≧ 1.5，術前血小板数＜15万/mm³，切除範囲の大きさ，予想出血量 ≧ 1,000 mLが術後肝障害と関連していた．硬膜外麻酔はこれらの

6) Eichler K, Urner M, Twerenbold C et al：Economic evaluation of pharmacologic pre- and postconditioning with sevoflurane compared with total intravenous anesthesia in liver surgery：a cost analysis. Anesth Analg 124：925-933, 2017

7) Kajiura A, Nagata O, Sanui M：The pringle maneuver reduces the infusion rate of rocuronium required to maintain surgical muscle relaxation during hepatectomy. J Anesth 32：409-413, 2018

8) Abu Elyazed M, Abdullah M：Thoracic paravertebral block for the anesthetic management of percutaneous radiofrequency ablation of liver tumors. J Anaesthesiol Clin Pharmacol 34：166-171, 2018

9) Liang X, Ying H, Wang H et al：Enhanced recovery care versus traditional care after laparoscopic liver resections：a randomized controlled trial. Surg Endosc 32：2746-2757, 2018

10) Jacquenod P, Wallon G, Gazon M et al：Incidence and risk factors of coagulation profile derangement after liver surgery：implications for the use of epidural analgesia - a retrospective cohort study. Anesth Analg 126：1142-1147, 2018

因子を有する場合にリスクが高くなることが示唆された.

肝臓手術後の鎮痛

1. 硬膜外麻酔と他の鎮痛法の比較

肝臓手術後の鎮痛法について引き続き活発な議論が続いている. 肝胆膵手術後, 胸部硬膜外麻酔 (TEA 群 ; 106 人) と iv-PCA (iv-PCA 群 ; 34 人) の間で比較し, 前者の優位性を示す RCT が報告された[11]. TEA 群は T5〜T10 椎間にカテーテルを留置し, 術後 0.075% ブピバカイン + モルヒネ 5 μg/mL を 5〜8 mL/h で持続注入し, ボーラス 3 mL, ロックアウト時間 10 分の PCA を設定した. iv-PCA 群ではモルヒネを必要なら 10 分ごとに 0.2 mg ずつボーラス投与し, さらに鎮痛が不十分なら, 1 時間ごとに 0.5 mg をボーラス投与する設定とした. その結果, 術後 48 時間の numeric/visual pain scale による trapezoidal 方式の area under the curve (AUC) は TEA 群のほうが iv-PCA 群よりも有意に小さく, オピオイドの総使用量も有意に少なかった. 合併症発生率, 入院期間, 再手術率は群間に差はなかった.

腹部腫瘍切除術を施行する患者を対象に, TEA 群 (35 人) と TAP ブロック群 (32 人) の術後鎮痛における有効性と安全性を検討する前向き RCT がある[12]. TEA 群は T7 レベルで穿刺し, ブピバカインとオピオイドを注入した. TAP ブロックには 0.5% ブピバカインを用いた. 前者は後者に比べて術後 24 時間以内の低血圧出現頻度が高く, オピオイド消費量が多かった. **TAP ブロックは方法によっては TEA に勝る鎮痛効果と安全性をもつことが示唆された.**

開腹術後鎮痛として TEA 群と創部持続浸潤法 (CWI 群) を比較した研究のメタアナリシスがある[13]. 16 の RCT を対象とした. TEA 群のほうが低血圧出現は有意に多かったが, 72 時間後の安静時痛は有意に少なかった. 肝切除術に限って分析すると, 術後 2, 12 時間後の運動時および安静時痛は TEA 群が CWI 群に比べて有意に少なかった. **肝切除術後, 通常の CWI では TEA に比べて鎮痛が不十分になるかもしれない.**

2. 末梢神経ブロックの方法

TAP ブロックの薬液に DEX を添加する方法の有効性を検討する前向き RCT が報告された[14]. 対照群 (25 人) は 0.25% ブピバカイン 20 mL を, 介入群 (25 人) はこれに 0.3 μg/kg DEX を加えた薬液を使用し, 手術終了時に両側に注入, 術後 48 時間, 8 時間ごとに術野から右側季肋部に留置したカテーテルを通して注入した. 介入群は対照群に比べて術後 72 時間以内のモルヒネ・レスキュー総投与量, 回数ともに有意に少なく, 術後 12 時間目の Numerical Analog Scale (NAS) が有意に低く, 腸管蠕動開始, 経口摂取できるまでの時間が有意に短かった. 合併症については群間に有意差はなかった.

11) Aloia TA, Kim BJ, Segraves-Chun YS et al : A randomized controlled trial of postoperative thoracic epidural analgesia versus intravenous patient-controlled analgesia after major hepatopancreatobiliary surgery. Ann Surg 266 : 545-554, 2017

12) Shaker TM, Carroll JT, Chung MH et al : Efficacy and safety of transversus abdominis plane blocks versus thoracic epidural anesthesia in patients undergoing major abdominal oncologic resections : a prospective, randomized controlled trial. Am J Surg 215 : 498-501, 2018

13) Li H, Chen R, Yang Z et al : Comparison of the postoperative effect between epidural anesthesia and continuous wound infiltration on patients with open surgeries : a meta-analysis. J Clin Anesth 51 : 20-31, 2018

14) Aboelela MA, Kandeel AR, Elsayed U et al : Dexmedetomidine in a surgically inserted catheter for transversus abdominis plane block in donor hepatectomy : a prospective randomized controlled study. Saudi J Anaesth 12 : 297-303, 2018

末梢神経ブロックにDEXを加える効果の発現機序は解明されていないが，血管収縮による持続時間の延長や末梢神経活動に対する直接作用などが推測されている．

脊柱起立筋膜面ブロックは2016年に初めて報告された体幹ブロックであり，体壁のみならず内臓の鎮痛効果も期待できるといわれている．3人の肝移植ドナーに本ブロックを用いた報告が紹介されている[15]．麻酔導入後，超音波ガイド下に両側の第8胸椎の横突起と脊柱起立筋の間にある膜へ0.25％ブピバカインを20 mLずつ注入した．術後はモルヒネによるPCAを施行したが，術後24時間のVAS値は4以下でモルヒネ使用量は平均17.6 mgであった．硬膜外ブロックに代わりうる術後鎮痛手段の一つとして期待される．

15) Hacibeyoglu G, Topal A, Arican S et al：USG guided bilateral erector spinae plane block is an effective and safe postoperative analgesia method for living donor liver transplantation. J Clin Anesth 49：36-37, 2018

3. iv-PCA鎮痛

術後肝機能低下の恐れがある肝切除術においては，薬物代謝への配慮が必要である．iv-PCAによる術後鎮痛を実施する際に，モルヒネとフェンタニルのどちらが効果的で安全かを40人の患者を対象に後ろ向きに検討した研究が出た[16]．両群間で痛みスコアに有意差はなかったが，モルヒネ換算した使用量はモルヒネ群のほうが少なかった．モルヒネ群のほうが術後12時間の鎮静効果が有意に強かった．モルヒネ群の1人，フェンタニル群の2人に呼吸抑制のためにナロキソンが使用された．

DEXを術中術後に静脈投与することの鎮痛効果を検討した研究がある[17]．52人の肝切除術を受ける患者をDEX群と対照群に分けた．DEX群は気管挿管前に10分間で0.5 μg/kgを初期負荷投与し，手術終了まで0.3 μg/kg/hで持続投与した．術後は48時間，PCA（ボーラス投与2 mL，ロックアウト時間5分）による鎮痛を図った．対照群はオキシコドン60 mgを120 mLに希釈，DEX群はこれにDEX 360 μgを加えた．その結果，DEX群は対照群に比べて術後4～48時間のオキシコドン消費量は有意に少なく，心拍数，咳嗽時のVAS，術後嘔気嘔吐が有意に低く，患者満足度が高かった．

16) Nada EM, Alabdulkareem A：Morphine versus fentanyl patient-controlled analgesia for postoperative pain control in major hepatic resection surgeries including living liver donors：a retrospective study. Saudi J Anaesth 12：250-255, 2018
17) Zhang B, Wang G, Liu X et al：The opioid-sparing effect of perioperative dexmedetomidine combined with Oxycodone infusion during open hepatectomy：a randomized controlled trial. Front Pharmacol 8：940, 2018

肝移植術の麻酔管理

肝移植術では薬物代謝の変化から麻酔薬投与量が過剰になる恐れがある．肝移植術7日後の認知機能障害の発生率とBISモニタ導入による麻酔薬消費量への影響を観察した研究がある[18]．BISモニタを導入する前後の期間の認知機能障害発生率に有意差はなかったが，無肝期と再灌流15分後のプロポフォール使用量はBIS導入後のほうが有意に少なかった．

Bacterial translocationは肝硬変患者で起きやすく，炎症反応の増悪に関与すると予想される．Moharemらは生体肝移植を施行した30人の患者について，血中のバクテリアDNAと術中の血行動態，凝固障害の関係について検討した[19]．血中バクテリアDNAは10人の患者（33％）で陽性であり，これら

18) Cao Y-H, Chi P, Zhao Y-X et al：Effect of bispectral index-guided anesthesia on consumption of anesthetics and early postoperative cognitive dysfunction after liver transplantation. Medicine 96：e7966, 2017
19) Moharem HA, Fetouh FA, Darwish HM et al：Effects of bacterial translocation on hemodynamic and coagulation parameters during living-donor liver transplant. BMC Anesthesiol 18：46, 2018

の患者は陰性患者に比べて，TNF-α，IL-17 が有意に高く，トロンボエラストグラムの凝固能指標が有意に低下していた．活性化第 X 因子のレベルには有意差がなかった．また，術中の血行動態指標にも差はなかった．

肝移植術中の再灌流後症候群は術後合併症やグラフト不全に関連することが知られているが，術後 AKI の発生や予後にどのような影響があるかは十分検討されていない．Jun らは生体肝移植術を施行された 1,865 人の患者について再灌流後症候群の有無で 2 群に分け，AKI 発症率と 3ヵ月後の腎障害を比較した[20]．両群間で傾向スコアマッチング法および inverse probability of treatment weighting 法を用いて比較したところ，**再灌流後症候群の陽性群では有意に術後 AKI 発症率と 3ヵ月後の腎障害発生率が高かった．**

輸血赤血球の保存期間が肝移植後の AKI 発症に影響するかどうかを検討した研究がある[21]．心臓死ドナーからの肝移植術を実施された 156 人のレシピエントを対象に，輸血された赤血球の保存期間により 14 日未満（74 人）と 14 日以上（63 人）に分けて予後を比較した．inverse probability of treatment weighting 法を用いて比較したところ，**保存期間の長い群のほうが短い群に比べて，術後 AKI 発症率，重症 AKI 発症率ともに有意に高かった．**

20) Jun IG, Kwon HM, Jung KW et al : The impact of postreperfusion syndrome on acute kidney injury in living donor liver transplantation : a propensity score analysis. Anesth Analg 127 : 369-378, 2018

21) Wang Y, Li Q, Ma T et al : Transfusion of older red blood cells increases the risk of acute kidney injury after orthotopic liver transplantation : a propensity score analysis. Anesth Analg 127 : 202-209, 2018

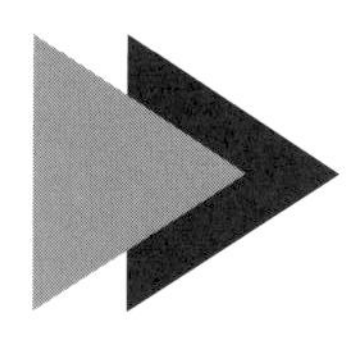

17. 麻酔と腎機能

江木盛時（えぎ もりとき）
神戸大学大学院医学研究科 外科系講座 麻酔科学分野

最近の動向

- 近年同様，術後腎機能障害（AKI）を予想する腎バイオマーカーの有用性を検討した研究が報告されている．
- 術前に予備腎機能あるいは TIMP-2 × IGFBP7 を測定することで，手術前に術後 AKI 発生の高リスク患者を抽出できる可能性がある．
- このような高リスク患者において，**KDIGO care bundle（早期の循環血液量の是正，灌流圧の維持，高血糖の抑制，および腎毒性物質の中止）**を周術期に施行することで，術後 AKI の発生が有意に低下することが報告されている．
- 薬剤投与による AKI 予防法はいまだ確立されておらず，周術期の循環動態の安定化による腎循環悪化の予防が術後 AKI の発生予防につながる可能性が示唆されている．

術後 AKI のリスク評価

術後 AKI が生じやすい患者を予想する，あるいは，AKI の発生を早期に検出することで，腎障害発生因子に対する早期介入が可能となり，腎障害予防が可能となると考えられてきた[1]．近年においても，予備腎機能（renal functional reserve：RFR），IL-8，TNFα，術中尿量および tissue inhibitor of metalloproteinase 2（TIMP-2）and insulin-like growth factor-binding protein 7（IGFBP7）などの術後 AKI 予想能を評価した研究が報告されている．

1. RFR

RFR は，生理学的ストレス条件下で糸球体濾過速度を増加させることで腎臓の予備能力を測定する方法であり，腎障害因子に対する抵抗性を評価できる可能性がある[2]．Husain-Syed らは，術前 RFR が術後 7 日以内に発生する AKI と関連するかを検討する目的に，術前糸球体濾過量が正常な 110 人の心臓手術患者を対象とした前向き研究を行った[3]．術前 RFR は，経口蛋白質負荷試験を用いて測定した．術前 RFR は術後 AKI 患者で有意に低値であり（$p < 0.001$），術後 AKI は RFR を用いて受信者動作特性曲線下面積 0.83（95%信

1) Meersch M, Schmidt C, Zarbock A：Perioperative acute kidney injury：an under-recognized problem. Anesth Analg 125：1223-1232, 2017

2) Palsson R, Waikar SS：Renal functional reserve revisited. Adv Chronic Kidney Dis 25：e1-e8, 2018

3) Husain-Syed F, Ferrari F, Sharma A et al：Preoperative renal functional reserve predicts risk of acute kidney injury after cardiac operation. Ann Thorac Surg 105：1094-1101, 2018

1884-8516/19/¥100/頁/JCOPY

頼区間（CI）：0.70〜0.96）で予測された．

2. IL-8 と TNFα

炎症反応は，AKI の発生機序の一つと考えられており，炎症性バイオマーカーである IL-8 と TNFαの AKI との関連に関しても検討結果が報告されている．de Fontnouvelle らは，人工心肺を要する小児心臓手術患者 412 人を対象に術前および術後における IL-8 と TNFαを測定し，術後 AKI との関連を検討した[4]．IL-8 および TNFαは，2 歳未満の小児における術後 AKI と関連しなかったが，2 歳以上の小児においては，術前 IL-8 と術後 TNFαは，術後 AKI の発生と関連していた．

3. 術中尿量

尿量減少は AKI の定義にも含まれるが，術後 AKI と関連する術中尿量減少の閾値は不明である．Mizota らは腹部大手術患者を対象に術後 AKI を予想するうえで，適切な閾値を検討する後ろ向き研究を施行した[5]．3,560 人の腹部大手術患者において，術後 AKI は 6.3％で発生した．術中尿量＜ 0.3 mL/kg/h は，術後 AKI 発生と有意に関連した（adjusted odds ratio：2.65，95％ CI：1.77〜3.97，$p < 0.001$）．

4. TIMP-2 × IGFBP7

尿細管障害の尿中マーカーとして，TIMP-2 および IGFBP7 の評価を行った研究が報告されている．Mayer らは，110 人の人工心肺を要する心臓手術患者を対象として，両バイオマーカーの術後 AKI 予想能を検討した[6]．術後 AKI の発生率は 8％であった．術後 AKI 発生患者と非発生患者において，TIMP-2 × IGFBP7 は，人工心肺離脱 1 時間後および 24 時間後において有意に高かった．人工心肺離脱 1 時間後における TIMP-2 × IGFBP7 において，＞ 0.40（ng/mL）/1,000 は最も適したカットオフ値であり，感度 0.778，特異度 0.641 であった．Finge らは，人工心肺を要する心臓手術患者 93 人を対象に前向き観察研究を施行した[7]．TIMP-2 × IGFBP7 は，人工心肺離脱 3 時間後に測定された．本研究では，37％の患者で術後 AKI が生じた．TIMP-2 × IGFBP7 の術後 AKI における受信者動作特性曲線下面積は 0.73（95％ CI：0.62〜0.83）であり，最も適したカットオフ値は 0.3（ng/mL）/1,000 であった（感度 0.76，特異度 0.64）．TIMP-2 × IGFBP7 で感度 90％の閾値は＜ 0.09 ng/mL/1,000 であり，得意度 90％の閾値は＞ 1.40 ng/mL/1,000 であった．

薬物を用いた術後 AKI 予防

AKI 発生予防あるいは AKI 治療において明確な有効性を認めた薬物療法は存在せず，過去に検討されたいずれの薬物においても，その有効性は決定的ではない．近年においても，術後 AKI 予防に関する介入試験が複数報告されている．

4) de Fontnouvelle CA, Greenberg JH, Thiessen-Philbrook HR et al：Interleukin-8 and tumor necrosis factor predict acute kidney injury after pediatric cardiac surgery. Ann Thorac Surg 104：2072-2079, 2017

5) Mizota T, Yamamoto Y, Hamada M et al：Intraoperative oliguria predicts acute kidney injury after major abdominal surgery. Br J Anaesth 119：1127-1134, 2017

6) Mayer T, Bolliger D, Scholz M et al：Urine biomarkers of tubular renal cell damage for the prediction of acute kidney injury after cardiac surgery-A pilot study. J Cardiothorac Vasc Anesth 31：2072-2079, 2017

7) Finge T, Bertran S, Roger C et al：Interest of urinary [TIMP-2] x [IGFBP-7] for predicting the occurrence of acute kidney injury after cardiac surgery：a gray zone approach. Anesth Analg 125：762-769, 2017

1. 重炭酸イオン

Kanchi らは，Off-pump CABG を受ける患者で慢性腎不全（GFR ≦ 60 mL/min/1.73 m²）を有する 60 人の患者において，重炭酸イオン投与が術後 AKI 発生に与える影響を検討した無作為化比較試験を報告した[8]．重炭酸イオン投与群においては，重炭酸イオン 0.5 mmol/kg を最初の 1 時間で投与し，その後は 0.2 mmol/kg/h の投与量で手術終了まで投与した．プラセボ群では当用量の生理食塩水を投与した．プラセボ群では術後 AKI は 33.3%（10/30）の患者で発生し，重炭酸投与群では，20%（6/30）の患者で発生した．患者数が少なく両群間の術後 AKI 発生率には有意差はなかった（$p = 0.24$）．

2. シクロスポリン

シクロスポリンは免疫抑制剤であるが，腎の虚血再灌流障害の予防効果に関する報告が存在する．Ederoth らは，予測 GFR が 15～90 mL/min/1.73 m² であり，人工心肺を要する冠動脈バイパスを施行される 154 患者を対象とし，2.5 mg/kg のシクロスポリンの術前静脈投与とプラセボ投与を比較する無作為化比較試験を施行した[9]．シクロスポリン群におけるシスタチン C の術前後における上昇率（136.4 ± 35.6%）は，有意にプラセボ群（115.9 ± 30.8%）より高かった（$p < 0.001$）．また，RIFLE クライテリアによって定義される AKI 発生率もシクロスポリン群で有意に高かった（31% vs. 8%，$p < 0.001$）．シクロスポリンは血管収縮作用が報告されており，移植手術後患者においては，腎障害発生に関与する可能性が報告されている．本研究でも，シクロスポリンは AKI 発生に関与することが報告されており，今後本薬剤に関する研究は行われなくなる可能性が高い．

3. N-Acetylcysteine

N-Acetylcysteine は，造影剤性腎障害を予防する可能性が報告されてきたが[10]，心臓術後 AKI に関してもエビデンス蓄積されてきた．Mei らは N-Acetylcysteine 投与が心臓術後 AKI 発生率に与える影響を検討したメタ解析を行った[11]．10 研究が存在し，1,391 患者（695 人 N-Acetylcysteine，696 人プラセボ）の情報を統合したところ，術後 AKI 発生率，クレアチニン値の変化および院内死亡率に有意な変化を認めなかった．

4. アスコルビン酸

アスコルビン酸は虚血再灌流予防効果が報告されている．Antonic らは，人工心肺を要する冠動脈バイパス手術を要する患者を対象とし，術前 24 時間および 2 時間前に 2 g のアスコルビン酸を投与し，術後 12 時間ごとに 1 g のアスコルビン酸を術後 5 日目まで投与する方法を施行した群（50 人）とプラセボ投与群（50 人）とを比較する無作為化比較試験を施行した[12]．両群における術後 AKI 発生率は有意差がなく（16% vs. 14%，$p = 0.78$），術後血清クレアチニン値の最大値にも有意差はなかった（$p = 0.43$）．

8) Kanchi M, Manjunath R, Maessen J et al : Effect of sodium bicarbonate infusion in off-pump coronary artery bypass grafting in patients with renal dysfunction. J Anaesthesiol Clin Pharmacol 34 : 301-306, 2018

9) Ederoth P, Dardashti A, Grins E et al : Cyclosporine before coronary artery bypass grafting does not prevent postoperative decreases in renal function : a randomized clinical trial. Anesthesiology 128 : 710-717, 2018

10) Pistolesi V, Regolisti G, Morabito S et al : Contrast medium induced acute kidney injury : a narrative review. J Nephrol 31 : 797-812, 2018

11) Mei M, Zhao HW, Pan QG et al : Efficacy of N-acetylcysteine in preventing acute kidney injury after cardiac surgery : a meta-analysis study. J Invest Surg 31 : 14-23, 2018

12) Antonic M : Effect of ascorbic acid on postoperative acute kidney injury in coronary artery bypass graft patients : a pilot study. Heart Surg Forum 20 : E214-E218, 2017

5. スタチン

スタチンの周術期使用が術後腎障害の発生に与える影響を検討したRCTを対象としたメタ解析が，Zhaoらによって報告されている[13]．心臓手術を施行された患者を対象に周術期スタチン投与を検討した8RCT（3,240患者）が選択された．スタチン投与群，プラセボ群間において術後AKI発生率（リスク比：1.02，95% CI：0.82～1.28），透析施行率（リスク比：1.09，95% CI：0.45～2.66）に有意差はなかった．また，人工呼吸施行時間，ICU滞在日数，および院内死亡率に有意な差は存在しなかった．

13) Zhao BC, Shen P, Liu KX：Perioperative statins do not prevent acute kidney injury after cardiac surgery：a meta-analysis of randomized controlled trials. J Cardiothorac Vasc Anesth 31：2086-2092, 2017

循環動態安定化を洗練化することによるAKI予防

薬剤投与による術後AKI発生予防法がいまだ確立されない中，循環動態を安定化させることで術後AKIを予防する方法に関して検討がなされている．

1. 周術期血圧管理

Hallqvistらは，非心臓手術患者における術前血圧からの術中血圧低下率と術後AKI発生との関係を検討する後ろ向き観察研究を施行した[14]．対象とした470患者において，127人（27%）が術後AKIを発症した．術後AKIには，男性（$p < 0.001$），術前クレアチニン値高値（$p = 0.003$），ASA-PS2以上（$p = 0.014$）および術前高血圧（$p = 0.005$）が関与していた．AKI発症群では，術中において，収縮期血圧が術前より＞40%低下するエピソードがAKI非発症患者に比べて有意に高頻度に生じていた（70% vs. 57%，$p = 0.013$）．術中における収縮期血圧が，術前血圧と比較して，＞50%低下するエピソードも同様にAKI患者で有意に高頻度に生じていた．（20% vs. 12%，$p = 0.024$）．多変量解析を用いて交絡因子を調節した結果，術中収縮期血圧が術前値よりも＞50%低下することは有意に独立して術後AKI発生リスクと関連した（調整オッズ比：2.27，95% CI：1.20～4.30，$p = 0.013$）．

14) Hallqvist L, Granath F, Huldt E et al：Intraoperative hypotension is associated with acute kidney injury in noncardiac surgery：an observational study. Eur J Anaesthesiol 35：273-279, 2018

周術期においてAKIが発生する前に，循環血液量や心拍出量を早期に最適化することは，AKI発症を予防するための重要な方法でありうる．Wuらは，高血圧を合併した腹部大血管患者678患者を，周術期における目標平均血圧を（65～79 mmHg），（80～95 mmHg），（96～110 mmHg）とする3群に分けて周術期管理して，術後AKI発生頻度を検討する無作為化比較試験を行った[15]．全患者における術後AKI発生頻度は10.9%（71/648）であった．術後AKIの発生頻度は，（目標平均血圧80～95 mmHg）群において6.3%（13/206）であり，（目標平均血圧65～79 mmHg）群の13.5%（31/230）および（目標平均血圧96～110 mmHg）群における12.9%（27/210）と比較して有意に低かった（$p < 0.001$）．（目標平均血圧80～95 mmHg）群では，院内肺炎発生率（$p = 0.014$）およびICU入室率（$p = 0.015$）が有意に低かった．

15) Wu X, Jiang Z, Ying J et al：Optimal blood pressure decreases acute kidney injury after gastrointestinal surgery in elderly hypertensive patients：a randomized study：Optimal blood pressure reduces acute kidney injury. J Clin Anesth 43：77-83, 2017

2. KDIGO care bundle

Goczeらは，TIMP-2 × IGFBP7 > 0.3（ng/mL）/1,000で定義された術後AKI発生高リスク非心臓手術患者において，①早期の循環血液量の是正，②灌流圧の維持および③腎毒性物質の中止からなるKDIGO（Kidney Disease Improving Global Outcomes）care bundleの施行する患者群と通常治療群を比較する一施設無作為化比較試験を施行した[16]．TIMP-2 × IGFBP7が0.3〜2.0の患者群において，KDIGO care bundleの使用は，AKIの発生率を有意に低下させた（27.1% vs. 48.0%，p = 0.03）．また，bundleの使用は，中等度あるいは重度のAKIの発生率を有意に低下させ（p = 0.01），ICUおよび病院滞在日数を有意に減少させた（p = 0.04）．

Meerschらは，TIMP-2 × IGFBP7 > 0.3（ng/mL）/1,000で定義された術後AKI発生高リスク心臓手術患者において，KDIGO care bundle（早期の循環血液量の是正，灌流圧の維持，高血糖の抑制，および腎毒性物質の中止）が術後AKI発生率に与える影響を検討した無作為化比較試験を行った[17]．KDIGO care bundleの導入群では，有意に血行動態パラメーターが良好であり，高血糖とアンジオテンシン変換酵素阻害薬/アンジオテンシンII受容体拮抗薬の使用頻度が有意に低かった．KDIGO care bundle導入群では，コントロール群と比較して有意に術後AKI発生率が低かった（55.1% vs. 71.7%，p = 0.004）．

16) Gocze I, Jauch D, Gotz M et al：Biomarker-guided intervention to prevent acute kidney injury after major surgery：the prospective randomized bigpAK study. Ann Surg 267：1013-1020, 2018

17) Meersch M, Schmidt C, Hoffmeier A et al：Prevention of cardiac surgery-associated AKI by implementing the KDIGO guidelines in high risk patients identified by biomarkers：the PrevAKI randomized controlled trial. Intensive Care Med 43：1551-1561, 2017

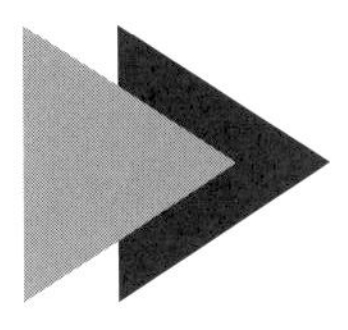

18. 麻酔と脳神経機能

松本美志也（まつもと みしや）
山口大学大学院医学系研究科 麻酔・蘇生学講座

最近の動向

- 高分解能超低温電子顕微鏡により詳細なヒト $GABA_A$ 受容体の構造が明らかになった．
- 麻酔薬による意識消失の機序を脳内のネットワークの結合性から解明しようとする研究が進み，各薬剤に共通した現象と薬剤ごとに異なる現象が明らかになりつつある．
- 脳梗塞の血管内治療を全身麻酔で行うと血圧は低下しやすいが，予後を悪化させることはないようである．
- くも膜下出血後の長時間作用性スタチン投与は脳血管攣縮を抑制したが，遅発性虚血性脳障害の発生を抑制できなかった．
- 術後にせん妄を起こす人は麻酔中に血漿中の brain-derived neurotrophic factor が減少しやすいことが報告され，せん妄発症のバイオマーカーとなるか注目されている．

麻酔薬の作用機序

麻酔薬の作用部位の一つである $GABA_A$ 受容体は5つのサブユニットからなっており，$\alpha_{1\sim6}$，$\beta_{1\sim3}$，$\gamma_{1\sim3}$，δ，ε，π，$\rho_{1\sim3}$ の組み合わせで20〜30の $GABA_A$ 受容体のサブタイプがある．ヒトの中枢神経の主な $GABA_A$ 受容体は2つの α_1 サブユニットと β_2 サブユニットと1つの γ_2 サブユニットからなる[1)]．高分解能超低温電子顕微鏡で詳細なヒト $GABA_A$ 受容体の構造や GABA とベンゾジアゼピンの結合部位も明らかになった[2)]．$GABA_A$ 受容体の構造の解明は新たな鎮静薬や麻酔薬の開発につながると思われる．

プロポフォールや揮発性吸入麻酔薬により意識消失を起こすと，安静閉眼時に後頭葉で優位である α 律動は消失し，α から δ 律動が前頭葉で優位となる．このような脳波の状態でも意識消失は起こっていない可能性が報告されている[3)]．麻酔導入後，筋弛緩薬投与前に前腕を駆血する isolated forearm technique を用いて，麻酔導入後に「声が聞こえたら，手を握るように」と話かけると90人中6人が反応し，そのうちプロポフォールとフェンタニルで導入した3人の脳波パターンは前述の典型的なパターンであった．ただし，これ

1) Weir CJ, Mitchell SJ, Lambert JJ：Role of gabaa receptor subtypes in the behavioural effects of intravenous general anaesthetics. Br J Anaesth 119：i167-i175, 2017
2) Zhu S, Noviello CM, Teng J et al：Structure of a human synaptic $GABA_A$ receptor. Nature 559：67-72, 2018
3) Gaskell AL, Hight DF, Winders J et al：Frontal alpha-delta EEG does not preclude volitional response during anaesthesia：prospective cohort study of the isolated forearm technique. Br J Anaesth 119：664-673, 2017

1884-8516/19/¥100/頁/JCOPY

は麻酔導入期での研究であり，麻酔維持期で同じことが起こるかは明らかではない．

意識は覚醒系，視床皮質路，皮質皮質路の3者の相互作用で形成されていると考えられている．Guldenmund ら[4] はデクスメデトミジンとプロポフォールでは呼名反応がなくなった状態で，自然睡眠群では睡眠ステージ3で脳の安静時ネットワークの結合性を functional MRI（fMRI）で検討している．その結果，**意識消失に伴い，高次脳機能に関連する安静時ネットワーク（default mode network, executive control network, salience network）とこれらと視床との結合性は3者とも抑制されたが，脳の基本的機能に関する安静時ネットワーク（auditory network, sensorimotor network, visual network）とこれらと視床との結合性は3者とも抑制されなかった．この結果はセボフルランによる意識消失でも同じ傾向である**[5]．しかし，外界からの刺激の中で際立った特徴を検出する能力に関連する脳幹－視床－前帯状皮質または内側前頭皮質の結合性に関しては3者で差があり，プロポフォール＞自然睡眠（N3）＞デクスメデトミジンの順に抑制が強かった[4]．脳内ネットワークの結合性に関しては，各薬剤に共通した現象と薬剤ごとに異なる現象が明らかになりつつある．

覚醒系の伝達物質の一つであるドパミンは GABA 作動性神経細胞の D2 受容体を刺激し，GABA の放出を抑制させる．Araki ら[6] **は，ドパミン D2 受容体拮抗薬のドロペリドールは GABA の放出を増強させ，セボフルラン麻酔の深度を増すという仮説を立てた．**麻酔導入後，セボフルラン1%とレミフェンタニル 0.1 μg/kg/min で麻酔を維持し，ドロペリドール（0.05 mg/kg）を投与した．bispectral index（BIS）モニターの脳波データを解析すると，ドロペリドールの投与により，α律動とδ～θ律動の脳波 bicoherence（各周波数における位相の一致の程度を表す指標）が増強し，α律動帯の脳波 bicoherence のピークも周波数が徐波のほうへ移動した．予想通りの結果であった．シンプルな研究で説得力のある結果である．

全身麻酔中も末梢の痛み刺激は脳まで到達していると考えられている．Lichtner ら[7] はボランティア10人に対し，プロポフォールの効果部位濃度を 4.0 μg/mL，レミフェンタニル投与量を段階的に 0.30～0.43 μg/kg/min まで上昇させ，腓腹神経を最大 50～100 mA で刺激し，fMRI，脊髄反射電位，体性感覚誘発電位を記録した．臨床的に十分な麻酔深度でも，末梢の痛み刺激は，脊髄や脳に到達しており，その反応は最大反応の約60%しか抑制されなかった．この結果をどう解釈するかは難しい．レミフェンタニルの投与量を増やせば痛み刺激による脊髄と脳の反応をさらに抑制できるかもしれないが，そこまでする利点をよく考えてみる必要がある．オピオイドの過量投与が術後痛覚過敏を起こす可能性も忘れてはならない．

4) Guldenmund P, Vanhaudenhuyse A, Sanders RD et al：Brain functional connectivity differentiates dexmedetomidine from propofol and natural sleep. Br J Anaesth 119：674-684, 2017

5) Palanca BJA, Avidan MS, Mashour GA：Human neural correlates of sevoflurane-induced unconsciousness. Br J Anaesth 119：573-582, 2017

6) Araki R, Hayashi K, Sawa T：Dopamine D2-receptor antagonist droperidol deepens sevoflurane anesthesia. Anesthesiology 128：754-763, 2018

7) Lichtner G, Auksztulewicz R, Velten H et al：Nociceptive activation in spinal cord and brain persists during deep general anaesthesia. Br J Anaesth 121：291-302, 2018

脳虚血と脳保護

デクスメデトミジンは脳血流の低下の割合が脳代謝の低下の割合よりも強く，脳虚血を起こす可能性が以前動物実験で指摘された．Laaksonenら[8]は18〜30歳の男性ボランティアで半数の人の意識がなくなる投与量を目標に，デクスメデトミジン（40人），プロポフォール（40人），セボフルラン（40人），S-ケタミン（20人），プラセボ（20人）を投薬し，脳のブドウ糖消費率を測定した．その結果，デクスメデトミジンで55％，プロポフォールで45％，セボフルランで85％，S-ケタミンで45％の人で意識が消失したが，そのときの全脳のブドウ糖消費率は上記の順にプラセボ群の63％，71％，71％，96％であった．この研究では脳血流量は測定していないが，デクスメデトミジンはこの研究と同程度の鎮静状態で脳血流量を約30％低下させると報告されているので，**デクスメデトミジンが脳虚血を起こす可能性はほとんどないと思われる**．重要な基礎データである．

脳梗塞の血管内治療が急速に進歩しているが，治療の際に軽度の鎮静で行うべきか全身麻酔で行うべきかの議論がある．今まで2つの前向き研究があるが，一つの研究（全身麻酔は完全静脈麻酔）[9]では3ヵ月後の神経学的所見は全身麻酔のほうがよかったが，もう一つの研究（全身麻酔はセボフルランとレミフェンタニルで維持）[10]では差がなかった．今回，Simonsenら[11]は脳梗塞発症から6時間以内に治療が開始できる患者を全身麻酔群（65人）はプロポフォールとレミフェンタニルで麻酔を維持し，鎮静群（63人）はプロポフォールとフェンタニルで鎮静をした．収縮期血圧を140 mmHg以上，平均血圧を70 mmHg以上に維持することを目標にしたが，結果的には全身麻酔群のほうが血圧は有意に低かった．48〜72時間後の脳梗塞範囲の増大に関しては差がなかったものの，全身麻酔のほうが再開通率が高く（77％ vs. 60％），90日後の神経学的所見もよかった．この著者ら[12]は，両群を合わせて血圧と90日後の神経学的所見の関係についても分析を行ったが，関連はなかった．今回の研究も含め3つとも単施設の研究なので注意が必要であるが，治療の開始が遅れないように迅速に全身麻酔を導入すれば，全身麻酔下に血管内治療を行うことで予後が悪くなる可能性は少ないと考えられる．

スタチンはくも膜下出血後の脳血管攣縮を抑制し，遅発性虚血性脳障害を防ぐ可能性が報告されている．Naraokaら[13]は長時間作用性のスタチン群（pitavastatin 4 mg/日を発症3日以内に開始し，14日間経口投与）とプラセボ群（各群54人）に対し，多施設ランダム化比較試験を行っている．全例で発症直後と発症後約9日までに2回digital subtraction angiographyを撮像し，手術前と手術後1，2，4，12週にCT検査を行った．その結果，pitavastatinは中等度から高度の血管攣縮を有意に抑制したが（38.1％ vs.

8) Laaksonen L, Kallioinen M, Langsjo J et al：Comparative effects of dexmedetomidine, propofol, sevoflurane, and S-ketamine on regional cerebral glucose metabolism in humans：a positron emission tomography study. Br J Anaesth 121：281-290, 2018

9) Schonenberger S, Uhlmann L, Hacke W et al：Effect of conscious sedation vs general anesthesia on early neurological improvement among patients with ischemic stroke undergoing endovascular thrombectomy：a randomized clinical trial. JAMA 316：1986-1996, 2016

10) Lowhagen Henden P, Rentzos A, Karlsson JE et al：General anesthesia versus conscious sedation for endovascular treatment of acute ischemic stroke：the anstroke trial (anesthesia during stroke). Stroke 48：1601-1607, 2017

11) Simonsen CZ, Yoo AJ, Sorensen LH et al：Effect of general anesthesia and conscious sedation during endovascular therapy on infarct growth and clinical outcomes in acute ischemic stroke：a randomized clinical trial. JAMA neurology 75：470-477, 2018

12) Rasmussen M, Espelund US, Juul N et al：The influence of blood pressure management on neurological outcome in endovascular therapy for acute ischaemic stroke. Br J Anaesth 120：1287-1294, 2018

13) Naraoka M, Matsuda N, Shimamura N et al：Long-acting statin for aneurysmal subarachnoid hemorrhage：a randomized, double-blind, placebo-controlled trial. J Cereb Blood Flow Metab 38：1190-1198, 2018

62.9％），遅発性虚血性脳障害（13.0％ vs. 22.2％，p = 0.16）や脳梗塞（11.1％ vs. 24.1％，p = 0.12）の発生は減らさなかった．遅発性虚血性脳障害の原因は血管攣縮だけではないと考えるべきであろう．

高次脳機能障害と術後せん妄

麻酔を受けることで軽度認知機能障害（mild cognitive impairment：MCI）が起こりやすいか，あるいは高次脳機能が低下するか検討が続いている．Wisconsin registry of Alzheimer's Prevention に登録された平均年齢54歳の964人に対し，生涯一度も手術を受けていない652人と4年間の間に手術を受けた130人で，登録時とその4年後の記憶能力を比較すると，手術は作業記憶能力の低下には関連がなかったが，短期記憶能力の低下と関連があった[14]．しかし，この研究では初回検査と手術，手術と2回目の検査の間隔が一定ではなく，また，行われた手術の26％が四肢の手術であり，何らかの高次脳機能の低下が骨折などの原因になっている可能性も否定できないので，結果の解釈は慎重にすべきであろう．

基礎研究では吸入麻酔薬がアミロイドβ（Aβ）の産生と重合化を促進する可能性が報告されている．Klinger ら[15]は60歳以上のイソフルラン麻酔下に人工心肺を使用した心臓手術を受けた40人の患者で，術前，6週間後，1年後，3年後に高次脳機能検査を行い，6週間後と1年後にアミロイドPETで脳内のAβ蓄積を測定した．また，Alzheimer's Disease Neuroimaging Initiative（ADNI）に登録された患者とAβ蓄積を比較している．その結果，13人（35％）の患者で6週間後に高次脳機能の低下がみられたが，大脳皮質のAβ蓄積との関連性はなく，Aβの蓄積パターンはADNI登録者の中でMCIより正常認知機能の者により類似していた．ただ，1年後にもアミロイドPETが施行できた12人ではAβの増加量はADNIの正常者の増加率の約10倍だった．しかし，サンプル数が少ないのでこの結果の解釈には注意が必要である．

術後せん妄は入院期間の延長ばかりではなく，身体予後悪化の危険因子であり，高次脳機能障害との関連も示唆されている．したがって，どのような患者がせん妄を起こす可能性があるか予知することは重要となる．簡単な認知症スクリーニングテストでも予知が試みられている[16]が，患者の血液検査からせん妄を予知できる可能性が報告されている．Wyrobek ら[17]は70歳以上の腰椎の手術を受ける患者77人で血漿brain-derived neurotrophic factor（BDNF）濃度を手術前と手術中は最低1時間ごとに測定し，術後せん妄の発生との関連を検討した．その結果，全体では32人（42％）の患者に術後せん妄が発生し，せん妄を発生した患者ではBDNFが有意に低下した（中央値で74％低下 vs. 50％低下）．術中に頻回にBDNFを測定するのは現実的ではない

14）Bratzke LC, Koscik RL, Schenning KJ et al：Cognitive decline in the middle-aged after surgery and anaesthesia：results from the Wisconsin registry for Alzheimer's prevention cohort. Anaesthesia 73：549-555, 2018

15）Klinger RY, James OG, Borges-Neto S et al：^{18}F-florbetapir positron emission tomography-determined cerebral β-amyloid deposition and neurocognitive performance after cardiac surgery. Anesthesiology 128：728-744, 2018

16）Culley DJ, Flaherty D, Fahey MC et al：Poor performance on a preoperative cognitive screening test predicts postoperative complications in older orthopedic surgical patients. Anesthesiology 127：765-774, 2017

17）Wyrobek J, LaFlam A, Max L et al：Association of intraoperative changes in brain-derived neurotrophic factor and postoperative delirium in older adults. Br J Anaesth 119：324-332, 2017

が，今後の研究の進展が期待される[18]．一方，集中治療領域で重症疾患から回復した患者（419人）の3ヵ月あるいは12ヵ月後の高次脳機能とS100 β（血液脳関門の傷害の程度を反映）とE-selectin（血管内皮細胞の炎症の程度を反映）には関連が認められたが，BDNFとは関連が認められていない[19]．患者の状態と評価したい脳機能によりどのバイオマーカーを指標にすべきか，今後のデータの蓄積により明らかになっていくと思われる．

術後の高次脳機能障害には手術侵襲に伴う炎症が関与していると考えられている．Glumacら[20]は心臓手術を受ける患者で0.1 mg/kgのデキサメタゾンを手術の10時間前に静脈内投与した群（85人）とプラセボ群（84人）で6日後の高次脳機能を比較している．その結果，デキサメタゾン群では，6日後の高次脳機能低下が有意に抑制された．デキサメタゾンに関しては過去に同様の研究（デキサメタゾン1 mg/kgを麻酔導入後に投与）が行われているが，高次脳機能低下に有意差はなかった．投与量と投与タイミングの違いが結果の違いに影響を与えた可能性がある．しかし，手術10時間前のステロイド投与は不眠などの副作用を起こす可能性も高いので慎重な判断が必要である．

術後せん妄の誘発因子の一つにオピオイドが挙げられる．Leungら[21]は術後のオピオイドの使用量を減らす目的で，ガバペンチン（術前から術後3日間900 mg/day）の投与により，術後せん妄を減らすことができるか65歳以上の整形外科手術を受ける患者で検討した．その結果，ガバペンチン群（350人）群はプラセボ群（347人）と比較し術後オピオイド使用量を減少させたが，せん妄の発生率（22.4% vs. 20.8%）には差がなかった．確かに統計的には有意なオピオイド使用量の減少だが，その減少幅はわずかであり，術後せん妄の原因や誘発因子が数多くあることを考えると妥当な結果と思われる．

18) Vutskits L：Predicting postoperative brain function from the blood：is there a role for biomarkers?. Br J Anaesth 119：291-293, 2017

19) Hughes CG, Patel MB, Brummel NE et al：Relationships between markers of neurologic and endothelial injury during critical illness and long-term cognitive impairment and disability. Intensive Care Med 44：345-355, 2018

20) Glumac S, Kardum G, Sodic L et al：Effects of dexamethasone on early cognitive decline after cardiac surgery：a randomised controlled trial. Eur J Anaesthesiol 34：776-784, 2017

21) Leung JM, Sands LP, Chen N et al：Perioperative gabapentin does not reduce postoperative delirium in older surgical patients：a randomized clinical trial. Anesthesiology 127：633-644, 2017

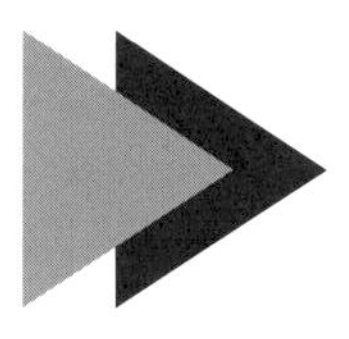

19. 麻酔薬と臓器保護作用

原　哲也（はら　てつや）
長崎大学医学部 麻酔学教室

最近の動向

●臓器保護における吸入麻酔薬の有用性は臓器を問わず確立されたものとなりつつある．心臓においては，糖尿病・高血糖や病的心筋における心保護作用の発揮が課題となっており．脳では保護作用が支持される反面，幼若脳に対する悪影響も無視できない．臓器保護と“がん”への悪影響は表裏一体の現象である．臓器保護を発揮する最小濃度，がん細胞を生存させる曝露時間や濃度の閾値，シグナル伝達経路など，解明すべき問題は数多く残されている．

心保護作用の基礎研究

糖尿病患者や高血糖状態において吸入麻酔薬のプレコンディショニング効果が減弱する機序に新たな知見が加わった．Ge ら[1]は，2型糖尿病，microRNA-21 ノックアウト，eNOS ノックアウトおよび対照マウスを用いて，1.5%のイソフルランの心保護作用を検討した．イソフルランの虚血前投与により虚血再灌流後の摘出灌流心における心収縮の低下が軽減されたが，糖尿病マウスではこの心保護作用が発揮されなかった．イソフルランにより心筋の microRNA-21 および eNOS の合成発現が増加し，ミトコンドリア電子伝達系酵素複合体 I が活性化されたが，microRNA-21 ノックアウトマウスではこれらの変化が認められなかった．eNOS のノックアウトは microRNA-21 の発現に影響を与えなかった．これらの結果は，**2型糖尿病マウスにおける microRNA-21 の発現，eNOS の産生および電子伝達系の変調がイソフルランの心保護効果を阻害する要因となっている**ことを示唆している．

心筋におけるμオピオイド受容体の発現は非常に少なく，心保護における役割は疑問視されてきた．He ら[2]は，摘出灌流心モデルを用いて，慢性心不全ラットではμオピオイド受容体の発現が3倍以上に増加しており，μ受容体選択的アゴニストである DAMGO の虚血前投与が ERK の発現を増加させ，心筋梗塞サイズを縮小することを明らかにした．DAMGO の心保護作用は ERK 阻害薬の前処置により消失し，μオピオイド受容体選択的拮抗薬である CTOP

1) Ge ZD, Li Y, Qiao S et al : Failure of isoflurane cardiac preconditioning in obese type 2 diabetic mice involves aberrant regulation of microRNA-21, endothelial nitric-oxide synthase, and mitochondrial complex I. Anesthesiology 128 : 117-129, 2018

2) He SF, Jin SY, Yang W et al : Cardiac m-opioid receptor contributes to opioidinduced cardioprotection in chronic heart failure. Br J Anaesth 121 : 26-37, 2018

1884-8516/19/¥100/頁/JCOPY

はモルヒネおよびレミフェンタニルの心保護作用を抑制したが，δおよびκオピオイド受容体拮抗薬の影響はより少なかった．これらの結果は，**慢性心不全におけるμオピオイド受容体の発現増加**と心保護作用における心筋μ受容体の重要性を示唆している．

レミフェンタニルの心保護作用における**亜鉛平衡の役割**が明らかとなった．Shengら[3]は，ラットの摘出心筋灌流モデルを用いて，虚血前に投与したレミフェンタニルにより虚血再灌流後の心機能が改善し，心筋梗塞サイズが縮小することを示した．この心保護作用には心筋からの亜鉛イオン流出の抑制，metal-responsiblef factor 1およびZn^{2+} transporter 1発現の抑制，亜鉛イオンの回復を介した筋小胞体ストレスの抑制によるミトコンドリア機能の維持が関与していた．

デクスメデトミジンによる心保護作用の機序に新たな知見が加わった．Yoshikawaら[4]は，ラットの摘出灌流心モデルを用いて，再灌流時のデクスメデトミジンによる心保護作用がα_2アドレナリン受容体とイミダゾリン受容体を介して発揮されることを明らかにした．**高血圧肥大心**ではeNOSのリン酸化が認められず，**イミダゾリン受容体がより重要な役割を果たしている**ことが示唆された．

Ramelteonはメラトニン受容体作動薬であり，睡眠障害の治療に用いられている．Stroethoffら[5]は，ラットの摘出心筋灌流モデルを用いて，Ramelteonのポストコンディショニング効果を検討した．再灌流時に投与したRamelteonにより心筋梗塞サイズが縮小し，この心保護作用はメラトニン受容体拮抗薬で消失した．Ramelteonはメラトニン受容体のMT1およびMT2に強い親和性を有しており，**心保護作用におけるMT1およびMT2の重要性**が示唆される．

局所麻酔薬中毒に対する脂肪乳剤の心保護効果に関して，新たな知見が報告された．Umarら[6]は，マウスの摘出灌流心モデルを用いて，虚血再灌流傷害に対する脂肪乳剤の心保護効果と，ブピバカインの心毒性に対する脂肪乳剤の心保護効果がG蛋白共役受容体40拮抗薬により消失することを明らかにした．G蛋白共役受容体40はげっ歯類の心筋に発現しており，局所麻酔薬中毒の軽減に何らかの役割を担っているようである．

心保護作用の臨床研究

Hoflandら[7]は国際的な多施設共同単盲検ランダム化試験で，オンポンプ冠動脈バイパス術後の心筋傷害をキセノン，セボフルランおよびプロポフォール麻酔で比較検討した．術後24時間のトロポニンI（ng/mL）は，キセノン群（146人）で1.14，セボフルラン群（151人）で1.30，プロポフォール群（149人）で1.48であり，セボフルランに対するキセノンの非劣性とプロポフォー

3) Sheng M, Zhang G, Wang J：Remifentanil induces cardio protection against ischemia/reperfusion injury by inhibiting endoplasmic reticulum stress through the maintenance of zinc homeostasis. Anesth Analg 127：267-276, 2018

4) Yoshikawa Y, Hirata N, Kawaguchi R et al：Dexmedetomidine maintains its direct cardioprotective effect against ischemia/reperfusion injury in hypertensive hypertrophied myocardium. Anesth Analg 126：443-452, 2018

5) Stroethoff M, Behmenburg F, Spittler K et al：Activation of melatonin receptors by ramelteon induces cardioprotection by postconditioning in the rat heart. Anesth Analg 126：2112-2115, 2018

6) Umar S, Li J, Hannabass K et al：Free fatty acid receptor G-protein-coupled receptor 40 mediates lipid emulsion-induced cardioprotection. Anesthesiology 129：154-162, 2018

7) **Hofland J, Ouattara A, Fellahi JL et al：Effect of xenon anesthesia compared to sevoflurane and total intravenous anesthesia for coronary artery bypass graft surgery on postoperative cardiac troponin release：an international, multicenter, phase 3, single-blinded, randomized non-inferiority trial. Anesthesiology 127：918-933, 2017**

ルに対する**キセノンの優性**が認められた．比較的低リスクの患者を対象としているが，新しい麻酔薬としてキセノンの臨床使用が期待される．

Okitsu ら[8] は，麻酔薬の心保護作用を経カテーテル大動脈弁置換術（TAVI）で検討した．2015 年 1 月～2017 年 4 月までに大腿動脈アプローチで手術を受けた 140 人を対象として後方視的に検討した．デスフルラン麻酔群（72 人）とプロポフォール麻酔群（68 人）で術後 72 時間の CK-MB，トロポニン I に差はなかった．周術期心筋傷害に影響を与えたのは術中の出血量と術前からの埋込型ペースメーカであった．後方視的検討で人工弁の種類が統一されていないなど，研究の限界はあるものの，**経大腿動脈アプローチの TAVI は低侵襲である**ことを示唆している．

遠隔部位への虚血刺激が標的臓器の虚血再灌流傷害に対する保護作用を発揮する現象はリモートプレコンディショニング（RPC）と呼ばれており，臨床応用への期待が高まっているが，その評価は定まっていない．Xie ら[9] は心臓手術を対象とした 30 の臨床研究（7,036 人）をメタ解析し，術中の RPC により術後のトロポニンの上昇が抑制されることを明らかにした．死亡率，心筋梗塞および急性腎傷害の発症には影響を認めなかった．対象とした研究によりトロポニンの対照値はさまざまであり，吸入麻酔薬の関与も除外しがたいため，今後の検討が期待される．

インスリンは心筋における糖の取り込みと利用を促進する．Duncan ら[10] は，1,439 人の心臓手術患者を対象として，高用量インスリンによる血糖管理が予後に与える影響を検討した．糖負荷と高用量インスリン（5 U/kg/min）により血糖値を 80～110 mg/dL に管理する群 709 人と，糖負荷なしに低用量インスリン（1 U/kg/min）で血糖値を 150 mg/dL 以下に管理する群 730 人を比較すると，術後 30 日の死亡率，機械的循環補助，感染，腎および神経学的合併症は高用量インスリン群で良好であった．**積極的な糖負荷とインスリン投与により，心臓手術における予後が改善する．**

低心拍出症候群は心臓手術における死亡の要因である．Ellenberger ら[11] は，中および高リスクの心臓手術患者 222 人を対象として，麻酔導入時のグルコース・インスリン・カリウム（GIK）療法が術後経過に与える影響を検討した．GIK 療法と追加のインスリンによる血糖管理（81～180 mg/dL）により，術中・術後に 2 時間以上持続する心室機能不全が減少し，術後 1 日目の血中のトロポニン値が低下し，心・肺合併症が減少し，集中治療室滞在時間および在院日数が短縮した．**GIK 療法と適切な血糖管理が心臓手術における予後を改善する**可能性が示された．

脳・脊髄保護作用の基礎研究

吸入麻酔薬の脳保護作用に新たな知見が加わった．Cai ら[12] は，ラットの

8) Okitsu K, Iritakenishi T, Imada T et al：Choice of desflurane or propofol for the maintenance of general anesthesia does not affect the risk of periprocedural myocardial damage in patients undergoing transfemoral transcatheter aortic valve implantation. J Anesth 32：82-89, 2018

9) Xie J, Zhang X, Xu J et al：Effect of remote ischemic preconditioning on outcomes in adult cardiac surgery：a systematic review and meta-analysis of randomized controlled studies. Anesth Analg 127：30-38, 2018

10) Duncan AE, Sessler DI, Sato H et al：Hyperinsulinemic normoglycemia during cardiac surgery reduces a composite of 30-day mortality and serious in-hospital complications：a randomized clinical trial. Anesthesiology 128：1125-1139, 2018

11) Ellenberger C, Sologashvili T, Kreienbuhl L et al：Myocardial protection by glucose-insulin-potassium in moderate- to high-risk patients undergoing elective on-pump cardiac surgery：a randomized controlled trial. Anesth Analg 126：1133-1141, 2018

12) Cai M, Yang Q1, Li G et al：Activation of cannabinoid receptor 1 is involved in protection against mitochondrial dysfunction and cerebral ischaemic tolerance induced by isoflurane preconditioning. Br J Anaesth 119：1213-1223, 2017

右中大脳動脈閉塞モデルを用いて，虚血前に投与した2%のイソフルランにより脳梗塞サイズが縮小し，抗アポトーシス蛋白であるBcl-2およびBcl-X_Lの発現が増加し，神経細胞におけるアポトーシスが減少した．また，ミトコンドリア呼吸鎖複合体の活性が維持され，ラジカルの産生が抑制され，膜電位が維持され，透過性遷移孔の開口が抑制された．これらの効果はカンナビノイド受容体1により消去され，イソフルランの脳保護作用における**カンナビノイド受容体1の活性化**が示唆された．

幼若脳に対する吸入麻酔薬の悪影響が注目されている．デクスメデトミジンは脳保護作用を期待されている鎮静薬であるが，発達段階の脳における保護作用は十分には検討されていない．Perez-Zoghbiら[13]は，幼若マウスに対するセボフルラン麻酔におけるデクスメデトミジンの影響を検討した．セボフルラン麻酔により脳皮質におけるcaspase-3陽性細胞が増加したが，**デクスメデトミジンの併用により脳細胞のアポトーシスが視床を中心に減少**した．セボフルランとデクスメデトミジンの併用は保険適応に問題が生じやすいが，臨床的に魅力ある解決策である．

13) Perez-Zoghbi JF, Zhu W, Grafe MR et al：Dexmedetomidine-mediated neuroprotection against sevoflurane-induced neurotoxicity extends to several brain regions in neonatal rats. Br J Anaesth 119：506-516, 2017

手術侵襲や重症病態における認知機能低下は傷害関連分子パターン（damage-associated molecular patterns：DAMPs）により惹起される炎症と関連している．Huら[14]はマウスを用いて，デクスメデトミジンがhigh molecular group box 1（HMGB1）蛋白によって誘導した炎症および認知機能低下を軽減し，この脳保護作用がイミダゾリンあるいはニコチン型アセチルコリン受容体の遮断により消失することを明らかにした．デクスメデトミジンによりnetrin-1のアップレギュレーションが起こり，抗炎症メディエーターの増加と炎症性メディエーターの減少が認められた．**デクスメデトミジンは神経性および液性因子を介して炎症を寛解し，DAMPsにより惹起される認知機能低下を軽減する**ことが示唆された．

14) Hu J, Vacas S, Feng X et al：Dexmedetomidine prevents cognitive decline by enhancing resolution of high mobility group box 1 protein-induced inflammation through a vagomimetic action in mice. Anesthesiology 128：921-931, 2018

RPCによる心保護作用の報告は散見されるが，脊髄虚血に対する効果は十分に検討されていない．Fukuiら[15]は，ウサギの生体モデルを用いて，脊髄に対する直接的プレコンディショニングと腎虚血あるいは下肢虚血によるリモートプレコンディショニングの脊髄保護作用を検討した．直接的プレコンディショニングはAkt2のリン酸化を介して脊髄保護作用を発揮したが，**リモートプレコンディショニングによる脊髄保護作用は認められなかった．**

15) Fukui T, Ishida K, Mizukami Y et al：Comparison of the protective effects of direct ischemic preconditioning and remote ischemic preconditioning in a rabbit model of transient spinal cord ischemia. J Anesth 32：3-14, 2018

脳・脊髄保護作用の臨床研究

脳神経外科手術における麻酔薬の選択に関する知見は限られている．Bhardwajら[16]は，脳動脈瘤クリッピング術の予後と麻酔薬の関係をWorld Federation of Neurosurgeons Grade Ⅰ，Ⅱの脳動脈瘤破裂患者で検討した．デスフルラン麻酔群（$n = 35$）はプロポフォール麻酔群（$n = 35$）よりも覚

16) Bhardwaj A, Bhagat H, Grover VK et al：Comparison of propofol and desflurane for postanaesthetic morbidity in patients undergoing surgery for aneurysmal SAH：a randomized clinical trial. J Anesth 32：250-258, 2018

醒が早く，術中の頸静脈血酸素飽和度が高かったものの，在院日数や神経学的機能に差はなかった．対象とした患者群が若く，比較的軽症であったことが，明らかな差を生じなかった理由かもしれない．

肺保護作用の基礎研究

吸入麻酔薬は肺の炎症を抑制することが報告されている．Araujo ら[17]は，ラットの急性呼吸窮迫症候群（ARDS）による肺傷害に対するセボフルランの肺保護効果をイソフルランと比較し検討した．リポポリサッカライドの気管内投与による肺性 ARDS において，インターロイキン 6 遺伝子 mRNA の発現，静的肺エラスタンスの上昇および肺胞虚脱の増加はイソフルランよりもセボフルランでより抑制され，酸化ストレスの軽減に働く Nrf2，Ⅱ型肺胞上皮細胞の保護に働く SP-B，浮腫の軽減に働く N^+/K^+-ATPase の活性化が認められた．一方，リポポリサッカライドの腹腔内投与による肺外性 ARDS においては，イソフルランとセボフルランで指標に差を認めなかった．**肺に起因する ARDS 患者では，セボフルランの方が肺保護的に働く**かもしれない．

17) Araujo MN, Santos CL, Samary CS et al : Sevoflurane, compared with isoflurane, minimizes lung damage in pulmonary but not in extrapulmonary acute respiratory distress syndrome in rats. Anesth Analg 125 : 491-498, 2017

肝保護作用の基礎研究

肝虚血再灌流傷害の制御は肝切除術や肝移植術における重要な問題である．Rao ら[18]は，マウスの部分肝温虚血再灌流モデルを用いて，イソフルランのプレコンディショニングが再灌流後のトランスアミナーゼの上昇を抑制し，肝細胞のアポトーシスを軽減することを明らかにした．培養肝細胞を用いた検討では，イソフルランが過酸化水素による肝細胞死を軽減し，この作用はオートファジー阻害薬である 3-methyladenine の前処置により消失した．これらの肝保護作用は 5′adenosine monophosphate-activated protein kinase（AMPK）阻害薬により消失した．**イソフルランの肝保護作用には AMPK の活性化を介したオートファジー機能の温存が関与している**ようである．

18) Rao Z, Pan X, Zhang H et al : Isoflurane preconditioning alleviated murine liver ischemia and reperfusion injury by restoring AMPK/mTOR-mediated autophagy. Anesth Analg 125 : 1355-1363, 2017

“がん”への影響

がんの再発に対する麻酔薬の影響が注目されている．Ciechanowicz ら[19]は，2 種のがん細胞を用いて，セボフルランの影響を検討した．3.6%，2 時間のセボフルラン曝露により，腎癌細胞の生存，遊走，シスプラチンに対する抵抗性が増加したが，非小細胞肺癌細胞への影響は認められなかった．腎癌細胞では，セボフルランによる transforming growth factor-β（TGF-β）および osteopontin の発現が腎癌細胞の生存と遊走に関与していた．

麻酔薬とがんの増殖に与える性差の影響が検討された．Meier ら[20]は，マウスの生体モデルを用いて，イソフルランによる黒色腫細胞の増殖が，野生型マウスではオスで早く，免疫抑制マウスでは性差を認めないことを明らかにし

19) Ciechanowicz S, Zhao H, Chen Q et al : Differential effects of sevoflurane on the metastatic potential and chemosensitivity of non-small-cell lung adenocarcinoma and renal cell carcinoma *in vitro*. Br J Anaesth 120 : 368-375, 2018

20) Meier A, Gross ETE, Schilling JM et al : Isoflurane impacts murine melanoma growth in a sex-specific, immune-dependent manner : a brief report. Anesth Analg 126 : 1910-1913, 2018

た．**メスはオスよりもがんに対する免疫機能が強く働いている**ことを示唆している．

局所麻酔薬によるがん細胞増殖の抑制が期待されている．Johnson ら[21]はマウスの生体モデルを用いて，局所麻酔薬が乳癌切除後の肺転移に与える影響を検討した．術中・術後に静脈内投与したリドカインにより，セボフルラン麻酔後のがん転移が抑制され，血管新生にかかわるサイトカインの増加が抑制された．プロポフォール麻酔での検討が期待される．

Le Gac ら[22]は，肝細胞癌の培養細胞に与える局所麻酔薬の影響を検討した．リドカインとロピバカインはいずれも用量依存性に，肝癌細胞の生存と増殖を抑制し，肝癌前駆細胞のアポトーシスを増加させた．ロピバカインは細胞周期を制御する cyclin A2，cyclin B1，cyclin B2，cyclin-dependent kinase 1 の mRNA 量および細胞増殖の指標である MKI67 の発現を減少させた．リドカインは細胞周期に影響を与えなかったが，Wnt/β-catenin 経路に拮抗する adenomatous polyposis coli の mRNA 量を増加させた．局所麻酔薬は細胞周期にかかわる遺伝子発現を変化させて細胞分裂を抑制し，アポトーシスを誘導することで**がん細胞の増殖を抑制する**ことが示唆された．

Lavon ら[23]は，ラットとマウスの生体モデルを用いて，がんの転移に与えるデクスメデトミジンの影響を検討した．**デクスメデトミジンは用量依存性に乳癌，肺癌，大腸癌の進展と転移を増加させた**．これらの変化にはα_2アドレナリン受容体の活性化を介しており，α_1アドレナリン受容体の関与は認めなかった．

21) Johnson MZ, Crowley PD, Foley AG et al：Effect of perioperative lidocaine on metastasis after sevoflurane or ketamine-xylazine anaesthesia for breast tumour resection in a murine model. Br J Anaesth 121：76-85, 2018

22) Le Gac G, Angenard G, Clement B et al：Local anesthetics inhibit the growth of human hepatocellular carcinoma cells. Anesth Analg 125：1600-1609, 2017

23) Lavon H, Matzner P, Benbenishty A et al：Dexmedetomidine promotes metastasis in rodent models of breast, lung, and colon cancers. Br J Anaesth 120：188-196, 2018

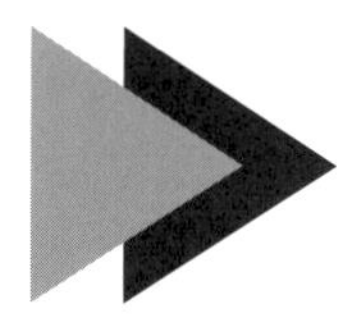

20. 麻酔深度とモニター活用法

讃岐美智義（さぬき みちよし）
広島大学病院 麻酔科

最近の動向

- ●術中脳波モニターによる深麻酔検出と術後せん妄，認知機能障害に関する研究が盛んである．
- ●麻酔薬，鎮静薬と鎮静レベル別の EEG（electroencephalography）の周波数帯域パターンを明らかにしようという知見が出始めた．
- ●小児麻酔領域での術中処理脳波 pEEG（processed EEG）モニター研究が急増している．
- ●侵害刺激ー抗侵害受容モニタリングとして，SPI（surgical pleth index）の臨床応用が増加してきた．
- ● BIS（bispectral index）以外の pEEG モニターの活用も広がり，知見が集積されつつある．

麻酔深度モニタリングと術後せん妄，認知機能障害

術中の麻酔深度モニタリングを利用した術後認知機能障害（POCD）や術後せん妄（POD）予測が盛んである．Luo ら[1] は，60 歳以上（1 研究を除く）の通常の麻酔管理と BIS や AEP などの処理脳波モニター（pEEG）をガイドにした麻酔管理のランダム化比較試験（RCT）の 5 件を解析して系統的レビューを報告している．術中に pEEG モニタリングに基づいて麻酔薬を調節した群 1,426 人と呼気吸入麻酔薬濃度に基づいて麻酔薬を調節した群 1,442 人の 2,868 人からのデータを解析すると，POD 発生のオッズ比（OR）は 0.51（95％信頼区間（CI）：0.35〜0.76）で，長期の認知機能障害（CD）の OR は 0.69（95％ CI：0.49〜0.97）であった．BIS や AEP ガイドの全身麻酔では，POD や長期の CD リスクが減少すると結論している．Punjasawadwong ら[2] は，60 歳以上の非心臓手術と非脳神経外科手術の 6 件の RCT からの 2,929 人のデータを対象に，処理脳波（BIS または AEP）値をガイドにした麻酔と従来からの麻酔を比較して，POD と POCD の発生リスクを検討した．処理脳波ガイド麻酔では，術後 7 日以内の POD 発生リスク比（RR）は，0.71（95％ CI：0.59〜0.85）であった．3 件の RCT では，手術後 12 週の POCD 発生 RR は，0.71（95％ CI：0.53〜0.96）と低かった．処理脳波モニター（pEEG）は，ESA（欧州麻酔学会）から発表された術後せん妄に関するガイドライン（Eur

1) Luo C, Zou W：Cerebral monitoring of anaesthesia on reducing cognitive dysfunction and postoperative delirium：a systematic review. J Int Med Res 46：4100-4110, 2018

2) Punjasawadwong Y, Chau-In W, Laopaiboon M et al：Processed electroencephalogram and evoked potential techniques for amelioration of postoperative delirium and cognitive dysfunction following non-cardiac and non-neurosurgical procedures in adults. Cochrane Database Syst Rev 5：CD011283, 2018

1884-8516/19/¥100/頁/JCOPY

J Anaesthesiol 34：192-214, 2017）では，すべての全身麻酔症例でpEEGの使用をグレードAの推奨とした．pEEGを用いて，深すぎる全身麻酔を避けることが術後せん妄発生低下につながる可能性があることが指摘されている．

麻酔薬，オピオイドと麻酔深度モニタリング

Riphausら[3]は，EEGモニタリング下のプロポフォール（Prop）鎮静では，女性が男性より覚醒が速いことを報告している．大腸内視鏡検査を行う219人（女性：108人，男性：111人）に，Narcotrend®（脳波モニターの一つ）で鎮静深度*をD0-D2にコントロールするようにPropを投与した．内視鏡検査時間，鎮静時間，体重あたりのProp投与量に差はなかったが，開眼までの時間（7.3 ± 3.7対8.4 ± 3.4分），完全覚醒（9.1 ± 3.9対10.4 ± 13.7分）までの時間は，男性よりも女性で有意に速かった．Prop総投与量，鎮静関連合併症（徐脈，低血圧，低酸素血症および無呼吸），患者の協力および患者の満足度に差はみられなかった．**Prop代謝酵素の濃度は男性より女性のほうが高い（Eur J Clin Pharmacol 2：397-406, 2012）と考えられており，投与量だけでなく鎮静深度のコントロールをEEGモニターで行う必要があることを示したものと考える．**

＊ Narcotrend®（NONIN社）の鎮静深度段階
https：//www.nonin.com/wp-content/uploads/2019/01/Narcotrend-Quick-Guide-OR.pdf

3) Riphaus A, Slottje M, Bulla J et al：Women awaken faster than men after electroencephalogram-monitored propofol sedation for colonoscopy：a prospective observational study. Eur J Anaesthesiol 34：681-687, 2017

Palancaら[4]はセボフルラン（Sevo）が無意識を作り出す神経系の連関についての総説を発表している．覚醒から無意識への目に見えない状態遷移を表現する画像や電気生理学的マーカーを補足するSevoの複数の分子標的が同定されている．最近の研究では，実際の臨床的意義に即して，この状態遷移中の頭皮脳波活動が，正確に詳細に記述されている．前頭から頭頂のEEG信号の頭皮電位の連関するタイミングは，Sevoが皮質での神経情報の伝播を混乱させる可能性があることを示唆している．全身麻酔中の空間的に分布した脳活動は，PET（陽電子放出断層撮影）やfMRI（磁気共鳴機能画像法）を用いてさらに研究されてきた．脳波とPETを組み合わせた研究で，前頭部，頭頂部，視床の脳血流と代謝活性の変化が，Sevoによる意識喪失時に確認された．最近のfMRIの研究では，覚醒時に機能性と特殊性を共有する脳領域間のシグナルの関連性がSevoによって弱まることが明らかにされている．特に，そのような2つの静止状態ネットワークでは，麻酔薬濃度の増加に伴って皮質間および視床－皮質の接続性が徐々に低下することを示す．これらのデータは，脳部位を越えた一時的に関連した活動が混乱し，Sevo鎮静状態と全身麻酔状態の間の遷移状態を起こすという仮説を支持する．**最近の知見では，麻酔薬が脳内**

4) Palanca BJA, Avidan MS, Mashour GA：Human neural correlates of sevoflurane-induced unconsciousness. Br J Anaesth 119：573-582, 2017

のシグナルの接続性を途絶させることで，意識を消失させることが知られている．

de Valence ら[5] は，高齢患者（65 歳以上）の麻酔導入中に Prop とスフェンタニル（Sufenta）を同時投与した場合（Sufenta 群：35 人）としない場合（プラセボ群：36 人）の BIS 値について検討した．Sufenta を TCI 投与（効果部位濃度 0.3 ng/mL）またはプラセボを投与した後，PropTCI（初期効果部位濃度 0.5 μg/mL）投与し，OAA/S ＜ 2（意識消失）となるまで Prop を 0.5 μg/mL ずつ段階的に増加させた．意識消失時の平均（SD）BIS 値は，Sufenta 群で 75.0（8.6），プラセボ群で 70.0（8.0）で平均差 − 5.0（95% CI：− 8.9〜 − 1.1）であった．また，Prop 濃度は Sufenta 群で 1.7（0.5），プラセボ群で 2.5（0.5）であった．高齢患者の Prop と Sufenta の同時導入では，意識消失時に BIS 値が Prop 単独導入より高値を示した．**BIS 値が同じであれば同じ状態といえるかが問題である．薬剤が異なれば，脳波波形の構成成分は異なり BIS 値も異なると考えるべきである．オピオイドは過量投与すると脳波が徐波化すると考えられるが，導入に使用した量では脳波に及ぼす影響は少なく，むしろ Prop と同時投与することで意識消失までの Prop 量を減少させた．Prop の投与量の差が，BIS 値の差を生みだしたと考えるべきである．**

5) de Valence T, Elia N, Czarnetzki C et al：Effect of sufentanil on bispectral index in the elderly. Anaesthesia 73：216-222, 2018

プロポフォールとデクスメデトミジン鎮静の麻酔深度モニタリング

デクスメデトミジン（DEX）鎮静中の脳波のパターンを SedLine® で見た研究[6] がある．DEX は 0.3，0.6，1.2，2.4 ng/mL の 4 段階にコンピュータで予測血中濃度投与を行いその濃度に保った（実測血中濃度は，平均値で各々 0.49，0.99，2.09，4.69 ng/mL）．各血中濃度での EEG のパワーを周波数帯域別に δ（0.5〜1.5 Hz），α（9〜14 Hz），β（15〜24 Hz）帯域として評価するとともに，鎮静度（Ramsay 鎮静スケールと自己申告の数値評価スコア：NRS）を評価した．EEG パワーは，DEX 濃度を上げるとともに β 帯域は減少し，α 帯域と δ 帯域は増加した．DEX 予測血中濃度と β 帯域の増加は $r = -0.6$ の逆相関（95% CI：− 0.4〜 − 0.75）で，δ 帯域の増加は $r = 0.28$（95% CI：0.03〜0.45），α 帯域の増加は $r = 0.16$（95%信頼区間：− 0.09〜0.38）であった．中等度から深鎮静となったときには，β 帯域は 16 dB 減少し，δ 帯域は 15 dB 増加した．覚醒を促したときには，β 帯域は速やかに増加しゆっくりベースラインに戻った．**覚醒後には，臨床的な観察で完全覚醒と考えられても EEG パワーはゆっくりベースラインに戻った．観察による覚醒評価が，臨床的に十分かどうかは不明である．**

6) Sleigh JW, Vacas S, Flexman AM et al：Electroencephalographic arousal patterns under dexmedetomidine sedation. Anesth Analg 127：951-959, 2018

Xi ら[7] は，Prop と DEX で鎮静時の EEG パターンを評価した．健常人ボランティア（$n = 10$）の覚醒，中等度鎮静，および深鎮静から DEX および

7) Xi C, Sun S, Pan C et al：Different effects of propofol and dexmedetomidine sedation on electroencephalogram patterns：Wakefulness, moderate sedation, deep sedation and recovery. PLoS One 13：e0199120, 2018

Prop鎮静下のBISおよび20チャンネルEEGを装着し，鎮静レベル（OAA/Sスコア）ごとに部位別，周波数帯域別のEEGパターンを記録した．DEXとPropはいずれも鎮静度があがれば，δ（0.5～4 Hz）領域成分が増加した．中等度鎮静では，DEXとPropのいずれもSpindle（12～15 Hz）の増加がみられた．DEXでは全領域でα（8～12 Hz）/β（15～25 Hz）/γ（25～40 Hz）が減少し，Propでは後頭部のαが減少し，全領域でSpindle/β/γ成分が増加した．深鎮静では，DEXは前頭－中心部でSpindle増加と全領域でα/β/γが減少していたがPropはθ/α/Spindle/βの増加がみられた．中等度鎮静～深鎮静での脳の各部位でのα/Spindle/β分布の遷移は，2薬剤間で完全に異なっていた．同鎮静レベルでのEEGダイナミクスの違いが，BIS値の違いと鎮静メカニズムの違いを反映している．**EEGによる鎮静モニタリングは，BIS値を妄信的に信じるのではなくEEGパターンの変化と薬物の違いを考慮すべきであると考える．**

Kangら[8]は，Prop麻酔中の至適な鎮静レベルの個別指標として，反応消失時のPropの効果部位濃度（Ce-LOR）からEEGのα帯域のパワーが最大になるPropの効果部位濃度を予測する試みを報告している．予定乳房切除術を受ける26人の女性患者（33～65歳）のPropTCI麻酔中にBIS-XP™モニターからコンピュータにEEG波形とEEG由来の全パラメータを記録し，PropのCeが徐々に増加するように目標濃度を調整した．名前呼びかけに対する応答消失ややさしく肩をゆらしたとき（LOR）のPropのCe（効果部位濃度）をCe-LORと定義した．Prop濃度を増加させて，全患者に共通のα帯域（9～14 Hz）のパワーが一過性に最も高くなったときのCeをCe-αと定義した．また，群発抑制が最初に観察されたときのCeをCe-OBSと定義した．Ce-LORからCe-αとCe-OBSを予測する回帰式Ce-α = Ce-LOR × 0.87 + 1.06と回帰式Ce-OBS = Ce-LOR × 0.87 + 1.89が求まった．Ce-αでは，BISは50.2 ± 7.7であった．これらの回帰式からCe-LORに基づいて，Ce-αとCe-OBSがわかるため個々の患者の鎮静レベルを適切に管理できると結論づけている．**回帰式Ce-α = Ce-LOR × 0.87 + 1.06より，Ce-LORに，ほぼ1.0μg/mL前後加算したところでCe-αとなるため，臨床的な感覚ともよく合うと考えられる．**

8) Kang H, Mohamed HMH, Takashina M et al：Individual indicators of appropriate hypnotic level during propofol anesthesia：highest alpha power and effect-site concentrations of propofol at loss of response. J Anesth 31：502-509, 2017

小児の脳波モニタリング

小児の全身麻酔中の年齢に応じた脳波変化はあまり知られていない．0～3歳のSevo麻酔維持中の多チャネル脳波を前頭部，頭頂部，側頭部および後頭部の皮質上のパワーおよびコヒーレンスを記録した研究[9]がある．(1) 全年齢層でslow（0.1～1 Hz）とδ（1～4 Hz）振動パワーがあり，(2) 4ヵ月未満ではθ（4～8 Hz）およびα（8～12 Hz）振動パワーが出現した．(3) 4～10ヵ月ではα振動パワーが増加した．(4) 6ヵ月までは前頭部のα振動が優位であっ

9) Cornelissen L, Kim SE, Lee JM et al：Electroencephalographic markers of brain development during sevoflurane anaesthesia in children up to 3 years old. Br J Anaesth 120：1274-1286, 2018

た．(5) 0～6ヵ月まで前頭部の徐波振動がコヒーレンスでみられた．(6) 10ヵ月までは，前頭部のα振動がコヒーレンスで出現し，それ以降の年齢では増大した．**小児の麻酔により発生するEEG振動の特徴付けは，Sevo全身麻酔中の小児の脳の状態を適切にモニターするためには，年齢に応じた対応が重要である．小児のSevo麻酔の年齢別の脳波変化を詳細に調べた研究である．**

Kochら[10]は，93人の小児（0～19歳）を対象として麻酔深度レベル（覚醒，浅麻酔，深麻酔，非常に深い麻酔）別に，前頭部のEEG記録を行った．総パワーは，深麻酔（$r^2 = 0.314$，$p < 0.0001$）および非常に深い麻酔（$r^2 = 0.403$，$p < 0.0001$）で年齢により有意に異なっていた．浅い麻酔での相対的なβ帯域パワーは，年齢とともに直線的に増加した（$r^2 = 0.239$，$p < 0.0001$）．麻酔のレベルは，全年令で相対δ帯域パワー（麻酔深度とともに増加），相対β帯域パワーおよびSEF（麻酔深度とともに減少）に有意差があった（$p < 0.0001$）．小児のEEGパラメータは主に麻酔深度に依存しβ帯域パワー，δ帯域パワーおよびSEFは線形関係を示した．麻酔中の年齢依存性は単一のEEGパラメータのみにあった．**さまざまなレベルの麻酔は，子どもの年齢に関係なく，相対的なβ帯域パワー，相対的なδ帯域パワー，およびSEFによって識別が可能である．**

Cornelissenら[11]は，小児（0～3歳）がSevoから覚醒するときの臨床徴候とEEGパターンを調べた．頸部下手術を予定した90人の小児（0～3歳）で，呼気終末セボフルラン（ETsevo）濃度，年齢および前頭部EEGスペクトル特性の関係を知るために，手術終了までのタイムコース（最初の大きな体動，最初の咳，最初のしかめっ面，共同偏視，前頭部（F7/F8）のα（8～12 Hz）パワー，前頭部β（13～30 Hz）パワー）を調べた．発生した臨床的徴候は，すべての年齢層で規則正しい一連の事象に従っていた．臨床的徴候は，年齢とは無関係に，狭い範囲のETsevoで発生した（体動：0.4%（95% CI：0.3～0.4），咳0.3%（95% CI：0.3～0.4），顔の動き：0.2%（95% CI：0.1～0.3））．共同偏視はETsevo1～0%で出現した．生後3ヵ月以上の小児では，前頭部のα振動はETsevo 2.0%で出現し，0.5%で消失した．体動は，99%の患者でα振動消失の5分以内に起こった．亜酸化窒素は，体動，しかめっ面や咳をしたときのETsevoに影響を及ぼさなかった．いくつかの臨床徴候が覚醒までの間に連続して起こり，亜酸化窒素とは無関係であった．目の位置は他の臨床徴候やETsevoとの相関が低かった．**脳波スペクトル特性は，3ヵ月以降の子どもの臨床行動サインの予測を助ける可能性がある．**

Jangら[12]は，Sevo麻酔覚醒時興奮の予測と術中EEGパラメータの関係を調べた．覚醒時興奮（EA）は，Sevo麻酔後によくみられるが，明確な予測因子はない．29人の患者（1～6歳）で，1.0 MACおよび0.3 MACの呼気終末Sevo（Etsevo）でEEG由来のパラメータ（SEF95，β，α，θ，およびδパワ

10) Koch S, Stegherr AM, Mörgeli R et al：Electroencephalogram dynamics in children during different levels of anaesthetic depth. Clin Neurophysiol 128：2014-2021, 2017

11) Cornelissen L, Donado C, Lee JM et al：Clinical signs and electroencephalographic patterns of emergence from sevoflurane anaesthesia in children：an observational study. Eur J Anaesthesiol 35：49-59, 2018

12) Jang YE, Jeong SA, Kim SY et al：The efficacy of intraoperative EEG to predict the occurrence of emergence agitation in the postanesthetic room after sevoflurane anesthesia in children. J Perianesth Nurs 33：45-52, 2018

ー）を測定した．EA は，EA スコア（EAS）：1. 眠っている，2. 覚醒しているがおだやか，3. 被刺激性，泣く，4. 切なく泣く，5. ひどい落ち着きのなさ，見当識障害の 5 段階で，到着後（EAS 0），到着後 15 分および 30 分（EAS 15 および EAS 30）で評価した．EEG 由来のパラメータと EAS との間の相関を Spearman 相関で分析し，ROC 曲線分析を使用して予測可能性を測定した．EA は 11 人あった．Etsevo の 1.0 MAC での α パワーは EAS 15 および EAS 30 と相関していた．Etsevo の 0.3 MAC での θ/α 比は EAS 30 と相関していた．0.3 MAC での α 領域の % Sevo 吸入中 ROC 曲線下面積 Etsevo と EA の発生は 0.672 であった．**Sevo 麻酔からの覚醒時に高 α および低 θ（低い θ/α 比）を示す小児は，麻酔後治療室で EA の危険性が高いと結論づけている．**

Liu ら[13]は，小児の Sevo 麻酔覚醒の予測に PI（灌流指数）と BIS を比較する研究を行った．PI 値と BIS 値は，異なる動作原理を用いた麻酔深度モニターの 2 指標である．これらのモニターによって反映される麻酔薬からの覚醒段階の変化は，特に小児患者ではよく知られていない．小児（1～5 歳）の予定開腹鼠径ヘルニア修復術を受ける 45 人で，PI と BIS を同時にモニターした．Sevo 麻酔後の覚醒の予測および覚醒中の異なる覚醒レベルの識別で PI と BIS の予測確率を比較した．麻酔覚醒中の臨床的覚醒レベルはミシガン大学の鎮静スケールを用いた．麻酔覚醒中の完全意識と無意識との間で PI（Pk PI 覚醒 = 0.81，95％ CI：0.73～0.89）の予測確率は，BIS（Pk BIS 覚醒 = 0.86，95％ CI：0.79～0.92）のそれと同等であった．PI（Pk PI − UMSS = 0.61，95％ CI：0.55～0.73）および BIS（Pk BIS − UMSS = 0.64，95％ CI：0.53～0.69）についての予測確率は，異なる状態の鎮静を区別することにおいても同様の性能を有していた．**小児の Sevo 麻酔からの覚醒では，PI 値と BIS 値いずれもが，覚醒および覚醒レベルと異なる鎮静状態の予測でいずれもうまく機能した．**

Kook ら[14]は，小児（3～10 歳：平均 5.4 歳）の全身麻酔下での眼瞼内反症手術で，眼球の位置予測に BIS を利用している．Sevo またはデスフルラン（Des）麻酔で BIS（A-2000）を装着し，BIS 値と眼球上転の相関を検討した．eye position = 0.014 × BIS + 0.699 の関係があり，BIS が 65 以上ではそれ以下と比較して，有意な上転が示された．小児の眼瞼内反症手術では BIS を 65 未満に維持するのがよい．全身麻酔中の BIS モニタリングは，良好な手術結果につながり，合併症を防ぐ意味で有用であると結論づけている．**術中脳波モニタリングで適切な麻酔薬投与を行うことが，手術に貢献する例である．小児領域にも本格的に脳波モニタリングが浸透してきたと考えられる．**

SPI：侵害刺激―抗侵害受容反応モニタリング

SPI（surgical pleth index）は，以前 SSI（surgical stress index）と呼ばれ

13) Liu PP, Wu C, Wu JZ et al：The prediction probabilities for emergence from sevoflurane anesthesia in children：a comparison of the perfusion index and the bispectral index. Paediatr Anaesth 28：281-286, 2018

14) Kook KH, Chung SA, Park S et al：Use of the bispectral index to predict eye position of children during general anesthesia. Korean J Ophthalmol 32：234-240, 2018

ていた（Br J Anaesth 2007；98：447-55）もので，パルスオキシメータのプレチスモグラフから得られる抗侵害刺激－侵害刺激のバランスを数値（0～100）で連続表示する指標である．0（手術ストレスなし）から100（最大手術ストレス）で変化し，全身麻酔中の平均ストレスレベルは50である．指先容積脈波振幅（normalized plethysmographic pulse wave amplitude：$PPGA_{norm}$）と脈波間隔（normalized heart beat interval：HBI_{norm}）から，$SPI = 100 - (0.67 \times PPGA_{norm} + 0.33 \times HBI_{norm})$ という計算式で算出される．SPIは年齢18歳以上の全身麻酔中に適応されるが，心臓ペースメーカーやアトロピンの使用で影響を受ける可能性がある．患者の血行動態安定性に影響を及ぼす要因もSPIに影響する．近年，SPI値を指標にして，侵害刺激－抗侵害受容反応を数値化する研究が増えてきた．

Parkら[15]は，SPIを利用して挿管時のストレス反応を最小限にするレミフェンタニルの鎮痛力価を求めた．Prop（TCI）2.5～3 μg/mLとレミフェンタニル持続静注で全身麻酔を行い気管挿管後，Propを調節してBIS値を60未満，SPI値を50未満に維持するレミフェンタニル量を評価した．ベースラインは手術刺激が加わらないときであり，SPIの最大値は，気管挿管時でレミフェンタニル効果部位濃度が7 ng/mLであった．気管挿管後にSPIを50未満に保つレミフェンタニルの鎮痛必要量は135 μg（50％信頼区間）～330 μg（95％信頼区間）であった．鎮痛薬であるレミフェンタニル**必要量をSPIで決定するのは斬新である．術中の鎮痛（侵害刺激－抗侵害受容）の指標としてSPIが使われ始めた事例である．**

15) Park JH, Kim DH, Yoo SK et al：The analgesic potency dose of remifentanil to minimize stress response induced by intubation and measurement uncertainty of Surgical Pleth Index. Minerva Anestesiol 84：546-555, 2018

Baptesteら[16]は，全身麻酔下の婦人科手術で不整脈やβ遮断薬の使用などの患者を除いて，術中（皮膚切開から皮膚縫合まで）にSPIが急速に10より上昇したエピソードがあった場合には，回復室での術後痛が強いと予測できるという観察研究を報告している．**SPIが急速に上昇するというのは，生体が交感神経刺激反応している証拠であり，術中の侵害刺激に対応できていないとも考えられる．それならば，従来の血圧や脈拍を指標とした循環動態の不安定性と同じ意味ではないだろうか．**

16) Bapteste L, Szostek AS, Chassard D et al：Can intraoperative Surgical Pleth Index values be predictive of acute postoperative pain?. Anaesth Crit Care Pain Med pii：S2352-5568（18）30120-6, 2018

SPIは成人ではSPI＜50を指標にすると術中の鎮痛指標としての有力なツールになる可能性があるが，小児に最適なSPIターゲットは定まっていない．

Ledowskiら[17]は，SPIが小児の術後痛予測に使用できるかを検討している．予定手術患者105人（2～16歳）で，Sevoとオピオイドを使用した麻酔後にPACUでの急性術後痛（疼痛スケール使用）を年齢別に比較した．年齢とSPIには負の相関（$r = -0.43$, $p = 0.03$）が認められた．全年齢の最高感度は76％，特異度は62％でのカットオフ値は$SPI \leq 40$であった．PACUで中等度から高度の痛みがないのを予測するには$SPI \leq 40$で，87.5％であった．小児で術後に中等度以上の痛みがないことを目標にするならば，$SPI \leq 40$を

17) Ledowski T, Sommerfield D, Slevin L et al：Surgical pleth index：prediction of postoperative pain in children. Br J Anaesth 119：979-983, 2017

目標とすべきと結論づけている．**SPIは指先容積脈波幅と脈波間隔から算出されるため，成人と小児ではSPIの目標値が異なるのは納得できる．しかし，小児ではSPIと年齢に負の相関を認めたため，年齢が小さくなってもSPI≦40でよいかどうかには疑問が残る．**

Wonら[18]は，甲状腺摘出術中のSPIに基づいてオキシコドンを投与した群（SPI群：$n = 23$）と頻脈や高血圧発生時にオキシコドンを投与した対照群（$n = 22$）でオキシコドンの消費と抜管までの時間を比較した．BISを40〜60に保つようにSevoを投与し，SPI群ではSPIが50を越えるときにオキシコドンを1 mg，対照群では頻脈や高血圧発生時に1 mg投与した．術中のオキシコドン消費はSPI群が対照群よりも有意に低く（3.5 ± 2.4 vs. 5.1 ± 2.4 mg，$p = 0.012$）．抜管時間もSPI群で有意に短かった（10.6 ± 3.5 vs. 13.4 ± 4.6分，$p = 0.026$）．血行動態および体動イベント，疼痛スケールよび術後の修正Aldreteスコアに群間で違いはなかった．**SPIガイド下鎮痛は，従来の鎮痛と比較して，静脈内オキシコドン消費と抜管時間を減少させる．**

18) Won YJ, Lim BG, Lee SH et al：Comparison of relative oxycodone consumption in surgical pleth index-guided analgesia versus conventional analgesia during sevoflurane anesthesia：a randomized controlled trial. Medicine 95：e4743, 2016

また，SPIが侵害−抗侵害受容のバランスを示すことに着目し，甲状腺摘出術中の血管拡張薬投与（ニカルジピン）がSPIに与える影響を調べた研究[19]がある．

19) Won YJ, Lim BG, Yeo GE et al：The effect of nicardipine on the surgical pleth index during thyroidectomy under general anesthesia：a prospective double-blind randomized controlled trial. Medicine 96：e6154, 2017

無作為にニカルジピン投与（N）群とレミフェンタニル投与（R）群に分けて，SPI，HR，BIS，平均血圧，Des呼気終末濃度を比較した．全経過を通じてHRのみN群が有意に高かったが，SPI，BIS，平均血圧，Des濃度に違いは認めなかった．**SPIは，血管拡張薬により影響を受ける．**

SPIは麻酔の種類，年齢，体位，指先温度，血管内容量状態，術前の降圧薬，術中の循環作動薬の影響を受けることが知られている．ニカルジピンは血管拡張作用とともに心拍数は増加する．術中の循環作動薬の使用はSPIの読み取りを困難にする．BISが侵害刺激に対して反応が乏しいため，侵害刺激を捉えることができるものとしてSPIが期待されているが，循環作動薬や，循環動態を不安定にする要素が加わると解釈は難しい．

Rogobeteら[20]は，重症多発外傷患者にエントロピーとSPIガイド（エントロピーを40〜60，SPIを20〜50に維持）下の全身麻酔（ESPI群：$n = 37$）と従来の血行動態モニタリング下の全身麻酔（STDR群：$n = 35$）で比較して臨床アウトカムを報告している．低血圧の発生回数がESPI群で3回，STDR群で71回と有意にESPI群で少なかった．フェンタニル必要量と昇圧剤投与もESPI群が有意に少なかった．このことより重症多発外傷患者の術中のマルチモーダルモニタリングは，麻酔関連合併症の発生率を低下させることにより術中の臨床状態と臨床アウトカムに利益をもたらすと結論している．**従来のモニタリングは，状態が悪くならないように監視する目的で使用されたが，エントロピーとSPIのモニタリングを加えることで臨床アウトカムを改**

20) Rogobete AF, Sandesc D, Cradigati CA et al：Implications of Entropy and Surgical Pleth Index-guided general anaesthesia on clinical outcomes in critically ill polytrauma patients. a prospective observational non-randomized single centre study. J Clin Monit Comput 32：771-778, 2018

善させたのは驚くべき結果である．脳波モニタリングと侵害刺激モニタリングの組み合わせは，術中モニターのブレイクスルーになると期待される．

Ryuら[21]は，SPIとBISを用いて，SevoとDesの終末呼気濃度1.0 MACでの関節鏡下肩手術中の侵害刺激に対する反応を比較した．SevoとDesの平均SPI値は38.1 ± 12.8 vs. 30.7 ± 8.8で，平均BIS値は40.7 ± 5.8 vs. 36.8 ± 6.2であった．同じ1 MACであってもSevoとDesでは，SPIとBIS値に有意な差があった．**1 MACでのSPIとBIS値は同じではないというのは，当然の結果である．1 MACというのは，体動の指標であり，鎮痛度や鎮静度の指標ではない．痛くないから体動しないのではなく，脊髄レベルで反応を抑えているにすぎない．実際に，1 MACではいずれの揮発性吸入麻酔薬も交感神経系の反応は抑えることができない．SevoのMAC-BARは2.2 MAC，Desでは1.45 MACである．SPIはMAC-BARに近い概念と考えると，SPIの38.1 vs. 30.7は，MACではなくMAC-BARを反映しているといえる．**

Ryuら[22]は，続報としてSevoとDesは，同MACで同程度の鎮痛作用と鎮静作用を表現しないことを報告している．鎮痛レベルをSPI値で，鎮静レベルをBIS値で評価する．Des（$n = 44$）またはSevo（$n = 45$）の2群に無作為に割り付け，年齢補正した1.0 MACの各々の麻酔薬で維持した時のSPI値とBIS値を比較した．テタヌス刺激後のSPI値（平均± SD）は，Sevo群よりもDes群が有意に低く（49 ± 10 vs. 64 ± 14，差15（95% CI：10〜20），$p < 0.001$）BIS値（中央値（四分位範囲））もDes群がSevo群より有意に低かった（36（31〜41）vs. 41（38〜47），差6（95% CI：2〜9），$p = 0.001$）．これらの知見は，DesとSevoの同MACが同等の鎮痛または鎮静力ではないことを示している．**以前から，揮発性麻酔薬の最小肺胞濃度（MAC）は脳での鎮痛や鎮静を反映しているのではなくて，脊髄での不動化の指標であることは証明されていた（ANESTHESIOLOGY 98：1128-1138，2003/ANESTHESIOLOGY 80：606-610，1994）．DesとSevoの同MAC投与が同等の鎮痛または鎮静力をもたらすとは考えにくい．このことをモニターを使って数値比較したものがようやく登場した．**

各種処理脳波モニター機器の知見

Epsteinら[23]は3,690例の1.5% Sevo吸入中の全身麻酔患者でBIS値とエントロピーのSE値を比較すると，BIS値よりSE値のほうが70を越えた数値を表示する率が有意に高いこと，1分以上，2分以上，3分以上，4分以上，5分以上続く確率も$p < 0.001$でBISよりもSEが高いことを報告している．**これは，単に数値のみを比較しているだけで，脳波波形や周波数別EEG分析を行っていない．BIS値もSE値も測定値ではなく推定値であることを考えると，数値のみを妄信することは個々の患者を目の前にしたときには行ってはな**

21) Ryu K, Song K, Kim J et al：Comparison of the analgesic properties of sevoflurane and desflurane using surgical pleth index at equi-minimum alveolar concentration. Int J Med Sci 14：994-1001, 2017

22) Ryu KH, Song K, Lim TY et al：Does equi-minimum alveolar concentration value ensure equivalent analgesic or hypnotic potency?：a comparison between desflurane and sevoflurane. Anesthesiology 128：1092-1098, 2018

23) Epstein RH, Maga JM, Mahla ME et al：Prevalence of discordant elevations of state entropy and bispectral index in patients at amnestic sevoflurane concentrations：a historical cohort study. Can J Anaesth 65：512-521, 2018

らないことである．BIS値とSE値を単に比較することは全く意味がないことである．

Kimら[24]は，麻酔中にPSIとエントロピーを同時装着して，エントロピーでは通常ではない上昇が見られたのに対してPSIでは，変化はみられなかったことを報告している．34歳の女性が交通事故のため左脛骨開放骨折と右大腿骨閉鎖骨折の緊急手術が予定された．挿管後45分で，エントロピーREは突然100まで上昇し，エントロピーSEは91まで上昇した．他の異常な事象が存在しないにもかかわらず，2種類のエントロピーは誤った値を表示した．1つ目はEMGの影響によるものであり，2つ目は外科医のハンマー振動を誤認識した．しかし，SedLine® モニターのPSIは，同じイベントが起きたときにも影響を受けにくかった．TOFは43%であったことからSedLine® のEMGは23%で筋弛緩の影響と考えられた．**機種によって，ノイズの誤認識が問題になる．**

BISやエントロピー，SedLine®（PSI）など，複数の処理脳波モニターが発売されている．それぞれに，脳波波形からインデックス値を算出するアルゴリズムは異なっており，数値のみを比較すること自体に意味はない．これらの文献を読むと，いまだにBIS値がゴールドスタンダードであり，他のモニターとの比較はBIS値を基準に考えている．BIS値は単なる推定値であるため，他のモニターでも同程度の数値が表示されると考えることは間違いである．BIS値やSE値がEEG生波形から数値を作り出しているだけで心電図モニターのHRのような測定値ではないため，算出アルゴリズムが異なるモニターの推定値が一致することのほうが珍しい．ただ，同時に異なった機種を装着したとき，モニターの数値算定のアルゴリズムが異なるからといって，同じ状態の患者でINDEX（数値）がお互いに逆方向に変化するのは悩ましい．

24) Kim YS, Chung D, Oh SK et al：Unusual elevation in Entropy but not in PSI during general anesthesia：a case report. BMC Anesthesiol 18：22, 2018

21. 麻酔領域での経食道心エコー（TEE）による評価

遠山裕樹（とおやま ゆうき）
旭川医科大学病院 麻酔科蘇生科

最近の動向

- 僧帽弁の評価では，3D-経食道心エコー（TEE）が主であり，形態評価と MitralClip® 関連の報告が多い．
- 大動脈弁の評価では，経カテーテル大動脈弁置換術（TAVI）関連の報告が多く，3D-TEE による報告が増えている．
- 心機能の評価では，スペックルトラッキングを使用した評価の有用性の報告が多い．しかし，経胸壁心エコー検査（TTE）と比較して，報告は圧倒的に少ない．
- TEE におけるランダム化比較試験は散見されるが，単施設による対象数の少ない報告が多く，大規模研究が期待される．

僧帽弁

虚血性僧帽弁逆流症（mitral regurgitation in ischemic heart disease：IMR）は，僧帽弁弁尖の異常ではないが，左室形態の異常が原因で僧帽弁の形態・機能異常を呈する．そのため，左室のみならず僧帽弁形態の詳細を評価することが求められる．Morbach ら[1]は，IMR における僧帽弁の形態を 3D-TEE を使用して評価した．**すべての IMR 症例で，僧帽弁輪の運動性が有意に低下した．さらに，中等度以上の IMR 症例では Tenting volume，Tenting height，僧帽弁輪径，僧帽弁輪周囲長，僧帽弁輪面積，前尖面積，後尖面積がそれぞれ有意に増加した．**一方，軽度 IMR 症例では，これらの指標すべてで有意な変化を認めなかった．

心拍動下冠動脈バイパス術（OPCAB）中の心臓脱転時に MR が新たに出現したり，増悪することは広く知られている．しかし，心臓脱転時における僧帽弁の形態変化については不明であった．Toyama ら[2]は，OPCAB 中の心臓脱転時における僧帽弁輪の形態変化を，3D-TEE を使用して評価した．心臓脱転時には，僧帽弁輪の高さは，左回旋枝吻合時（5.76 ± 0.90 mm），右冠動脈吻合時（5.92 ± 0.97 mm）で，脱転前（6.96 ± 0.99 mm）と比較して，それぞれ有意に低くなり，僧帽弁輪は平坦化した．僧帽弁輪の前後径，交連間径，周囲

1）Morbach C, Bellavia D, Stork S et al：Systolic characteristics and dynamic change of the mitral valve in different grades of ischemic mitral regurgitation-insights from 3D transesophageal echocardiography. BMC Cardiovasc Disord 18：93, 2018

2）Toyama Y, Kande H, Igarashi K et al：Morphologic evaluation of the mitral annulus during displacement of the heart in off-pump coronary artery bypass surgery. J Cardiothorac Vasc Anesth 32：334-340, 2018

1884-8516/19/¥100/頁/JCOPY

長，面積は心臓脱転時おいても有意な変化を認めていない．さらに，僧帽弁輪の高さの変化率が大きいほど，MR が悪化する傾向を示した．**心臓脱転時の MR 増悪は，僧帽弁輪の拡大によるものではなく，僧帽弁輪の saddle-shape が失われることに起因することが示唆された．**

Guo[3] らは，僧帽弁形成術前後における僧帽弁弁尖の coaptation の程度を 2D および 3D-TEE を使用して計測した．coaptation length（CL）と coaptation area（CA）は術前と比較して，術後で有意に増加した（CL：4.99 ± 0.79 → 9.66 ± 1.09 mm，$p < 0.05$　CA：158.49 ± 64.17 → 371.33 ± 143.57 mm^2，$p < 0.05$）．coaptation length index（CLI）と coaptation area index（CAI）は MR の程度とそれぞれ有意な負の相関を認めた．さらに，CLI は術前および術後の両方で CAI と有意に相関した．

近年，MR に対して MitralClip® による治療が増加しており，残存 MR をどこまで許容するか議論されている．Dietl ら[4] は，MitralClip® 治療後の残存 MR を，3D カラーを用いた Vena Contracta 面積（VCA）で定量化し，予後との関連を検討した．MitralClip® 治療後，VCA はすべての症例で減少した（0.99 ± 0.46 cm^2 → 0.22 ± 0.15 cm^2，$p < 0.0001$）．**治療後の VCA の減少率が 0.19 より大きい場合，術後の ADL（6 分間の歩行距離）が有意に上昇することを示した．**

大動脈弁，TAVI

経カテーテル大動脈弁置換術（TAVI）における大動脈弁輪と大動脈基部の術前計測は，CT が現在ゴールドスタンダードである．一方，3D-TEE での計測はより簡便で，正確である可能性があり，CT の代替となることが期待されている．Prihadi ら[5] は，TAVI を施行された 150 人の患者の大動脈弁輪径と大動脈基部径の計測を，3D-TEE と自動計測ソフトウェア（Aortic Valve Navigator（AVN），Philips）で行い，CT で計測した値と比較して，その精度と実現可能性について検証した．AVN を用いた平均分析時間は 4.2 ± 1.0 分であり，大動脈弁の石灰化（AVC）が少ないほど有意に短かった．**3D-TEE で計測した値は，CT で計測した弁輪径，弁輪面積，弁輪周囲長，バルサルバ洞径，STJ 径とすべてで良好な相関を認めた．** Kato ら[6] も，大動脈弁輪面積を 3D-TEE（eSieValves，Simens）で計測し，CT による計測値と比較することにより，3D-TEE の精度を検証した．**eSieValves で計測した弁輪面積（380.6 ± 77.1 mm^2）は MDCT で計測した弁輪面積（39.3.7 ± 81.0 mm^2）と良好な相関を示した．** さらに，石灰化の強い大動脈弁においても，3D-TEE が有効であるか Podlesnikar ら[7] は検討した．TAVI を施行された 83 人の患者において，CT で計測した値と比較して，3D-TEE で計測した最大弁輪径（−1.7 mm），周囲長（−2.7 mm），面積（−13 mm^2）はわずかに過小評価となっ

3) Guo Y, He Y, Zhang Y et al：Assessment of the mitral valve coaptation zone with 2D and 3D transesophageal echocardiography before and after mitral valve repair. J Thorac Dis 10：283-290, 2018

4) Dietl A, Prieschenk C, Eckert F et al：3D vena contracta area after MitraClip© procedure：precise quantification of residual mitral regurgitation and identification of prognostic information. Cardiovascular Ultrasound 16：1, 2018

5) Prihadi EA, van Rosendeal PJ, Vollema EM et al：Featibility, accuracy, and reproduction of aortic annual and root sizing for transcatheter aortic valve replacement using novel automated three-dimensional echocardiographic software：comparison with multi-detector row computed tomography. J Am Soc Echocardiogr 31：505-514, 2018

6) Kato N, Shibayama K, Noguchi M et al：Superiority of novel automated assessment of aortic annulus by intraoperative three-dimensional transesophageal echocardiography in patients with severe aortic stenosis：comparison with conventional cross-sectional assessment. J Cardiol 72：321-327, 2018

7) Podlesnikar T, Phihadi EA, van Rosendeal PJ et al：Influence of the quantity of aortic valve calcium on the agreement between automated 3-dimensional transesophageal echocardiography and multidetector row computed tomography for aortic annulus sizing. Am J Cardiol 121：86-93, 2018

たが，良好な相関を示した．**AVC が少ない症例（AVC＜3,025AU）は，AVC が多い症例（AVC≧3,025AU）より良好な相関を示す結果となった（k = 0.926 vs. k = 0.709）．**やはり，石灰化の強い症例では，3D-TEE には限界が存在するようである．

Ito ら[8] は，TAVI 症例において，循環動態が不安定になる急性僧帽弁逆流症（aMR）発生の予測因子を検討した．aMR（＋）群は aMR（－）群と比較して，小さな左室収縮末期径（LVDs），早い大動脈弁通過最高血流速度，大きな経大動脈弁圧較差，小さな大動脈弁弁口面積，高い Wilkins スコア，大きな Wire 幅 /LVDs 比であった．Tenting height，Tenting area，coaptation length には有意差を認めなかった．**TAVI 症例では僧帽弁の形態より，小さな左室，太い wire，僧帽弁の石灰化が aMR の予測因子となることが示唆された．**

8) Ito A, Iwata S, Mizutani K et al：Echocardiographic parameters predicting acute hemodynamically significant mitral regurgitation during transfemoral transcatheter aortic valve replacement. Echocardiography 35：353-360, 2018

左　室

弁膜疾患および心不全患者において，長軸方向グローバルストレイン（GLS）は，左室駆出率（LVEF）よりも長期予後の予測で優れていることが，過去に多く報告されている．しかし，感染性心内膜炎（IE）患者において，GLS が良好な予後予測因子になるかは不明であった．Lauridsen ら[9]，左心系の IE 患者 190 人を対象に，1 年生存に関連する予後予測因子について検討した．1 年死亡率の独立予測因子は，ブドウ球菌感染，糖尿病，脳卒中，LVEF＜45%，GLS＞－15.4 であった．**LVEF と GLS はともに，IE 患者の予後予測において優れた指標となるが，GLS は LVEF よりもさらに優れた予後予測因子であることが示された（NRI：0.457，p＜0.01）．**

9) Lauridsen TK, Alhede C, Crowley AL et al：Two-dimensional global longitudinal strain is superior to left ventricular ejection fraction in prediction of outcome in patients with left-sided infective endocarditis. Int J Cardiol 260：118-123, 2018

左室拡張能評価におけるストレインは，設定した関心領域での局所の拡張能と左室全体の拡張能の評価を可能にし，近年注目を集めている．Ebrahimi ら[10] は，冠動脈バイパス術（CABG）を受ける LVEF の保たれた患者 30 人を対象に，全身麻酔中における，左室拡張能の指標としてのスペックルトラッキングによる 2D-GLS の有用性を検証した．等容性弛緩期における最大ストレインレート（SR_{IVR}）と E/SR_{IVR} は肺動脈楔入圧とそれぞれ有意に相関した．さらに，**SR_{IVR} は E/e' より肺動脈楔入圧と強く相関し（AUC：0.94 vs. 0.47），SR_{IVR}＜$0.2s^{-1}$ は肺動脈楔入≧15 nnHg を感度 100%，特異度 81% で予測することが示された．**

10) Ebrahimi F, Kohanchi D, Gharedaghi MH et al：Intraoperative assessment of left-ventricular diastolic function by two-dimensional speckle tracking echocardiography：relationship between pulmonary capillary wedge pressure and peak longitudinal strain rate during isovolumetric relaxation in patients undergoing coronary artery bypass graft surgery. J Cardiothorac Vasc Anesth, 2018［Epub ahead of print］

三尖弁，右室

右室は胸骨後面に近い位置取りや，その複雑な構造から，従来の心エコー手法では評価に限界があったが，スペックルトラッキングや 3D 心エコーなどの新しい手法が開発され，従来評価困難であった点を克服し，右室の評価はより正確に施行することが可能となってきた．Ting ら[11]は，心臓手術後に高用量の循環作動薬が必要となる症例を，胸骨正中切開前の右室機能で予測できないか検討した．高用量の循環作動薬を必要とした症例では，有意に酸素化が悪化し，急性腎障害，死亡率が上昇した．**高用量の循環作動薬が必要となる予測因子は，右室長軸方向グローバルストレイン（RVGLS）のみで，オッズ比（OR）は 1.19（$p = 0.011$）であり，cut-off 値は－16.7%（感度：88.2%，特異度：75.6%）であった．**

簡便な右室機能評価の指標として，三尖弁輪収縮期移動距離（tricuspid annular plane systolic excursion：TAPSE）が広く知られているが，TEE で TAPSE を正確に計測することは容易ではない．Shen ら[12]は，心臓手術を受ける患者 60 人を対象に，角度非依存性であるスペックルトラッキングによる TEE-TAPSE を，M-mode による TTE-TAPSE と比較して，その精度を検証した．**側壁側で計測した TEE-TAPSE は 17.4 ± 5.2 mm であり，TTE-TAPSE とよく相関した．**また，TEE-TAPSE は右室面積駆出率との間にも強い正の相関を認めた．Korshin ら[13]は，角度依存性である M-mode による TEE-TAPSE の精度を検証した．**TransGastric RV Inflow View（100～130 度）と Deep TransGastric View（0～10 度）で計測した TEE-TAPSE は TTE-TAPSE とよく相関し，術中における右室収縮機能の指標としての TAPSE の有用性を示した．**

心　房

左房ストレインは心臓 MRI での左房遅延造影と相関し，カテーテルアブレーション後の心房細動再発予測に有用であることなどが報告されており，近年注目を集めている指標である．Zhu ら[14]は，心房細動の患者 130 人を対象に，左房ストレインが左心耳機能不全の予測因子となるか検討した．Reservoir phase の左房ストレイン（LASres）とストレインレート（LASRres）は，左心耳内のもやもやエコーの程度と負の相関を認めた．さらに，左心耳面積駆出率と左心耳内最高血流速度（LAAV）とは正の相関を認めた．多変量ロジスティックス回帰分析により，LASres が左心耳機能不全の最も優れた予測因子であり，**LASres ＜ 13%は感度 90%，特異度 74%で左心耳機能不全を予測することが示された．**

Sahebjam ら[15]は，中等度～重度の僧帽弁狭窄症患者 26 人を対象に，2D スペックルトラッキング（2DSTE-TEE）が心臓内血栓形成の予測に有効であるか検討した．収縮期の左房ストレイン（LA-RES）は LAAV と有意に相関した．LA-RES ＞－16.75%は，感度 88.9%，特異度 80.0%で LAAV ＜ 25 cm/s を予測した．また，LA-RES ＞－18.14%は，感度 77.8%，特異度 83.3%で LAAV ＜ 25 cm/s and/or 左房内もやもやエコーを予測した．さらに，LA-

11) Ting PC, Wu VC, Liao CC et al：Preoperative right ventricular dysfunction indicates high vasoactive support needed after cardiac surgery. J Cardiothorac Vasc Anesth, 2018［Epub ahead of print］

12) Shen T, Picard MH, Hua L et al：Assessment of tricuspid annular motion by speckle tracking in anesthetized patients using transesophageal echocardiography. Anesth Analg 126：62-67, 2018

13) Korshin A, Gronlykke L, Nilsson JC et al：The feasibility of tricuspid annular plane systolic excursion performed by transesophageal echocardiography throughout heart surgery and its interchangeability with transthoracic echocardiography. Int J Cardiovasc Imaging 34：1017-1028, 2018

14) Zhu MR, Wang M, Ma XX et al：The value of left atrial strain and strain rate in predicting left atrial appendage stasis in patients with nonvalvular atrial fibrillation. Cardiol J 25：87-96, 2018

15) Sahebjam M, Montazeri V, Zoroufian A et al：The correlation between conventional echocardiography and two-dimensional speckle strain imaging for evaluating left atrial function in patients with moderate to severe mitral stenosis. Echocardiography 35：1550-1556, 2018

RES は左房駆出率と左房拡張指数との間にも有意な相関を認めた．**2DSTE-TEE は LAAV < 25 cm/s と左房内もやもやエコーの予測因子として有効であり，心臓内血栓形成の高リスク患者を識別することができる．さらに，左房機能および左房容積の評価にも有用であることが示唆された．**

小　児

Wang ら[16] は，ファロー四徴症患者 98 人を対象に，術前の TEE で測定した肺動脈係数（左右の肺動脈面積の合計 / 体表面積）（PAI）と肺静脈係数（4 つの肺静脈面積の合計 / 体表面積）（PVI）で術後の重篤状態予測を行った．**PAI と PVI の低値は，人工呼吸器期間の延長（cut-off 値（mm^2/m^2）：152.48，302.12），ICU 滞在期間の延長（cut-off 値（mm^2/m^2）：147.25，286.42），低心拍出症候群の発生（cut-off 値（mm^2/m^2）：130.55，209.09）とそれぞれ高い感度と特異度で関連があった．**

大動脈弁下狭窄症術後の左室流出路狭窄（LVOTO）の再発はしばしば認められる．Nawaytou ら[17] は，小児患者 74 人を対象に，術中 TEE を使用して，大動脈弁下狭窄症術後の LVOTO の再発の予測因子について検討した．10 人の患者で LVOTO の再発を認めた．**再発は左室流出路の最狭部と大動脈弁の距離が短いことと関連していた（0.59 cm（0.39〜0.74））vs. 0.98 cm（0.75〜1.5），$p = 0.03$）．**また，術中に軽度以下の LVOTO であれば，術後の LVOTO の再発は認めていない．

非心臓手術

TEE の役割は心臓手術だけではなく，心疾患合併患者の非心臓手術や ICU などさまざまな状況で拡大しており，すべての麻酔科医が TEE の知識や技術を求められる時代になってきている．Fayad ら[18] は，TEE の基本操作や基本断面，原因不明の循環不全患者に対する原因検索のための Rescue TEE プロトコールなど，非心臓手術における周術期の基本的な TEE 使用法について解説している．

肝移植などの高侵襲手術における術中 TEE の有効性は多く報告されているが，泌尿器科手術における術中 TEE の有効性を示した報告はほとんどない．Dhawan ら[19] は，根治的膀胱全摘術における術中 TEE の有効性について検証した．周術期における心筋虚血，不整脈，肺水腫，再挿管を必要とする呼吸不全などの合併症は，80% が TEE 未挿入群，20% が TEE 挿入群で発症した．合併症の発症率は，TEE 未挿入群で有意に高かった（21% vs. 5%，$p < 0.04$）．術後の不整脈（13% vs. 0%，$p < 0.07$）と長期の人工呼吸管理が必要となる呼吸不全（10% vs. 0%，$p < 0.017$）は，TEE 未挿入群でのみ発症した．**TEE は根治的膀胱全摘術を受ける患者において，早期抜管および術後の**

16）Wang LC, Li SK, Zhu FT et al：The effect of transesophageal echocardiography in the surgical treatment of tetralogy of Fallot. Eur Rev Med Pharmacol 22：2084-2087, 2018

17）Nawaytou HM, Mercer-Rosa L, Channing A et al：Intraoperative transesophageal echocardiographic predictors of recurrent left ventricular outflow tract obstruction in children undergoing subaortic stenosis resection. Echocardiography 35：678-684, 2018

18）Fayad A, Shillcutt SK：Perioperative transesophageal echocardiography for non-cardiac surgery. Can J Anaesth 65：281-398, 2018

19）Dhawan R, Shahul S, Roberts JD et al：Prospective, randomized clinical trial comparing use of intraoperative transesophageal echocardiography to standard care during radical cystectomy. Ann Card Anaesth 21：255-261, 2018

心臓合併症を低下させることが示唆された.

血行動態モニタリング

TEE による血行動態モニタリングは心拍出量測定，下大静脈（IVC）径や上大静脈（SVC）径の呼吸性変動などさまざまな方法が施行されている．Cheng ら[20]は，人工呼吸管理中の患者 36 人を対象に，輸液反応性の指標としての SVC 径について評価を行った．輸液負荷により，SCV 径は有意に増加し，SVC 径変動と 1 回拍出量変動（SVV）は有意に減少した．**輸液反応性を予想する SVC 径は 1.135 cm（AUC：0.929）で，SVC 径変動は 21.1％（AUC：0.849）であった.** SVC 径は人工呼吸管理中の患者において，輸液反応性を予測する有効な指標となりうることが示唆された．

Graeser ら[21]は，冠動脈バイパス術または大動脈弁置換術を受ける患者 62 人を対象に，3D-TEE による心拍出量測定の有用性を検討した．経肺熱希釈法と比較して，bias と一致限界は，それぞれ，0.3 L/min，－1.9 to 2.5 L/min であり，パーセント誤差は 55％であった．したがって，3D-TEE で計測した心拍出量と経肺熱希釈法で計測した心拍出量は互換性があるとはいえず，**3D-TEE による心拍出量は有効な指標とならないことが示唆された.** 今後のさらなる検討が必要である．

教　育

TEE 教育において，シミュレーターを用いた教育プログラムが，TEE 習得に有用であることは多く報告されているが，TEE 熟練度をどのように評価するかも重要な課題である．TEE の熟練度を正確に評価するためには，取得された TEE 画像を主観的に評価するのではなく，客観的に基準理想画像と比較して評価することが必要である．Matyal ら[22]は，客観的に熟練度を評価するためのシミュレータープログラムを開発し，TEE 教育プログラムに参加した麻酔科レジデントの TEE 熟練度を評価した．TEE 熟練度は，レジデントと TEE 専門家間において有意な差を認めた．しかし，卒後 1 年目と 4 年目のレジデント間での熟練度には有意な差を認めなかった．**TEE 教育プログラムは TEE 初心者をある程度の熟練度にすることは可能であり，専門家は何年もの臨床訓練を受けて，技術を習得していくことが示された.**

近年，仮想現実（VR）の技術がさまざまな分野で使用されるようになってきている．TEE 教育においても，VR を使用した TEE 教育シミュレーターが開発され，その有用性が報告されている[23]．コストなどさまざまな問題はあるものの，高い教育効果が期待され，今後の発展が待たれる．

20) Cheng Z, Yang QQ, Zhu P et al：Transesophageal echocardiographic measurements of the superior vena cava for predicting fluid responsiveness in patients undergoing invasive positive pressure ventilation. J Ultrasound Med, 2018［Epub ahead of print］

21) Graeser K, Zemtsovski M, Kofoed KF et al：Comparing methods for cardiac output：intraoperatively doppler-derived cardiac output measured with 3-dimensional echocardiography is not interchangeable with cardiac output by pulmonary catheter thermodilution. Anesth Analg 127：339-407, 2018

22) Matyal R, Mahmood F, Knio ZO et al：Evaluation of the quality of transesophageal echocardiography images and verification of proficiency. Echo Res Pract 5：89-95, 2018

23) Mahmood F, Mahmood E, Dorfman RG et al：Augmented reality and ultrasound education：initial experience. J Cardiothorac Vasc Anesth 32：1363-1367, 2018

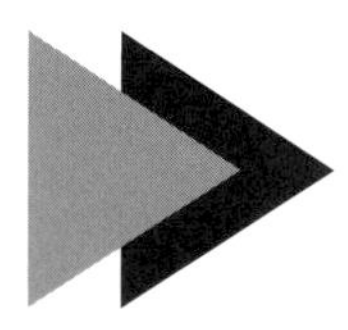

22. 超音波診断と末梢神経ブロック

佐倉伸一（さくら しんいち）
島根大学医学部附属病院 手術部

最近の動向

- 腹横筋膜面ブロックや腰方形筋ブロックなど，筋膜をターゲットとしたブロックに関する研究が依然として多い．
- 乳腺手術や膝関節手術の周術期疼痛管理に有用なブロック法を検討する研究も依然として多い．
- 斜角筋間ブロックに代わる肩関節手術に有用なブロック法を探求する研究が行われている．
- ブロック効果時間延長させる薬剤や持続神経ブロックに関する研究が行われている．
- 神経内注入に関する新たな知見が得られた．

腹壁のブロック

1. 腹横筋膜面ブロック

腹横筋膜面ブロック（TAPB）の鎮痛効果についてはまだ議論が多い．その中で最近，中腋窩線レベルで局所麻酔薬を投与する方法（側方 TAPB）では知覚遮断や筋弛緩効果が不確実である一方，肋骨弓下斜角 TAPB は上腹部手術の鎮痛法として効果的であることが明らかになってきた．そこで Chen ら[1]は，両側の肋骨弓下斜角 TAPB 後の知覚遮断域と効果が消退する様子を，ボランティアを用いて前向きに観察した．ブロックには片側あたり 0.375％ロピバカイン 20 mL を投与した．知覚遮断を評価するため，腹部前面を中央から 5 cm 外側に引いた両側 2 本の傍矢状線によって腹部中央，腹部左外側，腹部右外側と 3 つの範囲に分け，26 時間後まで冷覚遮断域を測定した．その結果，腹部中央では平均 90％，両側の腹部外側では平均 26％の知覚遮断域が得られた．腹部中央の T7～T12 はすべてのボランティアで冷覚遮断が認められたが，T6 および L1 領域の遮断効果がみられない人もいた．知覚遮断効果は，腹部前面に対する遮断面積の割合が 90％から 26 時間後の 0％まで時間とともに減少した．これらの結果から，**両側に肋骨弓下斜角 TAPB を行えば，腹部中央のかなり広い範囲の皮膚知覚が確実に遮断され，その効果はかなり長時間持続すること**がわかった．

1）Chen Y, Shi K, Xia Y et al：Sensory assessment and regression rate of bilateral oblique subcostal transversus abdominis plane block in volunteers. Reg Anesth Pain Med 43：174-179, 2018

1884-8516/19/¥100/頁/JCOPY

一方，TAPBに必要な局所麻酔薬量もわかっていない．血中局所麻酔薬濃度が中毒閾値を超える患者もいることから，必要最小限の局所麻酔薬を投与することが望ましい．そこでNgら[2]は帝王切開術患者にTAPBを施行する際，低用量の局所麻酔薬でも高用量と同様の効果が得られるかどうかを調べるメタ分析を行った．本研究で抽出されたのは，帝王切開術後に腹横筋膜面ブロックとコントロール群の鎮痛効果を比較した無作為研究である．まず抽出した研究を，投与量によって高用量研究（ブピバカイン相当量50 mgより多く投与された研究）と低用量研究（50 mg以下の研究）に分類した．そしてそれぞれ分類された研究の結果とコントロール結果を間接的に比較した．抽出された14の研究の解析で，24時間の麻薬使用量は高用量，低用量研究での結果ともにブロック群で低く，2種類の研究結果間に差はなかった．6時間の麻薬使用量，6，24時間後の疼痛スコア，術後の悪心嘔吐，掻痒感，母親の満足度についても，2種類の用量を使用した研究結果間に差がなかった．すなわち，帝王切開術でのTAPBは局所麻酔薬量が少なくても，多い場合と同様の術後鎮痛効果や麻薬使用量軽減効果が得られることがわかった．これらの結果から，**局所麻酔薬は片側あたりブピバカイン相当量で50 mg以下にすることが望ましいだろう**．

2) Ng SC, Habib AS, Sodha S et al：High-dose versus low-dose local anaesthetic for transversus abdominis plane block post-caesarean delivery analgesia：a meta-analysis. Br J Anaesth 120：252-263, 2018

2. 腰方形筋ブロック

従来のTAPBの帝王切開術後の鎮痛効果は明らかではない．特に麻薬添加の局所麻酔薬で脊髄くも膜下ブロックが行われる場合には，TAPBの追加鎮痛効果はほとんど期待できない．しかし，より後方で行われる腰方形筋ブロック（QLB）では投与された局所麻酔薬が胸腰筋膜や傍脊椎腔に広がり，鎮痛効果が向上する可能性がある．そこでKrohgら[3]は，QLB1が帝王切開術の術後痛に及ぼす効果を無作為二重盲検法で評価した．帝王切開術を予定された40人の妊婦を2群に分け，術後1時間以内に0.2％ロピバカインまたは生理食塩水を片側0.4 mL/kg使用して両側にQLB1を施行した．麻酔にはスフェンタニル4 μg添加等比重ブピバカインを用いた脊髄くも膜下麻酔を施行した．術後は麻薬系鎮痛薬のケトベミドンをPCA持続注入ポンプで経静脈投与した．その結果，24時間のケトベミドン消費量はロピバカインによるQLBを受けた患者で有意に少なかった．また疼痛スコアも，局所麻酔薬投与群で安静時，咳嗽時ともに有意に低かった．以上の結果から，スフェンタニル入り局所麻酔薬で脊髄くも膜下麻酔を施行して多様性鎮痛法を併用する場合には，QLB1の施行に意味があることがわかった．より一般的な脊髄くも膜下麻酔でモルヒネを使用した場合の検討が将来必要だろう．

3) Krohg A, Ullensvang K, Rosseland LA et al：The analgesic effect of ultrasound-guided quadratus lumborum block after cesarean delivery：a randomized clinical trial. Anesth Analg 126：559-565, 2018

従来のTAPBと比較してQLBに優れた鎮痛効果が期待できるのは局所麻酔薬の注入部位がより背側であるからであり，QLBの中でも腰方形筋の背側に薬液を注入する方法（後方QLBすなわちQLB2）が腹腔鏡手術の術後疼痛に有効であるとの報告がある．Ishio ら[4)]は，後方 QLB によって腹腔鏡下婦人科手術後の疼痛が緩和するかを調べるために無作為研究を行った．全身麻酔下で腹腔鏡下婦人科手術を受ける成人患者 70 人を対象とし，後方 QLB 群とコントロール群の 2 群に分けた．手術終了後，QLB 群の患者に片側 0.375%ロピバカイン 20 mL を用いて両側に後方 QLB を施行した．そして覚醒直後と 24 時間後まで動作時および安静時の疼痛レベルと悪心の程度および追加鎮痛剤の回数を調べた．その結果，覚醒直後では両群間に差がなかったが，その後どの時点でも動作時および安静時の疼痛スコアはコントロール群のほうが QLB 群より有意に高かった．追加鎮痛薬の回数はコントロール群で有意に多かった．悪心の程度は術直後と 24 時間後で QLB 群のほうが有意に低かった．以上の結果から，**腹腔鏡下婦人科手術では後方 QLB が勧められる．**

これまで数種類の QLB が紹介されてきた．いずれも局所麻酔薬が傍脊椎腔に達するので体性痛のみならず内臓痛にも効果があると信じられているが，実際にはほとんど証明されていない．そこで Tamura ら[5)]は，腰方形筋内に局所麻酔薬を投与する方法（intramuscular QLB）で薬液が傍脊椎腔にまで広がるかどうかを確かめるとともに知覚神経遮断域を調べた．6 人のボランティアに intramuscular QLB と側方 TAPB を片側ずつに施行し，2 日後に 2 種類のブロックを逆側に施行した．ガドリウム入り 0.25%ロピバカイン溶液を使用したブロック 1 時間後に MRI を撮影し，局所麻酔薬溶液の広がりを確認した．また 90 分後に，両側の腹部前面，側面，背面および臀部でピンプリックに対する知覚減弱域を調べた．その結果，それぞれ 11 件の intramuscular QLB と側方 TAPB 後に，局所麻酔薬が傍脊椎腔にまで広がっていたことを確認できた被検者はいなかった．intramuscular QLB 後の造影剤の頭側への広がりは T9 までに限られていた．側方 TAPB 後の造影剤は，内・外腹斜筋，腹横筋の背側端を超えなかった．一方知覚神経遮断域は，QLB 後には T8 から大腿外側近位部までのレベルで中腋窩線を中心に外側皮枝部分，側方 TAPB 後には T10～T12 のレベルで腹側に限られていた．これらの結果から，intramuscular QLB では①局所麻酔薬が傍脊椎腔まで広がらず内臓痛への効果が期待できないこと，② T8 から大腿近位部レベルまでの側腹部の鎮痛効果は得られるが下腹部の知覚神経を遮断しないことがわかった．

乳腺手術のブロック

1. 胸部傍脊椎ブロック

胸部傍脊椎ブロックは乳腺手術の麻酔や鎮痛に有用である．従来はランドマーク法で行われていたが，超音波画像を用いた方法が最近 10 年間に発表されてきた．そこで Patnaik ら[6)]は片側の乳腺手術を行われる患者を対象に，解剖学的ランドマーク法と超音波ガイド下法による傍脊椎ブロックを行い，両者

4) Ishio J, Komasawa N, Kido H et al：Evaluation of ultrasound-guided posterior quadratus lumborum block for postoperative analgesia after laparoscopic gynecologic surgery. J Clin Anesth 41：1-4, 2017

5) Tamura T, Kitamura K, Yokota S et al：Spread of quadratus lumborum block to the paravertebral space via intramuscular injection：a volunteer study. Reg Anesth Pain Med 43：372-377, 2018

6) Patnaik R, Chhabra A, Subramaniam R et al：Comparison of paravertebral block by anatomic landmark technique to ultrasound-guided paravertebral block for breast surgery anesthesia：a randomized controlled trial. Reg Anesth Pain Med 43：385-390, 2018

の外科的麻酔成功率と知覚神経遮断範囲，術後疼痛などを無作為観察者盲検法で比較した．ブロックをT1～T6に行い，1椎間あたり0.5％ロピバカイン（アドレナリン，クロニジン添加）を5 mLずつ投与した．カテーテルをT3/4から挿入し，知覚神経遮断を確認したのちプロポフォール鎮静下に手術を行った．超音波ガイド下ブロックの成功率（全身麻酔なしの症例）は94.44％，ランドマークでは72.22％と前者が高かった．超音波ガイドで行われたブロックのほうがより多くの皮膚分節で知覚遮断が認められ，T2やT3がブロックされる割合も有意に高かった．術後最初の鎮痛が要求された時間は両方法間で差がなかった．安静時あるいは動作時VASが30以上の場合にはカテーテルから0.2％ロピバカイン20 mLを投与したが，その回数が超音波ガイド法を選択された患者では有意に少なかった．両側遮断，胸膜穿刺などの合併症の数に違いはなかった．これらの結果から，乳腺手術の傍脊椎ブロックは超音波ガイド下で行うほうがよいだろう．

2. 胸筋神経ブロック

乳腺手術で胸筋神経（PECs）ブロックが注目されている．本ブロックはプラセボと比較すると有意に良好な鎮痛をもたらし，術後早期（術後12時間）に単回傍脊椎ブロックと同等の鎮痛効果をもたらすことが証明されている．しかし，術後12時間以降も有効である創部浸潤鎮痛法との優劣については調べられていない．そこでO'Scanaillら[7]はPECsブロックの鎮痛効果と安全性を，創部浸潤法単独およびPECsブロックとの併用法と比較した無作為二重盲検研究を行った．45人の乳癌定期手術を受ける女性を，PECsブロック群，創部浸潤群，PECsブロック創部浸潤併用群に分けた．PECsブロック群では，全身麻酔導入前に大胸筋と小胸筋間に0.25％レボブピバカイン10 mLおよび小胸筋と前鋸筋間に20 mLを投与し，手術終了時に創部浸潤用カテーテルを挿入した（術後注入は生理食塩水）．創部浸潤群ではブロックを施行せず，手術終了時に創部浸潤用カテーテルから0.25％レボブピバカイン20 mL投与後0.1％レボブピバカインを毎時10 mLの速度で投与した．併用群では全身麻酔導入後にPECsブロックを行い，術後は創部カテーテルからボーラス投与なく持続注入が開始した．その結果，術後24時間の動作時疼痛スコアのarea under the curve（AUC）が，併用群で単独群より有意に低かった．また，安静時のAUCの結果も同様に併用群で有意に低かった．一方24時間麻薬使用量は群間で差がなかった．以上から，PECsブロックと持続創部浸潤鎮痛法の併用が，それぞれの単独法より乳癌定期手術後に良好な鎮痛効果をもたらすことがわかった．

一方，PECsブロックが乳腺手術の術後回復に与える影響に注目した研究もある．Kamiyaら[8]は乳癌手術患者を対象にPECsブロックを施行し，ブロックが麻酔鎮痛薬の必要量や術後疼痛の軽減に役立っているかどうか，術後回復

7) O'Scanaill P, Keane S, Wall V et al：Single-shot pectoral plane（PECs I and PECs II）blocks versus continuous local anaeshtetic infusion analgesia or both after non-ambulatory breast-cancer surgery：a prospective, randomised, double-blind trial. Br J Anaesth 120：846-853, 2018

8) Kamiya Y, Hasegawa M, Yoshida T et al：Impact of pectoral nerve block on postoperative pain and quality of recovery in patients undergoing breast cancer surgery：a randomised controlled trial. Eur J Anaesth 35：215-223, 2018

の質を高めているかどうかを調べるために，無作為比較研究を行った．乳癌手術を受ける女性60人を無作為に2群に分け，全身麻酔導入後に0.25%レボブピバカインあるいは生理食塩水30 mLを使用したPECsブロックを行った．全身麻酔はプロポフォールとレミフェンタニルの持続投与で行った．その結果，PECsブロック群で術中のプロポフォール使用量が低かったがレミフェンタニルの使用量は変わらなかった．手術6時間後の疼痛スコアがPECsブロック群で有意に低かった．また術後1日目のQoR-40スコア（安寧，感情，身体機能，患者援助，痛みなどの要素を含む）はブロックの有無にかかわらず差がなかった．このことから，乳癌手術の際PECsブロックを併用しても，麻酔中のプロポフォール使用量は減るが麻薬使用量は減らないことがわかった．これは乳腺内側の痛みにPECsブロックは効かないことが原因であるからかもしれない．また，ブロックの有無は術後の回復度に影響しなかった．QoR-40スコアの測定時期がちょうどブロック効果消失時期と一致していたことが原因であった可能性もある．

乳腺手術患者の3分の2は長く持続する術後痛に苦しむ．胸部傍脊椎ブロック，胸部硬膜外ブロック，肋間神経ブロックや腕神経叢ブロックもその対策に使用されてきたが，PECsブロックは手技的に簡単である．そこでVersyckら[9]は，PECs IIブロック（大胸筋と小胸筋間および小胸筋と前鋸筋間に局所麻酔薬を投与する方法）がプラセボブロックと比較して同等または良好な術後鎮痛を提供できること，麻薬使用量を減量できることを仮定して，無作為二重盲検研究を行った．140人の乳房切除術，部分切除術を2群に分け，全身麻酔導入後に0.25%レボブピバカインあるいは生理食塩水を使用したPECsブロックを施行した．術後48時間までの疼痛スコア，術中術後の麻薬消費量および退院時の患者満足度を測定した．その結果，術中のスフェンタニル使用量に差がなかったが，PACU滞在中の疼痛スコアと麻薬消費量はPECsブロックを受けた患者で有意に低かった．ただ術後満足度に差はなかった．ところで，彼らは追跡調査を行い，約2年後にも持続する術後痛があるかどうかを患者に質問した．そしてその結果を別の論文で次のように発表している．すなわち，PECsブロックを受けた患者の42.5%，プラセボブロックを受けた患者の37.7%で痛みが持続していた．この結果は**PECsブロックには慢性痛の予防効果がない**ことを示唆している．

3. 前鋸筋面ブロック

前鋸筋面ブロックも乳腺手術の末梢神経ブロック法として注目されている．しかし至適な投与量についてはわかっていなかった．そこでKunigoら[10]は，前鋸筋面ブロックの投与量を変えると知覚遮断域や鎮痛効果にどのような影響があるのかを無作為二重盲検法で調べた．全身麻酔導入前に群別けに従い，0.37%ロピバカインを20 mLあるいは40 mL使用して前鋸筋面ブロックを施

9) Versyck B, van Geffen GJ, Van Houwe P : Prospective double-blind randomized placebo-controlled clinical trial of the pectoral nerves (Pecs) block type II. J Clin Anesth 40 : 46-50, 2017

10) Kunigo T, Murouchi T, Yamamoto S et al : Injection volume and anesthetic effect in serratus plane block. Reg Anesth Pain Med 42 : 737-740, 2017

行した．20 分後に中腋窩線上で冷覚とピンプリックテストによる知覚遮断域を測定した．その結果，知覚神経遮断皮膚分節（中間値）は，40 mL を使ったブロック後に 6 と 4 分節，20 mL 後に 4 と 2 分節と前者で有意に広かった．一方，術直後および 1 日後の安静時および動作時疼痛スコアともに，両群間で差はなかった．初めて補助鎮痛薬を要求するまでの時間にも差がなかった．副作用はどの患者にも生じなかった．以上の結果から，0.375％ロピバカインによる前鋸筋面ブロックでは，40 mL を使用したほうが 20 mL のものより頭尾側に広い範囲の遮断域が得られることが明らかになった．しかし補助的鎮痛薬を要求する時までの時間は，投与量を多くしても延長するわけではなかった．

人工膝関節置換術のブロック

1. 持続坐骨神経ブロック

人工膝関節置換術後，持続大腿神経ブロックに坐骨神経ブロックを組み合わせると術後痛がより軽減する．多くの場合坐骨神経ブロックは単回で使用されるが，持続坐骨神経ブロックのほうが高い鎮痛効果が期待できる．一方で，転倒事故発生率が高くなる可能性があるなどの懸念もある．Wiesmann ら[11]は，持続大腿神経ブロックに加えて坐骨神経ブロックを施行する際，持続と単回の間で鎮痛効果や膝の運動機能に違いがあるかどうか調べるために無作為三重盲検研究を行った．人工膝関節置換術後に持続大腿神経ブロックを受ける 50 人の患者を無作為に 2 群に分け，0.2％ロピバカイン 10 mL で前方アプローチによる坐骨神経ブロック施行後，一方の群の患者に 0.2％ロピバカインを他方の群の患者に生理食塩水を 5 mL/h で持続注入した．持続大腿神経ブロックにも同液を 10 mL 初回投与，術後に 5 mL/h で持続注入した．その結果，術後 48 時間のモルヒネ使用量は持続坐骨神経ブロックを受けていた患者で有意に少なかった．安静時および膝関節屈曲時の疼痛スコアは 2 つの群で同等であった．しかし膝窩部の痛みに限定すると，単回坐骨神経ブロックを受けた患者が有意に強い痛みを訴えていた．座位や立位をとる能力，歩行機能や最大容量等尺性収縮の値に関して両群間に差はなかった．これらの結果から，人工膝関節置換術後に持続大腿神経ブロックを行う際，持続坐骨神経ブロックを併用するほうが単回のものより鎮痛効果が高いことがわかった．しかし運動機能は両群とも障害されていた．**大腿，坐骨神経ブロックの持続注入では高い鎮痛効果が期待できる一方，運動機能障害と転倒の可能性を考慮する**必要がある．

11）Wiesmann T, Huttemann I, Shilke N et al：Ultrasound-guided single injection versus continuous sciatic nerve blockade on pain management and mobilisation after total knee arthroplasty（CoSinUS trial）：a randomised, triple-blinded controlled trial. Eur J Anaesth 35：782-791, 2018

2. 内転筋管ブロック

内転筋管ブロックの最適な投与量はまだ明らかでない．内側広筋枝や閉鎖神経を遮断するためには 20 mL 以上の局所麻酔薬が必要と考えられる．そのためカテーテルからの注入には，持続注入より間欠的投与が有用かもしれない．硬膜外鎮痛では間欠的投与法の優位性が証明されているが末梢神経ブロックではない．そこでJaegerら[12]は，人工膝関節置換術の術後2日間の持続内転筋管ブロックの際，間欠的に投与したほうが単に持続投与するよりも麻薬の使用量が少ないことと疼痛スコアが低いことを証明するために，無作為比較研究を行った．麻酔には脊髄くも膜下麻酔を使用し，手術終了時に外科医が浸潤麻酔を行った．内転筋管ブロックは術後まだ脊髄くも膜下麻酔の効果がある間に行い，カテーテルを遠位方向に5 cm進めた．1%リドカイン10 mL初回投与後0.2%ロピバカインを接続した．間欠投与群では3時間ごとに21 mL，持続投与群では7 mL/hで投与した．107人の患者から得られ結果から，麻薬使用量に関して両投与方法間に差はなかった．膝関節45度屈曲時および安静時の疼痛スコアにも差がなかった．間欠的投与した場合に，術後2日目の大腿四頭筋の最大容量等尺性収縮力が有意に勝っていたが，歩行テストにはその差が現れなかった．以上の結果から，持続内転筋管ブロックの投与方法を変えても，麻薬使用量，疼痛レベル，運動機能に影響しないことがわかった．

12) Jaeger P, Baggesgaard J, Sorensen JK et al：Adductor canal block with continuous infusion versus intermittent boluses and morphine consumption：a randomized, blinded, controlled clinical trial. Anesth Analg 126：2069-2077, 2018

人工膝関節置換術では術後数ヵ月にわたって膝伸筋力が減弱する．手術直後は大腿神経ブロックやプラセボと比較して，内転筋管ブロックで伸筋力が保たれる．しかし，この手術直後の効果が術後数週間に渡って維持されるかどうか明らかでない．そこでRousseau-Saineら[13]は，人工膝関節置換術後48時間の持続内転筋管ブロックが6週間後の伸筋力改善に寄与する可能性を探るために，無作為比較研究を行った．術中は脊髄くも膜下麻酔で，術後48時間持続内転筋管ブロック（0.125%ブピバカイン12 mL/h）またはプラセボで管理した．患者58人の結果から，内転筋管ブロックを受けていた患者では術後1日間の安静時疼痛が軽度で，最大努力時の疼痛が術後1，2日目で軽度，麻薬の使用量が術後1，2日目で少なく，伸筋力が術後1日目で強かった．しかし，術後2日目の伸筋力，6週間目の変形性膝関節症評価点数の変化，患者満足度，入院期間に関しては，プラセボで管理された患者と差はなかった．6週目の伸筋力に違いもなかった．これらの結果から，**人工膝関節置換術後の持続内転筋管ブロックは術後48時間の鎮痛と伸筋力には効果的だが，6週間後の伸筋力には影響しない**ことがわかった．

13) Rousseau-Saine N, Williams SR, Girard F et al：The effect of adductor canal block on knee extensor muscle strength 6 weeks after total knee arthroplasty：a randomized, controlled trial. Anesth Analg 126：1019-1027, 2018

肩関節手術のブロック

斜角筋間ブロックは肩関節手術の鎮痛に標準的に使用されているが，合併症リスク（横隔神経麻痺など）から代替法の検討がなされてきた．肩甲上神経ブロックもその一つとして近年研究対象となっていたが，鎮痛効果が不安定であった．そこでHussainら[14]は，肩関節手術で行われた肩甲上神経ブロックと斜角筋間ブロックの鎮痛効果と安全性を比較するためにメタ分析を行った．データベースから2つのブロックを無作為で比較した研究を抽出し，24時間の経口モルヒネ投与量と安静時疼痛スコアのAUC，ブロックに関連すると考

14) Hussain N, Goldar G, Ragina N et al：Suprascapular and interscalene nerve block for shoulder surgery：a systematic review and meta-analysis. Anesthesiology 127：998-1013, 2017

えられる合併症や呼吸器合併症を評価項目として分析した．抽出された16の研究結果の解析から，斜角筋間ブロックと肩甲上神経ブロック間で術後24時間のモルヒネ使用量に有意差はなかった．術後24時間の疼痛スコア関しては斜角筋間ブロックが良好なAUCを示していたが，臨床的に有意な差ではなかった．肩甲上神経ブロックと比較して，斜角筋間ブロックは回復室（術後1時間）での術後痛は軽減したが麻薬使用量は減らさなかった．その他の時間で疼痛スコアに差はなかった．一方，肩甲上神経ブロックではブロックに関連した合併症や呼吸器合併症の発生率が低かった．結論として，斜角筋間ブロックが肩甲上神経ブロックと比較して回復室での鎮痛効果が良好であったが，それ以外では臨床的優位性は認めなかった．肩甲上神経ブロックで合併症が少なかったことを考慮すると，**斜角筋間ブロックの施行が躊躇される肥満，無呼吸症状，呼吸器疾患を有する患者では，肩甲上神経ブロックが選択可能**だといえる．

一方Auyongら[15]は，より遠位で施行する鎖骨上アプローチあるいは前方からの肩甲上神経ブロックが，斜角筋間アプローチより鎮痛効果で劣っていないことを検討する無作為二重盲検研究を行った．鏡視下肩関節手術を受ける189人の患者に，0.5%ロピバカイン15 mLを用いた斜角筋間アプローチ，鎖骨上アプローチまたは前方アプローチ肩甲上神経ブロックを施行し，斜角筋間アプローチとそれぞれの遠位アプローチを比較した．その結果，手術後の平均疼痛スコアNRSは斜角筋間アプローチ後1.9，鎖骨上アプローチ後2.3，肩甲上神経ブロック後2.0で，鎖骨上アプローチと斜角筋間アプローチの差は0.4（$p = 0.088$と非劣性ではない），肩甲上神経ブロックと斜角筋間アプローチの差は0.1（$p = 0.012$と非劣性）だった．どのアプローチでも麻薬消費量は同様だった．ブロック後の肺活量の減少は，肩甲上神経ブロック（ブロック前との比率で90%）と鎖骨上アプローチ（76%）で斜角筋間アプローチ（67%）より少なかった．これらの結果から，**鏡視下肩関節手術の周術期疼痛管理で肩甲上神経ブロックを行うと，斜角筋間アプローチに劣らない鎮痛効果が得られ肺機能が維持される**ことがわかった．

ブロック持続時間を延長する薬剤

末梢神経ブロック単回ボーラス投与によるブロック効果は8時間しか持続しない．オピオイド，デキサメタゾンやα_2アゴニストなどにブロック時間延長効果が期待されている．

1. デクスメデトミジン

デクスメデトミジン（DEX）を経静脈的に投与すると，斜角筋間ブロックの鎮痛持続時間が延長することが知られている．しかし有効投与量についてはまだ明らかではない．そこでKangら[16]は，斜角筋間ブロックの鎮痛時間を

15) Auyong DB, Hanson NA, Joseph RS et al：Comparison of anterior suprascapular, supraclavicular, and interscalene nerve block approaches for major outpatient arthroscopic shoulder surgery：a randomized, double-blind, noninferiority trial. Anesthesiology 129：47-57, 2018

16) Kang RA, Jeong JS, Yoo JC et al：Effective dose of intravenous dexmedetomidine to prolong the analgesic duration of interscalene brachial plexus block：a single-center, prospective, double-blind, randomized controlled trial. Reg Anesth Pain Med 43：488-495, 2018

延長するDEX量を明らかにする無作為二重盲検研究を行った．鏡視下肩関節手術を受ける患者に0.5%ロピバカイン15 mLで斜角筋間ブロックを行い，経静脈的に生理食塩水，DEX 0.5 μg/kg，DEX 1.0 μg/kg，またはDEX 2.0 μg/kgを投与した．結果はDEX 2.0 μg/kgを投与された患者の鎮痛時間が，他を投与された患者より有意に長かった．24時間のモルヒネ換算消費量は，DEX 2.0 μg/kg投与患者で他群の患者よりも有意に少なかった．術中低血圧の回数やエフェドリンの使用量に差がなかった．運動神経遮断時間，鎮静，除脈の発生率にも差はなかった．これらの結果から，鏡視下肩関節手術患者ではDEX 2.0 μg/kgの経静脈的投与が斜角筋間ブロックの運動神経遮断時間は変えずに鎮痛持続時間を有意に延長し，術後24時間の麻薬消費量を減少させることがわかった．

2. デキサメタゾン

Kirkhamら[17]は上肢手術を受ける成人患者に腕神経叢ブロックを行うとき，鎮痛効果を延長させるデキサメタゾンの量を知るためにメタ分析を行った．データベースから，腕神経叢ブロックで局所麻酔薬にデキサメタゾンを添加したものと局所麻酔薬単独の効果を比較した研究を抽出した．Cochraneのrisk of bias toolを使用して各研究の質を検討し，ランダム効果モデルを利用してメタ分析を行った．評価項目は短・中時間作用性と長時間作用性局所麻酔薬それぞれの鎮痛効果持続時間であった．メタ回帰分析のあとサブグループ解析を行い，異なる量のデキサメタゾンが鎮痛時間に与える影響を評価した．そのため抽出した研究を，デキサメタゾン低用量（1〜4 mg）群と中用量（5〜10 mg）群に分けて分析した．神経学的合併症の発生率，安静時疼痛スコア，そして術後24時間のモルヒネ消費量も評価した．抽出された33の無作為比較研究のメタ回帰分析によって，短時間作用性および長時間作用性局所麻酔薬ともに，デキサメタゾン4 mgの神経周囲投与で鎮痛効果延長が天井効果を示すことがわかった．低用量と中用量のデキサメタゾン投与を比較したサブグループ解析結果でも同じ結果が確認された．短・中時間作用性局所麻酔薬では，低用量と中等度量のデキサメタゾンの添加によって延長された鎮痛効果時間はそれぞれ平均277分間および229分間であった．長時間作用性局所麻酔薬と併用された場合には，効果の延長はそれぞれ平均505分間と509分間であった．神経学的合併症の発生は神経周囲へのデキサメタゾン投与により増加しなかった．すべての評価項目結果でGRADEが非常に低かった．これらの結果から，エビデンスは低いが，短・中時間作用性局所麻酔薬あるいは長時間作用性局所麻酔薬にデキサメタゾンを添加して腕神経叢ブロックを行えば，鎮痛効果がそれぞれ6または8時間延長すること，4 mg以上の投与量でもこの延長効果は変わらないことがわかった．4 mg未満のデキサメタゾンが使用されていた研究はほとんどなく，より少ない投与量で延長効果が認められるかどうかについ

17) Kirkham KR, Jacot-Guillarmod A, Albrecht E：Optimal dose of perineural dexamethasone to prolong analgesia after brachial plexus blockade：a systematic review and meta-analysis. Anesth Analg 126：270-279, 2018

てはわからない．神経学的合併症発生の危険性はおそらく高くないだろう．

3. クロニジン

Andersen ら[18]は，末梢神経遮断時間がクロニジン投与によって延長するのは全身性作用か末梢神経での作用なのかを明らかにする研究を行った．21人のボランティアに0.5％ロピバカイン 20 mLを用いて両側の内転筋管ブロックを行ったが，片側にはクロニジン 150 μg/mLを 1 mL，反対側には生理食塩水 1 mLをロピバカインに添加した．評価には，アルコール綿を用いて評価した知覚神経遮断時間，ピンプリック刺激，熱刺激時の最大疼痛，温覚知覚閾値，熱疼痛閾値を用いて測定した知覚神経遮断時間を用いた．その結果，知覚神経遮断持続時間に左右差はなかった．その他の評価方法による遮断時間についても両側で差がなかった．これらの結果から，クロニジンをロピバカインに添加して内転筋管ブロックを行ったとき，クロニジンは局所的ではなく全身的に作用して遮断時間を延長することがわかった．

18) Andersen JH, Jaeger P, Sonne TL et al : Clonidine used as a perineural adjuvant to ropivacaine, does not prolong the duration of sensory block when controlling for systemic effects : a paired, blinded, randomized trial in healthy volunteers. PLoS ONE 12 : e0181351, 2017

持続神経ブロック

1. 間欠投与か持続投与か

術後鎮痛法においてカテーテルを用いた持続注入がよく行われている．最近，低速での持続注入ではなく一定時間間隔で間欠的に投与する programmed intermittent bolus（PIB）が注目を集めている．しかし末梢神経ブロックにおいてこの PIB の効果についてはまだまだ議論が多い．Chong ら[19]は持続末梢神経ブロックにおいて低速の持続注入法に対して PIB に利点があるかどうかを調べるために，過去の無作為研究結果をメタ分析した．データベースから，上・下肢手術の術後鎮痛に持続末梢神経ブロックを使用し PIB と定速持続注入法を比較した無作為コントロール研究を抽出した．9つの無作為比較研究が分析された結果，PIB によって手術 6・12 時間後の疼痛スコアがわずかに低下していたが，その後は差がなかった．その他の評価項目に関しては，運動神経ブロックが長時間持続した割合が PIB で高かった以外，意義のある違いは認められなかった．これまで行われた研究結果からは，PIB を使用する価値は認められなかった．

19) Chong MA, Wang Y, Dhir S et al : Programmed intermittent peripheral nerve local anesthetic bolus compared with continuous infusions for postoperative analgesia : a systematic review and meta-analysis. J Clin Anesth 42 : 69-76, 2017

2. 持続神経ブロックの副作用

持続区域麻酔ではカテーテルに感染の危険性がある．末梢神経ブロックのカテーテルでは 0〜7％に感染が発生し，硬膜外カテーテルでも 0.8〜4.9％の感染が認められるとされているが，どの程度長期だと感染の危険が高まるのかはわかっていない．そこで Bomberg ら[20]は，カテーテル感染のリスクが留置期間依存的（最長 15 日間）に増えるかどうかを調べるために，ドイツ区域麻酔ネットワークを利用してレジストリー研究を行った．2007〜2014 年に周術期疼痛管理のために持続区域麻酔を受け，関連する詳細な因子が得られた 44,555

20) Bomberg H, Bayer I, Wagenpfeil S et al : Prolonged catheter use and infection in regional anesthesia : aretrospective registry analysis. Anesthesiology 128 : 764-773, 2018

人の患者を対象とした．Cox 回帰分析を行い交絡要因で調整し，留置期間とカテーテルが未感染の関係を調べた．その結果，交絡要因で調整後，カテーテルが未感染である確率は末梢神経ブロック，硬膜外カテーテルともに日数とともに減少した．持続末梢神経カテーテルでは4日間までの留置で未感染率99%，7日目で96%，15日目で73%であった．硬膜外カテーテルでは4日間までの留置で99%，7日目で95%，15日目で73%であった．31人の患者（0.07%）に外科的処置が必要な重篤な感染が発症した．そのうち5人では，当初は感染徴候が軽度～中等度で経過観察されていた．これらの結果から，**カテーテルの感染リスクが留置期間とともに（特に4日間を超える場合）高まる**ことが明らかとなった．カテーテル感染徴候が認められたら速やかに抜去すべきである．

神経内注入

超音波画像では膝窩部坐骨神経周囲の結合織膜 paraneural sheath を視認できるので，その内外への注入の区別が可能である．神経上膜内への神経内注入が起こればブロック発現時間が早まり成功率も高くなる．しかしその安全性については疑問があり，またよく調べられてもいない．Cappelleri ら[21]は以前の研究で，1%ロピバカインによる膝窩部坐骨神経ブロック5週間後の神経活動電位の低下が，神経内外注入で同様に起こることを示した．そこで彼らは，より少ない投与量を使用した本研究を行った．目的は，①神経内注入後に90%の患者で完全な知覚運動神経遮断が起こる最小量を知ること，②術後5週，6ヵ月後の電気生理学的所見を得ることである．47人の患者に神経内注入による膝窩部坐骨神経ブロックを施行した．投与量は15 mL から開始し，以後 biased coin up and down sequential design に基づいて決定した．その結果，神経内注入で90%の患者に完全知覚運動神経遮断が得られた最少容量は6.6 mL で，発現時間は約19分，ブロック成功率（40分以内に完全遮断が起こった率）は98%であった．ブロック前と比較して，足首，腓骨，踝および膝窩部の活動電位はすべて5，6週間後に有意に低下したが，6ヵ月後の時点で神経学的症状を呈していた患者はいなかった．これらの結果から，膝窩部坐骨神経ブロックで神経内注入を行うと知覚運動神経遮断を得るための局所麻酔薬必要量が減少し，全身性局所麻酔薬中毒のリスクを減じることができることがわかった．しかし電気生理学的な結果から軸索損傷が起こっていた可能性もあり，神経内注入を正当化するものではない．

21) Cappelleri G, Ambrosoli AL, Gemma M et al：Intraneural ultrasound-guided sciatic nerve block：minimum effective volume and electrophysiologic effects. Anesthesiology 129：241-248, 2018

その他

1. 腎臓手術のブロック（胸部傍脊椎ブロック）

腎臓手術は術後48時間に及ぶ強度の疼痛を伴うが，胸部傍脊椎ブロックの効果についてほとんど調べられていなかった．そこでCopikら[22]は無作為コントロール研究を行い，胸部傍脊椎ブロックが腎臓手術後の麻薬消費量と疼痛レベルの軽減に役立つかどうかを調べた．腎臓定期手術（開腹による腎摘出術または腎臓温存手術）を受ける68人の患者を，胸部傍脊椎ブロックの施行の有無によって2群に分けた．胸部傍脊椎ブロックは全身麻酔導入前に神経刺激法で行い，ブピバカイン0.3 mL/kgを注入した．術後はオキシコドンを用いたPCAを行い，術後48時間観察を行った．その結果，胸部傍脊椎ブロックを受けた患者で術後48時間のオキシコドン使用量がコントロール群より39%少なかった．また術後24時間，安静時疼痛スコアが有意に低かった．胸部傍脊椎ブロックを受けた患者では麻薬に関連する副作用が少なく，最初の12時間の鎮静状態も軽度であった．48時間後の時点で患者満足度はブロック施行群で有意に高かった．これらの結果から，術前に施行した胸部傍脊椎ブロックが多様性鎮痛法の中で使用される場合，麻薬使用量と疼痛レベルの軽減という点において有用であることがわかった．

22) Copik M, Bialka S, Daszkiewicz A et al：Thoracic paravertebral block for postoperative pain management after renal surgery：a randomised controlled trial. Eur J Anaesth 34：596-601, 2017

2. 胸腔鏡補助下手術のブロック（前鋸筋面ブロック）

胸腔鏡補助下手術に対する最適な区域麻酔法についてはまだ議論が多い．そこでKimら[23]は無作為3重盲検法によって，前鋸筋面ブロックによって術後1日目の回復の質が改善するかどうかを調べた．同時に術後疼痛レベルおよび麻薬使用量についても調べた．胸腔鏡補助下手術を受ける90人の患者を2群に分け，全身麻酔導入後に0.375%ロピバカインまたは生理食塩水0.4 mL/kgを用いて前鋸筋面ブロックを施行した．回復の質はQoR-40スコアで評価し，術前と術後1，2日目に患者に記入してもらった．疼痛スコア，麻薬消費量および副作用も術後2日間調べた．その結果，QoR-40スコアは術後1，2日目ともにブロック群で有意に高かった．安静時の疼痛スコアおよび麻薬消費量は，6時間目まで前鋸筋ブロックを受けた患者で低かった．総麻薬消費量も24時間目までブロック群で有意に少なかった．これらの結果から，単回前鋸筋ブロックにより胸腔鏡補助下手術の患者の術後2日間の回復の質が改善し，術後初期の術後鎮痛を向上させることがわかった．

23) Kim D-H, Oh YJ, Lee JG et al：Efficacy of ultrasound-guided serratus plane block on postoperative quality of recovery and analgesia after video-assisted thoracic surgery：a randomized, triple-blind, placebo-controlled study. Anesth Analg 126：1353-1361, 2018

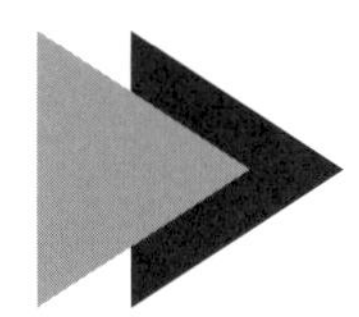

23. 周術期ポイントオブケア超音波 2019

すずき あきひろ
鈴木昭広
東京慈恵会医科大学 麻酔科学講座

最近の動向

●ポイントオブケア超音波（point of care ultrasound：POCUS）は診断の目的だけではなく病態判断の目的などにも手軽に用いる手法であり，全身あらゆる場所が観察対象となりえる．麻酔・救急・集中治療医はそもそも患者に対して生理学な介入をすることを得意としており，筆者は全国の有志とともに，気道・呼吸・循環・中枢神経異常への超音波的アプローチ手法としてABCD sonographyの概念を確立して教育・普及活動を行ってきた．現在，周術期のPOCUSは①超音波ガイド下血管確保，②周術期経食道超音波，③超音波ガイド下神経ブロックにならび，4番目の超音波フィールドとしての地位を確立したといえる．この1～2年に発表された論文をABCDE…に分けて紹介する．

全 般

Canadian Journal of Anesthesia誌の2018年4月号はpoint of care ultrasoundが特集として組まれている．また，Anesthesiology誌ではImages in anesthesiologyのコーナーで，食道挿管の確認のための気道エコー，術後腹腔内出血の検索に外傷初期診療で行われるFASTを応用する，心タンポナーデの検索のためのFocused cardiac ultrasound，などが紹介された．これらは救急領域ではすでに常識的に浸透している内容のため，まさかAnesthesiology誌が今さらこれら初歩的な内容を掲載するとは予想もしなかった．逆に，麻酔科医が術場業務に忙殺されて急性期診療から遠ざかっているために新鮮に映った，ということなのだろうか[1~3]．

Airway

You-Tenらが上気道における超音波の使用に関するレビュー[4]を出している．舌根部のコンベックスプローブによる観察，輪状甲状靭帯の検索のためのTACAテクニック，挿管確認，気管切開，チューブサイズの決定，声帯観察，横隔膜機能，気道エコーのトレーニングなど幅広く言及しており，知識の整理に最適である．

1) Sigakis M, Fiza B：Early identification of tamponade using focused cardiac ultrasound. Anesthesiology 129：1025-1025, 2018
2) Boretsky KR：Point-of-care ultrasound to diagnose esophageal intubation："The Double Trachea". Anesthesiology 129：190-190, 2018
3) Howell SM, Bennion DA, Jrebi N et al：Application of focused assessment ultrasound in trauma to perioperative medicine：a tool to quickly diagnose postoperative hemorrhage. Anesthesiology 129：333-333, 2018
4) You-Ten KE, Siddiqui N, Teoh WH et al：Point-of-care ultrasound（POCUS）of the upper airway. Can J Anaesth 65：473-484, 2018

1884-8516/19/¥100/頁/JCOPY

緊急気道アクセスに関して，頸部のランドマークがあてにならない甲状腺などの腫瘍性疾患がある患者において，超音波は触診法よりも輪状甲状靭帯の同定に優れる，というRCT論文[5]が出された．223人の頸部に解剖学的異常を認めCT検査が予定された患者で，超音波と触診法による輪状甲状靭帯同定をCTによる靭帯中央部からの距離で比較した．主要評価項目は距離を用いた同定の正確性で，5 mm以内を成功とした．結果，超音波を利用したほうが触診に比べ10倍正確性に優れていた（81% vs. 8%，$p < 0.0001$）．実際の中央からの距離は触診では超音波に比べ5倍長くなった（16.6 ± 7.5 vs. 3.4 ± 3.3 mm，$p < 0.0001$）．不正確な同定のリスク比は9.14倍であった．

5) Siddiqui N, Yu E, Boulis S et al：Ultrasound is superior to palpation in identifying the cricothyroid membrane in subjects with poorly defined neck landmarks：a randomized clinical trial. Anesthesiology 129：1132-1139, 2018

ICUで声帯の動きを評価した論文[6]がある．正面から，側面から，両者を用いて声帯を観察し，声帯麻痺，披裂軟骨脱臼の診断を行ったもの．実際の病変は気管支鏡で最終診断されている．120人の患者のうち24人20%に声帯麻痺を認め，正面観察で71.7%，側面で88.3%，両方を用いると96.7%であった．感度特異度は正面で58.3%と75%，側面でそれぞれ91.7%，87.5%，両者用いると100%，95.8%であった．側面観察は正面に比べ描出成功率は有意に高く（$p = 0.002$），両方合わせるとさらに高かった（$p = 0.001$）．側面観察と両方とでは有意差はなかった（$p = 0.025$）．観察には側面が優れ，両方合わせることでFOBに匹敵する判断が迅速簡単に行える，としている．近年の高周波リニアでは解像度が高く描出はかなり容易になってきたが，男性では甲状軟骨が発達し，かつ加齢による石灰化が描出の妨げである．側面観察はマスターしておくべきテクニック，ということであろう．

6) Ruan Z, Ren R, Dong W et al：Assessment of vocal cord movement by ultrasound in the ICU. Intensive Care Med 44：2145-2152, 2018

気道超音波を利用して，挿管困難予測ができるか，という試み[7]がある．頸部の気道構造物をいろいろ観察して最終的に頤舌骨距離がよい，という結論になっている．テクノロジーを使うべきは超音波による予測法ではなくデバイスそのものを変えることだと思うが，論文になるからこの手のリサーチが相変わらず出続ける．

7) Abraham S, Himarani J, Mary Nancy S et al：Ultrasound as an assessment method in predicting difficult Intubation：a prospective clinical study. J Maxillofac Oral Surg 17：563-569, 2018

Breathing

Point of care lung ultrasoundとPubMedで入力すると，2018年だけで100本を超える論文がヒットする．肺エコー分野の注目は著しく，この10年間右肩上がりで論文が増えている状況である．

Goffiら[8]が肺エコーの基本をコンパクトにまとめている．正常所見に始まり，気胸，胸水，sonographic interstitial syndromeとalveolar syndromeに関して図と写真を組み合わせて丁寧に解説しており，一読の価値がある．

8) Goffi A, Kruisselbrink R, Volpicelli G：The sound of air：point-of-care lung ultrasound in perioperative medicine. Can J Anaesth 65：399-416, 2018

なお，海外ですでに広く用いられているinterstitial syndromeを直訳した“間質症候群”という名称は我々のグループが適切な訳語がないことから直訳して利用し始めたのだが，病理医，放射線科医，呼吸器内科医より，「間質」

だけではない病態も含有しており，間質性疾患を専門とする医師にとって違和感が強い，という意見があり，超音波観察上で認められる，という意味を冠して sonographic interstitial syndrome という呼称で超音波医学会で名称を統一しようということになっている．残念ながらいい和名はないままである．

透析患者で B-line を評価することで透析後のうっ血，病院滞在リスク，冠動脈イベントリスクを予測できることを示した論文[9]が出された．ただし，簡易法というわりには Volpicelli がリサーチ目的で考案した 28ヵ所ものスキャンを必要とするため，日常臨床で使用するには正直非常に煩雑で敷居が高いといえる．

肺エコーはいたってシンプルであり，聴診器並みの気軽さで使用したいものである．486 例の入院患者の心エコーに肺尖部と肺底部の肺エコー4ヵ所を追加スキャンし，肺エコーの異常所見の有無を検討すると，異常を認めた群では院内，1 年，5 年死亡率が有意に高くなったとする論文[10]がある．B-line 所見は院内死亡に有意に関連し，胸水所見は 1 年死亡に関連していた．4ヵ所の追加でもおそらく 1～2 分以内で両所見は容易に捉えられるため，心臓とともに肺も見ておくというお手軽手法の有用性は高いといえよう．

胸腔穿刺に関して，Society of Hospital Medicine より recommendation[11]が出された．胸腔穿刺の必要性判断，量の判断，成功率向上のために自発，人工呼吸にかかわらず超音波使用を推奨，穿刺前に呼吸サイクル中の胸壁・胸膜・横隔膜と横隔膜下臓器を正しく同定し，マーキング時と穿刺時で体位を変えないこと，穿刺距離を判断すること，ガイド下穿刺すること，前後で lung sliding を確認すること，穿刺後 lung sliding を認めバイタルに異常を伴わない者ではルーチン胸部 X 線撮影を行わないこと，初心者は肺エコーの基本をハンズオンで学び，シミュレーションベースの穿刺を学ぶこと，習熟曲線が不明なため習熟者に合わせた教育を行うこと，などの項目を挙げている．

人工呼吸のウィーニングに際し，超音波による横隔膜の diaphragm thickening fraction（DTF）と rapid shallow breathing index（RSBI）を併用すると，RSBI 単独よりもウィーニングの成功を予測できる[12]ようだ．ROC curve 解析では右 DTF，左 DTF，RSBI のウィーニング成功予測率は 0.951，0.700，0.709 であった．最もよいカットオフ値は右 DTF ≥ 26％（感度 96％，特異度 68％，陽性的中率 89％，陰性的中率 86％）であった．右 DTF ≥ 26％と RSBI ≤ 105 を組み合わせると特異度は 78％に上がるが感度は 92％となった．右横隔膜は観察がしやすく，簡便であり導入しやすいと考える．

人工呼吸器からのウィーニングに心，肺，横隔膜を評価し，抜管失敗に関与する因子を調べた論文[13]もある．53 人中 11 人が抜管に失敗し，左室拡張能の低下と肺の含気スコアの低下が関連していた，とするものだが，心エコーは拡張能評価を含めた full study の様相を示しており，POCUS の概念からは外

9) Beaubien-Souligny W, Rhéaume M, Blondin MC et al：A simplified approach to extravascular lung water assessment using point-of-care ultrasound in patients with end-stage chronic renal failure undergoing hemodialysis. Blood Purif 45：79-87, 2018

10) Garibyan VN, Amundson SA, Shaw DJ et al：Lung ultrasound findings detected during inpatient echocardiography are common and associated with short- and long-term mortality. J Ultrasound Med 37：1641-1648, 2018

11) Dancel R, Schnobrich D, Puri N et al：Recommendations on the use of ultrasound guidance for adult thoracentesis：a position statement of the society of hospital medicine. J Hosp Med 13：126-135, 2018

12) Pirompanich P, Romsaiyut S：Use of diaphragm thickening fraction combined with rapid shallowbreathing index for predicting success of weaning from mechanical ventilator in medical patients. J Intensive Care 6：6, 2018.

13) Haji K, Haji D, Canty DJ et al：The impact of heart, lung and diaphragmatic ultrasound on prediction of failed extubation from mechanical ventilation in critically ill patients：a prospective observational pilot study. Crit Ultrasound J 10：13, 2018

れてしまう懸念がある．心エコーを得意とする intensivist 用といえるだろう．

Circulation

ポイントオブケア心エコーの老舗といえばデンマークの Sloth による Focus Assessed Thoracic Echo（FATE）があるが，近年同様の心エコープロトコールが乱立している．その中で，Focused Cardiac ultrasound（FoCUS）は語呂がよいのかよく目につくようになった．Jensen ら[14] は救急外来において基本的な心エコーのコンピテンシーを満たした医師に初回は指導者不在で，2 回目は指導なしまたは遠隔での指導（tele-supervision）でスキャンを行った．3 回目は FoCUS のエキスパートが同じ患者をスキャンした．その後，別の観察者が記録されたシネループを 1～5 で点数化した．4～20 点満点で示されるシネループのスコアは，監督なしで 10.9（95％信頼区間（CI）：10.2～11.7），tele-supervision が 12.6（95％ CI：11.8～13.3）．であり，2 回目に tele-supervision されたことでスコアは 9％（1.09，95％ CI：1.00～1.19，$p = 0.041$）エキスパートの点数に近づいた．その場にいなくても遠隔指導をすることで心エコーの質を上げることができ，遠隔医療やへき地診療への応用が期待される．

FoCUS と一言で書いても，どこまでの描出スキルをゴールとするかは人によりけりである．欧州の学会が FoCUS の習得目標を示している[15]．現在同様のコンピテンシーやフレームワークをどこまでとするべきかに各学界や研究会が頭を悩ませている状況である．このシラバスでは例えば弁の機能不全も取り上げているが，正確な弁膜症診断はカラードプラを要するため，カラードプラを使うかどうかは常に議論に上る．ポイントケアレベルではカラードプラは含めない，というアイデアが一般的に思えるが，講習会が乱立し，目指すゴールもばらばらなのにひとくくりに FoCUS と呼ぶ現状は統一の必要がある．同じく，心エコーの保険診療点数を，検査室で行うフルスタディと，急性期に「ちょいあて」するだけで同一であるはずもなく，ポイントオブケア用の点数が必要であるという意見も出ている．

Dysfunction of Central Nerve System

脳圧センサーは頭蓋内圧測定のゴールドスタンダードとされてきたが，近年 B モード超音波で観察・計測した視神経鞘径（optic nerve sheath diameter：ONSD）が脳圧と相関することが知られている．このシステマティックレビュー[16] では 7 論文 320 人のデータを解析し，最終的に ICP ＞ 20 mmHg を診断する診断オッズ比，陽性尤度比，陰性尤度比はそれぞれ 68.10（95％ CI：26.8～144），5.18（95％ CI：3.59～7.37）and 0.087（95％ CI：0.041～0.158）であった．著者らは診断オッズ比の広い 95％ CI には注意を要するものの，脳圧センサーの適応がない，あるいは利用できない場合の代替策として有用である

14) Jensen SH, Weile J, Aagaard R et al：Remote real-time supervision via tele-ultrasound in focused cardiac ultrasound：a single-blinded cluster randomized controlled trial. Acta Anaesthesiol Scand, 2018［Epub ahead of print］

15) Neskovic AN, Skinner H, Price S et al；Reviewers：This document was reviewed by members of the 2016-2018 EACVI Scientific Documents Committee：focus cardiac ultrasound core curriculum and core syllabus of the European Association of Cardiovascular Imaging. Eur Heart J Cardiovasc Imaging 19：475-481, 2018

16) Robba C, Santori G, Czosnyka M et al：Optic nerve sheath diameter measured sonographically as non-invasive estimator of intracranial pressure：a systematic review and meta-analysis. Intensive Care Med 44：1284-1294, 2018

と結論している．

視神経鞘計測の超音波の習熟に関して，5分の講義と3回のスキャン訓練で手技をマスターできる，という報告[17]が出ている．熟練者と比較して違いの平均値は0.6 mmと遜色ない，としている．

17) Betcher J, Becker TK, Stoyanoff P et al : Military trainees can accurately measure optic nerve sheath diameter after a brief training session. Mil Med Res 5 : 42, 2018

子癇前症の患者の肺外水分量の評価にONSDと肺エコーを用いた論文[18]がある．Lung ultrasoundはEcho Comet Scoreを用い，ONSDとが有意（$p < 0.05$）に相関し平均ONSDは5.7 mm（3.8～7.5 mm）．平均ECS 19（0～24）で，両者に有意な相関を認めた（$r^2 = 0.464$, $p < 0.001$）．ONSDで重症子癇前症患者の輸液管理の指標になる，と結論している．個人的にはECSは前胸部で右4ヵ所左3ヵ所の合計7ヵ所での観察されたB-line数の合計値で，覚醒患者の眼球エコーと比べてさほど大変とは思えないため，肺エコーの代替になるとは考えにくい．

18) Simenc GB, Ambrozic J, Prokselj K et al : Optic nerve ultrasound for fluid status assessment in patients with severe preeclampsia. Radiol Oncol 52 : 377-382, 2018

極端な頭低位をとるロボット補助前立腺手術（RALP）時に，プロポフォールによる全静脈麻酔とデスフルランによる吸入麻酔とで，ONSDに差が出るかを検討した論文[19]がある．56人の患者でトレンデレンブルグ体位10分，1時間，2時間後と仰臥位復位10分後でONSDを計測するとTIVA群でDES群と比べ有意に低くなった（$p = 0.023$, 0.000, 0.000, 0.003）．神経学的合併症は両群で認めなかったが，著者らはRALPにおいては脳還流低下がリスクとなる患者においてTIVA管理が好ましいのではと結論している．

19) Choi ES, Jeon YT, Sohn HM et al : Comparison of the effects of desflurane and total intravenous anesthesia on the optic nerve sheath diameter in robot assisted laparoscopic radical prostatectomy : a randomized controlled trial. Medicine (Baltimore) 97 : e12772, 2018

Gastric

Perlasグループによる胃の超音波のレビューがRegional Anesthesia and Pain Medicine誌に出ている[20]．こちらもよくまとまっており，初めての方が読むのに適している．

20) Haskins SC, Kruisselbrink R, Boublik J et al : Gastric ultrasound for the regional anesthesiologist and pain specialist. Reg Anesth Pain Med 43 : 689-698, 2018

妊婦の胃内容量を超音波で評価できるかを検討した論文[21]がある．8時間以上の絶飲食後に，胃内容が超音波上空虚と判断された18歳以上，24人の36週過ぎの妊婦を対象に，50 mLの水分を摂取して2分後に超音波観察，を合計4回（total 200 mL）実施し，断面積（CSA）と摂取水分量の相関を調べた．両者は高い相関を示した．（$r = 0.90$, $p < 0.01$）．計算式も考案し，Volume（mL）= 270.76 + 13.68＊CSA-1.20＊妊娠週数であるとのこと．

21) Chen X, Chen F, Zhao Q et al : Ultrasonographic measurement of antral area for estimating gastric fluid volume in pregnant women. J Clin Anesth 53 : 70-73, 2018

以上，論文数が増加の一途をたどるポイントオブケア領域に関して，筆者の好みで麻酔領域にかかわるものとしてその一部を選ばせていただいた．

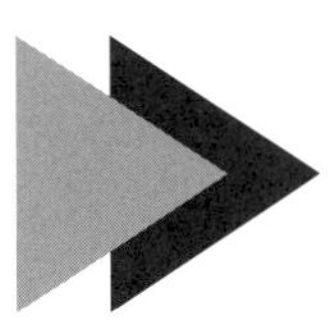

24. 輸血と輸液

岡田尚子（おかだ ひさこ）
順天堂大学医学部附属練馬病院 麻酔科・ペインクリニック

最近の動向

- Patient Blood Management が普及してきた．貧血に治療効果の高いカルボキシマルトース鉄の導入，赤血球輸血による手術部位感染増加，リスクのある心臓手術患者における制限輸血の非劣性などの報告により，輸血必要性を減らす周術期の努力が続いている．
- 外傷大量出血では線溶亢進後に起こる線溶遮断が予後不良因子として注目されている．受傷後時間経過後の線溶遮断状態でトラネキサム酸を投与することは危険である．さらに線溶遮断を受傷直後より示す患者群が存在することが判明し，彼らは予後不良である．
- ヒドロキシエチルスターチは，非重症患者の予定手術において腎障害の原因にならないという報告が蓄積してきた．一方，重症患者においては腎代替療法，輸血必要性をわずかに増やすことはほぼ間違えないであろう．

輸　血

1. Patient Blood Management

Patient Blood Management（PBM）とは，計画的に不必要な輸血を削減し，予後を改善する管理方法である．その実効性，安全性，経済効果については近年十分検証されてきた．ヘモグロビン 7 g/dL を赤血球輸血開始のトリガーとする制限輸血は有効であるが，担がん患者・心血管疾患患者に対してはより高いトリガー値が望ましいことも昨年までの報告で認められてきた．今後改善が期待される薬剤による貧血の是正について，新たな静注鉄剤であるカルボキシマルトース鉄の有効性が示された．1 回投与量が 15 mg/kg と多く（従来の鉄剤は 40～120 mg/day），消化器合併症が少ない特徴がある．437 人の胃切除後患者を対象として 500 または 1,000 mg またはプラセボを静注したところ，術後 12 週における 2 g/dL 以上のヘモグロビン（Hb）上昇または Hb ＞ 11 g/dL の患者が圧倒的に多く（92% vs. 54%，p = 0.001），輸血必要性が低下した（1.4% vs. 6.9%，p = 0.006）．消化器症状は 7%であった[1]．本邦では治験が終了し 2018 年に承認申請されている．

1) Kim YW, Bae JM, Park YK et al : Effect of intravenous ferric carboxymaltose on hemoglobin response among patients with acute isovolemic anemia following gastrectomy : the FAIRY randomized clinical trial. JAMA 317 : 2097-2104, 2017

1884-8516/19/¥100/頁/JCOPY

2. 心臓手術におけるハイリスク患者での制限輸血で害はないか？

心臓手術は最も多くの血液製剤を使用している．他領域では制限輸血の有効性が示されてきたが，人工心肺を用いる心臓手術で同様かはいまだ不明である．この重要なテーマに対し，中等度〜高リスク患者を対象とした多施設オープンラベル非劣性試験が報告された．輸血トリガー値により制限輸血群（Hb＜7.5 g/dL）と寛容輸血群（ICU は＜9.5 g/dL，一般病棟は＜8.5 g/dL）に分類した．19ヵ国73施設の4,860症例が参加し，平均年齢72歳，術前危険因子から予測した心臓手術危険率 EuroSCORE 中央値7.8とハイリスク患者群であった．死亡または心筋虚血，脳卒中，または透析導入などの重症合併症は制限輸血群11.4％に対し寛容輸血群12.5％と非劣性を認めた（$p < 0.001$ for noninferiority）．死亡率に有意差はなかった．赤血球輸血投与は制限輸血群で52.3％，寛容輸血群で72.6％と差を認め（オッズ比（OR）：0.41），それぞれ投与量中央値は2単位 vs. 3単位であった（OR：0.85）[2]．輸血量が多い症例での検証を期待したい．

2) Mazer CD, Whitlock RP, Fergusson DA et al：Restrictive or liberal red-cell transfusion for cardiac surgery. N Engl J Med 377：2133-2144, 2017

3. 赤血球輸血が手術部位感染（SSI）を増加させる？

重症患者への赤血球輸血は感染リスクを増加させ，術前輸血は術後肺炎，死亡，敗血症のオッズを高める．後ろ向きコホート研究ではあるが，大規模データベースによる赤血球輸血と予定結腸手術後の SSI との関連が示された[3]．米国外科学会のデータベースから75歳未満，術前感染症なし，予定結腸手術患者を対象とした．選択バイアス制御のために傾向スコアを用いた重みづけ（inverse probability of treatment weights）で両群を調整し，ロジスティック回帰分析を施行した．23,388人の手術患者のうち1,845人（7.9％）が手術開始から72時間以内に赤血球輸血を受けた．赤血球投与は皮膚表層 SSI，切開部深層 SSI に関連がなかったが，臓器・体腔感染 SSI（OR：2.93，99％信頼区間（CI）：1.43〜6.01）と敗血症（OR：9.23，99％ CI：3.53〜24.09）のリスク増加と関連した．この赤血球輸血による感染リスク上昇・免疫変化の機序として輸血関連免疫修飾（transfusion-related immunomodulation）が提唱されている．血液貯蔵による損傷または保存液に関連し，単球機能障害，TNF-α生成減少による炎症の増悪が原因の一つといわれている．しかしながらこの結果は非常に興味深いものの，一つの検証で結論づけることは時期尚早であり，追試による確認を待つところである．

3) Mazzeffi M, Tanaka K, Galvagno S：Red blood cell transfusion and surgical site infection after colon resection surgery：a cohort study. Anesth Analg 125：1316-1321, 2017

4. 赤血球保存期間によって重症患者のアウトカムは変わるのか？

赤血球液は保存中に赤血球膜の障害，変形能の低下など劣化が起こるため長期保存血への懸念があるが，既存の RCT（ABLE trial 2015，INFORM trial 2016）では limitation が多く長期予後への影響は controversial であった．ちなみに米国の赤血球液保存期間は42日，本邦は21日である．多施設ランダム化二重盲検平行群間試験において24時間以上滞在する成人 ICU 患者のうち赤血球輸血を1回でも行う患者を対象とし，短期保存群（中央値11.8日）と長期保存群（22.4日）でのアウトカムを比較した．4,919人の重症患者で赤血球投与中央値は2単位であった．90日死亡率は24.8% vs. 24.1%と同等であった．サブグループ解析では，APACHE Ⅲによる入院予測死亡率が中央値より高い場合，短期保存群で90日死亡率がより高かった（37.7% vs. 34.0%，OR：1.18，p = 0.03）．発熱性非溶血性輸血副反応も短期保存群で多かった（5.0% vs. 3.6%，OR：1.42，p = 0.01）がこれらの機序は不明である[4]．本研究は長期間保存でアウトカムを悪化させておらず，保存期間の長い赤血球液から使用するという現在の臨床を支持するものである．

4) Cooper DJ, McQuilten ZK, Nichol A et al：Age of red cells for transfusion and outcomes in critically ill adults. N Engl J Med 377：1858-1867, 2017

5. 大量出血におけるトラネキサム酸投与：経時的に大きく変化する線溶亢進と線溶遮断

トラネキサム酸（TXA）をはじめとする抗線溶療法薬は致死的大量出血患者の死亡率を低下させる強力なエビデンスがあるが，懸念される投与の遅れと効果との関連について検証が行われた[5]．TXAが投与された大量出血患者を対象とし，1,000人以上参加した複数の大規模RCTを検索したが，結果的に信頼できる調査としてCRASH-2とWOMAN trialの個人データの総合分析となった．合計40,138人のうち3,558人が死亡している．多くの出血死（63%）はオンセットから12時間以内に起きていたが，産科危機的出血での死亡のピークは出産後2～3時間と早期であった．プラセボ群と比較してTXA投与群では生存率が有意に増加しており（OR：1.20，p = 0.001），迅速な投与は生存率を改善した．15分治療が遅れるたびに治療効果は10%減少し，出血3時間後以降に効果は消失した．血栓症増加は観察されなかった．

5) Gayet-Ageron A, Prieto-Merino D, Ker K et al：Effect of treatment delay on the effectiveness and safety of antifibrinolytics in acute severe haemorrhage：a meta-analysis of individual patient-level data from 40 138 bleeding patients. Lancet 391：125-132, 2018

では，受傷数時間後のTXA投与が予後不良となる原因は何であろうか？その一つとして考えられる線溶遮断（fibrinolysis shutdown）に関し，近年報告が続いている．線溶遮断とは，主に線溶亢進後に血管内皮や組織の修復を目的として線溶反応を抑制するプラスミノーゲンアクチベーターインヒビター1（PAI-1）の発現が増加する現象である．Meizosoらは218人の成人重症外傷患者におけるICU入室時の線溶遮断について，後方視的に検討した[6]．患者の16%がTXA投与をされ，64%が線溶遮断を示し，15%の死亡率だった．線溶遮断を示した患者では初回収縮期血圧と塩基欠乏が不良であり，輸血量が多く，TXAをより多く投与されていた．交絡因子調整後の検討では，TXAとクリオプレシピテートが線溶遮断の独立関連因子であった．よって著者らは，重症外傷のうち線溶亢進を確認した患者に限定してTXA投与をするべきだと推奨している．外傷後の線溶遮断には2つの機序が現在考えられている．一つは受傷直後の血小板活性化に由来するPAI-1の増加で，もう一つは受傷後の血管内皮細胞によるt-PA生成障害で，こちらはPAI-1の濃度に相関しない[7]．t-PAへの過敏性を欠いた状態で線溶遮断を起こすと死亡率が5倍に上昇した

6) Meizoso JP, Dudaryk R, Mulder MB et al：Increased risk of fibrinolysis shutdown among severely injured trauma patients receiving tranexamic acid. J Trauma Acute Care Surg 84：426-432, 2018

7) Moore HB, Moore EE, Huebner BR et al：Fibrinolysis shutdown is associated with a fivefold increase in mortality in trauma patients lacking hypersensitivity to tissue plasminogen activator. J Trauma Acute Care Surg 83：1014-1022, 2017

(p = 0.003)と報告され，凝固線溶の理解がより重要となってきている．

6. 直接作用型経口抗凝固薬，(direct oral anticoagulants：DOAC)による出血コントロール

DOACによる大出血は致命的である．アピキサバン・リバーロキサバン内服後24時間以内に出血した患者84人に対する強力な止血剤であるプロトロンビン複合体(PCC)の止血効果が評価された[8]．対象患者の70％は頭蓋内出血，15.5％は消化管出血を起こしていた．PCCの投与量は65kg未満で1,500単位，65kg以上で2,000単位とした．アピキサバン・リバーロキサバンともに，PCCによる治療は70％の出血に有効であった．治療が不成功であった症例は主に頭蓋内出血で，死亡例もほとんどが頭蓋内出血であった．3.5％に血栓症の合併症を生じた．

8) Majeed A, Ågren A, Holmström M et al：Management of rivaroxaban- or apixaban-associated major bleeding with prothrombin complex concentrates：a cohort study. Blood 130：1706-1712, 2017

トロンビン阻害薬ダビガトランのモノクローナル抗体である選択的拮抗薬イダルシズマブが本邦でも使用可能となった．イダルシズマブの効果をダビガトラン内服中で緊急拮抗が必要な患者503人で検証された[9]．461症例がdilute TTまたはecarin clotting time(ECT)異常を認めた．拮抗成功率は100％と確実で，イダルシズマブ投与後4時間以内に93％でdilute TTまたはECT正常化が認められ，5％は軽度異常，2％は中等度異常だった．血栓合併症は投与後30日以内で4.8％，90日以内に6.8％発生した．致死的出血のコントロール不良群(n = 301)と緊急手術・処置直前群(n = 202)で比較すると，イダルシズマブ投与後72時間で抗凝固療法の再開は各群22.9％，66.8％と手術・処置群で多かった．期待される新薬である複数の第Xa因子阻害薬や低分子ヘパリンの拮抗に有効な新薬アンデキサネット アルファ(NEJM JW Oncol Hematol Oct 2016 and N Engl J Med 375：1131, 2016)は，現在海外で第Ⅲ相臨床試験中である．

9) Pollack CV, Jr., Reilly PA, van Ryn J et al：Idarucizumab for dabigatran reversal-full cohort analysis. N Engl J Med 377：431-441, 2017

輸　液

欧州を中心としたERASガイドライン(Clin Nutr 31：783, 2012)や英国NICE輸液ガイドライン(https：//www.nice.org.uk/guidance/cg174)でも制限輸液が推奨されてはいるものの，最適な輸液療法はいまだ確立されていない．

1. 周術期輸液管理：制限輸液(ゼロバランス)療法と目標指向型輸液療法(goal directed fluid therapy：GDFT)

周術期の輸液管理において，従来の寛容輸液療法は組織浮腫，グリコカリックスの破壊などを引き起こすため推奨されない．しかしながら制限輸液または目標指向型輸液療法の大規模RCTが存在せず，それらの有効性はまだ確立されていない．

GDFTの有効性を検討した95 RCTによるメタアナリシスでは[10]，従来の

10) Chong MA, Wang Y, Berbenetz NM et al：Does goal-directed haemodynamic and fluid therapy improve peri-operative outcomes?：a systematic review and meta-analysis. Eur J Anaesthesiol 35：469-483, 2018

輸液と比較してGDFTは死亡率低下（OR：0.66），肺炎減少（OR：0.69），急性腎障害（AKI）減少（OR：0.73），創部感染減少（OR：0.48），入院期間短縮（－0.9 days）と予後を改善した．しかしながらこれらRCTには，まずバイアスが大きいという問題がある．さらに研究によりGDFTの定義が異なり，加えてエンドポイント，輸液療法，動的循環パラメータ測定装置，対照群，手術内容の統一がなく，サンプルサイズも小さいなどの問題が存在する．よってこの解析は過剰評価となりうるため良質でパワーのある研究デザインが必要である．

制限輸液が最近の主流だが，ハイリスク患者で制限輸液がAKIを増加させたという驚くべき国際RCT（RELIEF）がNew England Journal of Medicine誌に掲載された[11]．70歳以上，心疾患，糖尿病，腎機能障害，または肥満を合併した腹部大手術患者（n = 3,000）を対象とし，制限輸液群（net zero fluid balance：術中5 mL/kg/h）と非制限輸液群（8 mL/kg/h）に分類した．制限輸液群は非制限輸液群に比べ，障害のない1年生存率や術後90日の腎代替療法，死亡率は同等だったが，術後30日のAKI発生を高めた（8.6％ vs. 5.0％）．この研究の重大な制限は，全例に動的指標測定を用いておらず，非測定症例では手術中の輸液調節が行われていないことである．よって本テーマも再評価が必須である．

11) Myles PS, Bellomo R, Corcoran T et al：Restrictive versus liberal fluid therapy for major abdominal surgery. N Engl J Med 378：2263-2274, 2018

2019年に入りGDFTの国際多施設なRCTであるOPTIMISE-Ⅱ study（https：//optimiseii.org/）が計画され，プロトコールが発表された[12]．これはASA-PS2以上，65歳以上，手術時間90分以上の予定消化器外科大手術患者2,502症例を対象とし，低用量の強心薬を用いた心拍出量をターゲットとするGDFTで，術後30日までの感染が主要評価項目である．さらに緊急消化管手術患者8,000症例を対象とし，心拍出量を指標としたGDFT研究（https：//floela.org/home，2019年1月20日現在）が同チームにより運用されている．それらの結果に期待したい．

12) Edwards MR, Forbes G, MacDonald N et al：Optimisation of Perioperative Cardiovascular Management to Improve Surgical Outcome II（OPTIMISE II）trial：study protocol for a multicentre international trial of cardiac output-guided fluid therapy with low-dose inotrope infusion compared with usual care in patients undergoing major elective gastrointestinal surgery. BMJ Open 9：e023455, 2019

2. 予定手術におけるヒドロキシエチルスターチ（HES）（130/0.4）と腎機能の関連

重症患者や集中治療領域ではHESの大量または長期投与はAKIに関連するため使用は控えられているが，予定手術患者への影響はまだ十分に解明されていない．この検証には大規模RCTが必要であるがいまだ存在せず，代替として高品質の傾向スコアマッチングが有用である．さまざまな予定手術患者における術中HES（130/0.4）投与患者とリンゲル液単独投与患者での術後合併症を検討した，傾向スコアを用いた単施設対照観察研究（各群n = 1,084）が示された[13]．HES使用は循環血液量の20％以上の出血時のみとした．この患者群ではHES投与によるAKI発生，腎代替療法，ICU治療の増加は認めなかった．

13) Pagel JI, Rehm M, Kammerer T et al：Hydroxyethyl starch 130/0.4 and its impact on perioperative outcome：a propensity score matched controlled observation study. Anesth Analg 126：1949-1956, 2018

一方アルブミンはほかの膠質液に比べ高価であり，より安全，より効果的というエビデンスはない．予定膀胱摘出術を受ける100人の非重症患者を対象とし，6% HES（130/0.4）の腎機能への影響を5%アルブミンと比較した単施設単盲目ランダム化並行群間比較試験が発表された[14]．本研究では血清シスタチンCを主要評価項目としたが，これはGFR指標であり，筋肉量など腎以外の影響を受けないという利点がある．術後90日の血清シスタチンCの術後/術前変化率はアルブミン1.1に対し6% HES1.08（$p = 0.165$）と差はなかった．副次評価項目の一つである血清好中球ゼラチナーゼ関連リポカリン（NGAL）は腎上皮細胞障害で生成され，早期AKI診断の有力なバイオマーカーである．術後3日のeGFRとNGAL，術後3日と90日のRIFLE（AKI重症度）分類はいずれも群間差を認めなかった．必要輸液量，輸血率，術後3日までの循環作動薬使用も両群で同等で，5%アルブミンと6% HESの安全性は同等であった．これらより予定手術患者でのHESの安全性が蓄積されつつあるといってよいであろう．

14) Kammerer T, Brettner F, Hilferink S et al：No differences in renal function between balanced 6% hydroxyethyl starch (130/0.4) and 5% albumin for volume replacement therapy in patients undergoing cystectomy：a randomized controlled trial. Anesthesiology 128：67-78, 2018

3. 重症患者での膠質液

重症患者の輸液蘇生における晶質液と膠質液の比較研究が更新された．これは69研究，3万人以上の外傷，熱傷，敗血症などの重症患者を対象としたRCTのシステマティックレビューである[15]．スターチ，デキストラン，アルブミン，FFP，ゼラチンを含むすべての膠質液と晶質液の比較では，死亡率にほぼ差がなかった．特にHESと晶質液の比較では，短中期的死亡率に差はないが，輸血必要性と腎代替療法の可能性をわずかに上げる，ほぼ確実なエビデンスとなった（輸血必要性：リスク比（RR）：1.19，95% CI：1.02～1.39，腎代替療法：RR：1.30，95% CI：1.14～1.48）．アレルギーなど，副作用のエビデンスについては結論に達していない．

15) Lewis SR, Pritchard MW, Evans DJ et al：Colloids versus crystalloids for fluid resuscitation in critically ill people. Cochrane Database Syst Rev 8：Cd000567, 2018

4. 生理食塩水と調整された晶質液の比較

生理食塩水の大量投与は高クロール性アシドーシスを引き起こし，腎臓の炎症と灌流障害，ひいてはAKIの原因となる．非重症救急患者（$n = 13,347$）における生理食塩水または調整された晶質液（乳酸加リンゲル液かPlasmaLyte A）をランダムで割り付けるクラスターランダム化試験では，入院日数には差がなかったものの晶質液群で腎機能障害がより少なかった[16]．一方，成人ICU入室の重症患者（$n = 15,802$）では，30日以内の重大腎有害イベントは晶質液群14.3% vs. 生食群15.4%と，晶質液群で有意に減少した（限界オッズ比：0.91）．30日院内死亡率，新規腎代替療法，持続する腎障害に有意差は認めなかった[17]．よって生食の大量投与は短中期的な腎障害に影響があるといえるだろう．

16) Self WH, Semler MW, Wanderer JP et al：Balanced crystalloids versus saline in noncritically ill adults. N Engl J Med 378：819-828, 2018

17) Semler MW, Self WH, Wanderer JP et al：Balanced crystalloids versus saline in critically ill adults. N Engl J Med 378：829-839, 2018

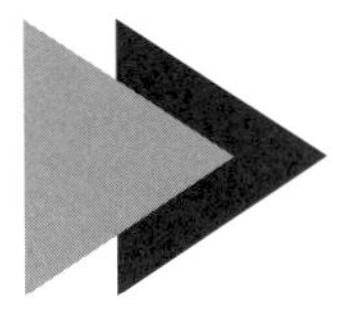

25. 宗教的輸血拒否

稲田英一（いなだ えいいち）
順天堂大学医学部 麻酔科学・ペインクリニック講座

最近の動向

- ●血液疾患をもつエホバの証人において，化学療法や他の薬物による補助療法を実施することで，輸血を行う患者と同様の予後が期待できると報告されている．
- ●エホバの証人では，どのような血液製剤や血漿分画製剤，自己血輸血法を受け入れるかなどの確認を，患者や関係する医療関係者，支援組織などと行うことが重要である．
- ●各種手術では，術前の薬物治療による貧血の改善，等容積性血液希釈や術中血液回収などの自己血輸血などの一般的な輸血回避方法のほか，術式に合わせた輸血回避方法がとられている．
- ●鎌状赤血球症患者のクリーゼのほか，緊急手術などにおいて，エホバの証人に人工酸素キャリア製剤の臨床使用がされ，良好な結果が得られたという報告がある．
- ●親がエホバの証人で，その子どもが輸血が必要な場合には子どもの予後を最優先すべきであるが，法的な手続きを行う必要がある．

エホバの証人の公式ウェブサイトによれば，エホバの証人の数は2018年において，全国240の地域と国で約858万人とされている[1]．エホバの証人は医療を拒否しているわけではないため，輸血拒否患者への対応は世界的な課題となっている．エホバの証人が輸血を拒否するのは，聖書に「だれも血を摂取してはならない」，その理由は「神は，血の象徴する命がご自分にとって神聖なものであるがゆえに，血を避けるよう命じている」ためである．エホバの証人を代表とする輸血拒否患者における輸血回避の基本は変化してきていない．術前においては**貧血を改善**すること，**患者が受け入れる血液由来製剤などを確認**すること，手術や治療においては**治療のオプションを提示**すること，**出血量が少なくなるような術式の検討，等容積性血液希釈や自己血回収による自己血輸血，術後の鉄剤などによる貧血の改善**などである[2]．それらの方針を患者が受け入れない場合には，セカンドオピニオンを求めることになる．手術分野や術式ごとに，輸血回避のためのさまざまな工夫が行われてきている．

1）https：//www.jw.org/ja/（2019年1月30日閲覧）

2）Klein AA, Bailey CR, Charlton A et al：Association of anaesthetists：anaesthesia and peri-operative care for Jehovah's Witnesses and patients who refuse blood. Anaesthesia 74：74-82, 2019

1884-8516/19/¥100/頁/JCOPY

術前評価と術前治療

エホバの証人では受け入れる血液由来製剤が異なることに注意が必要である．

日本からエホバの証人の妊婦における血液製剤の受け入れについての報告がある[3]．84人が対象となったが輸血を受け入れる妊婦はいなかった．75人（89.3%）が血液由来製剤を受け入れ，57人（67.9%）が術中自己血回収を認めた．4人（4.8%）は，すべての輸血代替療法を受け入れなかった．患者個人個人での血液由来製剤や術中自己血回収法などについて確認をしておく必要がある．

術前にはヘモグロビン値を上昇させるためにエリスロポエチンや鉄剤の投与などが行われている[4]．しかし，エリスロポエチン投与量とヘモグロビン値増加効果には用量依存性はないようである．

各種手術における対応

小児心臓手術から産科，高齢者の腹部手術まで無輸血で実施するためのさまざまな方法や成功例の症例報告がある．

心臓手術では小児心臓手術を含め，等容積性血液希釈による自己血輸血や，人工心肺のプライミング量を減少させて血液希釈率を低くする方法がとられている[5]．162人のエホバの証人と，それにマッチした172人の心臓手術を対象とした研究では，低リスクのエホバの証人患者で対照群よりも死亡率が高く，特に出血に関連する死亡が多かったと報告されているが，その理由は明らかではない[6]．

穿通胎盤と診断されたエホバの証人の妊婦における出血予防に対して，帝王切開と内腸骨動脈の結紮術を行い，メトトレキサートを投与し，6週間後に子宮全摘術を実施したという症例報告がある[7]．35歳の全前置胎盤があるエホバの証人の緊急帝王切開において，血液希釈，術中自己血回収，両側総腸骨動脈へのバルーンカテーテル挿入により，子宮全摘も避けられたと報告されている[8]．

手術以外の場面での輸血

エホバの証人が輸血を必要とする可能性がある処置を受けるのは手術だけではない．白血病などの血液疾患においても，無輸血で治療を行う必要がある．すべての輸血用血液を拒否するB細胞急性リンパ芽球性白血病に罹患した21歳のエホバの証人である女性において，ダルベポエチンアルファとromiplostimを併用して化学療法を行い，輸血することなく完全寛解を導入できた症例について報告されている[9]．ダルベポエチンアルファは遺伝子組み換

3) Tanaka M, Matsuzaki S, Endo M et al：Obstetric outcomes and acceptance of alternative therapies to blood transfusion by Jehovah's Witnesses in Japan：a single-center study. Int J Hematol 108：432-437, 2018

4) McConachie SM, Almadrahi Z, Wahby KA et al：Pharmacotherapy in acutely anemic Jehovah's Witnesses：an evidence-based review. Ann Pharmacother 52：910-919, 2018

5) Plancher G, Datt B, Nguyen M et al：Bloodless heart surgery for an 11-kg infant of the Jehovah's Witness faith undergoing second repair for complete atrioventricular canal. J Extra Corpor Technol 50：184-186, 2018

6) Reyes Garcia A, Vega González G, Andino Ruiz R：Short-term outcome of cardiac surgery under cardiopulmonary bypass in patients who refuse transfusion：a controlled study. J Cardiovasc Surg (Torino) 59：729-736, 2018

7) Wong AJ, Schlumbrecht M, Huang M：Management of placenta percreta in a Jehovah's Witness patient. BMJ Case Rep, 2018 Jun 11

8) Tachi S, Yoneda N, Yoneda S et al：Successful treatment of total placenta previa by multidisciplinary therapy in a Jehovah's Witness patient who refused blood transfusions. BMJ Case Rep, 2018 Nov 8

9) Arora N, Gupta A, Li HC et al：Use of platelet and erythroid growth factors during induction chemotherapy for acute lymphoblastic leukaemia in a Jehovah's Witness. BMJ Case Rep, 2018 Dec 7

え製剤であり，腎性貧血と骨髄異形成症候群に伴う貧血に効能があるとされている．Romiplostimはトロンボポエチン（TPO）受容体作動薬で，骨髄巨核球を刺激し血小板を産生する薬剤であり，米国においては慢性免疫性（特発性）血小板減少性紫斑病患者での血小板減少症の治療に承認されている．

急性骨髄性白血病に罹患したエホバの証人において，骨髄抑制を避けるために化学療法の薬物投与量を減少させたり，輸血を行わなかった9人の患者についての報告がある[10]．完全寛解が得られたのは3人にとどまり，再発率も高かったこと，対照群と比較して死亡率は12.1倍も高かったこと，死亡の原因は高度の貧血が最も多く，次いで出血であったことが報告されている．

多発性骨髄腫の治療には，若年者の場合は化学療法に加え自家造血幹細胞移植が行われる．輸血拒否患者においては，化学療法のみでの治療を行うことになる．多発性骨髄腫患者において，輸血拒否により高用量化学療法のみを行った24人の患者と，リスクがマッチした70人の患者において，死亡率や寛解時間などを比較した場合，両群には有意差がなかった報告されている[11]．

PEGylated carboxyhemoglobin bovineやHBOC-201の利用

人工酸素キャリアについての研究が進められている．人工酸素キャリアの利点としては，血液型に関係なく投与できること，貯蔵期間が輸血用血液より長く，すぐに使用できる状況に置けること，病原体を含まないことなどである．**人工酸素キャリアにはいくつかのものが開発され，臨床応用もされているが，その副作用については懸念**ももたれている[12]．PEGylated carboxyhemoglobin bovineは，牛ヘモグロビンをポリエチレングリコール（PEG）で修飾したものである．一酸化炭素放出と酸素運搬を行う．放出された一酸化炭素は血管拡張や，アポトーシスや炎症作用の抑制を起こすとされている．動物実験では，そのほかに体液の血管外漏出を減少させること，活性化酸素産生が少ないこと，血液レオロジーを改善することや，脳虚血，心筋虚血モデルなどで梗塞領域の減少効果などが示された．以上のことから組織の酸素化の改善だけでなく，抗炎症効果や，再灌流傷害軽減などの効果も期待されている[13]．4℃の保管で4年間，室温で2年間保存が可能である．2014年にPhase Ⅰ研究が健康成人8人で行われ，重篤な副作用は認めず，半減期は用量依存性で7.9～13.8時間と報告されている[14]．

ヘモグロビン値が5 g/dL未満の高度貧血のあるエホバの証人にPEGylated carboxyhemoglobin bovineを投与したという報告がある．1人は無事に退院したが，1人はPEGylated carboxyhemoglobin bovine投与後に死亡したと報告されている[15]．PEGylated carboxyhemoglobin bovineをエホバの証人の肝移植術で使用したという報告もある[16]．77歳の男性が，膀胱・前立腺全摘，

10）Wilop S, Osieka R：Antineoplastic chemotherapy in Jehovah's Witness patients with acute myelogenous leukemia refusing blood products - a matched pair analysis. Hematology 23：324-329, 2018

11）Joseph NS, Kaufman JL, Boise LH et al：Safety and survival outcomes for bloodless transplantation in patients with myeloma. Cancer, 2018［Epub ahead of print］

12）Malchesky PS：Artificial oxygen carriers. Artif Organs 4：311, 2017

13）Abuchowski A：SANGUINATE（PEGylated Carboxyhemoglobin Bovine）：mechanism of action and clinical update. Artif Organs 41：346-350, 2017

14）Misra H, Lickliter J, Kazo F et al：PEGylated carboxyhemoglobin bovine（SANGUINATE）：results of a phase I clinical trial. Artif Organs 38：702-707, 2014

15）McConachie S, Wahby K, Almadrahi Z et al：Early experiences with PEGylated carboxyhemoglobin bovine in anemic Jehovah's Witnesses：a case series and review of the literature. J Pharm Pract, 2018［Epub ahead of print］

16）Holzner ML, DeMaria S, Haydel B et al：Pegylated bovine carboxyhemoglobin（SANGUINATE）in a Jehovah's Witness undergoing liver transplant：a case report. Transplant Proc 50：4012-4014, 2018

腎摘を受け，術後ヘモグロビン値は4.5 g/dLまで低下したが，PEGylated carboxyhemoglobin bovine投与により貧血症状は改善し，退院した症例も報告されている[17]．また，消化管出血によりヘモグロビン値が3.1 g/dLまで低下するような出血性ショックに陥ったSLEを合併した42歳のエホバの証人にPEGylated carboxyhemoglobin bovineを投与することにより血行動態が安定し，救命できた症例も報告されている[18]．

鎌形赤血球症では急性呼吸不全や肺高血圧症，微小血栓により臓器虚血により死に至ることもある急性胸部症候群を起こすことがある．決定的な治療法はないが，輸血が最も有効であるとされている．急性胸部症候群を起こした10歳のエホバの証人の子弟にPEGylated carboxyhemoglobin bovineを500 mL投与して急性胸部症候群が1日程度で回復し，救命できたという報告がある[19]．

ほかに酸素運搬能をもつ製剤にはHBOC-201などのacellular hemoglobin (Hb) -based oxygen carriersがある．重症鎌型赤血球症で多臓器不全に陥ったエホバの証人を含む3人の患者にHBOC-201を最大27単位投与して救命し，病院から退院できたという報告がある[20]．HBOC-201が一酸化窒素（NO）のスカベンジャー効果により血管収縮を起こし，全身の血管収縮，血小板不活性化の喪失，心筋梗塞発生率や死亡率の上昇が指摘されている．

小児における輸血

エホバの証人の子どもが輸血を必要とする場合がある．日本においては日本輸血・細胞治療学会や日本麻酔科学会などの学会が合同で2008年に作成した「宗教的輸血拒否に関するガイドライン」に，親権者がエホバの証人であり，輸血を受ける患者が未成年である場合の対応について示されている[21]．定時手術のほか，緊急手術，あるいは血液疾患などによっても，輸血が必要と判断される場合がある．

エホバの証人の子どもが耳鼻咽喉科手術後に再出血した2例のうち1例では輸血をしたという報告がある[22]．輸血実施にあたっては，エホバの証人である両親やJW Hospital Liaison Committeeと十分に議論し，患者の救命を最優先して輸血したとされている．新生児においても，両親と医療関係者の輸血や輸血代替療法などに関する議論は重要である[23]．イタリアからの報告でも，エホバの証人の子どもが輸血が必要になった場合には，子どもの生命，権利を最優先し，親が反対する場合には親権を停止するべきであるとしている[24]．

硬膜外血液パッチ

難治性の硬膜穿刺後頭痛の治療に最も有効なのは硬膜外血液パッチである．硬膜外穿刺後頭痛のエホバの証人において，動脈穿刺したカテーテルと硬膜外針と接続したクローズドループを用いて実施したという症例報告がある[25]．

17）Brotman I, Kocher M, McHugh S：Bovine hemoglobin-based oxygen carrier treatment in a severely anemic Jehovah's Witness patient after cystoprostatectomy and nephrectomy：a case report. A&A Pract, 2018 [Epub ahead of print]
18）DeSimone RA, Berlin DA, Avecilla ST et al：Investigational use of PEGylated carboxyhemoglobin bovine in a Jehovah's Witness with hemorrhagic shock. Transfusion 58：2297-2300, 2018
19）Kato RM, Hofstra T, Meiselman HJ et al：Infusion of pegylated bovine carboxyhemoglobin (PEG-COHb) is associated with rapid reversal of progressive acute chest syndrome in a Jehovah's Witness patient with hemoglobin SC sickle cell disease. Blood 126：4541, 2015
20）Davis JM, El-Haj N, Shah NN et al：Use of the blood substitute HBOC-201 in critically ill patients during sickle crisis：a three-case series. Transfusion 58：132-137, 2018
21）http：//yuketsu.jstmct.or.jp/wp-content/themes/jstmct/images/medical/file/guidelines/Ref13-1.pdf（2019年1月16日閲覧）
22）Redmann AJ, Schopper M, Matheny Antommaria AH et al：To transfuse or not to transfuse? Jehovah's Witnesses and postoperative hemorrhage in pediatric otolaryngology. Int J Pediatr Otorhinolaryngol 115：188-192, 2018
23）Cervantes LL, Zuñiga JA：Strategies to avoid neonatal blood transfusions for families of the Jehovah's Witness faith. Nurs Womens Health 22：332-337, 2018
24）Conti A, Capasso E, Casella C et al：Blood transfusion in children：the refusal of Jehovah's Witness parents'. Open Med (Wars) 13：101-104, 2018
25）Olsen KR, Screws AL, Vose SO：Blood patch in a Jehovah's Witness：case report of a novel arterial-to-epidural closed-circuit technique. A A Pract 10：201-203, 2018

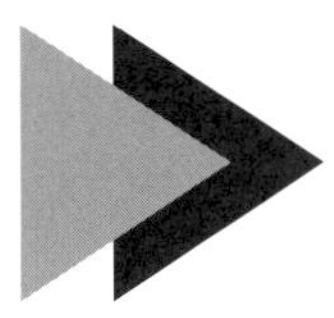

26. 危機的出血への対応

稲田英一（いなだ えいいち）
順天堂大学医学部 麻酔科学・ペインクリニック講座

最近の動向

- Massive Transfusion Protocol（MTP）は外傷だけでなく，手術に関係する産婦人科や心臓外科などの非外傷患者においても広く導入されてきている．
- MTP のスタンダードはなく，各施設で異なっている．MTP 導入により新鮮凍結血漿の投与量が増加し，死亡率は低下したという報告が多い．
- トラネキサム酸の投与が推奨されているが，まだ実施率は低いだけでなく，その投与量はまちまちである．
- Point-of-Care として TEG や ROTEM が推奨されているが，その有用性を示すハードデータは不十分である．
- 低抗体価 O 型全血（LTOWB）輸血の有用性についての臨床報告が増加してきた．

大量出血や危機的出血に対しては，Massive Transfusion Protocol（MTP）の導入や，早期のトラネキサム酸投与などが推奨されている．しかし，スタンダードはいまだに定まっていない．

Massive transfusion protocol（MTP）の効果

MTP は，外傷患者に限らず，非外傷患者に対しても世界的に多くの施設で導入されてきている．しかし，**MTP の内容は施設間で異なっている**[1]．

MTP を用いたり，赤血球製剤を 2 単位以上，あるいは 20 mL/kg 以上用いた平均年齢 5.9 歳の小児外傷患者において，赤血球製剤：新鮮凍結血漿（FFP）＝1：1 を投与した場合のほうが，その比が 2：1 あるいは 3：1 以上であった群に比べて死亡率が低いことが報告されている[2]．しかし，小児における大量輸血に関するシステマティックレビューでは，赤血球製剤：血漿製剤：血小板濃厚液＝1：1：1 で投与しても，生存率は改善しないと報告されている[3]．MTP は外傷患者におけるデータをもとに導入されてきたが，手術や産科出血，消化管出血など非外傷患者について検討した 12 編の後方視的研究論文のメタ解析で **MTP を用いることで 1ヵ月死亡率が低下する**ことが示唆され

1) Estebaranz-Santamaría C, Palmar-Santos AM, Pedraz-Marcos A：Massive transfusion triggers in severe trauma：scoping review. Rev Lat Am Enfermagem 26：e3102, 2018

2) Noland DK, Apelt N, Greenwell C et al：Massive transfusion in pediatric trauma：an ATOMAC perspective. J Pediatr Surg, 2018［Epub ahead of print］

3) Maw G, Furyk C：Pediatric massive transfusion：a systematic review. Pediatr Emerg Care 34：594-598, 2018

1884-8516/19/¥100/頁/JCOPY

ている[4]．ノルウェーからの単施設報告では，手術室で大量輸血を行った症例を後方視的に調べた結果，2002～2006年に比べ，2008～2015年では，血漿製剤や血小板濃厚液の赤血球製剤に対する使用率が1：0.37：0.39から1：0.79：0.85へと上昇したとされている[5]．特に心臓血管手術では血小板濃厚液や血漿製剤の使用比率が上昇していること，それには抗血小板薬使用が関係していることが報告されている．心臓手術患者においては，大量輸血を必要とした患者では血漿製剤の投与比率が高い場合には死亡率は低かったが，通常の輸血群では予後に関係しなかったと報告されている[6]．外傷患者を対象と，MTP導入前の2010～2012年と，MTP導入後の2015～2016年を比較すると，血漿製剤の使用率が高くなったことや，90日生存率が45.3％から75.8％へと大きく上昇したという報告が韓国から出されている[7]．

日本で実施された外傷患者を対象とした後方視的観察研究では，赤血球製剤に対してFFPや血小板濃厚液の比率が高かった群でも，死亡率には差がないことや，合併症が増加したことが報告されている[8]．外傷といっても，頭部外傷と腹部への貫通性外傷を比べた報告では，貫通性外傷のほうが血漿製剤を多く投与されていることが報告され，外傷といっても輸血療法を変えるべきであろうと示唆されている[9]．

Point-of Care：ROTEM, TEG

MTPを用いるにしろ，凝固系検査やTEGやROTEMなどのviscoelastic検査を行い，目標を決めた戦略（goal-directed strategy）をとることで，その患者個人に即した管理ができるであろうとされている[10]．

トロンボエラストグラフィ（TEG）やrotational thromboelastometry（ROTEM）は大量輸血の予測に有用であるとともに，輸血療法などの指標となることが示唆されている．外傷により大量輸血を必要とした患者において，EXTEM CT ＞ 78.5 sは血漿投与，angle ＜ 64.5度に対してはフィブリノゲン投与，CA10 ＜ 40.5 mmに対しては血小板輸血，CLI60 ＜ 74％に対しては抗線溶薬を投与する基準となるとした報告がある[11]．外傷により大量輸血を必要とした患者において，より重症度が高い患者では，入院時のTEGで線溶亢進が示された患者では，赤血球液，FFP，血小板濃厚液の必要量が多く，24時間および30日死亡率が3倍も高いことが報告されている[12]．**外傷受傷後早期に凝固能亢進や凝固能低下がTEGで認められた患者では，死亡率が高い**と報告されている[13]．外傷初期に患者の凝固系や線溶系をTEGやROTEMにより層別化することで，適切な輸血療法や抗線溶療法を実施できる可能性がある．肝移植手術患者の大量出血の予測因子として，術前のTEGが有用であり，より効果的な輸血準備が行えるという報告もある[14]．

4) Sommer N, Schnüriger B, Candinas D et al：Massive transfusion protocols in non-trauma patients：a systematic review and meta-analysis. J Trauma Acute Care Surg, 2018［Epub ahead of print］
5) Doughty H, Apelseth TO, Sivertsen J et al：Massive transfusion：changing practice in a single Norwegian centre 2002-2015. Transfus Med 28：357-362, 2018
6) Tsukinaga A, Maeda T, Takaki S et al：Relationship between fresh frozen plasma to packed red blood cell transfusion ratio and mortality in cardiovascular surgery. J Anesth 32：539-546, 2018
7) Hwang K, Kwon J, Cho J et al：Implementation of trauma center and massive transfusion protocol improves outcomes for major trauma patients：a study at a single institution in Korea. World J Surg 42：2067-2075, 2018
8) Endo A, Shiraishi A, Fushimi K et al：Outcomes of patients receiving a massive transfusion for major trauma. Br J Surg 105：1426-1434, 2018
9) Givergis R, Munnangi S, Fayaz M Fomani K et al：Evaluation of massive transfusion protocol practices by type of trauma at a level I trauma center. Chin J Traumatol 21：261-266, 2018
10) Caspers M, Maegele M, Fröhlich M：Current strategies for hemostatic control in acute trauma hemorrhage and trauma-induced coagulopathy. Expert Rev Hematol Nov 15：1-9, 2018
11) Stettler GR, Moore EE, Nunns GR et al：Rotational thromboelastometry thresholds for patients at risk for massive transfusion. J Surg Res 228：154-159, 2018
12) Taylor JR 3rd, Fox EE, Holcomb JB et al：The hyperfibrinolytic phenotype is the most lethal and resource intense presentation of fibrinolysis in massive transfusion patients. J Trauma Acute Care Surg 84：25-30, 2018
13) Moore HB, Moore EE, Liras IN et al：Argeting resuscitation to normalization of coagulating status：hyper and hypocoagulability after severe injury are both associated with increased mortality. Am J Surg 214：1041-1045, 2017
14) Lawson PJ, Moore HB, Moore EE et al：Preoperative thrombelastography maximum amplitude predicts massive transfusion in liver transplantation. J Surg Res 220：171-175, 2017

トラネキサム酸の有用性とリスク

トラネキサム酸は外傷性ショック患者において，受傷後3時間以内に投与を開始し，その後24時間投与することで，全死亡率や出血による死亡が低下することが報告されている．一方，**3時間以上してからの投与では，逆に死亡率が上昇**することが報告されている．外傷センターにおいてもMTPとともに，トラネキサム酸を使用する率が上昇している[15]．しかし，その使用率は27〜76%程度にとどまり，投与時期も受傷後3時間を超えての投与も行われている[16, 17]．

成人の外傷だけでなく，小児の外傷や人工心肺を用いた心臓手術，産科出血においても死亡率低下や，輸血量を減少させることが示唆されている[18, 19]．

出血のリスクが高い膝関節全置換術や股関節全置換術においてトラネキサム酸を投与した後方視的研究のメタ解析では，輸血量は減少することや，血栓症のリスクは上昇しなかったと報告されている[20]．血栓症発生についての大規模な無作為対照試験はない．トラネキサム酸投与による血栓症の発生率や，適切な投与量，予防的投与の効果については，まだ明確な結論は出ていない[21]．

低抗体価O型全血（LTOWB）投与の有用性

危機的出血の場合，いわゆる万能血としてO型Rh陰性血が使用されることがある．AABB（以前の名称はAmerican Association of Blood Banks）は，ABO型で適合していれば，**血液型が完全に一致しなくても低抗体価O型全血（LTOWB）を輸血してよい**ことを2018年に認可した[22]．米国においては，軍隊や一般の救急においても，病院搬送中にLTOWBが使用されていることも報告されている．外傷により出血している患者において，病院到着前からLTOWBを輸血しても，感作されるリスクは低く，早期に輸血を開始できるメリットのほうが高いであろうと報告されている[23]．外傷により大量出血を起こした100人以上の患者にLTOWBを最大4単位（中央値600 mL）まで輸血しても重大な溶血反応は起こらなかったという観察研究がある[24]．今後は，さらに6単位までLTOWBの輸血を許容する施設も現れてきている．

しかし，病院到着前の輸血の意義や，LTOWB輸血の有用性に関する研究のほとんどは後方視的なものであり，エビデンスレベルの高い研究は存在しないようである[25]．

救急部に未交差血を準備しておき緊急輸血を行うことの有用性について報告した単施設研究もある[26]．

15) Shi W, Al-Sabti R, Burke PA et al：Quality management of massive transfusion protocol incorporating tranexamic acid adherence. Transfus Apher Sci 57：785-789, 2018

16) Ghawnni A, Coates A, Owen J：Compliance of tranexamic acid administration to trauma patients at a level-one trauma centre. CJEM 20：216-221, 2018

17) Chapman N：Use of tranexamic acid in trauma patients requiring massive transfusion protocol activation：an audit in a major trauma centre in New Zealand. N Z Med J 131：8-12, 2018

18) Godbey EA, Schaartz J：Massive transfusion protocols and the use of tranexamic acid. Curr Opin Hematol 25：482-485, 2018

19) Karkouti K, Ho LTS：Preventing and managing catastrophic bleeding during extracorporeal circulation. Hematology Am Soc Hematol Educ Program 2018：522-529, 2018

20) Kuo FC, Lin PY, Wang JW et al：Intravenous tranexamic acid use in revision total joint arthroplasty：a meta-analysis. Drug Des Devel Ther 12：3163-3170, 2018

21) Faraoni D, Rahe C, Cybylski KA：Use of antifibrinolytics in pediatric cardiac surgery：where are we now?. Paediatr Anaesth, 2018［Epub ahead of print］

22) AABB：Standards for blood banks and transfusion services. 31st ed. 2018

23) McGinity AC, Zhu CS, GreenBon L et al：Prehospital low-titer cold-stored whole blood：Philosophy for ubiquitous utilization of O-positive product for emergency use in hemorrhage due to injury. J Trauma Acute Care Surg 84：S115-S119, 2018

24) Seheult JN, Bahr M, Anto V et al：Safety profile of uncrossmatched, cold-stored, low-titer, group O+ whole blood in civilian trauma patients. Transfusion 58：2280-2288, 2018

25) Shand S, Curtis K, Dinh M et al：What is the impact of prehospital blood product administration for patients with catastrophic haemorrhage：an integrative review. Injury, 2018 Dec 12

26) Harris CT, Totten M, Davenport D et al：Experience with uncrossmatched blood refrigerator in emergency department. Trauma Surg Acute Care Open 3：e000184, 2018

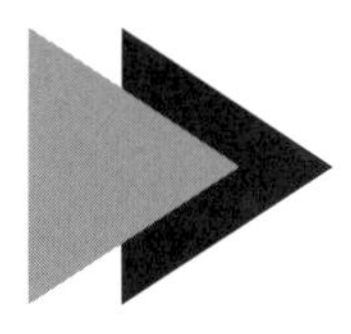

27. 全静脈麻酔（TIVA），鎮静（MAC）

小原伸樹（おばら しんじゅ）
福島県立医科大学附属病院 手術部

最近の動向

- ●全静脈麻酔（TIVA）と吸入麻酔の選択による，がん手術の予後などさまざまなアウトカムへの影響が比較検討されている．またTIVAにデクスメデトミジンを併用した場合の麻酔の質を検討する研究が散見された．
- ●鎮静（monitored anesthesia care：MAC）に関しては，経カテーテル的循環器治療における全身麻酔との比較研究が多くなされ，その有用性が示されている．
- ●プロポフォールの新たな薬物動態モデルが発表されている．またBIS値などから麻酔薬の投与量にフィードバックさせるClosed-Loop systemに関する研究も散見された．

全静脈麻酔（TIVA）と他の麻酔法との比較

TIVAは術後の吐き気・嘔吐を予防するために行われることがある．Schaeferらの行ったメタアナリシス（4つのランダム化比較試験；RCT，対象患者計558人）[1]によると，斜視手術を受ける小児患者において，吸入麻酔を行い単一の予防薬を投与した場合と，TIVAを行った場合，術後嘔吐の予防効果は同様であった（リスク比（RR）：0.99，95%信頼区間（CI）：0.77～1.27）．なおTIVAにおいて眼球心臓反射による徐脈が起こりやすかった．

TIVAと吸入麻酔薬においてがん患者の予後を比較する研究は多くなされているが，デスフルランについて検討した研究はなかった．Wuら[2]は1,158人の結腸癌手術を受けた患者を対象に，プロポフォール（P）またはデスフルランで麻酔を行った場合の予後について解析した．P投与群が有意に高い生存率（86.6% vs. 56.5%，ハザード比（HR）：0.27，95% CI：0.22～0.35），フォローアップ期間の中央値3.7年 vs. 3.2年）を示した．傾向スコアマッチング後も，P投与群の予後が，TNM stageの高低や転移の有無にかかわらずデスフルラン群よりよかった．

Yuら[3]は，1,244人の患者を対象に前向きに術中覚醒の発生率を調べたところ，Pとセボフルランを併用した群で0.4%，TIVA群（target controlled

1）Schaefer MS, Kranke P, Weibel S et al：Total intravenous anesthesia vs single pharmacological prophylaxis to prevent postoperative vomiting in children：a systematic review and meta-analysis. Paediatr Anaesth 27：1202-1209, 2017

2）Wu ZF, Lee MS, Wong CS et al：Propofol-based total intravenous anesthesia is associated with better survival than desflurane anesthesia in colon cancer surgery. Anesthesiology 129：932-941, 2018

3）Yu H, Wu D：Effects of different methods of general anesthesia on intraoperative awareness in surgical patients. Medicine (Baltimore) 96：e6428, 2017

1884-8516/19/¥100/頁/JCOPY

infusion：TCIでP 3〜4 μg/mL）では1.9%であった．術中覚醒を認めた患者は悪い術後認知機能を示した．この研究では術中覚醒発生率が従来の報告（<0.2%）よりも高い．脳波モニタの使用については記載がないため不使用と仮定すると，その環境で画一的な目標濃度のTIVAを行う危険性が理解できる．

手術中の眼圧の上昇は，視神経の灌流を低下させ，術後の視機能障害をきたす可能性がある．25〜30度の頭低位を伴う腹腔鏡手術中の，眼圧に対する麻酔法の影響についてRCTを行った[4]ところ，Pを用いたTIVAは，セボフルランによる吸入麻酔よりも眼内圧の上昇が少なかった（体位作成30分後の眼内圧15.5 ± 0.9 mmHg vs. 19.8 ± 1.2 mmHg）．Pによる中枢神経系の抑制に伴う外眼筋の緊張抑制，房水流出の促進，およびアルギニンバソプレッシン分泌の抑制が機序として考察されている．

4) Kaur G, Sharma M, Kalra P et al：Intraocular pressure changes during laparoscopic surgery in trendelenburg position in patients anesthetized with propofol-based total intravenous anesthesia compared to sevoflurane anesthesia：a comparative study. Anesth Essays Res 12：67-72, 2018

TIVAに併用薬を加えた影響を検討した研究

1. デクスメデトミジン

小児における覚醒時の興奮は，ライン抜去や外傷の危険をもたらし麻酔の質を下げる．Tsiotouら[5]は，扁桃摘出術をPおよびレミフェンタニル（R）を用いたTIVAで受ける小児60人を対象に，デクスメデトミジン（Dex）1 μg/kgを麻酔導入直後に投与する効果を検討した．介入群は対照群と比較して，覚醒時興奮の発生率（12.9〜19.4% vs. 41.4〜48.4%）および重症度が有意に低く，抜管時間の延長を伴わなかった．

5) Tsiotou AG, Malisiova A, Kouptsova E et al：Dexmedetomidine for the reduction of emergence delirium in children undergoing tonsillectomy with propofol anesthesia：a double-blind, randomized study. Paediatr Anaesth 28：632-638, 2018

Dexは鎮静および鎮痛効果をもつため，全身麻酔の補助薬としての役割が期待される．Elbakryら[6]は，腹腔鏡下スリーブ胃切除術を受ける高度肥満患者（body mass index：BMI　約42 kg/m^2）100人を対象としたRCTを行い，P（6〜12 mg/kg/h）とDex（0.5〜1 μg/kg/h），およびRを使用するTIVAと，デスフルランおよびRを用いる全身麻酔において麻酔の質を検討した．薬物投与量の計算には補正体重を用いている．TIVA群において術後の疼痛スコアが低く，鎮痛剤の必要量も少なかった．吐き気・嘔吐の頻度も低く，回復室の滞在時間も短かった．

6) Elbakry AE, Sultan WE, Ibrahim E：A comparison between inhalational（Desflurane）and total intravenous anaesthesia（Propofol and dexmedetomidine）in improving postoperative recovery for morbidly obese patients undergoing laparoscopic sleeve gastrectomy：a double-blinded randomised controlled trial. J Clin Anesth 45：6-11, 2018

2. プレガバリン

神経障害性疼痛などに効果をもつプレガバリンを内服している患者が全身麻酔を受ける機会は多い．Chavushら[7]は，プレガバリン（150 mgまたは300 mg）またはプラセボを内服した48人の腹腔鏡下胆嚢摘出術を受ける患者を対象に，麻酔薬の必要量への影響についてRCTを行った．術中bispectral index（BIS値）50〜60を目標に管理した際に，手術中のPは約23〜25%，Rは約29〜21%減量された．原因として，プレガバリンのもつ鎮痛および神経興奮制を弱めることによる鎮静作用が考察されている．

7) Chavush MA, Yagar S, Erturk A et al：Preliminary investigation of preoperative pregabalin and total intravenous anesthesia doses：a randomized controlled trial. J Clin Anesth 41：137-140, 2017

鎮静（MAC）

Hwang ら[8]は，鼻手術の際に Dex を用いた MAC と，ミダゾラムやプロポフォールの投与または全身麻酔を受けた場合の麻酔の質についてメタアナリシス（6 研究，対象患者計 320 人）を行った．Dex による MAC は悪心，嘔吐および呼吸抑制などの悪影響なしに術中および術後の痛みを軽減できるのが示された．背景として，術後鎮痛薬の必要量が減少するのに伴い，その副作用も減る機序を考察している．ただし，Dex の徐脈のリスクが指摘されている．

経大腿アプローチを用いる経カテーテル的大動脈弁置換術において，MAC の有用性が議論されている．Hosoba らは[9]，2013〜2016 年までの代表的な 9 施設からの記録を用い，麻酔法（minimalist approach：MA，P とフェンタニルを用いた意識下鎮静＋局所麻酔 vs. 全身麻酔）の術後成績への影響を解析した．118 人の傾向スコアマッチングペアについて，院内死亡率および脳卒中・一過性脳虚血発生率において，MA は全身麻酔と有意差がなかった（2.5% vs. 0.8% および 1.7% vs. 0.8%）． MA 群では，入院期間がより短かった（中央値 10 日 vs.14 日）．以上より MA は全身麻酔同様に安全と結論している．なお大量出血率および輸血率は，MA のほうが低かった（3.4% vs. 17%，6.8% vs. 29%）．**リスクの高い症例や，また技術的に不慣れな段階では全身麻酔が行われて成績に影響した可能性も考えられ，解釈には注意を要するかもしれない．今後の前向き研究が待たれる．** Pani ら[10]は，経大腿アプローチを用いる経カテーテル的大動脈弁置換術において全身麻酔の適応に一定の基準（重度の睡眠時無呼吸，BMI ＞ 35 kg/m² の病的肥満，患者の非協力，予測された気道困難，大動脈腸骨動脈系の動脈硬化病変のために血管アクセスに切開を要するもの）を用いた場合の，手術成績について後ろ向きに比較した．60 人に MAC，37 人に全身麻酔が行われた．各種合併症発生率に差はなく，手術室および ICU 滞在時間が MAC では短かった（中央値 111 vs. 153 分および 48 vs. 74 時間）．なお，7 人の MAC から全身麻酔に移行した患者は解析から除外されている．Pani らの研究では全身麻酔の適応とされている外科的切開を要する症例について，Bianco ら[11]は，MAC および腸骨鼠径神経ブロックで行った 282 症例を検討し，全身麻酔への移行率は 3.9%，術後の疼痛スコア（0〜10）は平均 2.9 と許容可能で，安全に施行可能と結論している．

静脈麻酔薬の薬物動態および薬力学

1. プロポフォール

Eleveld ら[12]のグループは，過去の P 薬物動態・薬力学研究から得られた膨大なデータ（1,033 人，15,433 血中濃度，28,639 BIS 値）を用いて，幅広い年齢や体重患者に使用可能な，血中・効果部位濃度や BIS 値を予測するモデ

8) Hwang SH, Lee HS, Joo YH et al：Efficacy of dexmedetomidine on perioperative morbidity during nasal surgery：a meta-analysis. The Laryngoscope 128：573-580, 2018

9) Hosoba S, Yamamoto M, Shioda K et al：Safety and efficacy of minimalist approach in transfemoral transcatheter aortic valve replacement：insights from the Optimized transCathEter vAlvular interventioN-Transcatheter Aortic Valve Implantation (OCEAN-TAVI) registry. Interactive cardiovascular and thoracic surgery 26：420-424, 2018

10) Pani S, Cagino J, Feustel P et al：Patient selection and outcomes of transfemoral transcatheter aortic valve replacement performed with monitored anesthesia care versus general anesthesia. J Cardiothorac Vasc Anesth 31：2049-2054, 2017

11) Bianco V, Gleason TG, Kilic A et al：Open surgical access for transfemoral TAVR should not be a contraindication for conscious sedation. J Cardiothorac Vasc Anesth 33：39-44, 2019

12) Eleveld DJ, Colin P, Absalom AR et al：Pharmacokinetic-pharmacodynamic model for propofol for broad application in anaesthesia and sedation. Br J Anaesth 120：942-959, 2018

ルを作成した．今後のシミュレーションや，可能な環境ではTCIに標準的に用いられるようになると考えられる．**なお，この号にはパラメータに誤植があり，Br J Anaesth 121：519，2018で訂正がなされている．**

本邦の臨床現場で利用可能なのはDiprifusorのみであるため，このシステムで誤差をもたらす状況を認識する必要がある．Cortegiani ら[13]は，脳腫瘍摘出術を受ける15人（平均55歳）を対象に，P TCIを術中および術後長時間に渡り（平均投与時間31 ± 6時間）R併用下（予測血中濃度術中 4.1 ± 0.8 ng/mLおよび術後2.4 ± 0.8 ng/mL）に使用した際の予測精度を検証した．予測濃度は実測濃度を許容範囲外に過大評価（median performance error = −34.7%）していたことから，TCIを用いると鎮静が浅くなる可能性を指摘している．

Pは肝除去率が高いため，クリアランスは肝血流量ひいては心拍出量の増減に影響を受ける．Watanabe ら[14]は，10人の褐色細胞腫で副腎摘出術を受ける患者を対象として，TIVAを行った（Diprifusor，TCI 3～4 μg/mL）．腫瘍操作中および腫瘍静脈結紮後の，心係数の増加（平均2.5 → 4.1 L/min/m^2）は，P血中濃度の約40%の低下と関連し，またBIS値の上昇を伴っていた．

2. レミフェンタニル

Lee ら[15]は，頭部のピン固定を要する脳神経手術を受ける43人（20～65歳）を対象にした薬力学的研究で，P TCIでBIS値を40～50に維持した際に，R効果部位濃度を約6.5 ng/mL（Mintoモデル）に目標にすると，90%の患者において，平均血圧および心拍数の20%以上の上昇を防ぐことができるとしている．脳動脈瘤患者など急激な血圧上昇を避けたい患者で，事前にシミュレーションで投与量を決めるのに利用可能である．

人工心肺中は希釈や低体温の影響で薬物動態が変化して，薬物動態シミュレーションの結果に誤差が生じ得る．Cho ら[16]の，心臓手術を受けた患者56人を対象とした解析によると，低体温かつ循環停止中（中枢温21.6 ± 2.1℃）は，Rの血中濃度はMintoモデルによる予想の3倍以上であった（26.9 ± 17.0 vs 7.1 ± 1.6 ng/mL）．一方，中等度低体温（23～29℃）を含むその他の状況では許容可能な精度であった．

TIVAの技術的な話題

TIVAの多くの利点は認識されているが，いまだに全身麻酔の主流とはいえない．Wong ら[17]は，世界5ヵ国および2016年世界麻酔学会に関係する麻酔科医を対象にTIVA利用状況についてアンケートを行った（有効回答763人）．TIVAを選択しない理由として，症例の5%未満でしか行わない麻酔科医（回答者の41%）は労力の増加，施設の方針，血中濃度モニタリングが不可能なこと，投与ミスの懸念および患者入れ替え時間の増加などを挙げた．一

13）Cortegiani A, Pavan A, Azzeri F et al：Precision and bias of target-controlled prolonged propofol infusion for general anesthesia and sedation in neurosurgical patients. J Clin Pharmacol 58：606-612, 2018

14）Watanabe T, Hiraoka H, Araki T et al：Significant decreases in blood propofol concentrations during adrenalectomy for phaeochromocytoma. Br J Clin Pharmacol 83：2205-2213, 2017

15）Lee JM, Bahk JH, Lim YJ et al：The EC90 of remifentanil for blunting cardiovascular responses to head fixation for neurosurgery under total intravenous anesthesia with propofol and remifentanil based on bispectral index monitoring：estimation with the biased coin up-and-down sequential method. BMC Anesthesiol 17：136, 2017

16）Cho YJ, Jo WY, Oh H et al：Performance of the minto model for the target-controlled infusion of remifentanil during cardiopulmonary bypass. Anaesthesia 72：1196-1205, 2017

17）Wong GTC, Choi SW, Tran DH et al：An international survey evaluating factors influencing the use of total intravenous anaesthesia. Anaesth Intensive Care 46：332-338, 2018

方，50％超の症例でTIVAを行う麻酔科医（回答者の16％）は，ポンプが使えない場合や投与経路が確保できない場合などの不可避な理由を多く挙げた．**いったん多くTIVAを行うようになれば，前者が挙げたような理由は障壁にならなくなるのかもしれない．**

Brodieら[18]の研究チームは，前額部脳波から得られるBISに似た指標（WAV）を入力とし，それを麻酔科医が指定した値になるように，PおよびRの投与量が調節されるClosed-Loop system（CLS）を開発した．この症例報告ではCLSを使用中に下大静脈からの大量出血が発生し，平均血圧＜16 mmHgまで低下していたが，麻酔薬の投与をCLSに任せたまま管理をなしえている．このような緊急事態においても，麻酔科医が麻酔薬投与の調節以外の作業に集中できる点をCLSの利点として挙げている．

Leeら[19]は，PとRを用いてTCIを行った際のBIS値を予測するモデルを，101例の症例から得られたデータを用いて，深層学習の手法を用いて作成した．これによる予測精度は，従来のコンパートメントモデルとresponse surface modelの組み合わせによるものよりも良好であった．

18) Brodie SM, Gorges M, Ansermino JM et al：Closed-loop control of total intravenous anesthesia during significant intraoperative blood loss：a case report. A A Case Rep 9：239-243, 2017

19) Lee HC, Ryu HG, Chung EJ et al：Prediction of bispectral index during target-controlled infusion of propofol and remifentanil：a deep learning approach. Anesthesiology 128：492-501, 2018

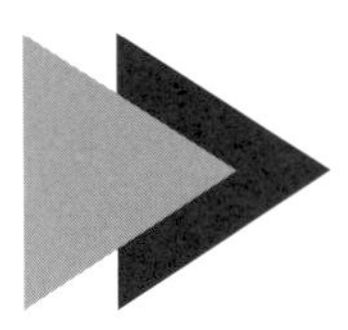

28. 手術室危機管理・安全対策

黒澤　伸（くろさわ　しん）
福島県立医科大学大学院医学研究科 麻酔科学講座 周術期生体防御医学分野

最近の動向

- 麻酔導入後に頭頸部を覆うサージガルドレープの下には高濃度酸素が滞留しており，発火装置（モノポーラなど），可燃物（サージカルドレープ），酸素の 3 要素がそろうことで容易に手術室火災が発生する．
- 米国には高出力エネルギー機器の安全使用のための基礎知識習得を目的とした e-learning プログラムがある．
- WHO 手術安全チェックリストの使用は形骸化している恐れがあり，現場スタッフが現状に合った形にチェックリストを最適化する必要がある．
- 小児麻酔では麻薬と抗菌薬の投与量間違い，および希釈間違いの投薬過誤が多い．
- 職業被曝における水晶体保護は強調されるべきであり，スタッフに対する職業被曝教育も重要である．

手術室火災を防ぐための知識習得の重要性

最近の手術では内視鏡手術の発達により，組織を切開，凝固，切除するためにさまざまな高エネルギー出力をもつ医療機器が常時使用されている．しかし，これらを使用する外科医，麻酔科医は電子医療機器の知識が不十分であると指摘されており，不適切な電子医療機器の使用が患者，手術室スタッフに傷害をもたらし，さらには手術室火災とそれによる死亡者を発生させる．米国では 1 年間に 550～650 件の手術室火災が発生しており，これは間違った部位の手術件数に匹敵するといわれている[1)]．酸素の分子量は空気よりも重いため，**麻酔導入時に投与された酸素やモニタリング鎮静下に行われる手術で投与される鼻カヌラの酸素は患者の耳部から下顎部に滞留し，そこがさらにサージカルドレープで覆われるため，患者の頭部周囲の酸素濃度は高濃度に保たれている．**米国の Maamari らは頭頸部手術や眼科手術を行う術者の 32.2％が少なくとも 1 件以上の術中発火を経験していて，モノポーラの使用時に特に多いと報告している[2)]．米国の Jones らは高エネルギー出力をもつ医療機器により手術患者 1,000 人あたり 1～2 人に回避可能な傷害が発生している現実を受けて，

1) Dorozhkin D, Olasky J, Jones DB et al：OR fire virtual training simulator：design and face validity. Surg Endosc 31：3527-3533, 2017

2) Maamari RN, Custer PL：Operating room fires in oculoplastic surgery. Ophthal Plast Reconstr Surg 34：114-122, 2018

1884-8516/19/¥100/頁/JCOPY

The Society of American Gastrointestinal and Endoscopic Surgeons（SAGES）が開発した，The Fundamental Use of Surgical Energy（FUSE）programの利用が手術室スタッフに高エネルギー出力をもつ医療機器の基本的知識を与え，その安全使用に有効であることを提唱している[3]．さらに米国のDorozhkinらは，仮想現実を利用した高エネルギー出力をもつ医療機器使用手術のシミュレーター（The Virtual Electrosurgical Skill Trainer）に手術室火災のプログラムを加え，このFUSE programの修了者に手術室火災のシミュレーションを行わせることでトレーニング効果はさらに確実となるとしている[1]．FUSEは内視鏡手術やそのほかの手技におけるエネルギーデバイスの安全使用のための基礎知識習得（モノポーラ，バイポーラ，内視鏡デバイス，超音波エネルギーデバイス，ラジオ波焼灼，植え込み型除細動器やペースメーカへのエネルギーデバイス使用，小児外科におけるエネルギーデバイス使用，手術室火災予防策など）を目指したもので，オンラインによる対話形式のe-learningによって構成されている．日本麻酔科学会，日本医療機器学会，日本臨床工学会などの公益社団法人も米国のFUSE programに倣うプログラムを公開することを期待する．

3) Jones SB, Munro MG, Feldman LS et al：Fundamental use of surgical energy（FUSE）：an essential educational program for operating room safety. Perm J 21, 2017

手術安全チェックリストの実行を困難にしている要素とは？

2009年に世界保健機関（WHO）が推奨した手術安全チェックリスト（The Surgical Safety Checklist）の実行は周術期合併症と死亡を減少させるとされているが，最近の報告では手術安全チェックリストを実行しても期待したほど周術期合併症と死亡が減少しないことが指摘されている．カナダのMahmoodらはトロント大学小児病院で行われた51の手術において実行された手術安全チェックリストの実情を調査し，サインイン（Briefing），タイムアウト（Time out），サインアウト（Debriefing）の診療録上の実行率はそれぞれ94%，100%，100%と高いが，実際にチェックされた項目の割合はそれぞれのチェック項目のうち，26%（サインイン），59%（タイムアウト），42%（サインアウト）と低かったことを報告している．これは，**診療録上のチェックリスト実行が，周術期合併症と死亡を減らすために考案されたチェックリストの質をモニターするには不十分である**ことを示唆している．この手術安全チェックリストの実行を難しくしている要素として，著者らは，このチェックリストを限られたスタッフが外から「買い入れ」「トップダウン」式にその実行を現場スタッフに強制していると手術室の現場スタッフが重荷のように感じていること，また術式によっては項目が冗長であることなどを挙げ，結果的に**手術室におけるチェックリスト実行がチェックボックスにチェックを入れる行為に陥っている**ことを指摘している．また，**手術安全チェックリストの質を向上させる**

には，現場スタッフが現状に合った形にチェックリストを最適化する「ボトムアップ」式のチェックリスト実行が有効であることを主張している[4)]．米国のMagillらの報告は，このMahmoodらの研究を支持するものかもしれない．Magillらはカリフォルニア大学の脳神経外科手術チームがサインアウト時のDebriefingに使用する，10項目からなるチェックリストをチーム独自に作成し実行したところ，有害事象やニアミスが減少し，特に脳外科医の安全に対する意識が高まったことを報告している[5)]．WHO手術安全チェックリストが導入されて10年が経過した．日本でもチェックリストの実行が本来何を目的としてしたものかを再認識する時期にきていると思われる．

手術室でのmedication error（投薬過誤）の特徴と予防策

米国では年間に10万～40万人の患者がヒューマンエラーによって死亡しており，そのうち投薬過誤が原因であるものが相当数含まれている．米国のWahrらは，手術中に投与される薬剤のうち5.3％に投薬過誤があり，そのうちの70.3％は予防できると考え，手術室内の投薬過誤に関する74論文をレビューし，それぞれの論文で推奨している投薬過誤対策案を整理して，最終的に35項目からなる投薬過誤防止対策を勧告している．この勧告には，インシデントレポート作成，薬剤投与前の薬剤名と濃度の確認，標準薬剤トレーの使用など，すでに日常的に行われているものが多く含まれているが，この35項目からなる投薬過誤防止対策はそれぞれの施設の弱点（手術室に常在する薬剤師の有無など）を評価することにもつながるとしている[6)]．

投薬過誤が発生しやすいといわれている小児麻酔では患者に傷害が生じない場合は報告されないことが多いため，実際の投薬過誤数は報告数より多いことが懸念されている[7)]．フランスのGarielらは小児麻酔において，投薬過誤の現状と特徴およびその予測因子を前向きに研究している．2015年11月～2016年1月までにリヨン大学小児手術センターで施行された1,925件の全身麻酔下手術のうち1,400件の手術（73％）に何らかのインシデントがあり，そのうち37件の手術（2.6％）のインシデントは投薬過誤であった．**投薬過誤が多い薬剤は麻薬と抗菌薬で，投与量の過誤が最も多く（投薬過誤の延べ件数40件中27件，67.5％），27件の投与量過誤のうち7件（26％）は薬剤の希釈間違いであった．**この小児の全身麻酔下手術における投薬過誤発生の，唯一の独立した予測因子は「120分以上の手術室滞在時間」であった（p-value < 0.0001）と報告している[8)]．Garielの報告内容は本邦における小児麻酔の投薬過誤の現状に一致していると考えられる．小児では体重によって投与量が変わるため，投与しやすいように計算したり，希釈したりする段階で過誤が生じやすい．投薬過誤が生じやすい麻薬は希釈しない，循環作動薬の希釈法を院内で統一する，

4) Mahmood T, Mylopoulos M, Bagli D et al：A mixed methods study of challenges in the implementation and use of the surgical safety checklist. Surgery, 2018 [Epub ahead of print]

5) Magill ST, Wang DD, Rutledge WC et al：Changing operation room culture：implementation of a postoperative debrief and improved safety culture. World Neurosurg 107：597-603, 2017

6) Wahr JA, Abernathy JH, Lazarra EH et al：Medication safety in the operating room：literature and expert-based recommendations. Br J Anaesth 118：32-43, 2017

7) Burton ZA, Woodman N, Harclerode Z et al：Drug errors in paediatric anaesthesia are common – but often unreported unless actual harm occurs. Br J Anaesth 120：600-612, 2018

8) Gariel C, Cogniat B, Desgranges FP et al：Incidence, characteristics, and predictive factors for medication errors in paediatric anaesthesia：a prospective incident monitoring study. Br J Anaesth 120：563-570, 2018

プレフィルドシリンジを採用する，ダブルチェックをする，など小児における投薬過誤予防のためのルール策定[9]が必要であろう．

手術室内の職業被曝における注意点と職業被曝を減らすための対策

透視下手術やハイブリッド手術など放射線を使用する手術の増加により，手術室スタッフの被曝機会は増加している．米国のWangらによると麻酔科研修医の82％は自身の被曝線量に強い関心をもっており，94％は放射線被曝の安全教育に興味をもっているという．**手術室スタッフの被曝線源は患者からの散乱放射線であり**，患者が直接照射を受けた皮膚部位から1 m離れただけで手術室スタッフが受ける放射線は患者皮膚照射部位に比べ1,000分の1と大きく低下するため，**職業被曝を減らすためには患者から距離をとることが非常に重要である**．実際には麻酔科研修医が被曝する実効線量は3ヵ月間で0.50 mSvで国際放射線防護委員会の定める上限の10％未満であり，水晶体の被曝線量は等価線量として0.52 mSvと国際放射線防護委員会の定める上限の4％未満である[10]．米国のMillerは，適切な放射線防護によりスタッフの照射量は2～4 mSv/年程度になるが，線量計による被曝線量のモニタリングが必要であることを強調している[11]．また，しばしば問題となる妊娠中の女性スタッフの職業被曝が胎児に与える影響も，防護衣を装着し，線源から距離をとることで胎児の照射量はほぼ無視できる[12]．しかし**人体で最も放射線感受性が大きい水晶体の被曝障害は，従来説明されていた閾値による確定的影響ではなく，確率的影響によると最近考えられており，含鉛の防護ゴーグルなどにより水晶体を保護すべきである**[13]．スペインのDomingosらは職業被曝に関する継続的教育がハイブリッド手術室での被曝量を減らすことを指摘している[14]．最近，水晶体にも放射線の確率的影響が適応されるといわれており，これは日々少量の被曝でも蓄積され将来の白内障につながる可能性を表しているので，水晶体保護は今後強調されるべきであり，スタッフに対する職業被曝教育も重要であることを認識すべきであろう．

9) Litman RS：How to prevent medication errors in the operating room? Take away the human factor. Br J Anaesth 120：438-440, 2018

10) **Wang RR, Kumar AH, Tanaka P et al：Occupational radiation exposure of anesthesia providers：a summary of key learning points and resident-led radiation safety projects. Seminars in Cardiothoracic and Vascular Anesthesia 21：165-171, 2017**

11) Miller DL：Make radiation protection a habit. Tech Vasc Interventional Rad 21：37-42, 2018

12) **Marx MV：Baby on board：managing occupational radiation exposure during pregnancy. Tech Vasc Interventional Rad 21：32-36, 2018**

13) Machan l：The eyes have it. Tech Vasc Interventional Rad 21：21-25, 2018

14) Domingos LF, Garcia EMSN, Castillo DG et al：Radioprotection measures during the learning curve with hybrid operating rooms. Ann Vasc Surg 50：253-258, 2018

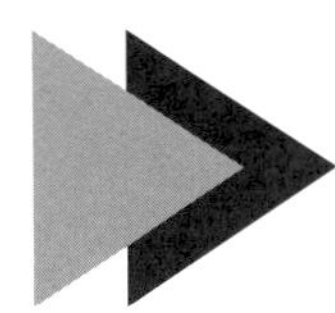

29. WHO 安全な手術のためのガイドライン

にい やま ゆき とし
新山幸俊
札幌医科大学医学部 麻酔科学講座

最近の動向

- 2017年8月〜2018年7月に発表され，PubMedで検索できる本ガイドラインに関する英語論文は52編である．昨年（27編）と比べると増加しているが，質の高い前向き研究は少なく，エビデンスレベルは低い．
- 本ガイドラインに準じたチェックリストは世界的に普及しているが，導入の困難さや順守率の低下が問題となっている．
- 導入が進まないに地域に対し，いかに効率的に導入して医療レベルを底上げできるか，という試みが行われている点が興味深い．

2009年に世界保健機関（world health organization：WHO）が発表した「安全な手術のためのガイドライン2009」[1]に準じたチェックリスト（以下，手術安全チェックリスト）は，多職種の医療者間のコミュニケーションツールとして世界的に普及している．本稿では，この1年間に発表された報告をもとに最近の動向について解説する．

1) World Health Organization：WHO guidelines for safe surgery：safe surgery saves lives 2009. https://www.who.int/patientsafety/safesurgery/tools_resources/9789241598552/en/（2019年1月13日閲覧）

マイナーチェンジの傾向は？

手術安全チェックリストは，もともと完全な形ではなく，それぞれの地域や施設の事情に従ってマイナーチェンジしてよいことになっているが，マイナーチェンジにはどのような傾向があるのだろうか？ Solskyら[2]はオンラインで公開されている155の施設の手術安全チェックリストのマイナーチェンジの内容を検証し，中央値で13の項目が変更されていたと報告した．新たに追加された項目で多かったのはインプラント（84％），深部静脈血栓症の予防や抗凝固療法（75％），体位（63％）だった．また，逆にチェックリストから削除された項目もあり，最も多かったのは，パルスオキシメータの装着（75％）だった．パルスオキシメータの装着は，すでに標準化されているということなのかもしれないが，驚くべきことに**「予想される重要なイベント」が39〜48％の施設で削除されていた．外科医および麻酔科医からの情報提供もそれぞれ**

2) Solsky I, Berry W, Edmondson L et al：WHO Surgical Safety Checklist Modification：do changes emphasize communication and teamwork?. J Surg Res. 2018 [Epub ahead of print]

1884-8516/19/¥100/頁/JCOPY

12%，14%の施設で削除されていた．これは手術安全チェックリストが本来もつ「各専門分野の医療者がそれぞれの立場から患者管理において重要と思われる情報を述べ，チームとして問題点を共有する」というコンセプトに反しているのではないだろうか？看過してはならないことのように思われる．

専門性の高い領域，手術以外の領域での効果

2009年の発表から10年が経過し，**手術安全チェックリストは，より専門性の高い領域での効果を検証する段階に入っている．**

1．小児シャント手術における効果

患者本人からの確認が行われにくい小児はチェックリストのよい適応である．Leeら[3]は脳外科でシャント術を施行した1,813人の小児を対象とし，手術安全チェックリストの導入によりシャント感染率を減らせるかどうかを前向きに検証した．チェックリストの順守率は97%（範囲：85～100%）と高く，シャント感染率は3.03%から1.01%に有意に減少した（$p = 0.003$）．

3) Lee RP, Venable GT, Vaughn BN et al：The impact of a pediatric shunt surgery checklist on infection rate at a single institution. Neurosurgery 83：508-520, 2018

現在，**手術安全チェックリストのコンセプトは手術にとどまらず，手術以外の領域でも導入され，その有用性が証明されている．**

2．心臓カテーテル検査における効果

Lindsayら[4]は生命にかかわる合併症をきたしうる心臓カテーテル検査に手術安全チェックリストのコンセプトを導入した．最初の3ヵ月間で試行錯誤を繰り返してチェックリストのマイナーチェンジを行った後，改めてその効果を検証した．導入後，合併症の発生率は2.0%（95%信頼区間（CI）：1.6～2.4%）～0.8%（95% CI：0.6～1.1%）に有意に低下した（$p \leqq 0.001$）．また，処置終了から次の症例が開始されるまでの平均所要時間が有意に短縮し（$p = 0.027$），患者の放射線被曝も有意に減少した（$p = 0.002$）．

4) Lindsay AC, Bishop J Harron K et al：Use of a safe procedure checklist in the cardiac catheterisation laboratory. BMJ Open Qual 7：e000074, 2018

術後チェックリスト

病的肥満患者は術中だけでなく，術後に合併症を生じるリスクが高い．van Milら[5]は病的肥満患者694人（body mass index（BMI）：43.8 ± 5.8 kg/m^2）を対象に，悪心，痛み，体温，心拍数，血液検査を確認項目とした術後チェックリストを導入した．しかし，術後30日以内に合併症を生じた29人と生じなかった患者との間に背景の差は認められなかった．術後合併症という観点で，このチェックリストは機能しなかったが，著者らはこの結果にとどまらず，患者の退院する意欲についても言及している．病的肥満患者において，退院に対する患者の意欲は早期退院の予測因子となる．病的肥満以外に重度の合併症を有する患者は，合併症がない，または軽度の合併症のみを有する患者と比較して早期に退院する意欲が強かった．著者らは，この術後チェックリストを術後1日目に安全に自宅に退院できる患者を特定するのに適切なツールであると結

5) van Mil SR, Duinhouwer LE, Mannaerts GHH et al：The standardized postoperative checklist for bariatric surgery：a tool for safe early discharge?. Obes Surg 27：3102-3109, 2017

んでいる．この結論はいささか乱暴に思われるが，チェックリストを用いて術後の患者状態を標準化し，合併症の早期発見と早期退院に活用するというコンセプトは悪くない．手術関連合併症は術後に判明することが多いため，**術後チェックリストは手術関連合併症に直結する問題をルールアウトできるかもしれない．評価項目を再考し，病的肥満患者に限らず，すべての患者に適応できる術後チェックリストを作成することができればそのインパクトは大きい．**

手術安全チェックリストが，手術におけるコミュニケーションツールのゴールドスタンダードであることに疑う余地はないが，ここからは先進国と開発途上国における有用性の違い，そして，近年行われている先進国が開発途上国でのチェックリスト導入をサポートする試みや順守率を上げる工夫について解説する．

先進国における効果

手術安全チェックリストが発表された当初，New England Journal of Medicine 誌に掲載されたあまりにも有名な論文[6]において，本チェックリストは先進国でも開発途上国と同様に有効とされていた．しかし，近年ではインフラ整備や人材育成などが充足している先進国ではその効果は限定的とする見解もある．2015 年の米国の周術期死亡率は 0.33％と非常に低い[7]．手術安全チェックリストが寄与したメリットもあるだろうが，**地域によってはこれ以上手術を契機とした死亡率を下げられないところまで行き着いているのかもしれない．**それでは，まだ手術安全チェックリストが十分に導入されていない先進国ではどうだろう？オーストラリアの三次医療センターで行われた 21,306 件の手術症例に対して手術安全チェックリストを導入し，多変量ロジスティック回帰で有効性を解析した報告がある[8]．術後死亡率は 1.2％から 0.92％に減少し（$p = 0.038$），入院期間は 5.2 日から 4.7 日に減少した（$p = 0.014$）．これはオーストラリアで手術安全チェックリストの効果を検証した最初の報告であるが，やはり**一定の効果は得られている**と思われる．

開発途上国における手術死亡率

一方，開発途上国の状況はどうだろう？アフリカの 25 の国で手術が施行された 11,193 人を対象とした術後 7 日間の前向き観察研究が Lancet 誌に掲載されている[9]．対象患者の 11％がヒト免疫不全ウイルス（human immunodeficiency virus：HIV）に感染しており，57％の手術が緊急もしくは準緊急手術であった．術後 7 日以内に死亡したのは 239 人（2.1％）で，そのうち 94.1％が翌日に死亡していた．周術期合併症は 18.2％で認められ，最も多いのは感染症（10.2％）で，そのうち 9.7％が死亡していた．地域によりさまざまな事情はあ

6) Haynes AB1, Weiser TG, Berry WRN et al：A surgical safety checklist to reduce morbidity and mortality in a global population. N Engl J Med 29：491-499, 2009

7) Whitlock EL, Feiner JR, Chen LL et al：Perioperative mortality, 2010 to 2014：a retrospective cohort study using the national anesthesia clinical outcomes registry. Anesthesiology 123：1312-1321, 2015

8) de Jager E, Gunnarsson R, Ho YH：Implementation of the world health organization surgical safety checklist correlates with reduced surgical mortality and length of hospital admission in a high-income country. World J Surg 43：117-124, 2019

9) Biccard BM, Madiba TE, Kluyts HL et al：Perioperative patient outcomes in the African Surgical Outcomes Study：a 7-day prospective observational cohort study. Lancet 21：1589-1598, 2018

るだろうが，**開発途上国ではいまだに手術を契機とした死亡率が高く，手術安全チェックリストを導入することで改善する余地がまだありそうである．**

導入の妨げとなっている原因は何か？

手術安全チェックリストの導入に必要なものは，チェックリストを掲載したコピー用紙だけで，臨床的に特別な手技やコストは要らない．その点において本来は導入しやすいツールのはずであるが，なかなか円滑に進まない．Igagaら[10]はウガンダの5つの病院で859人の患者を対象に手術安全チェックリストを導入したが，順守率は全体で41.7％（95％CI：39.7〜43.8），フェーズ別に見ても「サインイン」44.7％（95％CI：43〜45.6），「タイムアウト」42.0％（95％CI：39.4〜44.6），「サインアウト」33.3％（95％CI：30.7〜35.9）といずれも低く，転帰（入院期間，有害事象，死亡率）も改善させなかった．新たな文化を根付かせることは想像以上に難しいことなのかもしれない．Jainら[11]は**WHO手術安全チェックリストを導入するうえで障害となっている原因として，手術室内でのヒエラルキー，手術開始の遅延，業務負担の増加，教育および訓練の未熟さなどを挙げている．**

導入が進まない開発途上国における先進国のサポートとその成果

効果的に導入するためにはどのような手順を踏むべきであろうか？手術ではないが，周産期医療のチェックリストを開発途上国に導入する際に先進国が行ったサポートについての報告[12]がNew England Journal of Medicine誌に掲載されていたので紹介したい．この報告は，出産環境が整備されておらず，周産期死亡率が高いインドの60の施設において，WHOが2012年に発表した出産安全チェックリストを導入する際に先進国が行った80日間のサポートの成果を検証したものである．具体的な導入法は以下の通りである．**①先進国側のコーチチームが，開発途上国側に導入チームを形成させ，そのリーダーを決める．②コーチチームが，導入チームのリーダーに手術安全チェックリストを用いる動機づけを行い，十分に理解させる．③導入する施設において導入の障害となる問題を解決する．④コーチチームのリーダーが導入チームのリーダーをサポートし，導入チーム間でのコミュニケーションを確立させる．**その結果，サポートした群では，しなかった群と比較してチェックリストの順守率は有意に高かったものの，胎児および母体の死亡率には有意な差を認めなかった．著者らはその理由をさまざまに考察しているが，この報告で行われていた導入の手法は，決して間違ってはいないと思われる．

10) Igaga EN, Sendagire C, Kizito S et al：World health organization surgical safety checklist：compliance and associated surgical outcomes in Uganda's referral hospitals. Anesth Analg 127：1427-1433, 2018

11) Jain D, Sharma R, Reddy S：WHO safe surgery checklist：barriers to universal acceptance. Anaesthesiol Clin Pharmacol 34：7-10, 2018

12) Semrau KEA, Hirschhorn LR, Marx Delaney M et al：Outcomes of a coaching-based WHO safe childbirth checklist program in India. N Engl J Med 377：2313-2324, 2017

順守させるための取り組み

手術安全チェックリストの効果が認められたこれまでの報告のほとんどは，その順守率が高い．一方，**効果が認められなかった報告では概して順守率が低い**．効果が認められないのはチェックリストの欠陥ではなく，順守率が低いことが原因ではないだろうか？順守率を上げる取り組みとして第三者による監査を行い，その結果をフィードバックして順守を促した研究がある[13]．事前通達をせずに，監査担当者が手術室内でチェックリストが順守されているかどうかを監査し（スナップショット監査），順守されていない場合は後日，監査者担当が手術室医療者に対して介入する．監査と介入により，順守率はサインインで52.9％から81.2％（$p = 0.141$），タイムアウトで33.3％から58.8％（$p = 0.181$），サインアウトで21.4％から41.7％とそれぞれのフェーズで上昇したが，その変化は有意なものではなく（$p = 0.401$），転機も改善させなかった．介入しても依然として順守率は低いが，順守率が上がれば，もしかしたら効果が認められるかもしれない．転機を改善できなかった同一施設において完璧に順守させた状態での効果を見てみたい．

13) Sendlhofer G, Lumenta DB, Pregartner G et al：Reality check of using the surgical safety checklist：a qualitative study to observe application errors during snapshot audits. PLoS One 13：e0203544, 2018

導入を円滑にしたり，順守率を上げたりする試みも必要だが，開発途上国における手術関連有害事象の問題は，もはや手術安全チェックリストだけで解決できる問題ではなく，もっと大きな介入が必要なのかもしれない．国家単位で手術環境の改善に取り組んでいるプロジェクトを紹介する．

発展途上国における国家単位での手術環境改善の試み

エチオピア連邦保健省は，エチオピア国内の不十分な手術環境を整備するための国家的プロジェクトである saving lives through safe surgery（SaLTS）を遂行中である[14]．SaLTS はインフラ整備，酸素供給計画，人的応援，人材育成などに対して包括的に介入することにより，予定手術の質と数を改善できるかどうかの長期評価を行っている．もし，有用性が認められれば，**SaLTS は開発途上国における手術環境を改善するための新たな指針となる可能性がある**．手術安全チェックリストの導入は SaLTS を推進する中での重要な項目の一つとして挙げられている．複数の関連事項が同時に進行するため，SaLTS における本チェックリスト単独の効果を評価することは困難と思われるが，後日明らかになるその結果に注目したい．

14) Burssa D, Teshome A, Lverson K et al：Safe Surgery for All：early lessons from implementing a national government-driven surgical plan in Ethiopia. World J Surg 41：3038-3045, 2017

まとめ

手術安全チェックリストが発表されてから10年が経過した．近年の報告はチェックリストをどのように定着させ，順守率を上げるかという試みや，その有用性について再検証するという傾向が認められている．しかし，昨年と同様にエビデンスレベルの高い前向き研究，特に randomized controlled study が少ない．**WHO が主導して，本チェックリストの有効性を再検証すべき時期に来ているのではないだろうか？**また，昨年我が国から発表された PubMed で検索できる英語論文は 1 編もない．我が国での普及状況やその効果についても検証することが必要と思われてならない．今後の報告に注目したい．

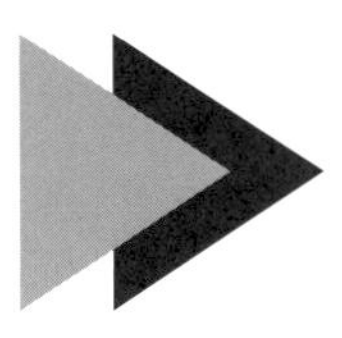

30. 硬膜外麻酔と脊髄くも膜下麻酔

土井克史（どいかつし）
国立病院機構浜田医療センター 麻酔科

最近の動向

- 硬膜外麻酔や脊髄くも膜下麻酔に関する論文数は全体として少なくなっている．特に研究論文が少なくなっている．
- 術中の麻酔や術後鎮痛に応用することが術後の合併症など患者予後に及ぼす影響をみた報告では，他の鎮痛法に比べて差がないとするものが増えている．しかしながら，食道，胃，肝臓などの大侵襲の手術ではいまだ有用性は高いようだ．近年普及した神経ブロックと比較検討した報告も増えている．
- CT や超音波などの画像を応用し，穿刺方法の工夫や合併症の軽減が試みられている．また教育方法についての検討が今後注目される．

術後の予後への影響

2010～2016 年の間の 27 の観察研究，11 の RCTs を用いて，硬膜外麻酔や脊髄くも膜下麻酔の応用が全身麻酔単独と比べて，開胸，開腹，下肢手術の術後合併症や死亡率を比較したメタ分析がある[1]．**死亡率や心合併症には有意の差がないものの，呼吸器合併症，創部感染症，血栓症，輸血の頻度，在院日数，ICU 在室日数の面などでよい効果を示した．**

低侵襲大腸手術において硬膜外 PCA による鎮痛と静脈内 PCA による鎮痛法とで入院期間，術後痛，オピオイドの副作用による QOL を比較した RCT が行われている[2]．入院期間に差はなく，痛みスコアや副作用，経口摂取可能までの期間も変わらなかった．低血圧の頻度は硬膜外群で多く，硬膜外鎮痛がこのような手術において優れているとはいいがたいと結論している．腹腔鏡下大腸切除術で脊髄くも膜下モルヒネが ERAS（enhanced recovery after surgery）プロトコールでの退院時までの日数を短くする[3]．全身麻酔に加えてくも膜下にブピバカイン / モルヒネ（12.5 mg/300 μg）を投与した群は，投与しない群に比べて FFD（fit for discharge）までの日数が有意に短かった．FFD とはあらかじめ，痛みや ADL の回復程度を決めておき，その時点で退院可能とした．また POD1 でのオピオイド使用量やペインスコアも優れてい

1) Smith LM, Cozowicz C, Uda Y et al：Neuraxial and combined neuraxial/general anesthesia compared to general anesthesia for major truncal and lower limb surgery：a systematic reviw and meta-analysis. Anesth Analg 125：1931-1945, 2017

2) Hannna MH, Jafari MD, Jafari F et al：Randomized clinical trial of epidural compared with conventiona analgesia after minimally invasive colorectal surgery. J Am Coll Sug 225：622-630, 2017

3) Koning MV, Teunissen AJW, van der Harst E et al：Intrathecal morphine for laparoscopic segmental colonic resection as part of an enhanced recovery protocol－a randomized controlled trial. Reg Anesth Pain Med 43：166-173, 2018

1884-8516/19/¥100/頁/JCOPY

た．痒み以外の合併症も差がなかった．

一方腹腔鏡下胃切除術における硬膜外鎮痛法の役割について，術後の腸管運動の回復を主に比べたRCTがある[4]．86人を硬膜外PCA群とIV PCA群とに分け，主要評価項目は最初の排便までの時間とした．心拍数変動，痛みスコア，在院日数，合併症についても比較した．排便までの時間は61時間と70時間で有意に硬膜外群が短かった．術後1時間後のペインスコアも低く，6時間までの鎮痛剤使用も少なかった．心拍変動による術中の交感神経活動の亢進は抑制された．腹腔鏡下胃切除術において硬膜外鎮痛は有用と結論づけている．

生体肝移植のドナーに硬膜外麻酔を応用した報告がある．Koulらは104例の硬膜外麻酔併用全身麻酔下に右葉切除を行ったドナー患者の安全性を観察した[5]．術後の肝機能（血小板数，INR，ALT，AST）の変化は一時的で，硬膜外カテーテルの抜去の遅延はなく，硬膜外血腫もなかった．術後鎮痛も良好であり，推奨している．また肝切除術での硬膜外麻酔が腎障害と関係するとの報告があるため，肝移植ドナーで検討した報告がある[6]．後ろ向きに生体肝移植ドナーのうち148例の硬膜外併用症例と168例の静脈鎮痛例とで周術期の腎機能への影響をみた．両群とも術中はCVPを低く保った．患者背景には差はなく，術中の輸液量は硬膜外群が多かった．術後のAKIの発生率は8.1％と7.1％と差はなく，術前のALT高値が術後腎障害の独立した危険因子であった．食道癌手術における硬膜外麻酔の有用性について1985～2017年までの論文をもとにしたレビューがある[7]．開胸開腹の食道手術においては硬膜外麻酔を応用すると術後鎮痛に優れていること以外にも，麻酔からの早期の覚醒や術後の人工呼吸期間の短縮などの利点を有しており硬膜外鎮痛を推奨している．

末梢神経ブロックとの比較

腹部手術術後の痛みに対する硬膜外麻酔と腹横筋膜面ブロック（TAP）の比較がメタ分析で行われている[8]．POD1の痛みスコアを主要評価項目にして，10論文，505症例を組み入れた．両群とも痛みスコアに差はなかった．多彩な手術術式が対象であることや術後の腸管機能の回復が評価されてないなど制限もあるが，鎮痛効果の点では硬膜外麻酔とTAPには差がない．

また股関節形成術における腰部硬膜外麻酔と腰神経叢ブロックとを比較した後ろ向きの研究がある[9]．術後のオピオイド使用量の比較を主要評価項目とした．単回投与の腰神経叢ブロックでは持続硬膜外鎮痛と比べて術後24～36時間，36～48時間のオピオイドの使用量が少なかった．また最初の歩行までの時間も腰神経叢ブロックのほうが短かった．術後の抗凝固療法の面からも腰神経叢ブロックのほうがよいと結論している．

硬膜外麻酔をはじめとする区域麻酔が術後遷延痛に及ぼす影響をみたコクランのシステマティックレビューがある[10]．開胸術後3～18ヵ月の慢性痛の発生

4) Cho JS, Kim HI, Kee KY et al：Comparison of the effects of patient-controlled epidural and intravenous analgesia on postoperative bowel function after laparoscopic gastrectomy：a prospective randomized study. Surg Endosc 31：4688-4696, 2017

5) Koul A, Plant D, Rudravaram S et al：Thoracic epidural analgesia in donor hepatectomy：an analysis. Liver Transpl 24：214-221, 2018

6) Ham SY, Kim TH, Koo BN：Comparison of perioperative renal function between epidural and intravenous patient-controlled analgesia after living-donor hepatectomy：a retrospective study. Transplantation Proc 50：1365-1371, 2018

7) Feltracco P, Bortolato A, Barbieri S et al：Perioperative benefit and outcome of thoracic epidural in esophageal surgery：a clinical review. Dis Esophagus 31：1-14, 2017

8) Baeriawyl M, Zeiter F, Piubellini D et al：The analgesic efficacy of transverse abdominis plane block versus epidural analgesia. a systematic review with meta-analysis. Medicine 97：26（e11261）, 2018

9) Harvey NR, Wolf BJ, Bolin ED et al：Comparison of analgesia with lumbar epidurals and lumbar plexus blocks in patients receiving multimodal analgesics following primary total hip arthroplasty：a retrospective analysis. International Orthopedics 41：2229-2235, 2017

10) Weinstein EJ, Levene JL, Cohen MS et al：Local anesthetics and regional anaesthesia versus conventional analgesia for preventing persistent postoperative pain in adults and children. Cochrane Database Syst Rev 6：CD007105, 2018

は，硬膜外麻酔を行うとオッズ比 0.52 と有意に減少した．傍脊椎神経ブロックでは明らかな結果は得られなかった．乳房手術や帝王切開術においても区域麻酔の有用性が示された．ヘルニア根治術や心臓手術など，開腹術，四肢切断術などに関して明らかな結果は得られなかった．

局所麻酔薬にアドレナリンを添加の効果

2017 年までの 70 編の論文を対象に局所麻酔薬にアドレナリン添加が鎮痛作用の持続や副作用に影響を及ぼすかどうかのメタ分析がある[11]．硬膜外への局所麻酔薬へのアドレナリン添加では明らかな効果はなかった．しかし，くも膜下投与では，運動神経遮断時間，鎮痛時間，2 分節の知覚神経遮断の消退時間の延長がみられ，低血圧の頻度も増した．末梢神経ブロックにおいても鎮痛効果持続時間が延長した．

反復帝王切開におけるブピバカインとモルヒネを用いた脊髄くも膜下麻酔でのアドレナリン添加の効果をみた[12]．高比重ブピバカイン 0.75% 1.5 mL とモルヒネ 0.25 mg にアドレナリン無，100 μg，200 μg の添加で比べると，200 μg 添加によって最も知覚遮断や運動遮断の持続時間が長かった．手術時間が延長する可能性のある反復帝王切開時にはアドレナリン添加が有用としている．

脊髄くも膜下麻酔薬の比重による違い

2016 年までの 16 論文で帝王切開以外の手術における脊髄くも膜下麻酔効果についてメタ分析が行われている[13]．主要評価項目である全身麻酔が必要となった症例をもとにした失敗率では高比重と等比重液に違いはなかった．運動遮断の発現時間は高比重で早く，運動，知覚遮断の持続時間は等比重で長くなった．作用発現と持続時間を考慮に入れて選択すべきである．また運動麻痺を生じるブピバカインの投与量が比重によって変わるかどうかをみた研究がある[14]．Dixon の up and down 法を用いて 7.5 mg を初期投与量にして，投与 5 分後の運動麻痺を評価した．Bromage scale 1 以上ならば次の対象は 1 mg 減らし，0 だったら 1 mg 増量した．ED50 は高比重で 7.2 mg，等比重で 10.05 mg となり，有意に高比重で少量で運動神経麻痺を生じた．5 分後の評価のため効果発現時間の差が結果に影響している可能性がある．

穿刺におけるさまざまな工夫

画像診断を穿刺に用いる報告がある．CT 画像を用いて正中アプローチを行う際の棘突起間での皮膚刺入部位とその刺入角度を，穿刺レベル別に検討した[15]．胸椎 1～4，5～10，腰椎 2～5 までのレベルでは刺入点は棘突起間の中点よりやや尾側，胸椎 4，5 レベルではやや頭側，その他のレベルでは中点が理想的であった．皮膚との角度は，胸腰椎以降部から腰椎レベルの 9 度から胸

11) Tschopp C, Tramer MR, Schneider A et al：Benefit and harm of adding epinephrine to a local anesthetic for neuraxial and locoregional anesthesia：a meta-analysis of randomzed controlled trials with trial sequential analyses. Anesth Analg 127：228-239, 2018

12) Katz D, Hamburger J, Gutman D et al：The effect of adding subarachinoid epinephrine to hyperbaric bupivacaine and morphine for repeat ceasarean delivery：a double-blind prospective randomized control trial. Anesth Analg 127：171-178, 2018

13) Uppal V, Retter S, Shanthanna H et al：Hyperbaric versus isobaric bupivacaine for spinal anesthesia：systematic review and meta-analysis for adult patients undergoing noncesarean delivery. Anesth Analg 125：1627-1637, 2017

14) Chen M, Chen C, Li L：Effect of baricity of bupivacaine on median effective doses for motor block. Med Sci Monit 23：4699-4704, 2017

15) Vogt M, van Gerwen DJ, Lubbers W et al：Optimal point of insertion and needle angle in neuraxial blockade using a midline approach. a study in computed tomography scans of adult patients. Reg Anesth Pain Med 42：600-608, 2017

椎レベルの53度とさまざまであった．画像評価は今後注目される．一方硬膜外穿刺における意図しない硬膜穿破（UDP）のリスクを術前のMRIや超音波画像で予測できるか産婦を対象に調べた[16]．UDP症例10例において出産後の腰椎MRIでは正常な画像を得られたが，超音波では10例中7例で下部腰椎での黄色靭帯，硬膜組織の典型的な所見は得られなかった．今後この点での超音波の応用が期待される

硬膜外カテーテル挿入を手術室ではなく，専用のブロック室での施行した場合の効果をみた[17]．同一施設でブロック室導入前後の12ヵ月間に胸部硬膜外麻酔を行った症例を対象に，6ヵ月ずつの麻酔に関連する手術室滞在時間を主要評価項目とした後ろ向き研究である．また硬膜外麻酔の失敗率や穿刺回数を調べた．患者到着から手術体位をとるまでの麻酔関連時間は，ブロック室導入により平均47分が24分へ短縮した．また硬膜外麻酔の失敗率も減少した．欧米で行われている**術前のブロック専用室は手術室の運営や麻酔の質の向上に役立つかもしれない．**

くも膜下穿刺針の形状と太さがPDPH（postdural puncture headache）の発生に及ぼす影響を57のRCTを対象にメタ分析されている[18]．ペンシルポイント針は，カッティング針に比べ有意にPDPHの発生率を低下させた（RR：0.41）．針の太さとの関係では，カッティング針では太さとPDPHの発生率は有意な相関を示したが，ペンシルポイント針では明らかな関係はなかった．穿刺しやすさのためには太めのペンシルポイント針がよいとしている．

脊髄くも膜下穿刺の教育方法についての報告がある[19]．医学生を対象に，脊髄くも膜下麻酔のビデオを見せたのちに，チェックリストを用いてマネキンへの施行を指導した．IT群は実際のマネキンへの施行中に口頭で指導し，施行後の指導はしなかった．ET群では施行後，口頭でフィードバックした．両群で指導直後，約4ヵ月後に試験を行った．短期および長期後の試験ともにET群のほうがより優れていた．タスク後のフィードバックが有用としている．今後は教育に関する研究が望まれる．

バランス麻酔の研究

胸部硬膜外麻酔下では，一定のBIS（bispectral index）を得るのに必要な全身麻酔の投与量を削減する．その機序を調べるために，1回心拍出量を一致させ循環の影響を除いて比較した[20]．側方開胸による肺手術を対象に，0.5％レボブピバカインまたは生食を胸部硬膜外腔に投与して，術中にBISを40〜60に保つのに必要なレミフェンタニルの投与量を主要評価項目とした．レボブピバカインによってレミフェンタニルは約3分の2へ，プロポフィールも4分の3と削減された．胸部硬膜外麻酔は循環変動以外の原因で全身麻酔薬の削減効果があると示唆された．

16) Barret NM, Arzola C, Krings T et al：Lumbar spine anatomy in women sustaining unintentional dural puncture durin labor epidural placement. a descriptive study using magnetic resonance and ultrasound. Reg Anesth Pain Med 43：92-96, 2018

17) **Gleicher Y, Singer O, Choi S et al：Thoracic epidural catheter placement in a preoperative block area improves operating room efficiency and decreases epidural failure rate. Reg Anesth Pain Med 42：649-651, 2017**

18) Zorrilla-Vaca A, Mathur V, Wu CL et al：The impact of spinal needle selection on postdural puncture headache. a meta-analysis and meataregression of randomized studies. Reg Anesth Pain Med 43：502-508, 2018

19) Lean LL, Hong RYS, Ti LK：End-task versus in-task feedback to increase procedural learning retention during spinal anaesthesia training of novices. Adv Health Sci Educ Theory Pract 22：713-721, 2017

20) Dumans-Nizard V, Le Guen M, Sage E et al：Thoracic epidural analgesia with levobupivacaine reduces remifentanil and propofol consumption evaluated by closed-loop titration guided by the bispectral index：a doube-blind placebo- controlled study. Anesth Analg 125：635-642, 2017

31. 小児麻酔

宮澤典子（みやざわ のりこ）
東京都立小児総合医療センター 麻酔科

最近の動向

●米国麻酔学会（ASA）の術前禁飲食ガイドライン 6-4-2 を見直そうとする論文が欧州よりいくつか出ている．また，麻酔薬の幼若脳への影響についての研究は非常に多く，種々の角度から研究が行われている．いずれもかなりの大規模研究で，統計学を駆使している．区域麻酔については成人で行われている比較的新しい末梢神経ブロックの小児での効果について前向き研究の報告が行われている．術後慢性痛にも関心がもたれ，急性期だけでなく痛みが完全になくなるまで治療が必要であることが強調されている．また，硬膜外麻酔が見直されてきたことを示唆する論文も散見される．超音波エコーを用いて，独創的な診断方法を紹介している論文も面白い．

術前禁飲食時間の見直し

ASA ガイドラインでは小児患者の絶飲時間が長くなるので，見直しが必要であるという論文が欧州から数多く出ている．3 編を紹介する．

ASA ガイドライン 6-4-2 を 6-4-0 にすることで，小児患者の術前禁飲時間を短くすることを目指したスエーデンからの研究ある[1)]．耳鼻科日帰り手術患者で 6-4-2 のときには絶飲時間中央値は 4 時間，6 時間以上になる患児も 33% いた．6-4-0 を採用して 1 年後には中央値は 1 時間，6 時間以上になる患者は 6.3% になった．**6-4-0 では手術室からコールがあるまで飲水を許可している．**胃内容排出が延びる疾患を除いて行った 6-4-0 で，誤嚥を起こした小児はいなかった．本論文では母乳・人工乳ともに 4 時間前としており，ASA ガイドラインでは人工乳を 6 時間前までとしているのと異なっている．

同様に英国からの報告である[2)]．6-4-2 に従うと手術室入室 4 時間以内に水分を摂った患児は 19%，平均禁飲時間は 6.3 時間であった．禁飲時間を短くするために，**当日手術の子どもたちが病院到着時に水分を摂取できるシステムに変更した．**2 年半後には 4 時間以内に水分摂取できた子どもは 72% に増加した．誤嚥や手術延期の率は同様であった．

次にドイツから，就学前の健康な子ども達が普通に朝食を食べた場合に，何

1) Andersson H, Hellstr o ¨m PM, Frykholm P : Introducing the 6-4-0 fasting regimen and the incidence of prolonged preoperative fasting in children. Pediatric Anesthesia 28 : 46-52, 2018

2) Newton RJG, Stuart GM, Willdridge DJ et al : Using quality improvement methods to reduce clear fluid fasting times in children on a preoperative ward. Pediatric Anesthesia 27 : 793-800, 2017

1884-8516/19/¥100/頁/JCOPY

時間で胃が空になるか調べた研究である[3]．基礎研究として風船に水を入れて水中に沈め，超音波エコーで断面積を計測し，注入した水の量との高い相関を確認した．さらにこの結果がSchmitz（2016）らの胃内容予測式を用いた計算値と差が小さいことを示した．子ども達の胃内容量は，胃前庭部の断面積を超音波エコーで時間を空けて2回計測し，胃が空になる時間を線形回帰によって予測した．さらにSchmitzらの予測式を使って確認を行った．その結果4時間以内に空になると予測でき，**胃排出時間が通常の子どもでは，6-4-2のガイドラインを緩めてもよいのではないか**と述べている．

3) Sümpelmann AE, Sümpelmann R, Lorenz M et al：Ultrasound assessment of gastric emptying after breakfast in healthy preschool children. Pediatric Anesthesia 27：816-820, 2017

キセノン併用

先天性心疾患のカテーテル検査で，キセノンをセボフルランに併用した場合とセボフルラン単独とで，循環動態や血管作動薬の必要性，覚醒に差があるがどうか無作為単盲検比較試験を行っている[4]．キセノンを併用すると呼気セボフルラン濃度は有意に低く維持することができ，循環動態は両群で変わらなかった．覚醒はキセノン併用群が早かった．キセノンの小児での報告は稀で，MACも成人のものを外挿している．また，**麻酔薬による脳発達障害を予防する作用が期待されている．**

4) Devroe S, Meeusen R, Gewillig M et al：Xenon as an adjuvant to sevoflurane anesthesia in children younger than 4 years of age, undergoing interventional or diagnostic cardiac catheterization：a randomized controlled clinical trial. Pediatric Anesthesia 27：1210-1219, 2017

末梢静脈ラインの確認方法

乳幼児の静脈路確保は難しく，確実な留置を確認するのも難しい．超音波診断装置のカラードップラーを用いて，**生食1 mLを注入した時に中枢側の太い静脈（腋窩静脈，大腿静脈）で2秒後にカラーがかかるかどうか**前向きに調べた研究である[5]．この方法は四肢の血管では感度・特異性ともにほぼ100％であるが，頭頸部静脈では感度が落ちる．他の点滴確認法（血液逆流，滴下など）に比べて感度・特異性が非常に優れていた．この方法を使えば一律に72～96時間で点滴の刺し替をする必要がなくなるのではと述べている．ぜひ実際に確認してみたい．

5) Gautam NK, Bober KR, Cai C：Introduction of color-flow injection test to confirm intravascular location of peripherally placed intravenous catheters. Pediatric Anesthesia 27：821-826, 2017

誤注入防止コネクター

2017年に始まったISO80369シリーズについて解説している[6]．経腸栄養用と中枢神経用の導入が始まったが，なかなか普及しない．普及には末端の病院の判断だけでなく，製品製造業者やその株主まで影響があり，産業構造をも変革する必要がある．また，新コネクター導入よる新たな問題の発生も危惧される．日本でも2019年秋より中枢神経用の新コネクターが導入される見通しで，米国の現状を知る手がかりとなる．

6) Litman RS, Smith VI, Mainland P：New solutions to reduce wrong route medication errors. Pediatric Anesthesia 28：8-12, 2018

術後鎮痛

Nuss手術の術後鎮痛は難しく，多数の報告がある．この論文はスタンフォード大学とフィラデルフィア小児病院からのもので，胸部硬膜外麻酔と多様性鎮痛（multimodal analgesia：MA）を後方視的に比較している[7]．結果はMAと胸部硬膜外麻酔とで術後鎮痛に差がなかった．MAの複雑なプロトコールが詳細に述べられている．**胸部硬膜外麻酔による鎮痛もMA同様にもっと熱心に改良を加えれば，さらに優れた鎮痛法になる可能性がある**と述べている．合併症の可能性から胸部胸膜外麻酔を否定する論文が多かったが，この論文では肯定的である．

術後の慢性痛についてイタリアの3つの小児専門施設で行った前向き縦断観察研究である[8]．対象手術は尿道下裂，精巣固定術，鼠径ヘルニア手術，整形外科手術で，全身麻酔と区域麻酔を併用している．1，3，6ヵ月後の疼痛有病率は24％，6％，4％であった．特に**鼠径ヘルニア手術の6ヵ月後の疼痛有病率は9.2％であった．**術直後の痛みと6ヵ月後の疼痛有病率との関係はなかったが，6ヵ月後に痛みのある患者は1ヵ月後にも痛みがあり，**術後痛の診療は退院後も継続する必要がある**と述べている．小児の術後慢性痛の研究は成人に比べて少ない．術後痛は麻酔科外来で継続治療する必要がある．

静脈血栓予防

小児の血栓症発生率と予防について英国とアイルランドのガイドライン制作委員会がまとめている[9]．**乳児の中心静脈カテーテルによる血栓症発生率は90％以上で**，挿入部位による発生率の差も書かれている．以前より英国小児麻酔学会ガイドラインには血栓症発生率について記載されており，中心静脈カテーテル挿入は必要最小限と考えている．

麻酔薬の脳発達への影響

2016年に米国食品医薬品局（FDA）が3歳前に全身麻酔を受けると脳発達障害を引き起こす可能性があると警告を発し，子どもをもつ親たちを心配させた．このころから多くの研究が行われている．

最近の臨床研究成果を網羅した総説である[10]．2016年のFDA警告は動物実験に基づくものであると述べ，最近行われた大規模な臨床試験をアウトカムで3つに分類（学業成績，臨床診断，神経心理学的検査）して解説している．その結果，麻酔薬と脳発達に関連があるとしても弱いエビデンスでしかない．一方で，**短い単回の麻酔は脳発達に悪影響はないという強いエビデンス**が示されたと述べている．

麻酔を受けた年齢が発達障害の発生率に影響するかどうかを，保健福祉省デ

7) Man JY, Gurnaney HG, Dubow SR et al：A retrospective comparison of thoracic epidural infusion and multimodal analgesia protocol for pain management following the minimally invasive repair of pectus excavatum. Pediatric Anesthesia 27：1227-1234, 2017

8) Mossetti V, Boretsky K, Astuto M et al：Persistent pain following common outpatient surgeries in children：a multicenter study in Italy. Pediatric Anesthesia 28：231-236, 2018

9) Morgan J, Checketts M, Arana A et al：Prevention of perioperative venous thromboembolism in pediatric patients：guidelines from the Association of Paediatric Anaesthetists of Great Britain and Ireland（APAGBI）. Paediatric Anaesthetists of Great Britain and Ireland Guidelines Working Group on Thromboprophylaxis in Children. Pediatric Anesthesia 28：382-391, 2018

10) Davidson AJ, Sun LS：Clinical evidence for any effect of anesthesia on the developing brain. Anesthesiology 128：840-853, 2018

ータベースを使用して大規模研究を行っている[11]．新生児～5歳までに小手術を1回のみ受けた患者38,000人について，手術を受けたことのない対照群と縦断的コホート研究をほぼ12歳まで行っている．その結果，発達障害とADHDの発症率は統計学的に有意な上昇があるがその差は小さい．**年齢による差は認められず，必要な手術を成長するまで遅らせる意味はない**と述べている．

Mayo Anesthesia Safety in Kids（MASK）studyの報告である[12]．「3歳前に複数回の全身麻酔を受けると神経心理学的発達に悪影響がある」という仮説に対し行った研究である．麻酔経験無し，1回のみ，複数回の3群に分けて，8歳以降に知能指数を測定している．その結果，3群間で知能指数には差がなかった．副次的評価項目として，複数回群では巧緻運動低下や，行動異常や学習障害がある可能性が示唆された．麻酔薬の幼若脳に対する作用を家庭環境など背景因子も含めて多角的に解析している．

2015年以来，欧米諸国で5件の大規模観察研究が行われ，その解説である[13]．GAS study，PANADA study，カナダのオンタリオ州とマニトバ州の調査，スエーデンの大規模調査である．5つ研究は研究方法が違うにもかかわらず，**脳発達について麻酔薬曝露群と非曝露群の間にはほぼ差がなかった**．また，年齢が低いほどリスクが高いとはいえず，麻酔薬以外の要素が関連しているかどうかも不明で，麻酔薬に曝露された回数が多いほど脳発達が障害されるという一定の結果も得られなかったと述べている．

麻酔薬による脳障害の可能性について，麻酔中の脳低酸素発症頻度という異なる角度からの研究である[14]．研究の目的は6ヵ月未満の乳児の麻酔中の脳酸素飽和度の経時的変化とそれに関連する要素の検索である．8つの小児専門施設で同じNIRS（near-infrared spectroscopy）を使用して453人を測定している．その結果，軽度の脳酸素濃度低下は起こるが重度の低下は稀である．血圧の低下も起こるが，そのときの脳酸素飽和度低下は起こりにくい．したがって乳児の全身麻酔による脳障害の原因として脳酸素濃度の低下は考えにくく，もし脳障害をきたすなら他に原因を求める必要があると述べている．

覚醒時興奮発症リスクスケール

神奈川県立こども医療センターからの論文である[15]．**覚醒時興奮発症リスクを4要素（年齢，手術，麻酔導入時の様子，麻酔時間）で点数をつけてリスクスケールを作成**し，これを他の患者群で使用して感度と特異性を求め，有用性の検証を行っている．最高24点で，カットオフ値は11であった．口蓋扁桃摘出術と斜視手術で「＋7」，また「9－年齢」を点数に入れている．簡単で覚えやすく，ぜひ使用してみたい．

11) Ing C, Sun M, Olfson M et al：Age at exposure to surgery and anesthesia in children and association with mental disorder diagnosis. Anesth Analg 125：1988-1998, 2017

12) Warner DO, Zaccariello MJ, Katusic SK et al：Neuropsychological and behavioral outcomes after exposure of young children to procedures requiring general anesthesia. the Mayo Anesthesia Safety in Kids（MASK）study. Anesthesiology 129：89-105, 2018

13) O'Leary JD, Warner OD：What do recent human studies tell us about the association between anaesthesia in young children and neurodevelopmental outcomes?. Br J Anaesth 119：458-464, 2017

14) Olbrecht VA, Skowno J, Marchesini V et al：An international, multicenter, observational study of cerebral oxygenation during infant and neonatal anesthesia. Anesthesiology 128：85-96, 2018

15) Hino M, Mihara M, Miyazaki S et al：Development and validation of a risk scale for emergence agitation after general anesthesia in children：a prospective observational study. Anesth Analg 125：550-555, 2017

薬剤誤投与

米国小児麻酔学会のWake Up Safeは，匿名で小児麻酔関連の重篤有害事象を収集して質的改善を目指す委員会である．2016年までの6年間に報告された投薬に関する重篤有害事象を分析している[16]．2,316,635件の麻酔で276件の誤投薬が報告され，これは有害事象（2,087件）中の第3位である．誤投与が一番多かったのが指導医（attending）であるところが興味深い．80％は実際に患者に投与され，その半分は有害であった．**97％は予防できる**と述べている．

小児麻酔科医の必要数

米国における小児麻酔科医が将来過剰供給になるかどうか，人口統計をもとに推測した論文である[17]．2002～2016年は小児麻酔専修医の数が直線的に増加している．この伸びが2035年まで継続し，75％が小児麻酔専門医になって64歳で引退すると仮定すると，2035年には小児人口10万人に対して7.4人と過剰供給になる．もし専修医の数を2015年のレベルに止めれば，2035年もほぼ同様の人口比（5.4人/10万人）になると予測している．米国の小児人口は日本の約4.8倍あり，本邦では約1,000人の小児麻酔専門医が必要である．

セカンドガス効果

最近の研究では，セカンドガス効果は呼気中濃度より動脈血中濃度で大きく，これには換気血流比不均衡が関係しているのではないかと指摘されている．これを数学的モデルで示している[18]．換気血流比不均衡が増すほど，セカンドガス効果は血液中で増大し，呼気中で低下する．よって，亜酸化窒素を併用して揮発性麻酔ガスを吸入した場合，呼気終末ガス濃度から計算した肺胞麻酔ガス濃度で麻酔深度を判断すると，**実際よりかなり過小評価している可能性がある**．特に**その差は血液溶解度の低い麻酔薬（デスフルラン）で最も大きい**．セボフルランも血液溶解度が低く，呼気ガスモニターの値の解釈に注意が必要である．

末梢神経ブロック

PRAN（Pediatric Regional Anesthesia Network）のデータから，小児の末梢神経ブロックで使用されている局所麻酔薬の種類，濃度，投与量をブロックごとに解析している[19]．その結果，投与量は施設間に最大10倍の差があった．**局所麻酔薬中毒の頻度は0.005％と低く**，後遺症を残したものはなかった．小児では末梢神経ブロックの用量設定試験がほとんど行われておらず，ブロックごとの局所麻酔薬投与量ガイドラインの作成が必要であると述べてい

16) Lobaugh LMY, Martin LD, Schleelein LE et al：Medication errors in pediatric anesthesia：a report from the wake up safe quality improvement initiative. Anesth Analg 125：936-942, 2017

17) Muffly MK, Singleton M, Agarwal R et al：The Pediatric Anesthesiology Workforce：Projecting Supply and Trends 2015-2035. Anesth Analg 126：568-578, 2018

18) Korman B, Dash RK, Peyton PJ：Can mathematical modeling explain the measured magnitude of the second gas effect?. Anesthesiology 128：1075-1083, 2018

19) Suresh S, De Oliveira GS：Local anaesthetic dosage of peripheral nerve blocks in children：analysis of 40 121 blocks from the Pediatric Regional Anesthesia Network database. British Journal of Anaesthesia 120：317e322, 2018

る．超音波エコー下ではより少ない局所麻酔薬使用量でブロックが可能であり，ガイドラインの作成が必要と考える．

先天性筋性斜頸手術は胸鎖乳突筋の腱切離と筋部分切除を行うもので，切開創は小さいが，痛みが強い．1～7歳の32人について浅頚神経叢ブロック群と対照群で前向き二重盲検試験を行い，術後鎮痛効果を比較している[20]．その結果，術後早期（PACUに滞在する2時間）はブロック群で有意に鎮痛薬使用回数とFLACCスケールが低かったが，病棟に帰室してからは変わりなかった．論文中には術後の頚部牽引ついての記載がない．痛みよりベッドに傾斜をつけて固定される苦痛を訴える子どもも多い．

小児下腹部手術に対する腹横筋筋膜面ブロック（TAPブロック）と腰方形筋ブロック（QLB）の術後鎮痛効果について前向きランダム化単盲検試験を行っている[21]．対象は鼠径ヘルニア手術と精巣固定術である．同一の医師がブロックを行い，痛みの評価は看護師がFLACCスケールで行っている．24時間までの鎮痛薬投与人数を主要評価項目とし，QLBのほうが有意に効果があったとしている．小児の鼠径ヘルニア手術や精巣固定術にQLBを行うことは大腿の痺れ・違和感などの可能性があり賛成できない．少なくとも日帰り手術には向かないと考えられる．

アーチファクト

麻酔自動記録装置が普及し，以前に比べて正確なデータが保存されるようになった．しかし，データにはアーチファクトが含まれている．どの項目が麻酔のどの段階で最もアーチファクトを含むのかを前向き観察研究している[22]．その結果，**アーチファクトの割合は心拍数と動脈血酸素飽和度（SpO_2）では小さく，呼気終末期二酸化炭素濃度（$EtCO_2$）と血圧で大きい**．また，麻酔導入時と覚醒時に大きい．年齢では4歳未満の$EtCO_2$で有意に大きかった．アーチファクトの判断基準は機器によって異なり，優れた自動認識システムの構築が必要である．

ガス導入と点滴導入

ガス導入と点滴導入はそれぞれに利点がある．この論文では，呼吸器系合併症誘発リスクが2つ以上ある小児患者の予定小手術について前向き無作為非盲検試験を行い，どちらの導入法が優れているか検討している[23]．導入はセボフルランあるいはプロポフォールで行い，声門上器具を挿入し，維持はセボフルランで行っている．その結果，呼吸器系合併症は点滴導入群で有意に少なかった．著者は，**「この研究結果は点滴導入のほうが優れているという意味ではなく，呼吸器合併症リスクがある場合は点滴導入のほうが合併症は少ない」**ことを強調している．

20）Kim LS, Joe HB, Park MC et al：Postoperative analgesic effect of ultrasound-guided intermediate cervical plexus block on unipolar sternocleidomastoid release with myectomy in pediatric patients with congenital muscular torticollis. a prospective, randomized controlled trial. Reg Anesth Pain Med 43：634-640, 2018

21）Öksüz G, Bilal B, Gürkan Y et al：Quadratus lumborum block versus transversus abdominis plane block in children undergoing low abdominal surgery. a randomized controlled trial. Reg Anesth Pain Med 42：674-679, 2017

22）Hoorweg AJ, Pasma W, van Wolfswinkel L et al：Incidence of artifacts and deviating values in research data obtained from an anesthesia information management system in children. Anesthesiology 128：293-304, 2018

23）**Ramgolam A, Hall GH, Zhang G et al：Inhalational versus intravenous induction of anesthesia in children with a high risk of perioperative respiratory adverse events. a randomized controlled trial. Anesthesiology 128：1065-1074, 2018**

挿管困難小児患者の挿管方法比較

2012年にPediatric Difficult Intubation（PeDI）登録制度ができ，全米14の小児専門施設が参加している．このデータからビデオ喉頭鏡群と声門上器具に気管支ファイバーを併用する群の2群で比較している[24]．その結果は両群の初回成功率に差がなく，合併症発生率も同様であった．しかし，1歳未満では声門上器具と気管支ファイバーの併用のほうが初回成功率は高かった．最近のビデオ喉頭鏡は乳児でも有用である．Air-Q™に気管支ファイバーを組み合わせる方法も非常に有用である．

24）Burjek NE, Nishisaki A, Fiadjoe JE et al：Videolaryngoscopy versus fiber-optic intubation through a supraglottic airway in children with a difficult airway. an analysis from the multicenter pediatric difficult intubation registry. Anesthesiology 127：432–440, 2017

肺超音波診断

チアノーゼを伴わない5歳以下の心臓手術患者で，麻酔導入直後，手術終了後に肺超音波診断を行い，無気肺があれば超音波エコー下にリクルートメントを行った群と行わなかった対照群とで，術中・術後の低酸素血症と肺合併症の有無について前向き無作為研究を行っている[25]．その結果，介入群のほうが術後の低酸素血症が少なく，人工呼吸の時間も短かったと報告している．肺の超音波画像を浸潤影，Bライン，胸水の程度でスコアをつける評価方法が参考になる．

25）Song IK, Kim EH, Lee JH et al：Utility of perioperative lung ultrasound in pediatric cardiac surgery. a randomized controlled trial. Anesthesiology 128：718–727, 2018

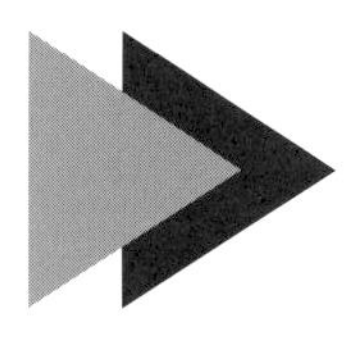

32. 高齢者麻酔

河野 崇（かわの たかし）
高知大学医学部 麻酔科学・集中治療医学講座

最近の動向

- 人口構成の高齢化に伴う高齢手術患者の増加により，高齢者を対象とした論文はさらに増加傾向にある．
- 高齢手術患者の術前評価および介入効果を検討する研究が多く報告されているが，今後，その費用対効果の検討が必要であろう．
- 術後せん妄の 30～40%は予防可能であると考えられており，その介入方法についての一般化の促進が必要と考えられる．
- デクスメデトミジンは，高齢者においても安全な薬剤であり，鎮静効果に加えて抗炎症および術後せん妄の予防効果も期待されている．今後は，最適なデクスメデトミジンの投与量・投与タイミングの確立が期待される．

高齢者の術前評価

人口の高齢化に伴い高齢者が手術を受ける機会が増加している．しかし，高齢は手術後の予後不良の危険因子であることが一貫して報告されている．一方，身体機能の加齢性変化は，社会背景，生活習慣などの諸因子が相互に作用した結果であり，個人差が大きい．したがって，高齢者の手術リスクを適切に評価するシステムの構築が求められている．

フレイルとは，加齢に伴う身体機能，臓器機能の低下などにより心身の脆弱性が出現した状態である．高齢者の生命予後や日常活動性に及ぼす影響が大きく，我が国においてもその予防対策は重要な課題となっている．近年，**高齢手術患者のフレイルは術後早期の死亡率増加や長期の自立性低下に関連することが報告されている**[1, 2]．しかし，フレイルの評価方法は，研究によってまちまちである．フレイルは多側面からの包括的な評価が望まれるが，その方法は確立していない．その中で，Edmonton Frailty Scale によるフレイルの評価は一般内科患者の全死因死亡率と最も相関することが報告されている．さらに，**Edmonton Frailty Scale は 75 歳以上の心臓手術患者における術後 30 日以内**

1） Vermillion SA, Hsu FC, Dorrell RD et al：Modified frailty index predicts postoperative outcomes in older gastrointestinal cancer patients. J Surg Oncol 115：997-1003, 2017
2） Afilalo J, Lauck S, Kim DH et al：Frailty in older adults undergoing aortic valve replacement：the FRAILTY-AVR study. J Am Coll Cardiol 70：689-700, 2017

1884-8516/19/¥100/頁/JCOPY

の死亡率を従来の術前評価よりも正確に予測できることがベルギーで行われた前向き観察研究で示された[3]．我が国では，フレイルの判定は，Friedの基準（体重，活力，握力，歩行速度，活動度）が用いられることが多い．Friedの基準は身体機能の表現型を主軸としているが，Edmonton Frail Scaleは精神・心理的側面や社会的側面も含まれているのが特徴である．具体的には，認知機能，健康状態，手段的日常生活動作，社会的支援，薬剤服用，栄養状態，抑うつ状態，尿失禁，機能的動作が含まれる．超高齢社会に突入している我が国においても，フレイルの術前評価はより不可欠な状況と考えられる．一方，Edmonton Frail Scaleを我が国の高齢者周術期管理に適応するには，さらなる修正や簡便化が望まれるであろう．

3) Amabili P, Wozolek A, Noirot I et al：The edmonton frail scale improves the prediction of 30-day mortality in elderly patients undergoing cardiac surgery：a prospective observational study. J Cardiothorac Vasc Anesth, 2018［Epub ahead of print］

Prehabilitationの有効性

悪性腫瘍患者の高齢化が進行しており，高齢患者の悪性腫瘍手術も増加することが予想されている．高齢患者は手術，化学療法，放射線療法などのがん治療後に，易疲労性や運動能の低下が進行することでQOLが著しく障害されることが知られている．この医原性フレイル状態を予防する手段としてPrehabilitationの有効性が注目されている．Prehabilitationの理論は，もともと整形外科領域から生まれたものであり，術前の運動介入によって手術した四肢運動の術後回復がすみやかになることが示されている．近年，この考え方が周術期分野にも応用され，術後の運動能力維持のみならず，合併症予防や早期回復もその目標となっている．カナダで行われた多施設研究では，Prehabilitationは前立腺全摘術後の運動能力維持に有効性あることが示された[4]．さらに，フランスでの後ろ向きコホート研究で，低侵襲肺葉切除手術後の術後合併症を減らすことが報告されている[5]．一方，通常，Prehabilitationのプログラムは自宅で行われるが，不十分な実施や低順守率により，有効な効果が生じない症例も少なくないという．そこで，8週間の自己Prehabilitationプログラムに週1回のインストラクターの指導下での介入を加えた影響が検討されている[6]．その結果，術後運動能力に有意な変化は生じなかったが，術前に低活動であった患者ではより有効であった．さらに，パーソナライズ化されたPrehabilitationは，高リスク（ASA Physical Status：Ⅲ/Ⅳ）・高齢患者（70歳以上）の予定開腹手術後の術後合併症率を低下し，運動能力を向上することが報告された[7]．**適切な術前介入によって身体機能やADL能力の向上，さらにはフレイルからの脱却も期待される**．洗練された多面的なPrehabilitationプログラムは，高齢者において安全で有効であることは疑いの余地はない．しかし，今後，その費用対効果の検討が重要となるだろう．

4) Santa Mina D, Hilton WJ, Matthew AG et al：Prehabilitation for radical prostatectomy：a multicentre randomized controlled trial. Surg Oncol 27：289-298, 2018
5) Boujibar F, Bonnevie T, Debeaumont D et al：Impact of prehabilitation on morbidity and mortality after pulmonary lobectomy by minimally invasive surgery：a cohort study. J Thorac Dis 10：2240-2248, 2018
6) Bousquet-Dion G, Awasthi R, Loiselle SÈ et al：Evaluation of supervised multimodal prehabilitation programme in cancer patients undergoing colorectal resection：a randomized control trial. Acta Oncol 57：849-859, 2018
7) Barberan-Garcia A, Ubré M, Roca J et al：Personalised prehabilitation in high-risk patients undergoing elective major abdominal surgery：a randomized blinded controlled trial. Ann Surg 267：50-56, 2018

術後せん妄

術後神経認知機能異常（postoperative neurocognitive disorders：PNCD）は高齢患者において頻度の高い術後合併症である．PNCDは，大きく術後せん妄（postoperative delirium：POD）と術後認知機能障害（postoperative cognitive dysfunction：POCD）に分類される．PODは，術後早期に生じる急性・一過性の脳機能障害で，米国精神医学会の基準（Diagnostic and Statistical Manual of Mental Disorders, 5th Edition：DSM-5）により診断される．一方，POCDは術後数ヵ月〜数年に生じる軽度認知機能障害とされるが，DSM-5には記載されておらず，明確な診断基準は存在しない．PNCDは，死亡率や合併症の増加に加え，退院後の日常生活機能および生命予後不良とも関連する．特に，PNCDの早期病態といえるPODに対する対応は重要である．不穏・興奮症状に対応するだけでは不十分であり，高齢者周術期管理の質に直結する課題といえる．PODに関するエビデンスは日々集積されているが，それらをいかに臨床現場に応用するかが問われている．

PODには特異的な治療薬はないため，その予防が重要である．PODは多職種協働介入により30〜40％は予防可能とされる．有効な予防ケアを実施するために，適切なリスクアセスメントが不可欠である．そこで，高齢者に対する予定手術後PODの危険因子を検討した前向き研究を対象としたシステマティックレビュー（計41論文，n = 9,384）およびメタ解析（計37論文，n = 8,557）が行われた[8]．すべての研究を統合したPODの発生率は，18.7％であった．**POD発症と最も強く相関した危険因子は，せん妄の既往（オッズ比（OR）：6.4），フレイル（OR：4.1），認知機能障害（OR：2.7）であった**．フレイルは可逆的な病態，つまり調整可能な危険因子である．したがって，フレイルは高齢予定手術患者のPOD予防のための最適な術前介入の標的として重要といえる．一方，POD発症に対する強い防御因子として，介護者の存在（OR：0.69）が見出された．

8) Watt J, Tricco AC, Talbot-Hamon C et al：Identifying older adults at risk of delirium following elective surgery：a systematic review and meta-analysis. J Gen Intern Med 33：500-509, 2018

PODは術後フレイルの発生とも相関することが，予定人工心肺下心臓手術を受けた連続329症例について検討した研究で報告された[9]．本研究において，PODの発症率は13.4％であり，高齢者でより高率に発症した（平均年齢：POD vs. non-POD，72.8 ± 12.6歳 vs. 67.8 ± 14.7歳）．術後フレイルの発症率は27％であり，POD患者はnon-POD患者と比較して約2倍発症率が高かった（術後フレイルの発症率：POD vs. non-POD，23.8％ vs. 12.0％，p < 0.0001）．また，PODおよび術後フレイルは，術後1年後の主要心血管イベントの増加と関連していた（調整済みハザード比，POD：3.36，術後フレイル：2.21）．

9) Ogawa M, Izawa KP, Satomi-Kobayashi S et al：Impact of delirium on postoperative frailty and long term cardiovascular events after cardiac surgery. PLoS One 12：e0190359, 2017

周術期の炎症反応は，PODの病態に関連すると考えられている．そのため，種々の炎症反応とPOD発症の相関性に関する研究が多くなされてきた．それらの観察研究をメタ解析（54研究）したところ，PODの発症と相関が示された炎症マーカーは，術前CRP（標準平均値差：0.883），術前IL-6（標準平均値差：0.386），術後S-100 β（標準平均値差：0.952），術後IL-8（標準平均値差：0.243）であった[10]．逆に，それ以外の多くの炎症マーカーには有意な相関がなかった．PODを検知するより鋭敏な炎症マーカーの発見が求められる．

手術中の全身麻酔薬の投与法は，POD発症に関連する可能性がある．Processed EEG（BIS，Entropyなど）や脳誘発電位を指標とした全身麻酔は，臨床バイタルを指標とした全身麻酔と比較して，PODの発症が有意に低いことがメタ解析で明らかとなった（相対危険度：0.71）[11]．多くの基礎研究で，高濃度の全身麻酔薬は神経障害性作用を有することが報告されている．**脳波を指標とした麻酔薬投与は，高齢者に対して最適な投与量を提供することが可能になり，PODを予防すると考えられる**．術中脳波モニターの使用は，簡便かつ安全であり，その可能性は，今後もさらに注目されると考えられる．さらに，全人工股関節置換術を受ける65歳以上の患者を無作為に，全身麻酔単独群，区域麻酔＋深鎮静群，および区域麻酔＋浅鎮静群に無作為に振り分け，術後回復が検討された前向き研究では，区域麻酔＋浅鎮静群で有意にPODの発症率が低かった[12]．高齢者のPOD予防には不必要な全身麻酔薬の使用を避けることが有効かもしれない．

高齢者の術後急性腎障害

術後の急性腎障害（acute kidney injury：AKI）は早期および長期予後に関連する重大な合併症であるが，適切に診断されていない現状が報告されている．AKIは診断基準としてこれまでRIFLE（2004年），AKIN（2007年），KDIGO（2012年）が提唱されている．すべてのAKIの中で，術後AKIは約30〜40％を占めるとされる．

現時点においてAKIに対する特異的な治療法は存在しないため，予防が重要と考えられている[13]．術後AKIは特に心臓手術後に発症率が高い（〜40％）ことから，心臓手術後AKIの周術期危険因子に関する研究が多くなされてきた．一方，これらの危険因子の加齢性変化についてはほとんど検討されてこなかった．そこで，心臓手術後AKIの危険因子について，60歳以下群（平均年齢：52 ± 9歳，n = 1,253）と65歳以上群（平均年齢：74 ± 6歳，n = 2,488）で比較検討された[14]．術後AKIは，術後に透析治療が必要となった場合，あるいは術後7日目の血清クレアチニン値が術前値と比較して50％以上増加した場合と定義された．術後AKIの発症率は60歳以下群で18％，65歳以上群では34％であった．**特に，介入により調整することが可能である術前低ヘモグロビン値，利尿薬の使用，術前大動脈内バルーンパンピング，およ**

10) Liu X, Yu Y, Zhu S：Inflammatory markers in postoperative delirium（POD）and cognitive dysfunction（POCD）：a meta-analysis of observational studies. PLoS One 13：e0195659, 2018

11) Punjasawadwong Y, Chau-In W, Laopaiboon M et al：Processed electroencephalogram and evoked potential techniques for amelioration of postoperative delirium and cognitive dysfunction following non-cardiac and non-neurosurgical procedures in adults. Cochrane Database Syst Rev 5：CD011283, 2018

12) Mei B, Zha H, Lu X et al：Peripheral nerve block as a supplement to light or deep general anesthesia in elderly patients receiving total hip arthroplasty：a prospective randomized study. Clin J Pain 33：1053-1059, 2017

13) Meersch M, Schmidt C, Zarbock A：Perioperative acute kidney injury：an under-recognized problem. Anesth Analg 125：1223-1232, 2017

14) Saydy N, Mazine A, Stevens LM et al：Differences and similarities in risk factors for postoperative acute kidney injury between younger and older adults undergoing cardiac surgery. J Thorac Cardiovasc Surg 155：256-265, 2018

び人工心肺時間は，60歳以下群と65歳以上群の両者で共通する危険因子であった．つまり，これまで既知の術後AKIの危険因子を調整することは，年齢にかかわらず術後AKI予防に重要であることが示された．

デクスメデトミジン

デクスメデトミジンは，中枢性α_{2A}アドレナリン受容体作動性鎮静薬である．$GABA_A$受容体を主な作用部位とする他の鎮静薬と比較して，鎮痛作用がある，呼吸抑制が少ない，交感神経を抑制する，炎症反応を抑制する，および認知機能を維持できる，という利点がある．また，副作用も少ないことから高齢者に対しても安全に使用できる．さらに，近年，デクスメデトミジンの使用とPODの発症率，持続時間，および重症度に低下との関連性も報告され注目されている．術後の炎症反応がPODの病態機序に重要であることから，デクスメデトミジンの抗炎症作用が有利に働くと推測されている．一方で，POD抑制効果はないとする研究結果もあり，さらなる検討が必要とされている．特に，**PODを抑制するデクスメデトミジンの投与量および投与タイミングを確立することは重要と考えられる**．そこで，全身麻酔下非心臓腹腔鏡手術患者における術後5日目までのPOD発症率および持続時間，術後1時間と24時間での炎症性サイトカイン（TNF-α，IL-1 β，IL-2，IL-6，IL-8，IL-10），CRP，およびコルチゾールの血漿濃度に対するデクスメデトミジンの効果に及ぼす投与量および投与タイミングの影響が検討された[15]．研究群の振り分けは，デクスメデトミジンの投与方法により，①持続投与群（n = 95）：麻酔導入時1 μg/kg単回投与後，手術終了まで0.2〜0.7 μg/kg/hで持続投与，②単回投与群（n = 114）：手術終了15分前に1 μg/kg単回投与，③対照群（n = 109）：手術終了15分前に溶媒（生理食塩水）単回投与，の3群とした．PODの発症率および持続時間は，対照群（24.8%，2.9日）と比較して，持続投与群（9.5%，2.0日）では両方が，単回投与群（18.4%，2.3日）では持続時間のみが，それぞれ有意に減少した．血漿IL-6濃度は，対照群と比較して，持続投与群では術後1時間値と24時間値の両方が有意に減少した．また，持続投与群の術後24時間での血漿IL-6濃度は，単回投与群と比較しても有意に低かった．単回投与群血漿IL-6濃度は，対照群と比較して，術後1時間値のみが有意に低かった．その他の炎症性サイトカイン，CRP，およびコルチゾールは3群間で有意な差は生じなかった．これらの結果から，デクスメデトミジンのPOD予防効果はその投与方法が重要であること，血漿IL-6濃度上昇の抑制が関与することが明らかとなった．PODの病態機序が明らかになりつつあり，デクスメデトミジンがPOD予防に有効な鎮静薬であることを示す十分なエビデンスが得られることを期待したい．

15) Lee C, Lee CH, Lee G et al：The effect of the timing and dose of dexmedetomidine on postoperative delirium in elderly patients after laparoscopic major non-cardiac surgery：a double blind randomized controlled study. J Clin Anesth 47：27-32, 2018

その他

股関節骨折は高齢者に多く，せん妄，機能障害，および高い死亡率と関連する．また，股関節骨折に伴う痛みは，これらの合併症に影響し，回復を遅らせる．例えば，適切な疼痛管理を受けていない股関節骨折患者は，せん妄の発症率が9倍高いことが報告されている．股関節骨折後の痛みの主体は，炎症によって生じる侵害受容性痛であると考えられる．そこで，**股関節骨折手術後の炎症反応と痛みとの関連性**について，高齢患者（n = 60，平均年齢79歳）を対象として検討された[16)]．その結果，術後炎症性メディエータ（TNF-αおよびTNF-αの可溶性受容体sTNF-RⅡ）は術後3日目の安静時痛と有意に相関していた．特に，TNF-αは歩行時痛とも関連していた．今後，これらの炎症反応を標的とした新規鎮痛薬の開発が待たれる．

全身麻酔手術後の筋弛緩効果の残存は，重篤な呼吸器合併症の原因となる．呼吸予備能の低下した高齢者では特に注意が必要である．スガマデクスは，ロクロニウムを包接することで筋弛緩効果を迅速に回復させることができる薬剤である．**高齢者は，若年者と比較して，スガマデクスの効果発現時間が1分程度遅延する**[17)]．一方，スガマデクスの拮抗効果自体や副作用の発生頻度には年齢間での差はないとされる．スガマデクスを適切に使用することで，高齢者においても残存筋弛緩を減らすことが可能と考えられる．

16) Ko FC, Rubenstein WJ, Lee EJ et al : TNF-α and sTNF-RII are associated with pain following hip fracture surgery in older adults. Pain Med 19 : 169-177, 2018

17) Carron M, Bertoncello F, Ieppariello G : Profile of sugammadex for reversal of neuromuscular blockade in the elderly : current perspectives. Clin Interv Aging 13 : 13-24, 2017

33. 緊急手術の麻酔

山本博俊（やまもと ひろとし）
東京都立多摩総合医療センター 麻酔科

最近の動向

●緊急手術の麻酔という分野はさらにいくつかの小分野に分かれる．産科救急（帝王切開，頸管縫縮，妊婦非産科緊急手術），頭部（脳血管障害，外傷），脊椎（外傷，脊柱管狭窄），心臓大血管（大動脈解離，大動脈瘤破裂，急性弁膜症，心筋梗塞），腹部内臓（穿孔，イレウス，胆石胆のう炎，尿路閉塞），四肢骨盤（骨折，化膿性炎症）などである．今回は頭部の緊急手術に注目してみる．特に抗凝固薬ならびに抗血小板薬との関連において頭部緊急手術を概観する．

トロンボエラストグラフィー（TEG）と予後の予測

近年，血小板機能が頭部外傷によって低下することがわかってきたが，抗血小板薬をもともと服用している人が，頭部外傷で入院した場合に血小板輸血はどのような利益をもたらすのであろうか？　この問いに答えることを目的にHolzmacherらは米国での多施設観察研究で，成人で抗血小板薬を服用して鈍的頭部外傷とCTスキャンで診断された患者を後ろ向きに検討した[1]．主にアスピリンとクロピドグレルを検討する研究デザインであり，抗凝固薬を併用している患者は除外されている．血小板機能を測定する方法としてトロンボエラストグラフィー（thromboelastography：TEG）を使用した．またCTの重症度をMarshallスコア（1〜6．1が軽傷．ミッドラインシフトと脳底槽の見え具合で分類）で記録し，経時的なCT所見の変化を記録した．この基準で入院した全患者を，血小板輸血を受けたか否かで2群に分けた．プライマリアウトカムは2つあり，TEGでの血小板機能が改善したかどうかとMarshallスコアが改善したかどうかである．全体で66人の患者がエントリーされ，そのうち23人が血小板輸血を受けた．

非輸血群（43人）と比べ，血小板輸血群（23人）は重症度が高かった（外傷重症度スコア　ISS：17.4 ± 10.44 vs. 23.4 ± 9.4）．初回CTのMarshallスコアは，非輸血群と比べ，血小板輸血群で高かった（2.1 ± 0.44 vs. 2.4 ± 0.72）．

血小板機能はアラキドン酸系（アスピリン）とアデノシン二リン酸系（クロ

1）Holzmacher JL, Reynolds C, Patel M et al：Platelet transfusion does not improve outcomes in patients with brain injury on antiplatelet therapy. Brain Inj 32：325-330, 2018

1884-8516/19/¥100/頁/JCOPY

ピドグレル）を区別して測定し，血小板輸血群で輸血前と比べフォローアップの採血でアラキドン酸系が統計学的有意に改善した．

CT の Marshall スコアは血小板輸血の前と後で有意に変化しなかった．血小板の非輸血群でも初回 CT とフォローアップ CT でスコアの有意な変化はなかった．著者らの結論は，血小板輸血前後で血小板機能は改善するが，CT の重症度は改善しなかったとした．

一般論として「血小板輸血が頭部外傷の患者に利益をもたらすか？」に答える最善の方法は，二重盲検のランダム化試験（RCT）であることはもちろんであるが，抗血小板薬を内服していた患者が手術をするならば必ず血小板を輸血するというポリシーをもつ病院が多い中で，ランダム化は容易ではない．その現状で上記研究の意義は大きい．ただし解釈にはいくつかの注意が必要で，まず，日本よりも手術治療が少なく，血小板輸血群では 23 人中 6 人，非輸血群では 0 人である．なぜ日本では頭部外傷の手術治療率が高いのか，その解明がないと欧米の研究を日本の医療にあてはめるのが難しい．また，TEG による血小板機能と凝固機能の測定が心臓手術以外の頭部外傷のような局面にも有用であるかも上記研究から簡単には判断できない．

ローテショナルエラストメトリー（ROTEM）と予後予測

同様の血液凝固と血小板機能測定機としてローテショナルエラストメトリー（rotational elastometry：ROTEM）を用いて脳外科緊急手術における測定機の有用性を調べた研究がある．Ellenberger らは，90 分以上の緊急脳外科手術を受ける患者に，通常の凝固検査（PT-INR，フィブリノゲン，PT，PTT，血小板数）と ROTEM による測定（外因性の EXTEM，内因性の INTEM，血小板抑制の FIBTEM，過剰線維素溶解の APTEM）を行いデータ収集ののちに分析する観察研究によって，大量出血患者を術前検査でどのように予測できるかを調べた[2]．この病院では本研究開始の 2 年前から ROTEM の結果に基づいて投与すべき製剤を決めるアルゴリズムを使用しており，血小板と凝固因子の投与は全患者で従来通りに行われた．輸液は一定速度範囲で晶質液を投与し，出血量に対しては 2 倍量の晶質液を加え，ヘモグロビン濃度が 9 g/dL 未満となったら 1〜2 単位の赤血球（日本での 2〜4 単位にあたる）を投与した．

研究期間の 3 年間に脳外科緊急手術を受けた連続する 112 人の患者のうち，小手術を除外した 92 人を分析した．手術時間の中央値は 180 分（25〜75 パーセンタイル：113〜249 分）で，病院死亡率は 27.1％であった．血腫除去の再手術はなく，3 単位（日本の 6 単位）以上の赤血球輸血をした患者（大出血群）が 39 人（43％）であった．手術前の検査では，小出血群（0〜2 単位の赤血球輸血）に比べ，大出血群ではフィブリノゲン低値，PT％低値，INR 高値が有意であった．また EXTEM，INTEM，FIBTEM，APTEM の検査値も大

2) Ellenberger C, Garofano N, Barcelos G et al：Assessment of haemostasis in patients undergoing emergent neurosurgery by rotational elastometry and standard coagulation tests：a prospective observational study. BMC Anesthesiol 17：146, 2017

出血群で有意に止血力低下を示した．ROC 曲線下面積で求めた，大出血群になることの予測力は，高い順にグラスゴー昏睡スケール GCS（面積 0.74），最大血栓硬度（MCF）-EXTEM（0.72），MCF-FIBTEM（0.71），フィブリノゲン（0.70）であった．これらより著者らは，ROTEM が大量出血の予測に役立つと結論している．

重要な所見として，術前の内服薬において抗血小板薬，抗ビタミン K 抗凝固薬，抗トロンビン抗凝固薬の 3 種類とも群間に差がなかったことである．これらの薬剤を内服していることだけでは大出血になることは予測できないということである．

検査室での凝固検査と ROTEM の能力の比較をした興味深い研究である．解釈の注意点としては，赤血球輸血の要否の判断（ヘモグロビン 9 g/dL 未満）は，止血凝固系の輸血の要否と別に行われていることが前提となっているが，もしも輸血判断者が「凝固系の検査値がこんなに異常なのだから出血が多くなり赤血球輸血が必要になるはず」という無意識の行動原理をもつ可能性があると，予測力の測定は意義が少なくなってしまうことである．

この研究はスイスで行われているが，92 人の手術の内容が減圧開頭，硬膜下血腫，くも膜下出血，硬膜下血腫合併くも膜下出血の 4 種類であり，日本の手術室でしばしば行われる脳内出血（脳実質内出血）の血腫除去がないことが不思議であるが，本論文からは理由は読み取れなかった．

多電極凝固測定（MEA）と予後予測

血小板機能の測定法に上記の TEG，ROTEM の他に多電極凝固測定（multiple electrode aggregometry：MEA）というものがある．血液サンプルの中に複数の電極を入れ，血小板が電極に着くことで電気抵抗が増し，一定時間の抵抗変化の曲線の下の面積を数値として示す測定法である．Lindblad らは神経 ICU（NICU）に入院した頭部外傷の患者で MEA を測定し，これらの患者での MEA の経時的変化と，MEA による予後の予測ができるかを検討した[3]．研究期間の 2010〜2014 年の間に 387 人の頭部外傷患者が入院し，そのうち 178 人で MEA の測定を行った．血小板の活性化はアラキドン酸系，ADP 系，トロンビン受容体系の 3 つのルートで生じるため，3 系統の測定を行ったところ相関が強かったため，そのうちのアラキドン酸系を基本的な測定値として分析した．CT スキャンはフォローアップによって画像所見の増悪があるかどうかを記録した．長期予後はグラスゴーアウトカムスケール（GOS）を使用して，外傷の 12ヵ月後に評価した（1 = 死亡，2 = 植物状態，3 = 高度依存，4 = 中等度自立，5 = 完全回復）．

結果として，入院時のグラスゴー昏睡スケール（GCS）は 3〜15 の範囲で，中央値が 7 であった．入院前から 24％の患者がアスピリンを内服していた．

3) Lindblad C, Thelin EP, Nekludov M et al：Assessment of platelet function in traumatic brain injury-a retrospective observational study in the neuro-critical care setting. Front Neurol 9：15, 2018

入院時のMEAのアラキドン酸系数値は，アスピリンを服用していた患者のほうが低かった．ただし服用していなかった患者の中央値も正常範囲よりも低かった．

アラキドン酸系数値の経時変化は入院時の値が最も低く，時間が経つにつれて上昇し正常化した．CT画像の経時的増悪と入院時のMEA数値との統計学的有意な関連はなかった．

長期予後は，GOS 1～3が合計85人（48%），GOS 4～5が93人（52%）であった．しかし，入院時のMEA数値での予測は有意ではなかった．結論として経時的な数値変化があったことから，頭部外傷の回復過程の解明につながる可能性があり，MEA数値を用いた前向き研究を行うことが正当化できるという．

一般に，新しい測定法が現れた際にその有用性を証明することは大変な労力を要する．なるべく多施設で協力するか学会主導で証明を行うなど効率的な評価をしてゆくべきと考える．

アスピリンは頭部外傷手術に不利益なのか？

「アスピリンの内服をしている人が頭部外傷の手術を受けると不利益があるのか？」という問いにシンプルに答えている論文も存在する．Leeらは2008～2012年の4年間に彼らの施設で頭部外傷による頭蓋内出血のために緊急脳外科手術を受けた患者すべてを後方視的に検討し，術前のアスピリン服用が予後に悪影響を与えるかを調べた[4]．全件で871人の外傷性（硬膜下血腫，硬膜外血腫，脳内出血）脳外科緊急手術が行われ，そこから65歳未満を除外し，他の抗血小板薬と抗凝固薬（クロピドグレル，ワルファリン，低分子ヘパリン，非ビタミンK抗凝固薬）内服者を除外し，頭部以外の外傷手術を要した患者を除外し，同入院再手術を除外したところ171人が抽出された．この中でアスピリンを服用していた87人をアスピリン群とし，残り84人をコントロール群とした．両群間の基本情報で差があったのはGCS（アスピリン群13 ± 3 vs. コントロール群11 ± 4）と冠動脈疾患（17% vs. 7%）のみであった．評価項目のすべてでアスピリン群とコントロール群には差がなかった（項目：術中出血500 mL以上，術後再出血，入院期間，ICU滞在期間，病院内死亡，術中赤血球輸血350mL以上，FFP投与）．術前あるいは術中の血小板輸血は次の分析の因果関係の原因側に使用するため別に扱う．次にアスピリン群の中を二群に分ける．術前から術中に血小板輸血を受けた38人を血小板群，残りの49人を非血小板群として上記と同じ項目で比較したところ差がなかった．

結論として，頭部外傷の緊急脳外科手術でもともとアスピリンの内服は不利益を生じず，またアスピリン内服者に血小板輸血をしても利益はないということになる．かなり説得力のある研究である．血小板輸血の有効性については，

4) Lee AT, Gagnidze A, Pan SR et al：Preoperative low-dose aspirin exposure and outcomes after emergency neurosurgery for traumatic intracranial hemorrhage in elderly patients. Anesth Analg 125：514–520, 2017

さらにこの結果をもとに前向きのRCTもできそうである．評価者と脳外科医への盲検化はできそうだが，麻酔科医の盲検化は難しい．上記の後方視研究と同様な結論が複数になればRCTは要らない可能性もある．今後の展開に期待する．

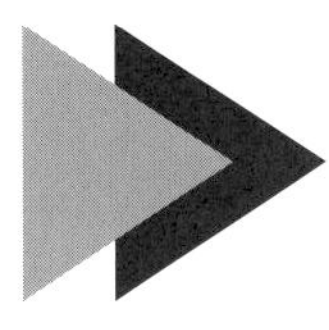

34. 産科麻酔

角倉弘行（すみくら ひろゆき）
順天堂大学医学部 麻酔科学・ペインクリニック講座

最近の動向

- 英国からの報告では妊産婦の心停止の原因の4分の1は麻酔が原因である．幸いすべての症例が救命されているが，妊産婦の麻酔管理（帝王切開の麻酔および無痛分娩）には十分な注意が必要である．
- 帝王切開のための脊髄くも膜下麻酔に伴う低血圧に対しては昇圧薬の予防投与が強く推奨されている．一方で，術前輸液負荷や子宮左方転位の意義が再検討されている．
- 帝王切開中の低体温に対して関心が集まりつつある．積極的な加温などの予防法が検討されている．
- 帝王切開のための全身麻酔の導入薬の世代交代が進みつつある．プロポフォール，ロクロニウム，レミフェンタニルなどの有用性が検討されている．
- 無痛分娩が分娩様式に与える影響について，分娩時の状況を細分化して検討した研究結果が報告され，誘発分娩では帝王切開の割合が増えることが示された．

産科麻酔の安全性

英国のBeckettらは，2011年7月～2014年6月までの3年間に英国内の分娩施設で発生した妊産婦の心停止症例を検証して報告した[1]．それによると対象期間中の妊産婦の心停止の総数は66例で10万分娩あたり2.78件であったが，そのうちの16例（24％）は麻酔が直接の原因であった．幸いなことに全員が救命されていたが，それは分娩の集約化が進んだ英国の分娩施設内でのイベントであったから可能だったと思われる．我が国では小規模な分娩施設での無痛分娩が普及しつつあるが，安全性を担保するための十分な対策が必要である．最近，米国から発表された産科麻酔の安全性に関する総論では，**産科麻酔科医の役割は単に分娩時の痛みをとるだけでなく，周産期の母児の安全を担保することであると**強調されている[2]．このような考え方がコンセンサスとなれば産科麻酔を提供することの利益は不利益よりもはるかに大きいものとなるはずである．我が国でも妊産婦に麻酔を提供することが患者の不利益とならないように麻酔科医の貢献が期待される．

1) Beckett VA, Knight M, Sharpe P et al：The CAPS Study：incidence, management and outcomes of cardiac arrest in pregnancy in the UK：a prospective, descriptive study. BJOG 124：1374-1381, 2017

2) Lim G, Facco FL, Nathan N et al：A review of the impact of obstetric anesthesia on maternal and neonatal outcomes. Anesthesiology 129：192-215, 2018

1884-8516/19/¥100/頁/JCOPY

帝王切開術中の低血圧

帝王切開のための脊髄くも膜下麻酔後の低血圧の管理に関して，世界各国の10人のエキスパートからなるグループが合意声明を発表した[3]．この声明は10の推奨からなるが，最も強調されているのは昇圧薬を予防的に使用することの重要性である．そして昇圧薬の使用に加え，子宮の左方転位と膠質液のプレロードあるいは晶質液のコロードが推奨されている．この声明に対してどのように対応すべきかは意見が分かれるであろうが，帝王切開のための脊髄くも膜下麻酔後の低血圧に関する現状が包括的に解説されているので一読をお勧めする．

帝王切開のための脊髄くも膜下麻酔後の低血圧に対する昇圧薬として，上記の合意声明ではフェニレフリンが強く推奨されているが，ノルアドレナリンやオンダンセトロンの有用性も研究されている．昨年のレビューではOnwocheiらによる低血圧予防のためのノルアドレナリンの必要量を調べた論文を紹介したが[4]，その後，この研究では新生児のアシデミア（pH < 7.2）の割合が高いことがletter to the editorで指摘された[5]．最近，Karacaerらはオンダンセトロンの予防投与により低血圧の治療に要するノルアドレナリンの必要量が減少することを示したが[6]，この研究で注目すべきは麻酔導入から児娩出までの時間が非常に短いことである．前述したOnwocheiら研究では麻酔導入から児娩出までの時間が非常に長く，それが新生児のアシデミアの一因となっていたのかもしれない．このような観点から本稿の著者は，**研究を目的に麻酔導入から児を娩出するまでの時間を長引かせることは慎むべきである**とのeditorialを投稿して注意を喚起した[7]．

低血圧予防のための子宮左方転位に関しても興味深い研究結果が報告された．Leeらは，子宮左方転位を行った群と行わなかった群で，新生児の臍帯動脈血のbase excessを比較し，十分な輸液負荷と昇圧薬の使用により母体の血圧が保たれている限り新生児の状態に有意差を認めないことを報告した[8]．子宮左方転位の是非に関しては，同じ著者らが総説も発表している[9]．

帝王切開中の低体温

帝王切開中の低血圧に比べると低体温はこれまで十分な関心が払われてこなかったが，いくつかの興味深い論文が発表された．Desgrangesらは帝王切開を受ける患者の体温を計測し，低体温の予測因子を多変量解析で調べ，肥満，促進剤の使用，強制的な加温は低体温のリスクを軽減するが，術前の低体温や過剰輸液が低体温のリスクを上昇させることを報告した[10]．一方，Mundayらは，脊髄くも膜下麻酔による帝王切開の術前に体幹に加温を施した群とコントロール群で手術中から手術後までの中枢温を比較したが，20分間の加温に

3) Kinsella SM, Carvalho B, Dyer RA et al：International consensus statement on the management of hypotension with vasopressors during caesarean section under spinal anaesthesia. Anaesthesia 73：71-92, 2018

4) Onwochei DN, Ngan Kee WD, Fung L et al：Norepinephrine intermittent intravenous boluses to prevent hypotension during spinal anesthesia for cesarean delivery：a sequential allocation dose-finding study. Anesth Analg 125：212-218, 2017

5) Cooper DW：Bolus norepinephrine administration and fetal acidosis at cesarean delivery under spinal anesthesia. Anesth Analg 126：1087, 2018

6) Karacaer F, Biricik E, Ünal İ et al：Does prophylactic ondansetron reduce norepinephrine consumption in patients undergoing cesarean section with spinal anesthesia?. J Anesth 32：90-97, 2018

7) Sumikura H：Do fetuses need vasopressors just before their birth?. J Anesth 32：481-482, 2018

8) Lee AJ, Landau R, Mattingly JL et al：Left lateral table tilt for elective cesarean delivery under spinal anesthesia has no effect on neonatal acid-base status：a randomized controlled trial. Anesthesiology 127：241-249, 2017

9) Lee AJ, Landau R：Aortocaval compression syndrome：time to revisit certain dogmas. Anesth Analg 125：1975-1985, 2017

10) Desgranges FP, Bapteste L, Riffard C et al：Predictive factors of maternal hypothermia during cesarean delivery：a prospective cohort study. Can J Anaesth 64：919-927, 2017

より体温の低下は防げなかったことを報告した[11]．**帝王切開術前後の母体の低体温は，母体だけでなく胎児にも影響を与えるので低体温の予防策のさらなる研究が必要である**[12]．

全身麻酔の導入

帝王切開のための全身麻酔の導入に使用する薬剤も変わりつつある．英国のアンケート調査では，回答者の67％が鎮静薬としてチオペンタールを使用していると答えたが，82％がプロポフォールに変更することを支持した．また回答者の92％が筋弛緩薬としてスキサメトニウムを使用していると答えたが，52％がロクロニウムに変更することを支持した[13]．また台湾のHuらは，全身麻酔による帝王切開を受ける患者にプロポフォールとレミフェンタニルを用いて導入して，麻酔導入から娩出までの時間が短い群と長い群で新生児のApgar scoreに有意差を認めなかったと報告した[14]．一方，Kosinovaらは帝王切開のための全身麻酔の導入にスキサメトニウムを用いた群とロクロニウムを用いた群を比較し，Apgar scoreの1分値がロクロニウム群で有意に低いことを報告した[15]．全身麻酔の安全な導入法のさらなる検討が望まれる．

帝王切開の術後鎮痛

帝王切開術後鎮痛の方法としてくも膜下モルヒネは有効な方法であるが，遷延性呼吸抑制が懸念される．Ladhaらは帝王切開の術後鎮痛の目的でモルヒネ150 μgを投与された患者を対象に低酸素血症の発生頻度を調べた[16]．その結果，軽度の低酸素血症の発生頻度は23％，重度の低酸素血症の発生頻度は4％であった．また低酸素血症の発症時刻はくも膜下モルヒネ投与後4〜8時間の間が多く，危険因子として肥満および睡眠時無呼吸症候群が挙げられた．帝王切開の標準的な麻酔法としてsingle shot spinalを採用している施設では注意が必要である．一方，Altenauらは脊髄くも膜下麻酔（くも膜下モルヒネを含む）で管理した帝王切開の術後にアセトアミノフェン（1,000 mg）を8時間ごとに6回投与した群とコントロール群で，術後鎮痛に使用される麻薬の量を比較し，アセトアミノフェン使用群で有意に低いことを示した[17]．**帝王切開の術後鎮痛にはmultimodal analgesiaを検討すべきである．**

妊娠高血圧腎症の麻酔管理

妊娠高血圧腎症の妊婦の帝王切開の麻酔管理に関してもさまざまな研究がなされている．Dyerらは帝王切開術を受ける妊娠高血圧腎症の妊婦に対して，昇圧薬としてフェニレフリンを使用した場合とエフェドリンを使用した場合で臍帯血pHに有意差を認めなかったことを報告している[18]．またMazdaらは，妊娠高血圧腎症の患者の帝王切開の際の輸液製剤として膠質液を使用した場合

11) Munday J, Osborne S, Yates P et al：Preoperative warming versus no preoperative warming for maintenance of normothermia in women receiving intrathecal morphine for cesarean delivery：a single-blinded, randomized controlled trial. Anesth Analg 126：183-189, 2018
12) Allen TK, Habib AS：Inadvertent perioperative hypothermia induced by spinal anesthesia for cesarean delivery might be more significant than we think：are we doing enough to warm our parturients?. Anesth Analg 126：7-9, 2018
13) Desai N, Wicker J, Sajayan A et al：A survey of practice of rapid sequence induction for caesarean section in England. Int J Obstet Anesth 36：3-10, 2018
14) Hu L, Pan J, Zhang S et al：Propofol in combination with remifentanil for cesarean section：placental transfer and effect on mothers and newborns at different induction to delivery intervals. Taiwan J Obstet Gynecol 56：521-526, 2017
15) Kosinova M, Stourac P, Adamus M et al：Rocuronium versus suxamethonium for rapid sequence induction of general anaesthesia for caesarean section：influence on neonatal outcomes. Int J Obstet Anesth 32：4-10, 2017
16) Ladha KS, Kato R, Tsen LC et al：A prospective study of post-cesarean delivery hypoxia after spinal anesthesia with intrathecal morphine 150 μg. Int J Obstet Anesth 32：48-53, 2017
17) Altenau B, Crisp CC, Devaiah CG et al：Randomized controlled trial of intravenous acetaminophen for postcesarean delivery pain control. Am J Obstet Gynecol 217：362.e1-362.e6, 2017
18) Dyer RA, Emmanuel A, Adams SC et al：A randomised comparison of bolus phenylephrine and ephedrine for the management of spinal hypotension in patients with severe preeclampsia and fetal compromise. Int J Obstet Anesth 33：23-31, 2018

でも腎機能障害は顕在化しないことを後方視的コホート研究で報告した[19]．妊娠高血圧腎症の病態の解明とそれに応じた麻酔管理のさらなる検証が必要である．

産褥出血

産褥出血はさまざまな原因で起こりうるが，早期から適切に対応することにより産褥出血の死亡を避けることが可能である．そのためには産褥出血の予測因子を知ることは重要である．Butwickらは，陣痛発来前に帝王切開が必要になった患者群と，分娩経過中に帝王切開が必要となった患者群において，産褥大量出血の予測因子をロジスティック回帰モデルを用いて調べた[20]．その結果，全身麻酔と多胎がリスクファクターとして示された．全身麻酔に関しては麻酔法の選択自体がバイアスとなっている可能性が否定できないが，可能であれば全身麻酔を避けるべきであろう．また多胎の帝王切開では出血のリスクが高いことを認識して麻酔計画を立案すべきである．

一方，Tranらは陣痛促進剤（オキシトシン）を投与されて経腟分娩中の産婦で帝王切開が必要となった場合に，陣痛促進剤の投与を中止してから帝王切開開始までの時間と出血量の相関を後方視的に調べた[21]．その結果，陣痛促進剤の投与を中止してから帝王切開開始までの時間が長いほど，出血量が減少することが示された．**促進剤を投与中の産婦で帝王切開が決定された場合には即座に促進剤投与を中止すべきである．**また直前まで促進剤が投与されていた場合には，児娩出後の積極的な収縮薬の投与が必要である．

無痛分娩の方法

硬膜外麻酔による無痛分娩が分娩様式（自然分娩，器械分娩，帝王切開）に与える影響についてはこれまでに多くの研究がなされてきた．しかし分娩様式は分娩時の状況（妊娠週数，初産婦か経産婦か，自然陣発後の分娩か誘発分娩か，頭位か非頭位かなど）によって大きく影響される．そこでスロベニアのグループは分娩時の状況により細分化した10のグループごとに，硬膜外麻酔による無痛分娩が分娩様式（自然分娩，器械分娩，帝王切開）に与える影響を後方視的に調べた[22]．その結果，硬膜外麻酔による無痛分娩を受けた初産婦（頭位かつ満期）での帝王切開率は，自然陣発後のグループでは13.3%であったが，誘発分娩のグループでは22.3%であった．**初産婦が無痛分娩のために誘発分娩を選択するのは，不要な帝王切開を避けるためには賢明な選択ではないかもしれない．**

無痛分娩の方法としては，硬膜外麻酔が標準的な方法として広く普及している．CSEAによる無痛分娩では迅速で確実な効果が得られることから鎮痛の質に関する産婦の満足度は向上するが，遷延一過性徐脈の発生頻度が増加する

19) Mazda Y, Tanaka M, Terui K et al：Postoperative renal function in parturients with severe preeclampsia who underwent cesarean delivery：a retrospective observational study. J Anesth 32：447-451, 2018

20) Butwick AJ, Ramachandran B, Hegde P et al：Risk factors for severe postpartum hemorrhage after cesarean delivery：case-control studies. Anesth Analg 125：523-532, 2017

21) Tran G, Kanczuk M, Balki M：The association between the time from oxytocin cessation during labour to Cesarean delivery and postpartum blood loss：a retrospective cohort study. Can J Anaesth 64：820-827, 2017

22) Lucovnik M, Blajic I, Verdenik I et a：Impact of epidural analgesia on cesarean and operative vaginal delivery rates classified by the Ten Groups Classification System. Int J Obstet Anesth 34：37-41, 2018

ことが欠点である．最近，CSEA 針を用いてくも膜を穿破して，あえてくも膜下腔には薬剤を投与せず，硬膜外腔に投与した薬剤がくも膜下腔に移行することにより鎮痛の質を改善させる方法（dural puncture epidural：DPE）の有用性が検討されている．Wilson らは前向き研究で DPE 群と LE（通常の硬膜外麻酔）群で比較し，10 分以内に十分な鎮痛が得られる産婦の割合に有意差は認めなかったが，満足の得られる鎮痛が得られるまでの時間は DPE 群で有意に短かったことを報告した[23]．また遷延一過性徐脈などの副作用の発生率に関しては両群間に有意差を認めなかった．今後は，副作用の発生率に関して CSEA とのさらなる比較が望まれる．

23) Wilson SH, Wolf BJ, Bingham K et al：Labor analgesia onset with dural puncture epidural versus traditional epidural using a 26-gauge whitacre needle and 0.125% bupivacaine bolus：a randomized clinical trial. Anesth Analg 126：545-551, 2018

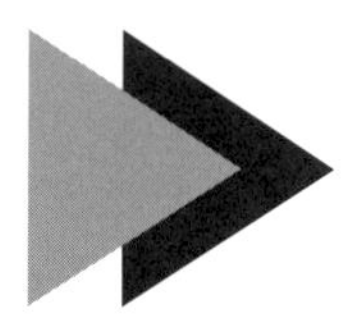

35. 産科危機的出血への対応ガイドライン

照井克生(てるい かつお)
埼玉医科大学総合医療センター 産科麻酔科

最近の動向

- 日本での出血による母体死亡が減少しており，「産科危機的出血への対応ガイドライン 2010」および「産科危機的出血への対応指針 2017」が貢献している可能性がある.
- 「産科危機的出血への対応指針 2017」フローチャート内のショックインデックスやフィブリノゲン濃度のカットオフ値については，適切であることを示す研究が発表され続けている.
- フィブリノゲン簡易測定器や thromboelastography（TEG）/ rotational thromboelastometry（ROTEM）などの Point-of-Care Testing の使用が普及すれば，産後出血や急変患者の転帰を改善できる可能性がある.

「産科危機的出血への対応指針 2017」およびガイドライン 2010 の効果

2010 年に産科関係学会・団体と日本輸血・細胞治療学会，日本麻酔科学会が合同で「産科危機的出血への対応ガイドライン」を作成した．それを 2017 年に改訂された本指針は，2010 年版と同様に「産科危機的出血への対応フローチャート」[1] が中心をなす.

2010 年の産科危機的出血への対応ガイドライン発表後，本フローチャートは産科施設に浸透し掲示されている．筆者が 2012 年に行った全国の産科施設を対象に行った調査では，本ガイドラインの存在を知らなかったのは周産期センター以外の施設で 5.5%，地域周産期母子医療センターで 1.4%にすぎず，総合周産期母子医療センターでは 100%がガイドラインの存在を知っていた．院内にフローチャートを掲示しているのは周産期センター以外の施設，地域周産期センター，総合周産期センターでそれぞれ，49%，78%，84%に及んだ．「常に」もしくは「原則として」ガイドラインに則り診療している施設はそれぞれ，86%，95%，98%であった[2].

妊産婦死亡症例検討評価委員会での母体死亡例の分析からは，母体死亡に占める産科危機的出血の割合は，2010 年には 3 割近かったが，近年は 2 割を

1）産科危機的出血への対応指針 2017. http://www.anesth.or.jp/guide/pdf/guideline_Sanka_kiki-p.pdf（2019 年 4 月 4 日閲覧）

2）平成 24 年度厚生労働科学研究費補助金（成育疾患克服等次世代育成基盤研究事業）分担研究報告書．分娩取り扱い施設における産科危機的出血への輸血対応に関する調査（主任研究者池田智明，分担研究者照井克生）

1884-8516/19/¥100/頁/JCOPY

切っている．同委員会によれば，「母体安全の提言の発刊，その啓発活動，診療ガイドラインに沿った診療の励行，母体急変シミュレーションコースの普及などの効果である可能性は高い」と評価されている[3]．日本母体救命システム普及協議会（J-CIMELS）によるベーシックコースでは，京都プロトコルに基づきショックインデックス1.0および1.5での段階的対応を指導しており，本指針と整合性を保ち，ともに母体救命に貢献しているものと考えられる．

3）母体安全への提言2017 Vol.8 http：//www.jaog.or.jp/wp/wp-content/uploads/2018/09/botai_2017.pdf（2019年4月4日閲覧）

産科出血におけるショックインデックスの有用性

ショックインデックスは，心拍数を収縮期血圧で除したシンプルな値であるが，その有用性を示す研究が続いている．アフリカからの報告に続き，米国の高次医療機関においても，産後出血の発見と治療にはショックインデックスが他の血行動態パラメータよりも有用であった[4]．本研究によれば，産後出血患者41人と対照とを比較し，ショックインデックス≧1.143とショックインデックス≧1.412はそれぞれ初期対応と危機的段階の閾値であった[4]．本ガイドラインでショックインデックスを採用し，その閾値も適切だったことに，ガイドライン執筆者の先見の明を感じる．

4）Kohn JR, Dildy GA, Eppes CS：Shock index and delta-shock index are superior to existing maternal early warning criteria to identify postpartum hemorrhage and need for intervention. J Matern Fetal Neonatal Med. 2018［Epub ahead of print］

ショックインデックス1.0以上で分娩時異常出血への対応開始

産科危機的出血への対応フローチャートでは，分娩後にショックインデックス1.0以上で「分娩時異常出血」として，血管確保や輸血準備，晶質液から人工膠質液輸液，Hb測定と凝固検査採血を推奨する．出血原因の検索と除去をしながら，弛緩出血では子宮腔内バルーンタンポナーデ（Bakliバルーンなど）で出血量を減らし，トラネキサム酸2～4 gを予防投与する．

ショック治療時の制限輸液は，外傷領域でエビデンスが蓄積しつつあるが，産科出血における輸液量が希釈性凝固障害に及ぼす影響がオランダから報告された．8単位以上の赤血球製剤輸血を受けた全国1,038例の重症産後出血例で，輸液量が2 L未満だった群と比較して，輸液量が3.5 Lを超えていた群では，フィブリノゲン値が390 mg/dLから160 mg/dLに低下していた[5]．著者らはこの結果を産科出血でも制限輸液を支持する最良のエビデンスだとしているが，希釈性凝固障害による死亡などの重要なアウトカムを検討していない．外傷で制限輸液が有用なのは，救急搬送が平均20分と，短時間で輸血や止血手術まで到達することができる海外での結果である．産褥出血に対して産科一次施設から高次施設まで搬送する間に，輸血準備がなく，輸液も制限すれば，末梢循環不全でアシドーシスとなるだろう．出血性ショック治療の原則を忘れてはならない．

5）Gillissen A, van den Akker T, Caram-Deelder C et al：Association between fluid management and dilutional coagulopathy in severe postpartum haemorrhage：a nationwide retrospective cohort study. BMC Pregnancy Childbirth 18：398, 2018

子宮内バルーンタンポナーデについては，それをルーチンに使用する施設群と，使用しない施設群とを比較したフランスの研究において，動脈結紮や塞栓術，子宮摘出術などの外科的介入の頻度が前者は0.30%，後者は0.51%と，ルーチン使用施設群で有意に減少していた[6]．バルーンタンポナーデは帝王切開でも経腟分娩でも有用であった．

産後出血におけるトラネキサム酸早期投与が母体死亡を減らすことは，WOMAN trialで証明された．これは21ヵ国2万人以上を対象としたRCTであり，トラネキサム酸1 g静注により母体死亡が1.9%から1.5%に減少した[7]．帝王切開でのトラネキサム酸投与により，産後出血が減少するとのシステマティックレビューも18のRCTを対象にアップデートされ，出血量も輸血頻度も有意に減少していた[8]．

ショックインデックス≧1.5やフィブリノゲン≦150 mg/dL単独で「産科危機的出血」を宣言

同フローチャートでは，①出血持続とバイタルサイン異常（乏尿，末梢循環不全），②ショックインデックス1.5以上，③産科DICスコア8点以上のいずれかがあれば，「産科危機的出血」を宣言し，ただちに輸血を開始し，高次施設への搬送を推奨している．産科DICスコアを計算しなくても，フィブリノゲン濃度が150 mg/dL以下であれば指針は「産科危機的出血」とする．

産科出血では，特に早剥や羊水塞栓などで羊水中や胎盤に豊富に含まれる組織トロンボプラスチンが母体血中に流入し，消費性凝固障害を急激にきたすとされる．消費性凝固障害の早期発見には，臨床的出血傾向と並んで，フィブリノゲン濃度測定が有用と考えられる．フィブリノゲンの止血可能最低レベルは，正常値の40%（非妊婦では100 mg/dL）であり，他の凝固因子の止血可能最低レベルである正常値の20%よりも高い．すなわち，最も早く枯渇して出血傾向をきたす凝固因子がフィブリノゲンである．妊娠中のフィブリノゲン正常値は，非妊時の223 ± 12 mg/dLから，妊娠末期には473 ± 27 mg/dLまで上昇している．それが150 mg/dLまで著しく低下していれば，「産科危機的出血」を宣言する．

フィブリノゲン値150 mg/dLの根拠については，産後出血の凝固検査を追跡したオランダ全国コホート研究で示された．重症産後出血の1,312人の中で，手術介入や母体合併症・死亡となった群における1.5～2 L出血時点のフィブリノゲン中央値が150 mg/dLだったのに対して，悪い転帰をとらなかった群では270 mg/dLだった[9]．

大量輸血プロトコル（massive transfusion protocol）は産科出血に有用か？

改訂指針では，コマンダーが危機的産科出血を宣言し，一次施設であれば高

6) Revert M, Rozenberg P, Cottenet J et al：Intrauterine balloon tamponade for severe postpartum hemorrhage. Obstet Gynecol 131：143-149, 2018

7) WOMAN Trial Collaborators：Effect of early tranexamic acid administration on mortality, hysterectomy, and other morbidities in women with post-partum haemorrhage（WOMAN）：an international, randomised, double-blind, placebo-controlled trial. Lancet 389：2105-2116, 2017

8) Franchini M, Mengoli C, Cruciani M et al：Safety and efficacy of tranexamic acid for prevention of obstetric haemorrhage：an updated systematic review and meta-analysis. Blood Transfus 16：329-337, 2018

9) Gillissen A, van den Akker T, Caram-Deelder C et al：Coagulation parameters during the course of severe postpartum hemorrhage：a nationwide retrospective cohort study. Blood Adv 22：2433-2442, 2018

次施設への搬送を，高次施設であれば人員を集めて輸血部へ連絡し，ただちに輸血を開始する．輸血部への血液製剤発注は，大量輸血プロトコル（MTP）に則って決められた比率で行うことで，円滑な輸血開始と凝固因子補充が期待できる．指針では，赤血球製剤と FFP を 1：1 に近い比率で投与することを推奨している．

RBC：FFP 比を 1 とする MTP を採用したイスラエルの複数の高次施設からの報告では，MTP 採用前後で RBC：FFP 輸血比率が 1 だった例は約半数にとどまり，増えていなかった．しかし輸血量が多くなるにつれてその比率は 1 に近づいた[10]．また，カナダからの報告では産科出血での MTP 発令は 0.09% と極めて稀であり，体温をモニターしないプロトコル逸脱が 24% に認められる[11] など，稀な産科出血での MTP の課題が浮き彫りになった．

10) Weiniger CF, Yakirevich-Amir N, Sela HY et al：Retrospective study to investigate fresh frozen plasma and packed cell ratios when administered for women with postpartum hemorrhage, before and after introduction of a massive transfusion protocol. Int J Obstet Anesth 36：34-41, 2018
11) Margarido C, Ferns J, Chin V et al：Massive hemorrhage protocol activation in obstetrics：a 5-year quality performance review. Int J Obstet Anesth, 2018 [Epub ahead of print]

凝固因子補充にはフィブリノゲン濃縮製剤を優先

改訂指針によれば，RBC：FFP を 1：1 で大量輸血しても出血が持続する場合に，抗 DIC 製剤，血小板濃厚液，院内作製クリオプレシピテート，フィブリノゲン濃縮製剤の投与も考慮する．クリオプレシピテートとフィブリノゲン濃縮製剤はともに，「保険適用なし，IC 必要」と但し書きがあるが，輸血・細胞治療学会と日本産科婦人科学会は，フィブリノゲン濃縮製剤の産科出血への適応拡大を申請中である．

産科出血におけるフィブリノゲンについての総説[12] によれば，フィブリノゲン濃縮製剤は重度低フィブリノゲン血症を急速に是正するのに有効であり，FFP 必要量を減らすことで血液量過多や肺水腫を減らす[13] 効果が期待できる．フィブリノゲン目標値は 200 mg/dL としている[12]．

12) Matsunaga S, Takai Y, Seki H：Fibrinogen for the management of critical obstetric hemorrhage. J Obstet Gynaecol Res 45：13-21, 2019
13) Matsunaga S, Takai Y, Nakamura E et al：The clinical efficacy of fibrinogen concentrate in massive obstetric haemorrhage with hypofibrinogenaemia. Sci Rep 7：46749, 2017

抗 DIC 製剤については，プロテアーゼ阻害薬（フサン®など）を用いる施設も多いと思うが，エビデンスの高い文献は見当たらない．ウリナスタチンは出血性ショックでの適応が添付文書上あり，動物での利点を示す研究も存在するものの，臨床での有用性を示唆する研究は見当たらない．

ノボセブン®，リコモジュリン®，アンチトロンビンの現在

遺伝子組み換え活性型第Ⅶ因子製剤（ノボセブン®）は，日本のレジストリー研究では 69 例中死亡 4 例，血栓性合併症 4 件と重症例での有用性が示唆されたため，ガイドライン改訂時のパブリックコメントでもノボセブン R® を記載するよう意見が出された．しかし羊水塞栓症でのノボセブン®投与例での転帰が悪化したり，肺塞栓症例が報告されたりするなど，不利益が報告されるなか，有用性を示すエビデンス示す新たな研究は見当たらない．

トロンボモジュリン（リコモジュリン®）の産科出血におけるエビデンス

は，日本に限定されている．後ろ向きコホート研究での有用性や，市販後調査117例での有用性（72.3%）と出血合併症（5.1%）[14] が報告されているが，新たな文献はなく，使用が広がっている印象もない．

アンチトロンビンⅢ製剤は，産科DICやHELLP症候群などでAT Ⅲが低下している状況で好んで投与されるものの，エビデンスは見当たらない．筆者自身は，低下している異常値をAT Ⅲ製剤投与により正常に戻すのは問題なさそうだが優先順位は低いと考えている．

第XIII因子は，トロンビンにより活性化されてXIIIaとなり，単量体のフィブリンを多量体に変える（フィブリン重合）．さらにフィブリン溶解反応から血栓溶解を防ぐ凝血塊を強固にする作用があり，血栓溶解を防ぐ（線溶阻害機能）．欧州麻酔科学会の周術期輸血ガイドライン（2013）では，フィブリノゲン濃度が正常でも出血傾向を認める場合に，XIII因子の低下が疑われるとして，XIII因子濃縮製剤の投与を示唆している[15]．産科出血においても，分娩前のXIII因子レベルが低いことと産後出血発症との関連が示された[16]．分娩前のフィブリノゲン濃度でも同様の知見が知られており，フィブリノゲンとXIIIとの関連を考えると，理解できる知見である．今後産科出血でもXIII因子濃縮製剤（フィブロガミン®）の使用が広がる可能性がある．

静注用人プロトロンビン複合体製剤の産科出血での報告は見当たらない．

産科出血におけるPoint of Care（POC）検査の有用性

POC検査として，フィブリノゲン簡易測定器（ドライヘマト®やFibCare®）が利用しやすい状況になった．FibCare®の最初の使用経験が報告され[17]，簡易測定器を用いて管理した症例報告もある[18]．

Thromboelastography（TEG），rotational thromboelastometry（ROTEM）は，フィブリノゲン濃度を推定できるほか，凝固機能，血小板機能，線溶系，ヘパリン影響なども評価できるPOC検査機器である．ROTEMを用いて羊水塞栓症を管理した症例報告では，分娩中の心停止に対して肺塞栓症を疑ったが，ROTEMが凝固障害を示したため，診断が羊水塞栓症に切り替わり，蘇生に成功した[19]．

ROTEMを用いた重症産後出血管理の有用性を示した後方視的研究が米国から発表された．5年間の20,349分娩中，重度産後出血をきたした86例（全分娩の0.4%）のうち，ROTEMを用いて管理した86例と，機器購入前や技師がいないなどの理由でROTEMを使用しなかった58例を比較したところ，ROTEM使用群では輸血量が少なく，子宮全摘術やICU入室も少なく，入院期間も短かった[20]．産科出血におけるPOC機器の前向き研究に期待したい．

14）Kobayashi T, Kajiki M, Nihashi K et al：Surveillance of the safety and efficacy of recombinant human soluble thrombomodulin in patients with obstetrical disseminated intravascular coagulation. Thromb Res 159：109-115, 2017
15）Kozek-Langenecker SA, Ahmed AB, Afshari A et al：Management of severe perioperative bleeding：guidelines from the European Society of Anaesthesiology：First update 2016. Eur J Anaesthesiol 34：332-395, 2017
16）Bamberg C, Mickley L, Henkelmann A et al：The impact of antenatal factor XIII levels on postpartum haemorrhage：a prospective observational study. Arch Gynecol Obstet 299：421-430, 2019
17）Imai K, Kotani T, Nakano T et al：Clinical utility and limitations of FibCare® for the rapid measurement of fibrinogen concentrations：The first clinical experience. Taiwan J Obstet Gynecol 57：899-900, 2018
18）Inoue R, Sumikura H, Kumagai A et al：Successful management of obstetric disseminated intravascular coagulation using a portable fibrinogen-measuring device. J Obstet Gynaecol Res 44：788-791, 2018
19）Loughran JA, Kitchen TL, Sindhakar S et al：Rotational thromboelastometry（ROTEM®）-guided diagnosis and management of amniotic fluid embolism. Int J Obstet Anesth, 2018 [Epub ahead of print]
20）Snegovskikh D, Souza D, Walton Z et al：Point-of-care viscoelastic testing improves the outcome of pregnancies complicated by severe postpartum haemorrhage. J Clin Anesth 44：50-56, 2018

36. 内視鏡手術の麻酔

藤原祥裕（ふじわら よしひろ）
愛知医科大学医学部 麻酔科学講座

最近の動向

- 内視鏡手術は低侵襲といわれているが，腹腔内圧の上昇や特徴ある体位の影響によって術中にさまざまな生理学的変化が発生する．呼吸循環面での変化は患者の予後に影響を与える可能性があると懸念されている．術中に発生する無気肺，低酸素血症を予防する方策や，眼内圧，頭蓋内圧の変化に関する報告が複数みられた．
- 以前から不十分な筋弛緩は内視鏡手術操作の妨げになるといわれてきた．2018 年度も複数の報告が深い筋弛緩管理の有用性を主張している．
- 腹腔鏡手術は気管挿管，全身麻酔で管理するのが常識と考えられてきたが，区域麻酔，あるいは声門上器具を用いた管理の報告も散見されるようになったのは興味深い．

内視鏡手術における筋弛緩管理

腹腔鏡手術は限られた術野空間で行われるため，腹壁の緊張や患者の体動によって手術操作が妨げられる．近年，ある種の腹腔鏡手術では，高用量の筋弛緩薬を用いて深い筋弛緩状態を作り出すことによって，術野の状態を改善することができると報告されている．しかし，こうした管理が術後長期予後に影響を与えるか否かわかっていない．Boon らは，筋弛緩薬の投与量が術後 30 日までの予期せぬ再入院の発生に影響を与えるか否か，後向き研究を行った[1)]．筋弛緩薬の投与量は，高用量群でロクロニウム 217 ± 49 mg，低用量群で 37 ± 5 mg，対象となった手術は腹腔鏡下後腹膜手術であった．高用量群ではロクロニウムを導入時 1 mg/kg 投与後，筋弛緩モニターを用いて post-tetanic count（PTC）が 1～2 となるように 20～50 mg/kg で持続投与した．低用量群では 0.4 mg/kg 導入時に投与し，持続投与は行わなかった．術後 30 日間の予期せぬ再入院の発生は，高用量群で 3.8%，低用量群で 12.7% と高用量群で有意に低くなった．再入院の原因としては，尿閉，尿路感染，腹腔内尿漏，リンパ嚢腫，腸炎，尿道縫合不全などがあった．術中深い筋弛緩を得ることによって，腹壁緊張を解き，術野となる腹腔内スペースを拡大することによって手術

1) Boon M, Martini C, Yang HK et al : Impact of high- versus low-dose neuromuscular blocking agent administration on unplanned 30-day readmission rates in retroperitoneal laparoscopic surgery. PLoS ONE 13 : e0197036, 2018

1884-8516/19/¥100/頁/JCOPY

を遂行しやすくなるとする報告は複数存在するが，術後の中長期予後に対する影響を調べたものは初めてではないだろうか．本研究は後向きであり，また規模もそれほど大きくないため，結論づけることはできないが，今後大規模前向き試験によって，本研究の結果の追試が望まれるところである．

深い筋弛緩維持の有用性を示す先行研究は数多く存在するが，そのほとんどは術者の主観的評価を指標としている．Koo らは腹腔内圧上昇アラームの作動回数，自発呼吸の出現回数を指標として，腹腔鏡下結腸直腸手術における深い筋弛緩維持の有用性を検証した[2]．深い筋弛緩管理を受けた群では腹腔内圧上昇のアラーム作動，術中の自発呼吸出現と追加筋弛緩薬投与の依頼の頻度が有意に高かった．また外科医による評価も深い筋弛緩薬のほうが高かった．しかし，手術時間，術後在院期間には影響を与えておらず，その臨床的意義は必ずしも大きいとはいえないかもしれない．

2) Koo BW, Oh AY, Na HS et al：Effects of depth of neuromuscular block on surgical conditions during laparoscopic colorectal surgery：a randomised controlled trial. Anaesthesia 73：1090-1096, 2018

胸腔鏡下手術では腹腔鏡下手術と異なり，術野が胸郭に囲まれており筋弛緩薬の影響が少ないと考えられること，分離肺換気により筋弛緩薬使用の有無にかかわらず良好な視野が得やすいことなどによって深い筋弛緩維持の有用性が必ずしも明らかではない．一方で，手術操作に伴う気道への刺激はバッキングを誘発し手術操作の妨げになることも予想される．Zhang らは胸腔鏡下肺葉切除術を受ける患者を対象に，追加筋弛緩薬投与の必要度，外科医の満足度などから深い筋弛緩管理の有用性を検討した[3]．深い筋弛緩管理を受けた群では外科医の追加筋弛緩薬投与の依頼は皆無であったが，通常の筋弛緩管理を受けた群では約半数の症例で咳反射や体動による追加筋弛緩薬投与の依頼が発生した．また，深い筋弛緩管理群では全例で外科医は術野の状況に対して good あるいは excellent の評価をしたのに対して，通常の筋弛緩管理群ではこれらの評価は半数未満にとどまった．術後の筋弛緩からの回復は深筋弛緩群で有意に遅かったが，術後回復，術後痛の程度については両群で差を認めなかった．本研究は，腹腔鏡下手術のみならず胸腔鏡下手術においても深い筋弛緩管理の有用性を示した点で注目に値する．ただし，深い筋弛緩管理が患者の利益になったか否かは検証されておらず，今後の課題といえよう．

3) Zhang X, Li D, Wu J et al：Comparison of deep or moderate neuromuscular blockade for thoracoscopic lobectomy：a randomized controlled trial. BMC Anesthesiology 18：195, 2018

内視鏡手術中の肺リクルートメント

麻酔，筋弛緩，高濃度酸素下の PEEP を用いない機械換気はすべて無気肺，不均一な肺胞開存，術後の呼吸器合併症につながる．最適な PEEP は患者によって異なる可能性がある．高すぎる PEEP は血行動態を不安定にする一方で，低すぎる PEEP は有効に肺胞を保護できないかもしれない．

Electrical impedance tomography（EIT）は胸部の電気的インピーダンスを用いて，局所の肺の虚脱・過膨張を評価することを可能にする．Pereira らは腹部手術を受ける患者で，全身麻酔導入後 EIT を用いて虚脱肺と過膨張肺の比率が至適となるPEEP圧を測定し，それに基づいてPEEPを維持した群（EIT群）とPEEPを4 cmH_2Oで管理した群の間で，麻酔覚醒後CTによる含気のない肺領域の割合，1回換気量を7 mL/kgとした際の駆動圧，P/F比，血圧などの変化を比較した[4]．EIT群では含気のない肺領域は有意に小さく，駆動圧は有意に少なく，またこれらの差は特に腹腔鏡下手術において際立っていた．P/F比は開腹術では差を認めなかったが，腹腔鏡手術下手術ではEIT群で有意に高く保たれていた．術中血圧は両群間で有意な差を認めなかった．しかし，これらの差は術後の在院日数や術後合併症の発生に影響を与えなかった．本研究では4 cmH_2Oという低いPEEPに比べてEITにより最適化されたPEEPは肺胞の開存を改善したことを示しているが，もっと高いPEEPで一律に管理した場合に比べても同様のメリットが得られるかを示してはいない．

一方，高度肥満患者で低いF_IO_2におけるSpO_2は肺胞の開存・虚脱を判定するよい指標であるとする報告がある．Ferrandoらは空気吸入時のSpO_2を指標にして腹腔鏡手術時の肺リクルートメントを個々の患者に応じて最適化する試みをしている[5]．

近年小児手術においても腹腔鏡手術が増加している．小児は機能的残気量が少なく，クロージングキャパシティーが高いうえに酸素消費量も多いため腹腔鏡手術中に無気肺，低酸素血症に陥る可能性が高い．Acostaらは超音波診断装置を用いて無気肺の形成を評価することによって，小児の腹腔鏡手術における肺リクルートメントの有効性を検討している[6]．肺リクルートメントは駆動圧15 cmH_2Oに固定してPEEPを5 cmH_2Oずつ，5〜15 cmH_2Oまで上げていき，30cmH_2Oのリクルートメント圧で10呼吸（約30秒）維持する方法で行われ，その後PEEP 8 cmH_2Oで維持された．対照群に比べ介入群では気腹中，気腹後の無気肺の形成が有意に少なく，酸素飽和度も有意に高く，また気腹後の動的肺コンプライアンスも有意に高く保たれた．

RARP中の眼圧・頭蓋内圧管理

ロボット支援根治的前立腺全摘除術（RARP）は極端な頭低位と気腹を必要とする．こうした状況では眼圧が30〜40 mmHgまで上昇するが，この程度の上昇では通常視神経乳頭の血流は停止しない．しかし，虚血性視神経症や一過性の視力喪失などがRARP後の患者で報告されているため，網膜動脈閉塞，緑内障などがある患者ではRARP中の眼圧上昇を抑制したほうがよいかもしれない．先行研究でセボフルラン麻酔下のRARP中に発生する眼圧上昇を選択的α_2作動薬であるデクスメデトミジンが低下させると報告されている．Kitamuraらはプロポフォールによる全身麻酔下のRARP中に発生する眼内圧上昇をデクスメデトミジンが予防するか否か検討した[7]．プロポフォール麻酔下でもデクスメデトミジンはRARP後半に発生する眼圧上昇を抑制すること

4) Pereira SM, Tucci MR, Morais CCA et al：Individual positive end-expiratory pressure settings optimize intraoperative mechanical ventilation and reduce postoperative atelectasis. Anesthesiology 129：1070-1081, 2018

5) Ferrando C, Tusman G, Suarez-Sipmann F et al：Individualized lung recruitment maneuver guided by pulse-oximetry in anesthetized patients undergoing laparoscopy：a feasibility study. Acta Anaesthesiol Scand 62：608-619, 2018

6) Acosta CM, Sara T, Carpinella M et al：Lung recruitment prevents collapse during laparoscopy in children：a randomised controlled trial. Eur J Anaesthesiol 35：573-580, 2018

7) Kitamura S, Takechi K, Nishihara T et al：Effect of dexmedetomidine on intraocular pressure in patients undergoing robot-assisted laparoscopic radical prostatectomy under total intravenous anesthesia：a randomized, double blinded placebo controlled clinical trial. J Clin Anesth 49：30-35, 2018

がわかった．

一方，超音波診断による視神経鞘径の測定は頭蓋内圧を反映していると報告されている．Choi らは全静脈麻酔中とデスフルランによる全身麻酔中，視神経鞘径を測定し，それぞれの頭蓋内圧に対する影響を調べた[8]．その結果，全身麻酔導入後，頭低位をとることによって視神経鞘径は増大したが，その程度はデスフルランの投与を受けた患者で特に大きかった．以前から，揮発性吸入麻酔薬は静脈麻酔に比べて頭蓋内圧を更新させやすいといわれていたが，それを裏づける結果であった．

8）Choi E, Jeon Y, Sohn H et al：Comparison of the effects of desflurane and total intravenous anesthesia on the optic nerve sheath diameter in robot assisted laparoscopic radical prostatectomy：a randomized controlled trial. Medi 97：41（e12772），2018

腹腔鏡下手術に対する気道管理

気管チューブのカフ圧の過度な上昇は気道粘膜下血流を阻害し，嗄声，咽頭痛，気管粘膜潰瘍から声門下狭窄に至るさまざまな気道系合併症の誘因となる．手術中の体動，体位，筋弛緩状態などさまざまな要因が術中の気道内圧に影響を与えることがわかっている．腹腔鏡下骨盤内手術は頭低位による腹部内蔵の頭側への偏位，気腹による腹腔内圧上昇などによって気道内圧に大きな影響を及ぼす．Rosero らは腹腔鏡下婦人科骨盤内手術を受ける肥満患者において，麻酔中の気管チューブカフ内圧変化を観察した[9]．患者の平均 BMI は 37.7，頭低位中の手術台の傾きは平均 24 度，気腹圧は平均 15 mmHg であったが，この間最大気道内圧は約 9 cmH_2O，気管チューブカフ圧は約 6 cmH_2O 上昇した．これらの上昇は気腹，頭低位の解除とともにベースライン値に下がった．

9）Rosero EB, Ozayar E, Eslava-Schmalbach J et al：Effects of increasing airway pressures on the pressure of the endotracheal tube cuff during pelvic laparoscopic surgery. Anesth Analg 127：120-125, 2018

声門上器具の利用は増加しているが，腹腔鏡手術に対する使用は一般化していない．Yoon らはネットワークメタアナリシスによって各種声門上器具のリーク発生のしやすさを比較検討した[10]．比較の対象となったのは，laryngeal mask airway Classic™，LMA ProSeal™，LMA Supreme™，i-gel®，Cobra Perilaryngeal Airway™，Streamlined Liner of the Pharynx Airway™，Laryngeal Tube Suction，Ambu® AuraGain™ の 8 種類であった．その結果，気腹前は Ambu® Auragain™ が，気腹後は i-gel® が最も高い気道内圧までリークを起こさず耐えることができた．気腹中は気道内圧が上昇するため，声門上器具を使用した場合，リークが発生しやすくなる．リークの発生しにくい器具は腹腔鏡手術の麻酔管理に適していると考えられる．

10）Yoon SW, Kang H, Choi GJ et al：Comparison of supraglottic airway devices in laparoscopic surgeries：a network meta-analysis. J Clin Anesth 55：52-66, 2019

腹腔鏡手術に対する区域麻酔

通常腹腔鏡下手術は全身麻酔下に行われるが，近年区域麻酔下の腹腔鏡下手術も複数報告されている．Bayrak らは腹腔鏡下胆嚢提出術を受ける慢性閉塞性呼吸不全患者において，全身麻酔と脊髄くも膜下麻酔の術後合併症などに対する影響を比較した[11]．全身麻酔群ではプロポフォール，フェンタニル，ロ

11）Bayrak M, Altıntas Y：Comparing laparoscopic cholecystectomy in patients with chronic obstructive pulmonary disease under spinal anesthesia and general anesthesia. BMC Surgery 18：65, 2018

クロニウム，セボフルランで麻酔導入維持が行われた．一方，脊髄くも膜下麻酔群ではL2〜L3間から25 μgのフェンタニルと3 mLの高比重ブピバカインが投与され，麻酔域がT4に達したことを確認してから手術が開始された．術後8時間までのVASは脊髄くも膜下群で有意に低かったが，術後の呼吸器系合併症，尿閉，頭痛の発生頻度には両群間で有意差を認めなかった．全身麻酔群では術後早期に動脈血二酸化炭素分圧が有意に高かった．一方術後の入院期間は脊髄くも膜下麻酔群で有意に短かった．国内では腹腔鏡手術は全身麻酔下に行われるのが通例と思われるが，脊髄くも膜下麻酔でも腹腔鏡下胆囊摘出術は十分可能のようである．特に重症呼吸不全など，全身麻酔が躊躇される症例では有用かもしれない．

腹腔鏡下手術の術後痛は強いが開腹術に比べその持続期間は短いようである．そのため，そうした術後経過に応じた鎮痛法が求められる．くも膜下に投与されたモルヒネは水溶性のため体循環に吸収されにくく，腸管蠕動に影響を及ぼしにくい．対して，経静脈的自己調節鎮痛法はよく用いられる術後鎮痛法であるが，オピオイドによるさまざまな副作用と無縁ではない．KoningらはERASプロトコールの一環として，くも膜下モルヒネとブピバカインの投与が腹腔鏡下結腸切除術後の回復を促進するかどうか調べた[12]．くも膜下モルヒネ群では12.5 mgの等比重ブピバカインと300 μgのモルヒネを投与した．対照群ではshamとしてリドカインによる局所浸潤麻酔のみ行われた．その後，プロポフォール，スフェンタニル，ロクロニウムを用いて全身麻酔の導入維持が行われた．経口の鎮痛薬で対応可能，独歩で歩行可能，腸管蠕動があり経口摂取可能，呼吸循環が安定，ドレーンと尿道カテーテルが留置されていないことをもって退院可能と判断されたが，退院可能と判断されるまでの日数はくも膜下モルヒネ群で有意に短かった．また術後1日目のNRSはくも膜下モルヒネ群で有意に小さく，術後鎮痛薬の使用量も少なかったが，術後の掻痒は有意に多かった．患者満足度には有意な差を認めなかった．日本では全身麻酔に脊髄くも膜下麻酔を併用する麻酔法はそれほど普及していないと推測するが，腹腔鏡下手術のように術後痛が比較的早期に消退することが予想される手術ではくも膜下モルヒネ投与は十分な術後鎮痛を提供するのみでなく，術後回復を促進する可能性があることを示唆する報告である．

12) Koning MV, Teunissen AJW, Harst E et al : Intrathecal morphine for laparoscopic segmental colonic resection as part of an enhanced recovery protocol : a randomized controlled trial. Reg Anesth Pain Med 43 : 166-173, 2018

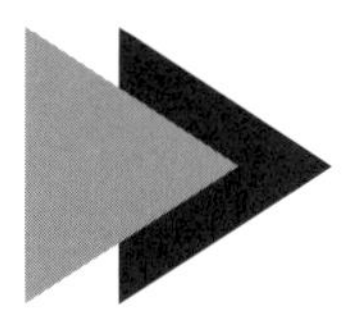

37. 日帰り手術の麻酔

白神豪太郎(しらかみごうたろう)
香川大学医学部附属病院 麻酔・ペインクリニック科

最近の動向

- 術後痛はいまだに日帰り手術遂行上の最大の問題である.
- 末梢神経ブロック（PNB）施行率はまだ低く，改善の余地がある.
- 術後悪心嘔吐（PONV）および帰宅後悪心嘔吐（PDNV）対策が進んでいる.
- 日帰り手術の質向上には，麻酔・鎮痛方法の改善が重要である.
- 小児への日帰り手術の適応が再検討されている.

日帰り手術鎮痛における末梢神経ブロック（PNB）とオピオイド

日帰り手術後の鎮痛の質は患者満足度，帰宅遅延／予定外入院，医療コストなどに大きく影響する．Malchow らは，PNB ± 全身麻酔で行われた日帰り手術（2008〜2014 年，n = 13,897）は患者満足度が高く（95%で excellent/very good），96％で重大合併症がない（予定外入院率 0.2％）と報告した[1]．Gabriel らは，日帰り手術（2010〜2015 年米国データ，n = 12,911,056）のうち 25.5%が PNB 適応と考えられたが，実際の施行率は 3.3%にすぎない（施行率は年々上昇傾向）と報告した（高施行率のもの：肩関節鏡 41%，前十字靱帯再建 32%）[2]．**日帰り手術鎮痛には，オピオイドによる副作用低減と質向上のため，PNB が有用と考えられているが，施行率がいまだ低く，**その阻害因子の検討が必要であろう．

Saied らは，日帰り手術での腕神経叢ブロック（n = 3,706）の後ろ向き検討で，ロピバカイン（0.25〜0.5%，約 30 mL 単回投与）に比較し，クロニジン付加（50 または 100 μg，1.1 時間延長），デキサメサゾン付加（2〜8 mg，3.0 時間延長）およびクロニジン＋デキサメサゾン付加（6.2 時間延長）はブロック時間を延長するが，アドレナリン付加（1/30〜40 万）は延長しないと報告した[3]．Holland らは，斜角筋間ブロック（0.5%ブピバカイン 30 mL）で日帰り肩手術を受ける患者（n = 280）へのデキサメサゾン付加（神経周囲または

1) Malchow RJ, Gupta RK, Shi Y et al：Comprehensive analysis of 13,897 consecutive regional anesthetics at an ambulatory surgery center. Pain Medicine 19：368-384, 2018

2) Gabriel RA, Ilfeld BM：Use of regional anesthesia for outpatient surgery within the United States：a prevalence study using a nationwide database. Anesth Analg 126：2078-2084, 2018

3) Saied NN, Gupta RK, Saffour L et al：Dexamethasone and clonidine, but not epinephrine, prolong duration of ropivacaine brachial plexus blocks, cross-sectional analysis in outpatient surgery setting. Pain Medicine 18：2013-2026, 2017

1884-8516/19/¥100/頁/JCOPY

静脈内投与：4または8 mg）の前向き検討で，神経周囲投与は静脈内投に比較し効果を平均2時間延長する（4 mgと8 mgには差なし）と報告した[4]．クロニジン付加は術後神経症状発症と関連するという報告があり[2]，PNB効果延長のための付加補助薬についてはさらに検討が必要である．

斜角筋間ブロックでは横隔膜麻痺が問題となる．Auyongらは，日帰り肩関節鏡手術患者での鎖骨上神経ブロックの鎮痛効果は斜角筋間ブロックに比較して非劣性ではない（劣るであろう）が，前肩甲上神経ブロックは鎮痛効果が劣らずPACUでの呼吸機能をよりよく維持すると報告した（各$n = 63$，0.5％ロピバカイン15 mL）[5]．今後，肩関節鏡手術では前肩甲上神経ブロックの施行率が増加するかもしれない．

オピオイドには帰宅後副作用の懸念がある．Minkowitzらは，日帰り腹部（腹部形成，鼠径ヘルニア，腹腔鏡）手術後患者へのスフェンタニル舌下錠（30 μg）投与（$n = 107$）は，プラセボ（$n = 54$）に比較し，術後48時間の鎮痛効果が優れ，副作用発症頻度が同等で忍容性が高いと報告した[6]．スフェンタニル舌下錠は，静脈路の必要がなく，作用発現が早く，比較的長時間効果が持続し，モルヒネのような遅発性副作用の懸念がないので，帰宅後の痛みが比較的強い手術で有用かもしれない．

術後悪心嘔吐（PONV）および帰宅後悪心嘔吐（PDNV）の予防と治療

PONVは日帰り手術後の予定外入院／再入院や帰宅後救急受診の原因の一つである．ドロペリドールはPONV予防に有効であるが，錐体外路症状の懸念がある．Chartonらは，ドロペリドールのPONV予防用量（0.625 mg，$n = 118$；1.25 mg，$n = 87$）のアカシジア発症率（術後4時間で，それぞれ，1.2および3.4％）はオンダンセトロン4 mgと同程度に低い（発症率0.8％，$n = 118$）ことを示した[7]．

成人のPDNV発症頻度は＞50％といわれる．Bruderer らは，プロポフォール麻酔＋PONV標準予防策（Apfelスコア0～1で制吐薬投与なし，スコア2でオンダンセトロン投与，スコア3でデキサメサゾン追加投与，スコア4でドロペリドール追加投与）が高いPDNV予防効果（手術当日帰宅後69％，術後1日89％，2日97％で悪心なし；$n = 222$）を示すこと，術後QOL阻害（NRS ≧ 4）はPDNV（14％）よりも術後痛（33％）でより高いと報告した[8]．

日帰り手術の安全性：手術と患者の選択

日帰り手術では適切な手術と患者を選ぶことが肝要である．Seibらは，日帰り（および23 h滞在）予定でヘルニア（$n = 71{,}455$），乳腺（$n = 51{,}267$）

4) Holland D, Amadeo RJJ, Wolfe S et al：Effect of dexamethasone dose and route on the duration of interscalene brachial plexus block for outpatient arthroscopic shoulder surgery：a randomized controlled trial. Can J Anesth 65：34-45, 2018

5) Auyong DB, Hanson NA, Joseph RS et al：Comparison of anterior suprascapular, supraclavicular, and interscalene nerve block approaches for major outpatient arthroscopic sholder surgery：a randomized, double-blind, noninferiority trial. Anesthesiology 129：47-57, 2018

6) Minkowitz HS, Leiman D, Melson T et al：Sufentanil sublingual tablet 30 mcg for the management of pain following abdominal surgery：a randomized, placebo-controlled, phase-3 study. Pain Practice 17：848-858, 2017

7) Charton A, Greib N, Ruimy A et al：Incidence of akathisia after postoperative nausea and vomiting prophylaxis with droperidol and ondansetron in outpatient surgery：a multicentre controlled randomized trial. Eur J Anaesthesiol 35：1-6, 2018

8) Bruderer U, Fisler A, Steurer MP et al：Post-discharge nausea and vomiting after total intravenous anaesthesia and standardized PONV prophylaxis for ambulatory surgery. Acta Anaesthesiol Scand 61：758-766, 2017

または甲状腺/副甲状腺（n = 18,106）手術を受けた＞40歳患者の後方視検討で，術後≦30日の合併症発症とフレイルの間に有意の相関があると報告した[9]．**患者選択には暦年齢よりもフレイルが重要**であると考えられる．

Bovonratwetらは，日帰り（n = 568）と入院（n = 5,312）の単顆膝人工関節置換術（UKA）を比較し，術後≦30日の有害事象発症頻度に両者で差がないと報告した[10]．適切な患者選択により，UKAでは手術後当日に安全に帰宅できると思われる．

閉塞性睡眠時無呼吸（OSA）は術後合併症の独立危険因子とされている．Hudsonらは，日帰り四肢整形外科手術を全身/区域麻酔で受けるOSA患者（n = 66；術前からCPAP治療n = 20，非治療n = 46）の有害事象発症頻度は非OSA患者（n = 100）と差がなく，術後の睡眠パラメーターへの影響は少ないと報告した[11]．標準的周術期ケア（CPAPやオピオイド使用などを含む）ではOSA患者のリスクは増大しないと思われる．

日帰り手術施設の質の指標

患者満足度，予定外/帰宅後入院，帰宅後救急受診などは，日帰り手術施設の質や安全性の指標である．Teunkensらは，日帰り手術患者（2013〜2015年，n = 5,424）の患者満足度は高い（非常に満足59％/満足39％）が，PONV（悪心14％，嘔吐3％）やPACUでの痛み（NRS＞4が31％，NRS＞6が13％）の頻度は高く，全身麻酔（＞区域麻酔），女性（＞男性），若年者，低学歴者でより術後痛強度が高くなると報告した[12]．Roseroらは，日帰り腹腔鏡下胆嚢摘出術を受けた患者（2009〜2011年，n = 230,745，890施設）の帰宅後≦30日の入院について検討し，入院率は2.02％（手術施設への直接の再入院は0.06％），入院理由は外科的合併症33％，術後痛12％，感染10％，PONV5％などであり，入院関連因子は高齢，男性，非ヒスパニック系白人，非個人保険（Medicare，Medicadeなど）加入者，急性胆嚢炎，術中胆嚢造影，週末手術などであると報告した[13]．Liuらは，日帰り肩関節鏡手術患者（2011〜2013年，n = 103,476）での帰宅後7日間の急性期ケア受療（救急受診または入院）は1,867例（1.8％）であり，その多くがemergency room受診（1,643例，1.6％；直接の病院受診は0.2％）であること，急性期ケア受療の43％が手術当日ないし翌日であり，受診理由は筋骨格痛（24％）が最多であり，急性期ケア受療リスク因子としては，手術室滞在時間＞2 h，症例数＜500の施設，全身麻酔（＞区域麻酔）であると報告した[14]．Gilらは，日帰り肩腱板修復術を受けた患者（2012〜2015年，n = 18,061）のうちの予定外入院（9.9％）について後ろ向き調査を行い，予定外入院リスクは年齢≧65歳，女性，高血圧，BMI≧35，ASA-PS≧2，開放手術で高く，全身麻酔に比べてmonitored anesthesia careあるいは区域麻酔では低リスクであることを示し

9) Seib CD, Rochefort H, Chomsky-Higgins K et al：Association of patient frailty with increased morbidity after common ambulatory general surgery operations. JAMA Surg 153：160-168, 2018
10) Bovonratwet P, Ondeck NT, Tyagi V et al：Outpatient and inpatient unicompartmental knee arthroplasty procedures have similar short-term complication profiles. J Arthroplasty 32：2935-2940, 2017
11) Hudson AJ, Walter RJ, Flynn J et al：Ambulatory surgery has minimal impact on sleep parameters：a prospective observational trial. J Clin Sleep Med 14：593-602, 2018
12) Teunkens A, Vanhaecht K, Vermeulen K et al：Measuring satisfaction and anesthesia related outcomes in a surgical day care centre：a three-year single-centre observational study. J Clin Anesth 43：15-23, 2017
13) Rosero EB, Joshi GP：Hospital readmission after ambulatory laparoscopic cholecystectomy：incidence and predictors. J Surg Res 2017：108-115, 2017
14) Liu J, Flynn DN, Liu W-M et al：Hospital-based acute care within 7 days of discharge after outpatient arthroscopic shoulder surgery. Anesth Analg 126：600-605, 2018

た[15]．**各施設での麻酔・鎮痛方法の改善が，満足度や予定外入院/帰宅後救急受診抑制に重要である**と思われる．

日帰り手術後には介護者が必須とされている．介護者がいないと手術延期や中止につながる．Martinらは，介護者がいない患者用プログラム（sedation dismissal process：SDP）を開発し，SDP（n = 2,703）と対照（介護者あり，n = 5,133）との間に術後＜96 hの予定外入院率や合併症発症率に差がないことを示した[16]．Mullらは，≧65歳の日帰り手術患者（2011～2013年米国退役軍人保健局データ，n = 63,585，124施設）の術後≦7日の入院を検討し，16%が入院（そのうちの66%が手術当日入院）したが，外科的合併症による入院は4%のみであったと報告し，ほとんどの入院は術後観察のためと考えられ，入院率が高いのは高齢者で有病率が高く，社会的サポートがなかったためであろうと考察している[17]．術後合併症がなくとも入院させることの是非，介護者がなくとも日帰り手術を行うことの是非が今後検討されていくものと思われる．

フランスでの日帰り手術の普及はいまだ不十分であり（2014年で45%），2020年に＞60%を目標としているという[18,19]．フランス（2013～2014年，206施設）の日帰り手術（フランスでの定義は病院滞在時間＜12時間）について初めて実態報告がなされ，多くの施設が勧告（要員，術前評価，帰宅基準など）に従っているが，いまだ整備不十分の施設もあり，改善の余地があることが示された[19]．

小児の日帰り手術

小児の日帰り手術は世界中で年間数百万件行われていると見積もられているが，その適応は必ずしも明確ではない．イタリア小児外科学会と小児麻酔学会は合同でEBMに基づくガイドラインを作成した．術前評価，適切な手術の選択および帰宅基準の重要性が強調されている[20]．

神経発達への悪影響の懸念から，米国FDAは全ての待機手術は生後6ヵ月以降，全身麻酔下待機手術は3歳以降に行うように勧告している．Einhornらは，米国4州で2007～2010年に生後＜6ヵ月の乳児に全身麻酔下日帰り手術が27,540件行われ，うち7,832件（28%；うち4,315件がヘルニア手術）は延期可能と判断されると報告した[21]．**乳児への全身麻酔薬曝露の危険性についての教育が重要**と思われる．

Olsonらは，小児のsingle visit surgery（手術当日に術前評価と手術，電話で術後フォロー，n = 90）は通常手術（術前評価のために手術当日以前に来院，n = 90）に比べて，コストが$188低く，家族満足度は同程度に高く，全員が別の機会があれば同様のsingle visit surgeryを選ぶと答えたと報告した[22]．低リスク小児患者ではsingle visit surgeryが有用かもしれない．

15) Gil JA, Durand WM, Johnson JP et al：Unanticipated admission following outpatient rotator cuff repair：an analysis of 18,061 cases. Orthopedics 41：164-168, 2018

16) Martin DP, Wamer ME, Johnson RL et al：Outpatient dismissal with a responsible adult compared with structured solo dismissal：a retrospective case-control comparison of safety outcomes. Mayo Clin Proc Inn Quat Out 2：234-240, 2018

17) Mull HJ, Rosen AK, O'Brien WJ et al：Factors associated with hospital admission after outpatient surgery in the Veterans Health Administration. Health Serv Res 53：3855-3880, 2018

18) Albaladejo P, Aubrun E, Samama C-M et al：The structure, organaisation and perioperative management of ambulatory surgery and anaesthesia in France：methodology of the SFAR-OPERA study. Anaesth Ctit Care Pain Med 36：307-312, 2017

19) Beaussier M, Albaladejo P, Sciard D et al：Operation and organisation of ambulatory surgery in France. Results of a nationwide survey；The OPERA study. Anaesth Crit Care Pain Med 36：353-357, 2017

20) de Luca U, Mangia G, Tesoro S et al：Guidelines on pediatric day surgery of the Italian Societies of Pediatric Surgery (SICP) and Pediatric Anesthesiology (SARNePI). Italian J Pediatrics 44：35, 2018

21) Einhorn LM, Young BJ, Routh JC et al：Epidemiologic analysis of elective operative procedures in infants less than 6 months of age in the United States. Anesth Analg 125：1588-1596, 2017

22) Olson JK, Deming LA, King DR et al：Single visit surgery for pediatric ambulatory surgical procedures：a satisfaction and cost analysis. J Ped Surg 53：81-85, 2018

遷延性術後痛（PPSP）は成人では多数の報告があるが，小児での報告は少ない．Mossettiらは，全身麻酔＋区域麻酔で行われた小児日帰り手術患者（1ヵ月～16歳，$n = 350$）でのPPSP頻度を検討し，術後1，3，6ヵ月で痛みスコア＞3を示す患児がそれぞれ24，6，4％であること，うち鼠径ヘルニアで最も頻度が高いこと（$n = 87$，それぞれ36，15，9％），PPSPはPACUでの痛みとは関連せず，術後1ヵ月時点での痛みと関連すると報告した[23]．**小児日帰り手術でも遷延性術後痛のフォローと対策が必要**である．

小児のPDNV報告は少ない．Efuneらは，全身麻酔下日帰り手術小児患者（$n = 1,041$）のPDNV発症率が14％であり，PDNV頻度は術中（非投与8％，フェンタニル14％，モルヒネ／ヒドロモルフォン24％）および帰宅後（非投与13％，投与29％）のオピオイド投与により増大すること，術中の制吐薬（デキサメサゾン／オンダンセトロン）投与には影響されないと報告した[24]．**小児でもオピオイド投与はPDNVのリスク**であろう．

Yukiらは，日帰り予定で処置を受けた先天性心疾患小児患者（$n = 1,028$）の予定外入院率は2.7％（術後入院リスク因子は処置前≦6ヵ月に心エコー検査を行われた患児および放射線処置）で，周術期心血管事象発症3.9％，呼吸器事象発症1.8％であったと報告した[25]．先天性心疾患小児であっても機能良好であれば低侵襲処置は日帰り可能であると思われる．

23）Mossetti V, Boretsky K, Astuto M et al：Persistent pain following common outpatient surgeries in children：a multicenter study in Italy. Pediatric Anesthesia 28：231-236, 2018

24）Efune PN, Minhajuddin A, Szmuk P：Incidence and factors contributing to postdischarge nausea and vomiting in pediatric ambulatory surgical cases. Pediatric Anesthesia 28：257-263, 2018

25）Yuki K, Koutsogiannaki S, Lee S et al：Unanticipated hospital admission in pediatric patients with congenital heart disease undergoing ambulatory noncardiac surgical procedures. Pediatric Anesthesia 28：607-611, 2018

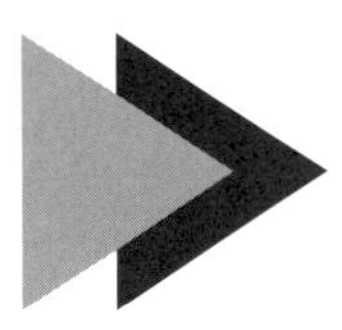

38．心臓・大血管手術の麻酔

垣花（かきはな）　学（まなぶ）
琉球大学大学院医学研究科 麻酔科学講座

最近の動向

●米国の The Society of Thoracic Surgeons（STS）が独自のデータベースを解析し，北米における心臓外科手術症例の傾向や予後について報告した．これらのデータは，我が国の医療レベルを認識するうえで非常に重要であると思われた．

●開心術後の術後見当識障害（POCD）発症の予測に術前の 6 分間歩行距離が利用できる可能性が報告された．今後，術後の運動機能向上により POCD 発症が抑えられる可能性もあると考えられる．

●脊髄保護の基礎研究では，マイクロ RNA をターゲットにした研究が散見され，虚血性脊髄障害との関連について新たな知見が出てくる可能性がある．

開心術の予後

開心術は術後合併症発生ならびに死亡率が他の手術よりも高いことが知られている．近年，学会がそれぞれにデータベースを作成し一般的な予後について報告している．2018 年に The Society of Thoracic Surgeons（STS）が米国 50 州の 3,107 人の心臓外科医，カナダの 10 施設，他 7ヵ国の 21 人から集積した成人心臓手術データベースの結果（2016 年）を報告した[1]．それによれば，最も行われている心臓手術は単独冠動脈バイパス術（CABG）（54％），次いで単独大動脈弁置換術（AVR）（10％），大動脈瘤手術（5％），冠動脈バイパス術＋大動脈弁置換術（CABG+AVR）（5％），単独僧帽弁形成術（MV repair）（3％），単独僧帽弁置換術（MVR）（2％）となっている．輸血の頻度については，すべての手術で減少傾向となっていた．注目すべきは，経カテーテル的大動脈弁置換術（TAVR）が 2012 年から 5,000 症例を超え，2016 年では AVR を抜き 40,000 症例弱にまで症例数を増加させている．また，年々MVR，MV repair とともに三尖弁に及ぶ手技も増加している．その予後については，病院死亡率は，CABG で 1.7％，AVR が 1.6％，MVR が 4.1％，MV repair が 0.9％，MVR+CABG が 8.3％であった．このようなデータは，我が国の医療レベルとの比較という意味で重要であると思われる．

1）D'Agostino RS, Jacobs JP, Badhwar V et al：The society of thoracic surgeons adult cardiac surgery database：2018 update on outcomes and quality. Ann Thorac Surg 105：15-23, 2018

1884-8516/19/¥100/頁/JCOPY

CABGにおける予後関連するパラメータとして心筋障害の指標である術後のトロポニン値が知られている．これまでこの指標を用いてセボフルラン麻酔がプロポフォールを用いた全静脈麻酔（TIVA）より優位性があると多数報告されている．Hofland ら[2]は，CABGをキセノン麻酔で行った場合の心筋障害について，術後血中トロポニンIを指標にセボフルラン麻酔ならびにTIVAと比較検討した．この研究は国際共同研究であり，フランス，ドイツ，イタリアそしてオランダの大学病院17施設において行われたOn pump CABGを対象とした．人工心肺前後の麻酔は，キセノン麻酔（146症例），セボフルラン麻酔（151症例）そしてプロポフォールを用いたTIVA（149症例）としたが，人工心肺中はすべての群でプロポフォール主体の麻酔とした．その結果，キセノン麻酔はセボフルラン麻酔と比較し優位性は認められないが非劣性であることが統計学的に示された．また，TIVA麻酔と比較すると，優位性が統計解析により認められた．キセノン麻酔の特徴として，セボフルラン麻酔やTIVAと比較すると，血圧や自律神経系の緊張が維持され，冠動脈血流や左心機能も温存させることが知られている．最近では，Off pump CABGにおいてキセノン麻酔ではセボフルラン麻酔と比較して昇圧剤の使用が有意に少ないことなども報告されている．このような特徴が今回の結果につながったのかもしれない．しかし，キセノンは高価であることから，セボフルラン麻酔と同等とみなすことはなかなか難しいと思われる．

2）Hofland J, Ouattara A, Fellahi JL et al：Effect of xenon anesthesia compared to sevoflurane and total intravenous anesthesia for coronary artery bypass graft surgery on postoperative cardiac toroponin release. an international, multicenter, phase 3, single-blind, randomized noninferiority trial. Anesthesiology 127：918-933, 2017

開心術と術後腎機能

開心術後のacute kidney injury（AKI）は15〜30％の発生率であり，透析が必要になるAKIは開心術の2〜5％といわれている．これまでのさまざまな研究から，開心術後のAKIは，人工心肺中の酸素需給の不均衡の関与が機序として考えられており，その人工心肺中のCritical Delivery O_2（体温＞32℃）は260〜272 mL/min/m^2が知られている．そこで，Ranucci ら[3]は，人工心肺中のCritical Delivery O_2を280 mL/min/m^2以上に維持するgoal-directed perfusion（GDP）群と対照群との無作為前向き比較試験を欧州，豪・ニュージーランド，そして米国の9施設で行った．その結果，AKIN分類Stage Iの発生頻度は有意に低下したが，全体のAKI発症頻度を減少させることはできなかった．この論文のLimitationで述べられているが，中等度あるいは重度のAKI（AKIN 2〜3）に焦点を絞った場合には，結論を導くには症例数が少ないという問題点があり，AKIN　2〜3を考慮した研究を計画中であるとのことで，今後注目したい．

3）Ranucci M, Johnson I, Willcox T et al：Coal-directed perfusion to reduce acute kidney injury：a randomized trial. J Thorac Cardiovasc Surg 156：1918-1927, 2018

2018年のこの章において，Zarbockらの研究を取り上げ「開心術後のAKI発症を抑える目的でRIPの採用を考慮すべきかもしれない」と述べたが，Song ら[4]は，弁置換術症例を対象に大腿部ターニケットを用い大動脈遮断解

4）Song JW, Lee WK, Shim JK et al：Remote ischaemic sonditioning for prevention of acute kidney injury after valvular heart surgery：a randomized controlled trial. Br J Anaesth 121：1034-1040, 2018

除後から繰り返したRIPC（5分間）による術後AKIの発生頻度について検討した結果，その発生頻度に有意差は認められなかったと報告した．さらにXieら[5]は成人開心術におけるRIPCの無作為対照研究のメタ解析を行った．条件に合致した13研究（7,036症例）を対象にメタ解析を行った結果，全体においてRIPCは開心術後のAKIの発症頻度を減少させることはなかった．さらに，この結果に関してType IおよびIIエラーのモニタリングさらにパワー解析を行うtrial sequential analysis（TSA）でも，この結果に対する十分な症例数であることが示された．ただし，揮発性麻酔薬を使用している症例については，RIPCによりAKI発症頻度は低くなることも示され，このコンビネーションの可能性を示唆するものであると考えられる．

開心術と中枢神経障害

開心術後の見当識障害（POCD）は比較的高率に発生することが知られている．特に問題なのは，退院時にPOCDを呈した患者の20〜40%が6ヵ月後もPOCDであったという報告もあり，その長期化が問題となっている．POCDの予防として，術前から始めるリハビリや運動が最近注目されている．Hayashiら[6]は，開心術を受ける181症例を対象に6分間歩行距離（6MWD）とPOCDとの関連について前向きコホート研究を行った．POCDの診断は，MMSEで2点以上の低下とした．POCDは51症例（28%）に発症した．POCD発症群では，非発症群と比較し6MWDが有意に短かった．さらに多変量解析では，6MWD，ICU滞在期間の長さ，年齢，MMSE低スコアがPOCD発症の独立危険因子であった．6MWDが50 mごとに長くなると，POCD発症のオッズ比は0.807となった．これらのことから，術前の6MWDは術後POCDになるリスク患者を検出するのに有用であることが示唆された．

心肺バイパス（CPB）は術後中枢神経障害の引き金になることは知られている．Chenら[7]は，CPBによる脳神経細胞死に対するデクスメデトミジン（DEX）の効果について検討した．ラットを用い2時間CPB（平均血圧：70〜85 mmHg，Hct：20〜25%，体温：36.5 ± 1℃）を施行した．DEXは低用量（低用量群：2.5 μg/kg初期投与・2.5 μg/kg/h）あるいは高用量（高用量群：5 μg/kg初期投与・5 μg/kg/h）をCPB開始15分前から開始した．その結果，脳水分含有量，血清S100 βならびにNSEはDEX投与両群で有意に低下した．さらに，海馬および脳皮質におけるTUNEL陽性神経細胞数ならびに海馬における活性型カスパーゼ3は，CPB群で増加していたがDEX投与両群で有意に低値を示した．また，同じCPBモデルにJAK2阻害薬を投与したところ，DEX投与群と同じ効果を示した．海馬におけるリン酸化JAK2蛋白の発現は，CPB群でSham群の3倍程度であったがDEX投与群ではその発現を抑えていた．これらのことから，CPBに伴う脳神経細胞死は，DEX投与によ

5) Xie J, Zhang X, Xu J et al：Effect of remote ischemic preconditioning on outcome in adult cardiac surgery：a systematic review and meta-analysis of randomized controlled studies. Anesth Analg 127：20-28, 2018

6) Hayashi K, Oshima H, Shimizu M et al：Preoperative 6-minute walk distance is associated with postoperative cognitive dysfunction. Ann Thorac Surg 106：505-512, 2018

7) Chen Y, Zhang X, Zhang B et al：Dexmedetomidine reduces the neuronal apoptosis related to cardiopulmonary bypass by inhibiting activation of the JAK2-STAT3 pathway. Drug Des Devel Ther 11：2787-2799, 2017

り抑制されその機序としてJAK2-STAT3系を解したものである可能性を示唆した．

超低体温循環停止（DHCA）においても，中枢神経障害はいまだ解決されていない問題である．低体温という環境において，リスをはじめとする冬眠動物も同様な状況に長期間おかれるが中枢神経系の障害をきたすことはないと考えられる．冬眠中のリスには冬眠を誘導する蛋白（hibernatnion induced trigger：HIT）が存在することは知られている．Jiangら[8]は冬眠中のシマリスから採取した血液からHIT蛋白（specific protein（SP）およそ40 kDa）を精製および抽出し，ラットDHCA（18℃，60分間）による中枢神経障害への影響を検討した．SP投与は，DHCA実験の3日前に行った．その結果，DHCA後の生存率に有意差は認められなかった．血清TNF-αとIL-6値はいずれも，DHCA3時間，24時間後でSP投与群より有意に低値を示した．また，神経学的機能（Water-Maze）もSP投与群で有意に改善していた．また，海馬におけるウェスタンブロッティング解析では，神経栄養因子にかかわるBDNFとTrkB，抗アポトーシスにかかわるGRB2，Bcl-2そしてSirt-1が有意に高値を示し，活性型カスパーゼ3は有意に低下していた．これらの反応は，ナロキソンにより阻害されることからSPはオピオイド受容体に作用しその効果を発揮していることが示唆された．冬眠する動物からヒントを得た奇抜な研究ではなるが，超低体温循環停止後の脳保護のみならずさまざまな中枢神経疾患に応用できる可能性を秘めた結果であると思われた．

8) Jiang X, Gu T, Liu Y et al：Protection of the rat brain from hypothermic circulatory arrest injury by a chipmunk protein. J Thorac Cardiovasc Surg 156：525-536, 2018

開心術と出血・止血

開心術も含めて，さまざまな臨床現場において生体のホメオスターシス維持に重要な因子の一つが血栓形成である．血栓形成には，フィブリン（フィブリノーゲン），血小板，第13因子活性そして線溶系が関連しているものである．それぞれの増加あるいは減少により血栓形成は相互的に代償していることが知られている．例えば，血小板減少に対してフィブリノーゲンがその代償として働いていることが実験データから示されている．このようなことから，Ranucciら[9]は，心臓手術により血小板減少となった術後患者における術後出血や輸血そして再手術について，フィブリノーゲン値に依存しているかどうかを後ろ向きに検討した．2012年3月～2015年1月の期間に行われた成人心臓外科手術症例を対象に，術後血小板減少症例（＜10万/μL）を抽出し（445症例），さらに低フィブリノーゲン群（FG：＜200 mg/dL），中等度フィブリノーゲン群（FG：200～240 mg/dL）そして高フィブリノーゲン群（FG：＞240 mg/dL）に分けた．解析の結果，この3群間でICU入室時の血小板数に差は認められなかった．しかしながら，術後12時間のドレーン出血量は低フィブリノーゲン群で有意にそれぞれの群より多かった．また，出血量に対す

9) Ranucci M, Baryshnikova E, Ranucci M et al：Fibrinogen levels compensation of thorombocytopenia-induced bleeding following cardiac surgery. Int J Cardiol 249：96-100, 2017

る多変量解析では，フィブリノーゲン群，EF 値，緊急手術が独立して関与していることが示された．血栓形成については，それぞれの因子が相互的に代償すると考えられており，今回の結果もそれを支持するものであった．この論文では，フィブリノーゲン値が 240 mg/kg 以上の群で，血小板減少であっても出血量を抑えることができる可能性を示しており，臨床的にも意義ある報告であると思われる．

脊髄保護

大動脈手術あるいは血管内治療の周術期合併症である虚血性脊髄障害に伴う対麻痺は，いまだ解決されておらず外科医のみならず麻酔科医にとっても重要な課題である．その有効な対策として脳脊髄液ドレナージ（CSFD）による脳脊髄圧の調節が知られており，特に血管内治療に伴う虚血性脊髄障害の危険性は CSFD により半減することが 2016 年にメタアナリシスで報告された．しかし血管内治療による虚血性脊髄障害の発生率は 3～6％であるが，CSFD による重篤な神経学的異常を呈する頭蓋内出血の発生率は 3％程度あるということから，血管内治療を受ける全症例に予防的に CSFD を施行することに疑問が残る．そこで Mazzeffi ら[10]は，虚血性脊髄障害発症が高リスク（15 cm 以上のステント被覆長，TEVAR あるいは EVAR の既往，骨盤内血行が脆弱あるいは腹部大動脈閉塞）の血管内治療を受ける症例を後方視的に解析した．2011 年 11 月～2015 年 12 月 31 日の期間の 102 例を解析した結果，術後対麻痺発症は 4 症例であったが CSFD ならびに血圧上昇にもかかわらず 1 例は改善しなかったが，他の 3 例は多少改善あるいは完全に改善した．CSFD 関連合併症は 4 例（3.9％）認められ，その内訳は CSFD カテーテル抜去困難（全身麻酔下で非手術的に抜去），硬膜穿刺後頭痛，CSFD カテーテル抜去後の硬膜外血腫（椎弓切除施行）そして血性髄液であったが，これによる永久合併症はなかった．著者らは，対麻痺発症は 4 例に認められたが 3 例で CSFD ならびに血圧上昇により症状の改善が認められ，CSFD に伴う永久的な障害を認めた症例はなかったことから，術後虚血性脊髄障害の高リスク症例においては予防的な CSFD は安全に施行できると結論づけている．

10）Mazzeffi M, Abuelkasem E, Drucker CB et al：Contemporary single-center experience with prophylactic cerebrospinal fluid drainage for thoracic endovascular aortic repair in patients at high risk for ischemic spinal cord injury. J Cardiothorac Vasc Anesth 32：883-889, 2018

血管内治療の際に脊髄虚血（SCI）が発生した場合，虚血脊髄への血流供給の手段として昇圧ならびに CSFD による CSF 圧を低下させることのみである．Brenzan ら[11]は，胸腹部大動脈瘤に対する血管内治療症例において，血管内治療前に分節動脈コイル塞栓（MISACE）を行い虚血耐性を獲得するという方法で治療を行っている．2014 年 10 月～2017 年 12 月までの期間に 57 症例に対して MISACE を行い，コイル塞栓は最多 6 本の分節動脈（中央値：5 本）に行った．その結果，現時点では脊髄虚血の発症は 1 例もなかった．この経験から，血管内治療における脊髄虚血予防ということから新たな手段になり

11）Branzan D, Etz D, Moche M et al：Ischaemic preconditioning of the spinal cord to prevent spinal cord ischaemia during endovascular repair of thoracoabdominal aortic aneurysm：first clinical experience. EuroIntervention 14：828-835, 2018

えると考えられた.

Püschelら[12]は，脊髄虚血発症および再灌流という病勢の変化を反映するモニタリングとして，MEPモニタリング，血清バイオマーカーならびに呼気の有機ガス（アセトン，ペンタン，ヘキサン，イソプロパノール）濃度変化について検討し報告している．ブタを用い，大動脈遮断・解除モデル（虚血再灌流）と肋間動脈結紮モデル（永久虚血）の両者について，MEPモニタリング，血清バイオマーカーおよび呼気有機ガス濃度の変化を検討した．脊髄虚血発症から再灌流という病勢を最も反映したのは，MEPモニタリングであった．血清バイオマーカーとしては，血清GFAP，S100B，NSEには特異性は認められなかった．注目の呼気有機ガスは，これまでの報告と同様に手術侵襲が加わると上昇し，脊髄虚血時の変化は，手術侵襲による影響が大きく，脊髄虚血の検出として用いるほどではなかった．この研究結果では，現時点では呼気有機ガス変化についてはネガティブデータであったが，これまでの方法とは異なる視点からの研究であり興味深かった.

虚血性脊髄障害の病態生理ならびにその治療に関する基礎的研究も複数報告されているが，特にマイクロRNA（miRNA）に関連する数編の報告がみられる．Awadら[13]は，マウス遅発性脊髄障害モデルを用い，自然免疫に関与するTLR4の下流にあるmiRNA-155とBBBの維持に必要なMsfd2の病態への関与について検討した．その結果，遅発性脊髄障害マウスの運動機能は灰白質の損傷ならびに中心性浮腫の程度と相関していた．Wildタイプマウスにおいて遅発性対麻痺を発症しなかった脊髄では，miRNA-155のmRNA発現が少なく，Msfd2発現が多かった．さらに，*in vitro*の実験において，miRNA-155はMsfd2蛋白発現をターゲットとしていることを証明し両者の関連を示唆した．さらにmiRNA-155ノックアウトマウス（miRNA-155KO）では，Wildタイプマウスと比較して，対麻痺発症を40％減少させた．このことから，miRNA-155は遅発性対麻痺の予防のターゲットになる可能性が示唆された．さらに興味深いことは，マウスのみならずヒトにおいても脊髄虚血を発症した脳脊髄液中のmiRNA-155が高値を示すことも述べられており，今後臨床的なバイオマーカーとしても期待できると考えられる．Baoら[14]は，ラット脊髄虚血モデルを用い虚血脊髄のマイクロアレイ解析でmiRNA-199-5pが極端にダウンレギュレーションされていたことに着目し，レンチウイルスを用いて（くも膜下腔投与）miRNA-199-5p賦活，miRNA-199-5p阻害そしてNegative Controlのレンチウイルス投与群の3群で解析を行いmiRNA-199-5pの役割を検討した．その結果，miRNA-199-5p賦活レンチウイルスを投与した群で，対照群と比較し脊髄虚血後の運動機能は有意に改善しており，脊髄運動神経細胞も温存されていた．一方，miRNA-199-5p阻害レンチウイルスを投与された群では，運動機能は対照群より悪く，BBBの障害も強かった．さらに分子生物

12) Püschel A, Ebel R, Fuchs P et al：Can recognition of spinal ischemia be improved? application of motor-evoked potentials, serum markers, and breath gas analysis in an acutely instrumented pig model. Ann Vasc Surg 49：191-205, 2018

13) Awad H, Bratasz A, Nuovo G et al：MiR-155 deletion reduces ischemia -induced paralysis in an aortic aneurysm repair mouse model：utility of immunohistochemistry and histopathology in understanding etiology of spinal cord paralysis. Ann Diag Path 36：12-20, 2018

14) Bao N, Fang B, Lv H et al：Upregulation of miR-199a-5p protects spinal cord against ischemia/reperfusion-induced injury via downregulation of ECE1-n rat. Cell Mol Neurobiol 38：1293-1303, 2018

学的解析を行ったところ，Endothelin-Converting Enzyme1（ECE1）がmiRNA-199-5p 賦活群で抑えられていた．ECE1 阻害によりアポトーシスを抑えることが知られており，したがって miRNA-199-5p には ECE1 を抑えることで脊髄虚血後のアポトーシス反応を抑制し神経保護効果を示すことが示唆された．

その他

開心術後の心房細動（POAF）はおよそ 10～50％の頻度で発生し，心拍出量を低下させるだけでなく，脳梗塞などの血栓症の原因として重要である．POAF は，その高リスク症例において予防的治療が推奨されているが，POAF 予測モデルの信頼性を検証する必要がある．そこで，Cameron ら[15]は，POAF 予測モデルとして POAF スコア，CHA_2DS_2-VASc スコアならびに the AF risk　index の 3 つの信頼性について検討した．2014 年 2 月～2015 年 9 月の期間でオタワ大学付属病院 1 施設における開心術 1,416 症例を対象に前向きコホート研究を行った．その結果，478 例（33.8％）で POAF を発症したが，その予測として POAF スコアの AUC は 0.651，CHA_2DS_2-VASc スコアは 0.593 そして the AF risk　index は 0.563 であり，POAF スコアが他の 2 者より有意に AUC が高かった．しかしこれらの予測モデルそれぞれの一致性は低かった．これらの結果から，この 3 つの予測モデルはすべての症例に対して予測するのではなく，POAF の中等度ならびに高リスク群において予防的治療を考慮する予測として用いることを薦める．

15) Cameron MJ, Tran DTT, Abboud J et al : Prospective external validation of three preoperative risk scores for prediction of new onset arterial fibrillation after cardiac surgery. Anesth Analg 126 : 33-38, 2018

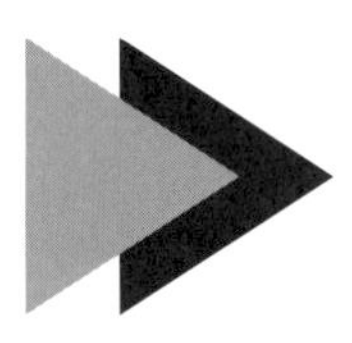

39. 小児心臓手術の麻酔

すが よしふみ
須賀芳文
東京慈恵会医科大学 麻酔科学講座

最近の動向

- 小児心臓麻酔のトレーニングのために統一した教育体制が必要となってきている.
- 先天性心疾患の費用は年々増加してきている.
- カテーテルが診断から治療に使用され，外科的治療と同様の成績な治療も報告されている.
- 近赤外線装置によって組織酸素飽和度以外の定量的評価も行われるようになっている.
- 小児の補助循環として成人同様の機器が使用され始めている.

小児心臓麻酔の教育・トレーニング

2004年に，卒後医学教育のための公認システム（the Accreditation Council for Graduate Medical Education：ACGM）によってマイルストーンが作成された[1]．これをもとに，2007年から先天性心疾患の心臓外科医には1年以上公認機関での訓練と試験の通過が必要となった．心臓外科のための訓練の増加とともに，小児心臓集中治療医の増加と高度な知識と経験が必要となってきた．

外科および集中治療専門と同様に，新生児から成人にわたっている先天性心疾患患者を専門分野とする麻酔科医師の教育・トレーニングする施設や教育体制が必要となってきた．

小児心臓麻酔のための基準を定義する必要があるものの，それについてのコンセンサスを得るにしても，訓練と臨床経験の期間に大きな開きが出てきてしまい定義することはなかなか難しい．これまでは，明らかな教育体制について示されず，いろいろな方法が乱立してきていたが，今後は共通の教育体制や指針が必要である．

ドイツでは，「小児心臓麻酔の専門知識を定義する」ためにワーキンググループを立ち上げた．小児心臓麻酔を行う27施設すべてのプログラムを調査し，96.3％が回答した．それによると充分な経験を成し遂げるには平均10.8ヵ月必要であるとし，小児心臓麻酔の訓練期間は，42.3％の施設が平均12ヵ月であっ

1）Baehner T, DewaldO, Heinze I et al：The provision of pediatric cardiac anesthesia services in Germany：current status of structural and personnel organization. Paediatr Anaesth 27：801-809, 2017

1884-8516/19/¥100/頁/JCOPY

た[1]．

しかしながら，訓練の長さは必ずしも訓練生の能力に反映しない場合がある．それはそれぞれ異なる知識または経験背景をもつためであり，ある程度の時間を要することによって，そういった差を埋める必要がある[2,3]．

また，成人の先天性心疾患を有する患者が増加しており，ACGMEの指針においても新生児から成人まで全年齢での先天性心疾患患者の麻酔について述べられている[4]．小児心臓麻酔科学会のコンセンサスでも，小児心臓麻酔について「新生児から成人と年齢に対応した先天心疾患を個々に対応しうる専門分野」と定義されている．

今後，先天性心疾患は小児だけでなく，全年齢に対応しうる知識と技術を統一された教育体制のもと示していく必要がある．

2) Powell DE, Carraccio C：Toward competency-based medical education. N Engl J Med 378：3-5, 2018
3) Nasr VG, Guzzetta NA, Miller-Hance WC et al：Consensus statement by the Congenital Cardiac Anesthesia Society：milestones for the pediatric cardiac anesthesia fellowship. AnesthAnalg 126：198-207, 2018
4) Kogon BE, Millet K, Miller P et al：Adult congenital cardiac care：a summary of the Adult Congenital Geart Association Clinic Directory. World J Pediatr Congenit Heart Surg 8：242-247, 2017

先天性心疾患の費用

現在，小児の先天性心疾患患者よりも成人の先天性心疾患患者の数が多くなっている．どちらも初回治療の成績と心臓以外の合併症が入院期間に影響を及ぼしている．複雑心奇形であれば，複数回の手術が必要となるため手術後の再入院率は高い．それにより手術に必要な人的・物的資源の使用と費用をさらに上昇させる．

2004～2014年にカナダのHealth Information Discharge Abstract Database使用した後向きコホート研究が発表された[5]．それによると10年の研究期間で費用は21.6%増大し，成人と比較して小児に使用される費用のほうが高かった．しかし，使用する費用の増加割合は小児より成人で大きかった（0.7% /y VS. 4.5% /y）．複雑先天性心疾患を有する成人患者において最も費用が増加していた．特に単心室後のFontan循環患者では総費用の40%が最終手術を終えた後に使用されている．入院期間の長期化や再入院率の増加が費用増加に関与している．

5) Mackie AS, Tran DT, Marelli AJ et al：Cost of congenital heart disease hospitalizations in Canada：a population-based study. Can J Cardiol 33：792-798, 2017

乳幼児期の合併症の有無や遺伝子異常が入院期間の延長に関与していることが示されている[6,7]．2013年Databaseを用いた調査では，成人における冠動脈バイパス移植と先天性心疾患の手術の経費と結果を比較している[8]．この調査から成人先天性心疾患患者が冠動脈バイパス移植より高い費用を必要とし，しかも成績においては，冠動脈バイパス移植術のほうがよかった．また，小児における吸入された一酸化窒素（iNO）の適応外使用なども費用増加の一因として挙げられる．今後さらに増加する成人先天心疾患と経過観察中に必要となってくる合併症を含め，医療費の増加は深刻となってくることが考えられる．

6) Tuomela KE, Gordon JB, Cassidy LD et al：Resource utilization associated with extracardiac co-morbid conditions following congenital heart surgery in infancy. Pediatr Cardiol 38：1065-1070, 2017
7) Furlong-Dillard J, Bailly D, Amula V et al：Resource use and morbidities in pediatric cardiac surgery patients with genetic conditions. J Pediatr 193：139-146, 2018
8) Nasr VG, Faraoni D, Valente AM et al：Outcomes and costs of cardiac surgery in adults with congenital heart disease. Pediatr Cardiol 38：1359-1364, 2017

カテーテル治療と外科的治療

1953年に，Rubio-Alvarezらは先天性心疾患の治療に心臓カテーテルを用いて最初に成功したことを報告した．それから60年以上経過した現在では，心エコーやMRI技術の向上により心臓カテーテルは，検査よりも治療として使用されることが多くなっている．カテーテル治療は，手術創部の縮小により感染や創部痛軽減や回復期間の短縮そして費用の軽減につながっている．

では，外科的に手術を行うのとカテーテル治療どちらが有用であるのか？動脈管開存症（PDA）にステントを留置するカテーテル治療とBTシャントを作成する手術を比較した研究がある[9]．これはカテーテル治療を行う4施設での多施設研究である．結果は周術期死亡率や再手術率に有意差はなく，PDAステント術のほうが集中治療滞在日数や退院日数が短かった．しかし長期的にみるとPDAステントはバルーン血管形成などの治療が必要となる．これは，一概に手技だけでなく，ステント自体の問題もあるためどちらが有用であるとはいいがたい．単心室でのNorwood手術後の大動脈の再狭窄は長期的に起こりえる病態である．この場合，再開胸にて手術を行うか，バルーンで拡張するかもしくはステントを留置する方法がある．

再開胸では出血などのリスクがあり，バルーン拡張では一時的にはよいものの再狭窄が起こりうる．ステント留置は長期的にも結果は良好であるものの，36％でステントの位置異常などの合併症を起こしうる可能性もある[10]．

PDA閉鎖については，長期的に行われてきた手技の一つであり，コイルなどでPDA血流を遮断する．BackesらはPDA閉鎖のカテーテル治療についてのメタ解析を行った．その結果は92.2％の成功率であり，6 kg未満の新生児で合併症が多かったことを示した[11]．新生児期のカテーテル治療は安全となってきているもののさらに体重以外の危険因子の同定が求められる．

脳酸素飽和度

近赤外分光装置（NIRS）は，組織酸素化測定のための非侵襲的な光学技術である．NIRSは組織オキシメータとして，脳（ScO_2）および身体組織酸素飽和度の連続臨床モニタリングとして考慮されてきている．特に早産の新生児で脳の酸素測定において，脳低酸素または高酸素症の検出により早期の治療介入が，臨床的転帰を改善する可能性がある[12,13]．

NIRSにおいては，ベースライン値からの偏差によって脳へのダメージを推測することができるものの，小児でScO_2の正常な範囲を確立することは難しい．健常な小児において，ScO_2のための正常範囲は，平均で68 ± 10％となっているものの，先天性心疾患特にチアノーゼを有する患者ではその数値にもばらつきがでてくる．正常な患者におけるSaO_2とScO_2間の差から推測されるチアノーゼの小児における正常なScO_2は40％～60％と仮定される[14]．

Rescoeらは，左心低形成症候群（HLHS）の患者が第一段階の姑息術を施行された後のScO_2とSvO_2間の関係を調査した[15]．ある程度の相関関係が認

9）Glatz A, Petit C, Goldstein B et al：A comparison between patent ductus arteriosus stent and modified Blalock-Taussig shunt as palliation for infants with ductal-dependent pulmonary blood flow：insights from the Congenital Catheterization Research Collaborative. Circulation 137：589-601, 2018

10）Aldoss O, Goldstein BH, Danon S et al：Acute and mid-term outcomes of stent implantation for recurrent coarctation of the aorta between the Norwood operation and Fontan completion：amulti-center Pediatric Interventional Cardiology Early Career Society investigation . Catheter Cardiovasc Interv 90：972-979, 2017

11）Backes CH, Rivera BK, Bridge JA et al：Percutaneous patent ductus arteriosus（PDA）closure during infancy：ameta-analysis. Pediatrics 139, 2017

12）Bickler P, Feiner J, Rollins M et al：Tissue oximetry and clinical outcomes. Anesth Analg 124：72-82, 2017

13）Hyttel-Sorensen S, Greisen G, Als-Nielsen B et al：Cerebralnear-infrared spectroscopy monitoring for prevention of brain injury in very preterm infants. Cochrane Database Syst Rev 9：CD011506, 2017

14）Buratto E, Horton S, Konstantinov IE：So near, yet so far：is isolated cerebral near-infrared spectroscopy in neonates nearly as useful as it is noninvasive?. J Thorac Cardiovasc Surg 154：1054-1055, 2017

15）Rescoe E, Tang X, Perry DA et al：Cerebral near-infrared spectroscopy insensitively detects low cerebral venous oxygen saturations after stage 1 palliation. J Thorac Cardiovasc Surg 154：1056-1062, 2017

められるものの，ばらつきが大きくさらなる研究が必要である．さらに，最近では小児においても周波数領域近赤外分光学（FD-NIRS）や広汎性相関分光学から，脳酸素飽和度の定量的測定やCMR02の算出推定値が検出されている．Ferradalらは新生児の心臓手術において検出可能であることを示している[16]．今後さらなる研究により診断や治療介入を早期にできるようになる可能性がある．

小児の補助循環

小児における心不全の罹患率は着実に増加しており，毎年10万人に対して14.5～17人が心不全関連の入院をしている[17]．これらの小児心不全の原因としては，心筋症，先天性心疾患，不整脈，心筋炎が挙げられる．医療の進歩により，これら患者の入院期間と死亡率は減少し続けてきた．しかし，非代償性末期心不全の小児においては治療法が十分でない状態である．これらの小児において，2週間以内の一時的な循環補助（mechanical circulatory support：MCS）と2週以上使用される補助人工心臓（ventricular assist devices：VADs）でのサポートが，有意に死亡率と合併症などを減少させた．

PediMacsレポートでは，2012～2016年に挿入されたVAD（430個364人）について調査されている[18]．その報告では，心筋症が60％と最も多く次いで単心室を含む先天性心疾患で21％であった．使用される年齢は11～18歳の群が48％と最も多く，新生児や乳児は20％であった．出血・感染や脳梗塞が合併症として認められ，重篤な合併症はほとんどが3ヵ月以内に引き起こされる．

MCSの一般的なものとして，膜型人工心肺（ECMO）やTandem HeartやImpella deviceが挙げられる．最新のImpella deviceを用いた10症例の後ろ向きの研究では，晩期の死亡を1例認めたものの全例が集中治療室から退出できたとしている[19]．VADsについては，PediMacsレポートで示されており，小児においても成人と同様の連続流型人工心臓が主流となってきている．

循環補助装置が装着されている患者の心肺蘇生については，AHAガイドラインに示されている[20]．まず，低酸素血症や低血糖・過量薬物投与といった人工心臓以外の原因を検索する．次に人工心臓のエラーなどの評価を行う．機器の故障や停止の場合には速やかに交換が必要となる．循環が保てない場合には胸骨圧迫を始めるべきである．機器のさらなる故障があるかもしれないが，有益性が勝るのであれば胸骨圧迫を行うべきである．最後に心エコーを用いて人工心臓の評価を行うべきであるとしている．人工心臓はあくまでも心臓移植を待機するためのものであるが，さらなる機器の向上により小児においても長期的使用可能なものが出てくることに期待する．

16) Ferradal SL, Yuki K, Vyas R et al：Non-invasive assessment of cerebral blood flow and oxygen metabolism in neonates during hypothermic cardiopulmonary by-pass：feasibility and clinical implications. Sci Rep 7：44117, 2017

17) Lee TM, Hsu DT, Kantor P et al：Pediatric cardiomyopathy. Circ Res 121：855-873, 2017

18) Blume ED, VanderPluym C, Lorts A et al：Second annual pediatric interagency registry for mechanical circulatory support（PediMacs）report：pre-implant characteristics and outcomes. J Heart Lung Transplant 37：38-45, 2018

19) Parekh D, Jeewa A, Tume SC et al：Percutaneous mechanical circulatory support using Impella devices for decompensated cardiogenic shock：a pediatric heart center experience. ASAIOJ 64：98-104, 2018

20) Peberdy MA, Gluck JA, Ornato JP et al：Cardiopulmonary resuscitation in adults and children with mechanical circulatory support：a scientific statement from the American Heart Association. Circulation 135：e1115-1134, 2017

40. 脳外科の麻酔

川口昌彦（かわぐち まさひこ）
奈良県立医科大学 麻酔科学教室

最近の動向

●頸動脈内膜剥離術の発症後早期（2日以内）の施行や冠動脈バイパス手術との同時手術の安全性は認められなかった．開頭手術での疼痛管理として術後定期投与のアセトアミノフェンの効果と安全性について報告されている．テント上脳腫瘍摘出術で stroke volume variation（SVV）を指標とした goal-directed fluid therapy（GDFT）の有用性が報告されている．開頭手術での肺塞栓症対策としての間欠的空気圧迫装置の有効性が示されている．また，開頭手術における術後早期回復プログラム（enhanced recovery after surgery：ERAS）や術前の炭水化物投与の有効性が報告されている．

頸動脈内膜剥離術

頸動脈内膜剥離術の麻酔法，実施時期，冠動脈バイパス手術（coronary artery bypass grafting：CABG）との同時手術の是非などが検討されている．頸動脈内膜剥離術の麻酔として全身麻酔と局所麻酔が選択できるが，いまだいずれの麻酔法が望ましいかの一定の見解は得られていない．Malik ら[1] は，American College of Surgeons National Surgical Quality Improvement Program（NSQIP）のデータベースを用いて，麻酔法と合併症の関連性を後ろ向きに検討した．計 43,463 例のうち，22,845 人をプロペンシティマッチングし，全身麻酔と局所麻酔の群で比較検討した．主要評価項目である 30 日後の死亡率には差は認めなかったが，全身麻酔群では周術期の輸血や呼吸器合併症が有意に多かったと報告している．また，Hajibandeh ら[2] は，12 の無作為比較試験と 21 の観察研究から頸動脈内膜剥離術を受けた 58,212 例を用い，全身麻酔と局所麻酔でのメタ解析を実施している．結果，無作為比較試験の結果では全身麻酔と局所麻酔にアウトカムに差はなかったが，観察研究の結果では，脳卒中（オッズ比（OR）：0.66），一過性脳虚血発作（OR：0.52）および心筋梗塞（OR：0.55）の発生率，死亡率（OR：0.72）は，全身麻酔に比較し，局所麻酔で有意に低かったと報告している．

頸動脈内膜剥離術の施行時期について，頸動脈病変による症状が発生後 2 週

1）Malik OS, Brovman EY, Urman RD et al：The use of regional or local anesthesia for carotid endarterectomies may reduce blood loss and pulmonary complications. J Cardiothorac Vasc Anesth, 2018［Epub ahead of print］

2）Hajibandeh S, Hajibandeh S, Antoniou SA et al：Meta-analysis and trial sequential analysis of local vs. general anaesthesia for carotid endarterectomy. Anaesthesia 73：1280-1289, 2018

1884-8516/19/¥100/頁/JCOPY

間以内に施行すべきであると推奨されているが，2日以内の早期にすることの安全性については一定の見解はない．Roussopoulou ら[3] は症状発生後2日以内の手術群（n = 63）と3～14日に手術を施行した早期群（n = 248）でその安全性を比較検討している．死亡率は両群間で差は認めなかったが，30日以内の脳梗塞の発生率は，2日以内の手術群で7.9％，3～14日で4.4％と，2日以内で高い傾向があった．2日以内の手術の安全性のさらなる評価が必要と述べている．

CABGを受ける重度頸動脈病変を有する患者の治療戦略はいまだ不確かである．Weimar ら[4] は，頸動脈内膜剥離術とCABG同時手術の安全性と有効性について検討した．無症候性で80％以上の頸動脈狭窄を有する患者を同時手術群またはCABG単独群に振り分け，術後30日での脳梗塞または死亡を評価した．結果，脳梗塞または死亡の発生率は，同時手術群65例中12例（18.5％），CABG単独群で62例中6例（9.7％）で，CABG単独群のほうが低かった．副次評価項目として，予後はCABG単独群で良好な傾向にあったが，有意な差ではなかった．サンプルサイズが十分でないため結論には至らないが，同時手術の有効性は否定的という見解が述べられている．Hempe ら[5] は，CABGと頸動脈内膜剥離術を同時に施行された307例と段階的に施行された16例をプロペンシティスコアマッチングを用い後ろ向きに比較検討している．結果，脳梗塞の発生率は両群で差はなかったが，一時的虚血発作（IIA）やせん妄の発生率は同時手術で有意に高かった．30日後の死亡率に差はなかったが，術後呼吸器合併症は同時手術で有意に高かったと報告している．現状では，**頸動脈内膜剥離術とCABGの同時手術の優位性は否定的と考えられる．**

開頭手術とデクスメデトミジン

Wang ら[6] は全身麻酔下での開頭手術での麻酔補助薬としてのデクスメデトミジンの有効性と安全性についてのメタアナリシスの結果を報告している．22の無作為比較試験での1,348例での検討を行っている．結果，デクスメデトミジン投与群では，術後痛の程度（10 cmのVASで0.25 cmの低下）を軽減したが，手技の成功率には差がなかった．また，術後嘔気嘔吐（OR：0.57），高血圧（OR：0.37），および頻脈（OR：0.32）の頻度を有意に低下させた．著者らは，安全には使用できるものの，効果の程度は軽微であり，至適な容量の検討も含め，さらなる検討が必要と述べている．本邦では，全身麻酔での併用は保険診療外になるので，慎重な解釈が必要である

微小血管減圧術での嘔気嘔吐

開頭手術後の術後嘔気嘔吐（postoperative nausea and vomiting：PONV）

3) Roussopoulou A, Tsivgoulis G, Krogias C et al：Safety of urgent endarterectomy in acute non-disabling stroke patients with symptomatic carotid artery stenosis：an international multicenter study. Eur J Neurol, 2018［Epub ahead of print］

4) **Weimar C, Bilbilis K, Rekowski J et al：Safety of simultaneous coronary artery bypass grafting and carotid endarterectomy versus isolated coronary artery bypass grafting：a randomized clinical trial. Stroke 48：2769–2775, 2017**

5) Hempe S, Moza A, Goetzenich A et al：Synchronous or staged carotid endarterectomy and coronary artery bypass grafting? propensity score matched study. Heart Surg Forum 21：E359-E364, 2018

6) Wang L, Shen J, Ge L et al：Dexmedetomidine for craniotomy under general anesthesia：a systematic review and meta-analysis of randomized clinical trials. J Clin Anesth, 2018［Epub ahead of print］

は頻度も高く解決すべき重要な課題である．Kangら[7]はプロポフォールを用いた全身麻酔下で微小血管減圧術を受けた274例で，5-HT3受容体拮抗薬であるパロノセトロとスガマデクスを使用した場合の，PONVの発生率について後ろ向きに検討している．患者は，筋弛緩薬の拮抗で使用した薬剤（スガマデクス，ピリドスティグミン），5-HT3受容体拮抗型制吐薬であるパロノセトロンの予防的投与の有無で4群に振り分けた．結果，全体のPONV発生率は30.7％であったが，パロノセトロンとスガマデクスの両方を投与された群ではPONVの発生率は19.3％と低かった．パロノセトロンの予防的投与とスガマデクスの複合投与はPONVを低下させる有意な因子であった（OR：0.38，p = 0.005）と報告している．PONV対策として興味深い研究結果であり，さらなる検討が期待される．

7) Kang HY, Park SW, Lee S et al：Effect of prophylactic palonosetron and sugammadex on postoperative nausea and vomiting in patients undergoing microvascular decompression under propofol-maintained anesthesia：a retrospective observational study. Medicine（Baltimore）97：e13237, 2018

開頭手術での疼痛管理

脳外科手術後の疼痛管理は軽視されがちであるが，介入すべき重要な課題である．脳外科手術では術後の嘔気嘔吐のため，経口での鎮痛薬投与が遅延する傾向にある．また，麻薬の使用は神経学的評価に影響する可能性もある．Sivakumarら[8]は，テント上開頭手術患者240例で，静脈内投与のアセトアミノフェンの鎮痛効果について検証した．アセトアミノフェン群では1,000 mgを8時間ごと，48時間投与した．コントロール群では生理食塩水100 mLを投与した．結果，術直後，術後24時間，術後48時間でのモルヒネの使用量は両群で有意な差は認めなかったが，患者報告による疼痛スコアは，アセトアミノフェン群で有意に低かった．**アセトアミノフェンの静脈投与は，脳外科手術で安全に使用できると結論**している．Artime[9]もテント上開頭手術患者100例をアセトアミノフェン群とコントロール群に分けて，その効果について前向きに検討している．アセトアミノフェンは6時間ごとに24時間投与し，コントロール群は生理食塩水を投与した．結果，術後24時間での麻薬（モルヒネ）の使用量に差はなく，痛みスコアも差はなかったが，患者満足度はアセトアミノフェン群で有意に高かったと報告している．

8) Sivakumar W, Jensen M, Martinez J et al：Intravenous acetaminophen for postoperative supratentorial craniotomy pain：a prospective, randomized, double-blinded, placebo-controlled trial. J Neurosurg, 2018［Epub ahead of print］

9) Artime CA, Aijazi H, Zhang H et al：Scheduled intravenous acetaminophen improves patient satisfaction with post-craniotomy pain management：a prospective, randomized, placebo-controlled, double-blind study. J Neurosurg Anesthesiol 30：231-236, 2018

抗てんかん薬であるガバペンチンが，種々の手術の術後痛軽減に有効であると報告されているが，後頭下や側頭下開頭の手術での効果は不明である．Zengら[10]は，後頭下または側頭下開頭の手術を受ける122症例を無作為にガバペンチン群とコントロール群に分けた．ガバペンチン群では手術前夜と麻酔導入2時間前にガバペンチン600 mgを経口で内服し，コントロール群ではビタミンBを内服した．結果，術後24時間での安静時疼痛スコアおよび体動時疼痛スコアはガバペンチン群で有意に低かった．ガバペンチン群では，術後の嘔吐の発生率が有意に低く，制吐薬の使用も少なかったが，術後2時間での鎮静度は高かった，また，ガバペンチン群では術中のプロポフォールおよびレミ

10) Zeng M, Dong J, Lin N et al：Preoperative gabapentin administration improves acute postoperative analgesia in patients undergoing craniotomy：a randomized controlled trial. J Neurosurg Anesthesiol, 2018［Epub ahead of print］

フェンタニルの使用量が有意に少なくなった．著者らはガバペンチンは術後急性期痛に有効ではないかと結論している．興味深い結果なのでさらなる検討を期待する．

開頭手術での肺塞栓症対策

開頭手術での深部静脈血栓の発生率は50%にもなるとの報告もあり，肺塞栓症が発生した場合は致命的にもなるため，深部静脈血栓の予防は重要である．Rinaldoら[11]は，1,622例の開頭手術での静脈血栓症に関する結果を報告している．深部静脈血栓症は2.3%，肺塞栓症は0.9%で発生した．静脈血栓症に関連する因子として，高い年齢，静脈血栓症の既往，運動麻痺，術後頭蓋内出血，長時間の気管挿管また再挿管が有意な関連因子であったと報告している．Prellら[12]は，予定の開頭手術を受ける108例を対象に，間欠的空気圧迫装置の使用の効果について検討した．治療群では術中に間欠的空気圧迫装置を使用し，コントロール群では弾性ストッキングを使用した．結果，深部静脈血栓の発生率は治療群で有意に低かった．深部静脈血栓の発生は手術時間と関連しており，手術が1時間延長するごとに深部静脈血栓症の発生率は1.56倍になるとも報告している．実際の臨床で日々使用しているものだが，エビデンスとしての報告は貴重である．

11) Rinaldo L, Brown DA, Bhargav AG et al：Venous thromboembolic events in patients undergoing craniotomy for tumor resection：incidence, predictors, and review of literature. J Neurosurg, 2019［Epub ahead of print］

12) Prell J, Schenk G, Taute BM et al：Reduced risk of venous thromboembolism with the use of intermittent pneumatic compression after craniotomy：a randomized controlled prospective study. J Neurosurg, 2018［Epub ahead of print］

開頭手術と痙攣

開頭手術での周術期の痙攣についての報告は多いが，術中の痙攣についての報告は限られている．Kutterufら[13]は術中に運動誘発電位モニタリング下でのテント上開頭手術における術中痙攣の発生率およびその関連因子について後ろ向きに検討している．対象となる1,916例中，45（2.3%）で術中に痙攣が発生した．痙攣発生は大部分，burr-hole作成時，開頭時または病変の処理前であった．運動誘発電位施行との時期や刺激強度はさまざまであった．術中痙攣の有意なリスクファクターとして，痙攣の既往（OR：2.18），脳腫瘍（OR：2.41），側頭開頭（OR：5.18）が認められた．抗てんかん薬の予防的効果は，フェニトインまたはホスフェニトイン（OR：0.12）が，レベチラセタム（OR：0.40）よりも著明であった，と報告している．一方，Leeら[14]は非外傷病変に対する開頭手術後の痙攣の予防効果として，フェニトインとレベチラセタムを比較するメタ解析を実施している．7つの研究からの803例での解析で，術後の痙攣はレベチラセタム使用例で1.26%，フェニトイン使用例で6.60%であり，レベチラセタムで有意に少なかった（OR：0.233）．副作用の発生率は，レベチラセタムとフェニトインで差は認めなかったが，副作用による抗痙攣薬の中止は，フェニトインに比べレベチラセタムのほうが有意に少なかった（OR：0.266）．抗痙攣薬についてはさらなる検討が必要と思われる．

13) Kutteruf R, Yang JT, Hecker JG et al：Incidence and risk factors for intraoperative seizures during elective craniotomy. J Neurosurg Anesthesiol, 2018［Epub ahead of print］

14) Lee CH, Koo HW, Han SR et al：Phenytoin versus levetiracetam as prophylaxis for postcraniotomy seizure in patients with no history of seizures：systematic review and meta-analysis. J Neurosurg, 2018［Epub ahead of print］

開頭手術での輸液管理

さまざまな領域で goal-directed fluid therapy（GDFT）の有用性が報告されているが，脳外科手術での有用性については明らかになっていない．Wuら[15)]は，テント上脳腫瘍摘出術で stroke volume variation（SVV）を指標としたGDFTについて検討した．80人の患者を膠質液投与でSVVを管理した低SVV群と輸液制限をした高SVV群に分け比較検討した．結果，**低SVV群では集中治療室での在室日数が有意に少なく，術後の神経学的合併症も有意に少なかった**と報告している．輸液管理としてのSVVを指標とした管理の有効性を示唆している．重要な検討であり，対象疾患も含めさらなる検討が必要と考えられる．

15) Wu CY, Lin YS, Tseng HM et al：Comparison of two stroke volume variation-based goal-directed fluid therapies for supratentorial brain tumour resection：a randomized controlled trial. Br J Anaesth 119：934-942, 2017

開腹手術後の早期回復プログラム

Wnagら[16)]は術後早期回復プログラム（enhanced recovery after surgery：ERAS）の開頭手術での有用性を検討している．予定の開頭手術を受ける患者140例をERAS群とコントロール群に振り分け，入院期間，合併症発生率，食事までの時間，患者満足度などを比較検討した．結果，入院期間はコントロール群に比べERAS群で有意に短かった（中央値：7日 vs. 4日，$p<0.0001$）．ERAS群では痛みの程度が弱く，持続時間も短かった．飲水開始および固形物摂取開始までの時間はコントロール群に比べERAS群で有意に短かった（中央値，水分：8時間　vs. 11時間，固形物：24時間　vs. 72時間）．著者らは予定の開頭手術において，合併症を増加することなく回復促進できるため，有用であると結論している．

16) Wang Y, Liu B, Zhao T et al：Safety and efficacy of a novel neurosurgical enhanced recovery after surgery protocol for elective craniotomy：a prospective randomized controlled trial. J Neurosurg, 2018［Epub ahead of print］

Liuら[17)]は，開頭手術における術前の炭水化物負荷の有効性について検討している．予定の開頭手術120例を炭水化物群と絶食群に振り分け，グルコース恒常性，握力，呼吸機能，術後合併症の発生率を比較検討した．炭水化物群では，手術2時間前までに400 mLの炭水化物製剤を経口摂取し，絶食群は術前8時間は絶食とした．結果，グルコース恒常性は炭水化物群で有意に良好であり，握力および呼吸機能も炭水化物群で有意に高かった．術後合併症に両群で差はなかったが，入院期間は炭水化物群で有意に短かった．著者らは，開頭手術でのルーチンの炭水化物製剤投与も検討すべきであると述べている．

17) Liu B, Wang Y, Liu S et al：A randomized controlled study of preoperative oral carbohydrate loading versus fasting in patients undergoing elective craniotomy. Clin Nutr, 2018［Epub ahead of print］

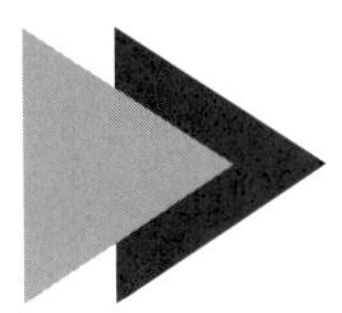

41. Awake craniotomy の麻酔

川口昌彦（かわぐち まさひこ）
奈良県立医科大学 麻酔科学教室

最近の動向

●神経膠腫摘出術を awake craniotomy で実施した場合と全身麻酔で実施した場合のアウトカムの比較の結果が報告されている．Awake craniotomy でのデクスメデトミジン使用の安全性と有効性について報告されている．Asleep-awake-asleep 法でも鎮静法でもデクスメデトミジンは有用に使用できたという結果である．三叉神経痛に対する微小血管減圧術を覚醒下で実施した報告も認められる．覚醒下であれば減圧の効果を評価できると述べられている．言語機能の客観的神経モニターとしての皮質－皮質間誘発電位の麻酔薬の影響についても報告されている．

Awake craniotomy とアウトカム

悪性神経膠腫は正常の脳組織との境界が不明瞭であるため，運動野や言語野などの機能野近傍にある場合，どの程度切除するかが重要な課題である．正常組織を切除した場合は機能障害が発生し，不十分な切除では再発の危険性を伴う．Gravesteijn ら[1]は，島葉の神経膠腫の摘出術を awake craniotomy で施行した 24 例と全身麻酔で施行した 28 例のアウトカムを比較検討している．2 群で切除範囲に有意な差は認められなかった．Awake craniotomy 群ではより早期の神経障害がみられ，全身麻酔群では新たな遅発性の神経障害が認められる傾向があった．術後 1，2 年の生存率に差は認められなかったと報告している．Gerritsen ら[2]は，テント上の神経膠腫の摘出術を awake craniotomy で実施した 37 例と全身麻酔で実施した 111 例で，後ろ向きにケースコントロール研究を実施した．結果，患者背景に差はなかったが，切除範囲は awake craniotomy は全身麻酔に比較し有意に大きかった（95％ vs. 70％，p＝0.0001）．また，遅発性の軽度の合併症も awake craniotomy で有意に少なかった，と報告している．また，Gerritsen ら[3]は悪性神経膠腫に対する開頭脳腫瘍摘出術において，皮質電気刺激による機能マッピングを伴う覚醒下での腫瘍摘出術（AC 群）と全身麻酔下での腫瘍摘出術（GA 群）におけるアウトカムを比較するメタアナリシスも実施した．結果，53 の論文で 9,102 人の解析を

1）Gravesteijn BY, Keizer ME, Vincent AJPE et al：Awake craniotomy versus craniotomy under general anesthesia for the surgical treatment of insular glioma：choices and outcomes. Neurol Res 40：87-96, 2018

2）Gerritsen JKW, Viëtor CL, Rizopoulos D et al：Awake craniotomy versus craniotomy under general anesthesia without surgery adjuncts for supratentorial glioblastoma in eloquent areas：a retrospective matched case-control study. Acta Neurochir（Wien）, 2019［Epub ahead of print］

3）Gerritsen JKW, Arends L, Klimek M et al：Impact of intraoperative stimulation mapping on high-grade glioma surgery outcome：a meta-analysis. Acta Neurochir（Wien）, 2018［Epub ahead of print］

1884-8516/19/¥100/頁/JCOPY

行った．術後の生存期間（中央値）は，GA 群に比べ AC 群で有意に短かった（中央値：16.9 日 vs. 12.0 日，$p < 0.001$）．術後合併症の発生率も有意に AC 群で低かった（$p < 0.001$）．最大限の切除率は，AC 群 79.1%，GA 群で 47.7% と，AC 群で有意に高かった（$p < 0.0001$）．**悪性神経膠腫の切除術に対しては，awake craniotomy が有効**というメタアナリシスの結果である．Lu ら[4]も機能野近傍の神経膠腫の摘出術で，awake craniotomy と全身麻酔でのアウトカムを比較したメタアナリシスを実施している．1,037 の論文から 9 つの論文を抽出した．結果，機能的アウトカムは awake craniotomy と全身麻酔群で有意な差はなかった．術後の嘔気嘔吐の発生率は awake craniotomy 群で有意に低く（オッズ比（OR）：0.17，$p < 0.001$），入院期間は awake craniotomy 群で有意に短かった（−1.76 日，$p = 0.02$）と報告した．神経膠腫での管理法の確立や長期的な機能的予後の評価の必要性についてコメントされている．神経膠腫の麻酔法については引き続き詳細な検討が必要のようである．

4) Lu VM, Phan L, Rovin RA：Comparison of operative outcomes of eloquent glioma resection performed under awake versus general anesthesia：a systematic review and meta-analysis. Clin Neurol Neurosurg 169：121-127, 2018

Awake craniotomy とデクスメデトミジン

Awake craniotomy における麻酔管理では，気道の安全性，患者の快適性，機能マッピングの実施可能性の観点から評価する必要がある．McAuliffe ら[5]は，55 例の awake craniotomy 患者で頭皮神経ブロックとデクスメデトミジンによる麻酔管理における気道の安全性，合併症の有無，機能マッピングの成功率などについて検討した．結果，気道や麻酔関連の重大イベントの発生はなく，全身麻酔への移行もなかった．全例で機能マッピングが可能で 24% の症例で機能マッピングの結果が術式の決定因子となった．**デクスメデトミジンを使用した麻酔管理で安全かつ有効な awake craniotomy が実施可能である**と結論している．Suero Molina ら[6]は，神経膠腫に対する awake craniotomy で，プロポフォールとレミフェンタニルを用いて施行した asleep-awake-asleep 法（asleep 群）と，デクスメデトミジンを用いた鎮静群の結果を比較検討している．結果，調査対象の 180 例中，75 例は鎮静群で，asleep 群（$n = 105$）に比べ，麻薬，血管収縮薬，降圧薬の使用は有意に少なかった．また，鎮静群では入院期間および手術時間が有意に短かった，と報告している．著者らは **awake craniotomy におけるデクスメデトミジンによる鎮静は，適度の鎮静作用と抗不安作用があり，投与中止後は神経学的評価も可能であり，有用である**と述べている．Asleep-awake-asleep だけでなく，デクスメデトミジンを用いた鎮静法（神経学的評価中は中止）も選択可能と考えられる．

5) McAuliffe N, Nicholson S, Rigamonti A et al：Awake craniotomy using dexmedetomidine and scalp blocks：a retrospective cohort study. Can J Anaesth 65：1129-1137, 2018

6) Suero Molina E, Schipmann S, Mueller I et al：Conscious sedation with dexmedetomidine compared with asleep-awake-asleep craniotomies in glioma surgery：an analysis of 180 patients. J Neurosurg, 2018［Epub ahead of print］

Awake craniotomy とキセノン

Kulikov ら[7]は 40 例の awake craniotomy の asleep-wake-asleep のはじめの asleep phase でキセノンを使用し，その有用性について検討している．結

7) Kulikov A, Bilotta F, Borsellino B et al：Xenon anesthesia for awake craniotomy：safety and efficacy. a prospective observational case series. Minerva Anestesiol, 2018［Epub ahead of print］

果，キセノンの使用は13 ± 2Lで，キセノン中止後5 ± 1分で覚醒した．67.5%の症例で，キセノンと局所麻酔のみで実施可能であったと報告している．Awake craniotomyでのキセノンも使用も検討できるかもしれないが，これまでの方法と比べた利点は少ないのではないかという結果であった．

Awake craniotomyの実施可能性

Gernsbackら[8]はどのような患者でawake craniotomyの実施が困難かを120例の患者で後ろ向きに検討した．男性はawake craniotomyが実施可能な率が高かったが，レミフェンタニルの使用例ではawake craniotomyの不成功と関連していた．統計的有意ではなかったが，術前の痙攣，ケタミンの使用，右側の手術，呼吸器合併症を有する患者では不成功の傾向が認められたと報告している．また，awake craniotomyでは不安がその成功を妨げるため，抗不安薬を投与される場合があるが，抗不安薬には鎮静作用もあり，タスクを遂行できない可能性もある．Bijankiら[9]は，帯状束を電気刺激することで抗不安作用を発揮できるため，鎮静薬の中止やその後のタスクが実施可能であった3例のてんかん患者について報告している．今後のさらなる検討が必要だが興味深いアプローチである．

8) Gernsback JE, Kolcun JPG, Starke RM et al：Who needs sleep? an analysis of patient tolerance in awake craniotomy. World Neurosurg 118：e842-e848, 2018

9) Bijanki KR, Manns JR, Inman CS et al：Cingulum stimulation enhances positive affect and anxiolysis to facilitate awake craniotomy. J Clin Invest, 2018［Epub ahead of print］

Awakeでの微小血管減圧術

Awake craniotomyは機能野周辺の脳腫瘍やてんかん手術に用いられることが多いが，Abdulraufら[10]は三叉神経痛に対する微小血管減圧術を覚醒下で実施した経験を報告している．これは術中に痛みを評価することで，不十分な減圧を回避できるのではないかというコンセプトである．10例の微小血管減圧術を覚醒下で実施し，9例は良好な結果が得られた．合併症として仮性髄膜瘤を発症した1例では，三叉神経痛の改善は得られなかった．著者らは覚醒下での痛み誘発試験での減圧の評価は，アウトカムの改善のために有効ではないかと述べている．興味深い結果であり，さらなる検討に期待したい．

10) Abdulrauf SI, Urquiaga JF, Patel R et al：Awake microvascular decompression for trigeminal neuralgia：concept and initial results. World Neurosurg 113：e309-e313, 2018

外来手術でのAwake craniotomy

近年，欧米では開頭手術も外来手術として施行する場合があり，その安全性についても報告されている．Nassiriら[11]はawake canitotomyについて入院手術と外来手術での医療費について比較検討している．対象は脳腫瘍に対するawake craniotomyで，外来手術29例，入院手術21例を後ろ向きに検討した．合併症発生率と30日後の再入院率は2群で同様であった．医療費については，入院手術は外来手術に比べ，ほぼ倍程度であった（$10,649 versus $5,242, $p < 0.001$）．手術関連の費用は同等であったが，入院や施設滞在の費用は入院患者は外来患者の6倍の費用であった．著者らは，外来手術としてのawake

11) Nassiri F, Li L, Badhiwala JH et al：Hospital costs associated with inpatient versus outpatient awake craniotomy for resection of brain tumors. J Clin Neurosci 59：162-166, 2019

craniotomyも安全に実施可能で，費用の軽減が期待できるとしている．

皮質-皮質間誘発電位

開頭手術時の言語能の評価として，皮質-皮質間誘発電位（cortico-cortical evoked potentials：CCEP）が使用され始めている．Suzukiら[12]は，術中に深麻酔から覚醒までの間にCCEPを測定することで，麻酔深度としてのbispectral index（BIS）とCCEPの振幅との関連性を検討した．結果，CCEPの振幅はBISと相関しており，BIS値が65未満になれば，CCEPの振幅は有意に低下した（中央値31.3％低下）．一方，CCEPの潜時とBISには有意な関連性は認められなかった．CCEPの術中モニタリング中は麻酔薬の影響に細心の注意が必要である．言語に関する術中モニタリングは困難なため，awake craniotomyが必須であるが，CCEPなどの検討がなされることで，麻酔下でも言語能の評価ができるようになればと期待する．

12) Suzuki Y, Enatsu R, Kanno A et al：The influence of anesthesia on cortico-cortical evoked potential monitoring network between frontal and temporo-parietal cortices. World Neurosurg, 2018［Epub ahead of print］

42. 移植手術の麻酔

森松博史（もりまつひろし）
岡山大学大学院医歯薬学総合研究科 麻酔・蘇生学分野

最近の動向

●今回レビューでは，移植麻酔関連の論文は7編で，うち3編がランダム化比較試験（RCT），観察研究が3編，10年間のデータベースからの解析が1編であった．RCT3編のうち腎移植ドナーに対する研究が2編で，局所麻酔薬の腹腔内投与に関するものと，グラフト腎摘出時の筋弛緩薬投与に関するものであった．もう1編のRCTは肺移植術中の肺保護換気に関するものであった．観察研究では10例ではあるが肝移植術中に脳と上肢，下肢でNIRS（near-infrared spectroscopy）を測定したものがあった．上肢や下肢のNIRSはSomatic Oximetryとして今後も面白い分野かもしれない．その他の観察研究は肝移植患者での超音波による横隔膜厚さ測定，肺移植患者での経肺温度希釈による心拍出量測定であった．データベース研究は脳死ドナー臓器摘出術中の吸入麻酔薬の使用に関する研究であった．

肝移植術中の脳と四肢の組織酸素飽和度

肝移植の術中に上腕，下肢，脳のNIRSを測定し，手術経過と合併症などを検討した前向き観察研究である[1]．10人の肝移植患者が検討されている．特に統計解析はされていないが，一例一例の経過を説明し，出血などによる低還流時には脳，上肢，下肢の3つのNIRS値ともに低下していた．一方で術中の下大静脈（IVC）クランプや明らかなabdominal compartment syndrome時には脳と下肢のNIRS値は低下するが，上肢のNRS値は比較的保たれていた．著者らは脳，上肢，下肢のNIRSをモニターすることで全身性と局所性の低還流を見分ける可能性があるとしている．近年脳以外の部位でのNIRS測定は話題となっているが，肝移植の術中にも有効である可能性を示した論文である．NIRSモニターはmulti-channelのものが増えてきており，今後はいわゆるSomatic Oximetryがはやってくるかもしれない．

1) Hu T, Collin Y, Lapointe R et al：Preliminary experience in combined somatic and cerebral oximetry monitoring in liver transplantation. J Cardiothorac Vasc Anesth 32：73-84, 2018

腎移植ドナーに対する腹腔内ブピバカイン

腎移植ドナー100人のRCTである[2]．腹腔内に0.5%ブピバカインを20 mL注入した群と生理食塩水群を比較している．主要評価項目は術後24時間まで

2) Jairath A, Ganpule A, Gupta S et al：Can intraperitoneal bupivacaine decreases pain in patients undergoing laparoscopic live donor nephrectomy? a randomized control trial.World J Urol 35：985-989, 2017

1884-8516/19/¥100/頁/JCOPY

のVAS（Visual Analogue Scale），二次評価項目は追加鎮痛薬（ペンタゾシン）の投与量，術後の呼吸循環パラメーター変動であった．0.5％ブピバカインの投与は10 mLを腎摘出部，5 mL肝横隔膜部，5 mLを脾横隔膜部へ注入され，生殖群では0.9％生理食塩水が同部位へ同量投与された．術後のVASは0，2，4時間後で有意にブピバカイン群で低かった（1.4 vs. 3.02 at 0時間，1.78 vs. 2.5 at 2時間後，2.7 vs. 2.08 at 4時間）ブピバカイン群では50人中37人に追加鎮痛薬が必要で，コントロール群では48人に必要であった．ペンタゾシンの総投与量はブピバカイン群33（26）mg，コントロール群62（28）mgで有意にブピバカイン群で少なかった．呼吸循環のパラメーターは両群間で差はなかった．腎移植ドナー手術における腹腔内ブピバカイン投与は術後のペインスコアを改善した．この投与法で有効であったのはある意味びっくりであるが，方法としては簡単で考慮してもよいかもしれない．

肝移植術での横隔膜エコー

30人の肝移植ドナーと35人の肝移植レシピエントに対する観察研究である[3]．当該手術の麻酔導入前に手術室で超音波B-modeによる，右横隔膜の厚さを測定し，術後の人工呼吸期間を主要評価項目として解析したものである．ドナーである健康成人と比較して，肝移植レシピエントは横隔膜の厚さが減少していた．2.12（0.54）mm vs. 3.70（0.58）mm．レシピエントだけの解析では横隔膜厚さ＜2 mmの群は＞2 mmの群に比べて人工呼吸時間が延長していた（adjusted odds ratio：0.86，95％信頼区間（CI）：0.75～0.99，p = 0.013）．著者らは慢性の肝疾患患者では横隔膜の厚さが減少しており，その減少の程度によって術後の人工呼吸からのウィーニング困難の予測因子となるかもしれないとしている．最近の超音波診断装置の進化で超音波による横隔膜の描出も簡単になってきている．今回は肝移植での検討であるが，その他の分野へも十分に応用できる所見であると考える．

3）Sharma A, Karna ST, Tandon M et al：Use of ultrasound-guided preoperative diaphragmatic thickness as a predictor of postoperative weaning failure in recipients and donors scheduled for living donor liver transplant surgery. Saudi J Anaesth. 12：406-411, 2018

肺移植術中の肺保護換気

肺移植術中の人工呼吸管理に関するRCTである[4]．人工心肺を用いない両肺移植患者30人をコントロール群とリクルートメント群に割り付けている．コントロール群ではPEEP（positive end expiratory pressure）5 cmH_2Oで，両肺換気時にはTV（tidal volume）6 mL/kg，片肺換気時にはTV 4 mL/kgで換気が行われた．リクルートメント群ではプレッシャーコントロール16 cmH_2O，PEEP 10 cmH_20を基準として，段階的にPEEPを上げていく方法でリクルートメントを行った．つまりPEEP 10～15 cmH_2Oで5回換気し，その後PEEP 20 cmH_2Oで5回換気し，10 cmH_2Oまで戻すというリクルートメントを数回行うこととしている．これらの換気は最初のグラフト肺の再還流後か

4）Verbeek GL, Myles PS, Westall GP et al：Intra-operative protective mechanical ventilation in lung transplantation：a randomised, controlled trial. Anaesthesia 72：993-1004, 2017

ら行われている．30人の患者が解析され，主評価項目は再還流24時間後の PaO_2/F_IO_2 でコントロール群では340（111），リクルートメント群では404（153）で有意差は認められなかった（調整後 $p = 0.26$）．二次評価項目では術直後の PaO_2/F_IO^2 に有意差があり（308（144）vs. 402（154），$p = 0.03$），抜管までの期間も短かった（18（10～27）h vs. 15（11～36）h，$p = 0.01$）．著者らは肺移植術中の肺保護換気は可能であり，安全で呼吸状態を改善する可能性があるとしている．最近はやりの術中の肺保護換気に関する研究である．しかしながら肺移植には気管 and/or 気管支吻合が不可欠で有り，High PEEPの安全性はより慎重に検討するべきであろう．

腎移植ドナーでの筋弛緩

34人の腎移植ドナーを対象としたRCTである[5]．術中の筋弛緩のターゲットをDeep群（PTC（post-tetanic count）1～5）（$n = 15$）とModerate群（TOF（train of four）0～1）（$n = 19$）に割り付けている．主要評価項目はSurgical Conditionで1（extremely poor）－5（optimal）点で評価している．平均のスコアはDeep群で4.5（0.5），Moderate群で4.0（0.4），$p = 0.01$ でDeep群で有意に良好であった．術中の気腹圧は6 mmHgで開始され，両群ともに8～9例がそのまま続行，半数程度の患者は8～12 mmHgに加圧されていた．術後のNRSに有意差は認められなかったが，day 1および術後48時間の麻薬使用量はDeep群で有意に少なかった（day 1 4 mg vs. 9 mg，$p = 0.04$），（48時間総量22 mg vs. 31 mg，$p = 0.05$）．また術中の合併症（出血など）はDeep群で0例に対してModerate群では4例で有意差はないがDeep群で少ない傾向にあった．腎移植ドナーの腹腔鏡手術中の筋弛緩の程度に関するRCTである．PTC 1～5のほうがTOF 0～1より手術がやりやすく術後の麻薬使用量が少ないという結果である．さらに有意差はないもの術中の出血性合併症がDeep群で少ない傾向にあり，この患者群では深い筋弛緩が推奨されるであろう．

5）Özdemir-van Brunschot DMD, Braat AE, van der Jagt MFP et al：Deep neuromuscular blockade improves surgical conditions during low pressure pneumoperitoneum laparoscopic donor nephrectomy. Surg Endosc 32：245-251, 2018

肺移植術中の $PiCCO_2$™

片肺移植後に $PiCCO_2$™ と肺動脈カテーテルによる心拍出量測定を行った，前向き観察研究である[6]．一施設で行われた片肺移植患者10人において術後に $PiCCO_2$™ と肺動脈カテーテルによる心拍出量測定を行い，両者の比較を行った．また，$PiCCO_2$™ で得られたextravascular lung water index（EVLWI）とpulmonary vascular permeability index（PVPI）をpulmonary edemaと相関するかを解析している．心拍出量は23 pairsによって解析され，$PiCCO_2$™ ではcardiac index 3.3 L/min/m^2（2.9～3.6），肺動脈カテーテルでは2.5 L/min/m^2（2.2～3.0）であった．Bland-Altman Plotによ

6）Tran-Dinh A, Augustin P, Dufour G et al：Evaluation of Cardiac Index and Extravascular Lung Water After Single Lung Transplantation Using the Transpulmonary Thermodilution Technique by the PiCCO2 Device. J Cardiothorac Vasc Anesth 32：1731-1735, 2018

るBiasは0.71 L/min/m^2でlimits of Agreementは−0.03 and 1.44 L/min/m^2であった．すべての患者は胸部X線上肺浸潤影を示し，EVLWIは12 mL/kg（11〜16），PVPIは2.3 mL/kg（2.0〜3.1）であった．EVLWIとPaO_2/F_IO_2 ratio（P/F ratio）はr = −0.55で相関しており，PVPIもr = −0.53でP/F ratioと相関があった．さらにP/F ratio＜150と＞150の比較では，EVLWIは17（12〜21）mL/kg vs. 12 mL/kg（9〜13），p = 0.04で有意差有り，PVPIはそれぞれ3.1 mL/kg（2.2〜3.7）vs. 2.1 mL/kg（1.9〜2.7），p = 0.06であった．著者らは$PiCCO_2$™は片肺移植後患者では心拍出量をoverestimateするとしている．しかしながら，肺水腫の評価ツールとしては使える可能性があるとしている．肺水腫の検討ではほぼ相関係数による検討であり，これでは有効とはいえない．今後の検討が必要であろう．

臓器摘出術中の麻酔薬

臓器摘出手術における使用薬剤と摘出臓器のグラフトサバイバルを検討した後ろ向き研究である[7]．2006〜2016年の間に米国，オハイオ州のクリーブランド地区で行われた臓器摘出手術213件が対象となった．138人は吸入麻酔薬が使用され，残りの75人では使用されていなかった．主要評価項目は30日ごと5年後のグラフトサバイバルで，吸入麻酔薬使用のハザードレシオは腎臓0.7（95％ CI：0.86〜2.38），肝臓1.33（95％ CI：0.36〜1.54），心臓0.57（95％ CI：0.58〜5.22），肺1.001（95％ CI：0.4〜2.5）であった．著者らは臓器摘出手術の際にグラフトサバイバルのために吸入麻酔薬を使用する必要はないとしている．当たり前と言えばそうかもしれないが，虚血再還流前の状態ではあるが，臓器摘出手術中の麻酔薬はグラフトサバイバルには影響ないようである．

7）Perez-Protto S, Nazemian R, Matta M et al：The effect of inhalational anaesthesia during deceased donor organ procurement on post-transplantation graft survival. Anaesth Intensive Care 46：178-184, 2018

43. 周術期静脈血栓塞栓症と抗血栓薬

きた ぐち かつ やす
北口勝康
社会医療法人医真会 医真会八尾総合病院 麻酔科

最近の動向

- European guidelines on perioperative venous thromboembolism prophylaxis が European Journal of Anaesthesiology 誌（2018, 35）に掲載された．
- 整形外科下肢手術を中心に周術期 VTE（venous thromboembolism，静脈血栓塞栓症）予防での直接作用型経口抗凝固薬（direct oral anticoagulants：DOACs）の効果が検討されている．
- DOACs 服用中患者への周術期患者管理において，抗血栓効果の判定や，中和などが検討されている．
- 日本でも昨年発売された直接トロンビン阻害剤ダビガトランに対する中和剤としてのイダルシズマブの臨床使用報告が特に脳出血を中心になされている．
- 第 Xa 因子阻害剤に競合的に結合する中和剤 Andexanet alfa が FDA で承認され，日本でも発売が待たれる．

周術期静脈血栓塞栓症

1. European guidelines

European guidelines on perioperative venous thromboembolism prophylaxis が European Journal of Anaesthesiology 誌（2018, 35）に掲載された．論点として下記が挙げられている．

①世界的な術後 VTE リスクの減少
②ファーストトラック手術や日帰り手術など新しい概念に基づいた周術期 VTE 予防についての議論
③肥満および高齢患者における弾性ストッキングの有効性に対する疑問
④種々の新薬が発売されたが，アスピリンの継続的な推奨
⑤大出血または大量出血に対する客観的定義の必要性
⑥米国胸部医師会（ACCP）のガイドラインに対する疑問

14 編からなり内訳は総論が 2 編，周術期の管理項目としては心臓血管外科および胸部外科（心臓血管手術，胸部手術），脳神経外科（開頭術患者，非外傷性頭蓋内出血患者，脊椎手術），既存の凝固障害を有する患者および重度の

1884-8516/19/¥100/頁/JCOPY

周術期出血後の患者，高齢者の手術，妊娠中および手術直後の手術（妊娠中の非産科手術，帝王切開），日帰り手術とファーストトラック手術，集中治療，肥満患者の手術（肥満手術，非肥満外科手術），治療法については下大静脈フィルター，理学的予防，アスピリン，抗血小板薬による慢性治療について検討されている．推奨事項の概要は文献[1]にまとめられている．

2. 理学的予防

周術期のVTE予防には理学的療法と抗血栓薬による薬物的療法がある．理学療法としては弾性ストッキング，間欠的空気圧迫法，術後早期の運動などが一般的で，ともにPTE（pulmonary thromboembolism，肺血栓塞栓症）の原因となるDVT（deep vein thrombosis，深部静脈血栓症）の発生を防止する目的で実施される．神経筋電気刺激（neuromuscular electrical stimulation：NMES）は手術中に電気的に下肢の筋運動を誘発し，歩行時と同様のポンプ作用によりDVTを予防する方法である．DVTリスクは低用量ヘパリンによる予防よりは高いが，予防なしとの比較では有意に減少させるため従来の標準的な予防方法が禁忌か安全，実用的でないと考えられる患者にとって有益でありうる[2,3]．

3. 薬物的予防

薬剤としては未分画ヘパリン，LMWH（low molecular weight heparin，低分子量ヘパリン），抗凝固因子薬などが用いられている．

① LMWH

膝下ギプス，保存的治療（非手術患者），骨折，軟部組織損傷，および遠位または近位血栓症を有する患者など下肢の固定化が必要な外来患者でLMWHは無予防またはプラセボと比較してDVTを減少させることを示した[4]．

② DOACs

DOACsには直接トロンビン阻害剤であるダビガトラン（プラザキサ®），直接第Xa因子阻害剤としてアピキサバン（エリキュース®），リバーロキサバン（イグザレルト®），エドキサバン（リクシアナ®）がある．近年，DOACsの周術期VTE予防について有効性と安全性が検討されているが，これらは高価であり経済的問題も提起される．**我が国において周術期VTE予防への保険適応はエドキサバンの下肢整形外科手術のVTE発症抑制のみである．**

1,396人のTKA（total knee arthroplasty，全人工膝関節置換手術）および976人のTHA（total hip arthroplasty，全人工股関節置換手術）患者の入院中に皮下エノキサパリン（1日2回30 mg）が，退院時にエノキサパリン，もしくはダビガトランが投与された．VTEの発生率は同等に低かったが，手術後12週の追跡調査中の大出血および小出血はエノキサパリン群0.3%に対しダビガトラン群30.3%でより高い発生率を示した[5]．

TKAまたはTHA後のVTE予防における有効性はエノキサパリンと比較してフォンダパリヌクスとリバーロキサバン，アピキサバンおよびエドキサバ

1) Afshari A, Ageno W, Ahmed A et al：European guidelines on perioperative venous thromboembolism prophylaxis：executive summary. Eur J Anaesthesiol 35：77-83, 2018

2) Lattimer CR, Zymvragoudakis V, Geroulakos G et al：Venous thromboprophylaxis with neuromuscular stimulation：is it calf muscle pumping or just twitches and jerks?. Clin Appl Thromb Hemost 24：446-451, 2018

3) Ravikumar R, Williams KJ, Babber A et al：Neuromuscular electrical stimulation for the prevention of venous thromboembolism. Phlebology 33：367-378, 2018

4) Zee AA, van Lieshout K, van der Heide M et al：Low molecular weight heparin for prevention of venous thromboembolism in patients with lower-limb immobilization. Cochrane Database Syst Rev 8：CD006681, 2017

5) Senay A, Trottier M, Delisle J et al：Incidence of symptomatic venous thromboembolism in 2372 knee and hip replacement patients after discharge：data from a thromboprophylaxis registry in Montreal, Canada. Vasc Health Risk Manag 14：81-89, 2018

ンで高く，フォンダパリヌクスとリバーロキサバンは投与量によっては出血を増加させた．アピキサバンは有効性と安全性の両方に関してエノキサパリンよりも優れていた[6)]．

経口エドキサバンを14日間投与された患者で，TKA手術後7日間の超音波検査でのDVTの発生が抑制され，術後3日目のプロトロンビン時間-国際正規化比（PT-INR）レベルは，DVTを発症しなかったグループで有意に高く（$p = 0.01$），TKA後のDVTの発生率を予測することができた[7)]．

③アスピリン

従来から使用されているアスピリンは，第9回米国胸部医師会ガイドラインでは整形外科手術でVTE予防に提示（Grade 1C）されている[8)]．

THA，TKA，大腿骨折後のDVTとPTE予防にはLMWHより有効性が低いが，出血率も低い可能性があり，安価で忍容性が高く，日常的な血液検査を必要としないため，特に低所得国では有用な可能性がある[9)]．

股関節温存手術，大腿寛骨臼骨形成術および寛骨臼周囲骨切り術患者でアスピリン投与は，VTEのリスクを減らすのに十分であると思われる[10)]．

4. 新しい凝固機能検査

術後VTEを予測する新しい手法として，誘電血液凝固分析法（DBCM誘電コアグロメーター）の有効性が評価された．DBCMは電極がついたカートリッジの中に血液を入れ，交流電場を加えて誘電率を計測する装置で，従来は評価されていなかった赤血球の凝集などを電気的に計測し，全血の凝固能を高感度に測定できる．術後VTE予防のためにフォンダパリヌクスまたはLMWHを受けたTKA患者のVTEの予測に有効かつ効率的であった[11)]．

周術期抗血栓薬

1. 橋渡し療法

抗凝固療法中の患者に手術などの侵襲的な手技を実施する際には，手術中の出血に対応するために中和剤の存在するヘパリンに切り替えて管理することが推奨されていた．しかし橋渡し療法は抗凝固剤を中止することによる血栓性合併症の頻度と，持続することによる出血性合併症の危険度などを評価する必要があるため，煩雑になることが多く，その**必要性と安全性に関しては見直されている**．ビタミンK拮抗薬で治療されている患者では対応方法がある程度確立されているが，DOACsには抗血栓作用の評価方法が確立していないことから手術侵襲度によってDOACsの中止期間や再開時期が検討されている[12, 13)]．

2. 抗血栓作用の中和

① DOACs

DOACsは採血による日常的な抗凝固の効果をモニターする必要がないことが利点の一つであるが，逆に緊急時に血液凝固機能を回復させなければならな

6) Hur M, Park SK, Koo CH et al：Comparative efficacy and safety of anticoagulants for prevention of venous thromboembolism after hip and knee arthroplasty. Acta Orthop 88：634-641, 2017

7) **Kodato K, Ishida K, Shibanuma N et al：Prothrombin time-international normalized ratio is a useful marker for edoxaban efficacy in preventing venous thromboembolism after total knee arthroplasty. Eur J Orthop Surg Traumatol 28：103-108, 2018**

8) Jenny JY, Pabinger I, Samama CM：European guidelines on perioperative venous thromboembolism prophylaxis：aspirin. Eur J Anaesthesiol 35：123-129, 2018

9) Azboy I, Barrack R, Thomas AM et al：Aspirin and the prevention of venous thromboembolism following total joint arthroplasty：commonly asked questions. Bone Joint J 99-B：1420-1430, 2017

10) Azboy I, M Kheir M, Huang R et al：Aspirin provides adequate VTE prophylaxis for patients undergoing hip preservation surgery, including periacetabular osteotomy. J Hip Preserv Surg 5：125-130, 2018

11) Uchiyama H, Inoue Y, Uchimura I et al：Prediction of venous thromboembolism after total knee arthroplasty using dielectric blood coagulometry. Ann Vasc Surg 38：286-292, 2017

12) Proietti M, Lane DA：Use of NOACs in the peri-operative management of patients with atrial fibrillation：to stop, bridge or continue?. Thromb Haemost 118：1123-1126, 2018

13) Sanomura Y, Oka S, Tanaka S et al：Taking warfarin with heparin replacement and direct oral anticoagulant is a risk factor for bleeding after endoscopic submucosal dissection for early gastric cancer. Digestion 97：240-249, 2018

い場合でも，正確な残存抗凝固能や出血リスクを予測できる確立された検査・方法がない．近年，DOACs 復調中の患者が手術や急性期の処置を必要とする状況でその抗血栓作用を中和する薬剤が検討されている．

●イダルシズマブ（プリズバインド®）

2010 年，米国食品医薬品局（FDA）は，米国で初めての非ワルファリン経口抗凝固剤としてダビガトランを承認した．その時点で，ダビガトランに対する解毒剤または有効な治療はなかったが，**2015 年に FDA はダビガトラン誘発出血の治療のためにイダルシズマブを承認し，日本でも 2016 年 11 月に発売された**．イダルシズマブは，ダビガトランに高親和性をもち，特異的に結合するヒト化モノクローナル抗体フラグメントで，凝固カスケードを妨げることなく抗凝固作用を迅速に中和する．用法・用量はイダルシズマブ（遺伝子組換え）として 1 回 5 g を点滴静注又は急速静注する．ただし，点滴静注の場合はイダルシズマブ（遺伝子組換え）として 2.5 g につき 5〜10 分かけて投与する．

日本人男性を被験者とした研究で，ダビガトラン（220 mg）投与後のイダルシズマブ 4 および 2 × 2.5 g によって，抗凝固パラメーター（希釈トロンビン時間，エカリン凝固時間，活性化部分トロンボプラスチン時間（aPTT）およびトロンビン時間）は，72 時間まで全測定期間にわたって正常が持続した[14]．

制御不能な出血（A 群：301 例）または緊急処置を受けようとしている患者（B 群：202 例）でのダビガトランの抗凝固効果の逆転に関して，イダルシズマブ 5 g の静脈内投与後 4 時間以内に希釈トロンビン時間またはエカリン凝固時間によるダビガトランの最大逆転率の中央値は，100%（95%信頼区間：100〜100）であった．A 群では出血の中断までの中央値は 2.5 時間であった．B 群では，処置の開始までの中央値は 1.6 時間で，周術期の止血は患者の 93.4% が正常であった．90 日後，血栓症は A 群で 6.3%，B 群で 7.4%，死亡率はそれぞれ 18.8% と 18.9% であった[15]．

イダルシズマブのダビガトランに対する中和作用は緊急に凝固活性の回復が必要な周術期には重要な薬剤となることが期待される．昨季は特に急速な凝固活性の復活が必要な脳領域での報告が多く認められた．

ダビガトラン使用中の 79 歳の日本人男性の慢性硬膜下血腫に対してイダルシズマブによる中和後に緊急穿頭孔手術が実施された[16]．

心房細動に対して 1 日 2 回ダビガトラン 75 mg を服用していた 86 歳の女性が，路上での転倒後にくも膜下出血を発症した．来院時の検査所見上では活性化部分トロンボプラスチン時間が 30.8 秒（正常範囲は 24.5〜35.7 秒），プロトロンビン時間（PT）が 12.7 秒（標準 10.1〜12.6 秒）と大きな異常はなかったが，5 g のイダルシズマブによる早期かつ積極的な管理が出血の進行を予防した[17]．

バイクの衝突事故の後の 63 歳の男性と，運動失調・転倒後の 77 歳の男性

14) Yasaka M, Ikushima I, Harada A et al：Safety, pharmacokinetics and pharmacodynamics of idarucizumab, a specific dabigatran reversal agent in healthy Japanese volunteers：a randomized study. Res Pract Thromb Haemost 1：202-215, 2017

15) Pollack CV Jr, Reilly PA, van Ryn J et al：Idarucizumab for dabigatran reversal-full cohort analysis. N Engl J Med 377：431-441, 2017

16) Arai N, Mine Y, Kagami H et al：Safe burr hole surgery for chronic subdural hematoma using dabigatran with idarucizumab. World Neurosurg 109：432-435, 2018

17) Balakumar J, Santiago R, Supino M：Reversal of dabigatran with idarucizumab in acute subarachnoid hemorrhage. Clin Pract Cases Emerg Med 1：349-353, 2017

で，血清ダビガトラン濃度は，救急部門に到着した時点で155 ng/mLおよび110 ng/mL（参照範囲117～275 ng/mL）であった．イダルシズマブ5 g静脈内注入後の血清ダビガトランレベルは，イダルシズマブ投与後75分および340分で，それぞれ0 ng/mLであった．両方の患者は開頭術を続けた[18]．

● Andexanet alfa（アンデキサネット アルファ）

2018年5月21日にFDAが，第Xa因子中和剤であるアンデキサネット アルファ（Andexanet alfa）をリバーロキサバン，アピキサバンで治療中の患者の抗凝固作用の中和薬として承認した[19]．

ヒトの第Xa因子をもとに分子設計された遺伝子組換え改変型蛋白で，第Xa因子阻害剤と競合優先的に結合する．また第Xa因子としての活性をもたないため機能は第Xa因子阻害剤の捕捉のみである．

FDAの承認は生命にかかわる，またはコントロール不能な出血のために抗凝固作用の回復が必要な場合に限られている．推奨される投与計画は，1回の静脈内ボーラス（400または800 mg）とそれに続く最大120分間の連続注入（4または8 mg/min）である．FDAは，第Xa因子阻害薬を服用中の活動性の出血患者に対して，プロトロンビン複合体濃縮製剤（prothrombin complex concentrate：PCC）を含む通常の治療法と新製品を比較する無作為化対照試験の実施をメーカーに要求している．

50～75歳の健康なボランティアでアピキサバンまたはリバーロキサバン投与後にAndexanet alfaがアピキサバン群では400 mg，リバーロキサバン群では800 mg静脈内ボーラス投与量され，抗第Xa因子活性はそれぞれ94%と92%低下した[20]．

一方，エドキサバンを用いた抗凝固療法の逆転については現在までに承認されていない．

我が国では，リクシアナ®を販売している第一三共が，米Portola Pharmaceuticals社と共同開発する契約を締結している．

● Ciraparantag（シラパランタグ）

Ciraparantagは，未分画ヘパリン，分画ヘパリンおよび現在承認されている各DOACsに結合するように設計された合成分子である．第Xa因子阻害剤とLMWH・フォンダパリヌクスに対する万能中和剤として開発中である[21]．

②凝固因子補充療法

大出血や緊急手術が必要な場合の抗血栓薬への対応として，血液凝固因子製剤の補充が検討・示唆されている．

アピキサバンに対するPCCおよび組換え活性型凝固第Ⅶ因子（rFVⅡa）製剤，緊急時のDOACsの逆転を必要とする患者での第8因子インヒビターバイパス活性，ワルファリンに対する4因子プロトロンビン複合体濃縮製剤の効果，安全性が検討されている[22~25]．

18) Edwards G, Roman C, Jithoo R et al：Use of idarucizumab for dabigatran reversal：emergency department experience in two cases with subdural haematoma. Trauma Case Rep 13：46-49, 2017

19) https：//www.fda.gov/downloads/BiologicsBloodVaccines/CellularGeneTherapyProducts/ApprovedProducts/UCM606693.pdf#search=%27FDA+Andexanet+alfa%27（2019年2月19日閲覧）

20) Heo YA：Andexanet Alfa：first global approval. Drugs 78：1049-1055, 2018

21) Yurttas T, Wanner PM, Filipovic M：Perioperative management of antithrombotic therapies. Curr Opin Anaesthesiol 30：466-473, 2017

22) Schmidt K, Krüger K, Langer E et al：Reversal of apixaban induced alterations in haemostasis by different coagulation factor concentrates in patients after hip or knee replacement surgery. Blood Transfus 11：1-6, 2018

23) Nina Haagenrud Schultz：Activated prothrombin complex concentrate to reverse the factor Xa inhibitor（apixaban）effect before emergency surgery：a case series. J Med Case Rep 12：138, 2018

24) Engelbart JM, Zepeski A, Galet C et al：Safety and effectiveness of factor eight inhibitor bypassing activity for direct oral anticoagulant-related hemorrhage reversal. Am J Emerg Med 37：214-219, 2019

25) 森下英理子：抗凝固薬の最近の話題．臨床血 59：774-783, 2018

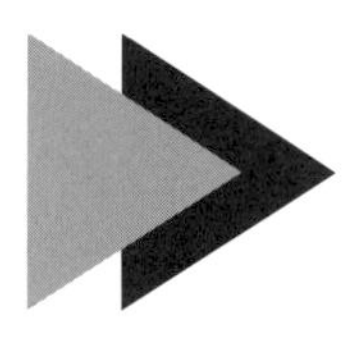

44. 抗血栓療法ガイドライン

齋藤　繁（さいとう　しげる）
群馬大学大学院医学系研究科 麻酔神経科学分野

最近の動向

- ●抗血栓療法のガイドラインは順次更新されており，文献の形をとらないウェブ上の更新版公開が主流である．
- ●抗血栓療法のガイドラインの更新情報は新たに市場に投入された薬剤への対応が主となっている．
- ●本邦「抗血栓療法中の区域麻酔・神経ブロック ガイドライン」の追補版が作成，公開された．
- ●抗血栓療法中の区域麻酔・神経ブロック ガイドライン 2017 年度版が米国区域麻酔学会から公開され，症例ごとの対応が強調された．
- ●「抗血栓療法中の区域麻酔・神経ブロック ガイドライン」は発生頻度の低い合併症の臨床報告を基盤にする性質上，エビデンスレベルの高い推奨が困難であり，更新のための情報収集が必要である．

抗血栓療法のガイドライン更新状況

抗血栓療法に関するガイドラインは新薬の登場に合わせて順次更新されている．しかし，概念自体に大きな変更はなく，発生してしまった血栓症に対する治療法と，血栓症を発症しやすい素因をもつ受療者，あるいは発症しやすい状況にある受療者への予防法からなっている．抗血栓療法は，抗血小板療法，抗凝固療法，血栓溶解療法に細分される．抗血小板療法は血小板の作用を抑制して，主に脳梗塞，心筋梗塞，末梢動脈血栓症などの動脈血栓症の予防に用いられる．抗凝固療法は凝固因子の作用を抑制して，深部静脈血栓，肺塞栓症，心房細動に伴う脳塞栓などの静脈血栓塞栓症の予防に用いられる．一方，すでに発症した血栓症に対する治療を血栓溶解療法と呼ばれる．各国の学術団体は当該国で使用可能な薬剤に基づき，各薬剤の適用法，注意事項を中心にガイドラインを作成している[1~6]．心血管系疾患の治療を担当する循環器系学会と血液凝固異常の診療にあたる血液内科系学会の双方から指針が示されている．

1. 心房細動などにおける抗凝固療法

心房細動に伴う左房内血栓の発生，それに引き続いて発症する脳梗塞を予防するための抗凝固療法ではワルファリンを中心とする抗凝固薬の内服が引き続

1) 日本循環器学会，日本冠疾患学会，日本胸部外科学会　他：循環器疾患における抗凝固・抗血小板療法に関するガイドライン（2009 年改訂版），2015/10/7 更新版
www.j-circ.or.jp/guideline/pdf/JCS2009_hori_d.pdf（2018 年 10 月 31 日閲覧）
2) 日本循環器学会，日本心臓病学会，日本心電学会　他：心房細動治療（薬物）ガイドライン（2013 改訂版）
http://www.j-circ.or.jp/guideline/pdf/JCS2013_inoue_h.pdf（2018 年 10 月 31 日閲覧）
3) 日本循環器学会，日本医学放射線学会，日本胸部外科学会　他：肺血栓塞栓症および深部静脈血栓症の診断，治療，予防に関するガイドライン（2017 年改訂版）2018 年 3 月 23 日発行，8 月 31 日更新
http://www.j-circ.or.jp/guideline/pdf/JCS2017_ito_h.pdf（2018 年 10 月 31 日閲覧）
4) 日本脳卒中学会脳卒中ガイドライン委員会編：脳卒中治療ガイドライン 2015．協和企画，pp115-122, 2015

1884-8516/19/¥100/頁/JCOPY

き基本である[2]．一方，ダビガトラン，リバーロキサバン，アピキサバン，エドキサバンなど新しい経口抗凝固薬の使用が拡大しており，心房細動に対する標準的抗凝固治療は順次更新されている．新規の抗凝固薬はワルファリンと比較して重篤な出血性合併症が少ないとされている．日本循環器学会，日本心臓病学会，日本心電学会，日本不整脈学会，4 学会合同研究班による心房細動治療（薬物）ガイドラインで推奨されている抗凝固治療では，$CHADS_2$ スコアを用いて対応を分類している[1]．$CHADS_2$ スコアとは，心房細動を有する患者で脳梗塞発症のリスク予測する指標であり，Congestive Heart failure，Hypertension，Age>75，Diabetes mellitus，Stroke/TIA の頭文字をとって命名された．前 4 つの項目は 1 点，最後の脳梗塞・TIA の既往のみ 2 点とし，合計 0～6 点である．$CHADS_2$ スコアと脳梗塞の年間発症率には高い相関がみられることがわかっている．

2. 心臓手術後の抗凝固療法

弁膜症患者に対してクラスⅠ推奨されているのは，①心房細動を伴う症例，あるいは血栓塞栓症の既往のある症例に対する抗凝固薬の投与である．②冠動脈バイパス術後に関しては，アスピリン内服が推奨されている．

3. カテーテル治療（PCI）後などの抗凝固療法

ステント留置を伴う心臓カテーテル治療の適用は引き続き拡大しており，クラスⅠ推奨されている．PCI に際しては，未分画ヘパリンなどの静脈内投与により活性化凝固時間を延長させ，アスピリン単独，あるいはチクロピジンもしくはクロピドグレルとアスピリンの併用投与が行われる．脳卒中学会からのガイドラインでは，最も有効な抗血小板薬として，シロスタゾール，クロピドグレル，アスピリン，チクロピジンが挙げられている[5]．アルガトロバンはヘパリン起因性血小板減少症の症例に対して適用される．

4. 静脈血栓塞栓症の予防法

人口高齢化に伴い歩行困難者は増加しており，下肢を中心とする静脈血栓症ならびに血栓塞栓症の予防は重要度を増している．薬物的予防法では低用量未分画ヘパリンやフォンダパリヌクスが標準的に使用されている．8 時間もしくは 12 時間ごとに未分画ヘパリン 5,000 単位を皮下注するが，脊椎麻酔や硬膜外麻酔の前後では，未分画ヘパリン 2,500 単位皮下注（8 時間ないし 12 時間ごと）に減量することも考慮することになっている．静脈血栓塞栓症の高リスク症例では単独で使用するが，最高リスク症例では間歇的空気圧迫法あるいは弾性ストッキングと併用される．症例ごとの特徴に合わせてさまざまな薬剤が使用されつつあるが，観血的処置前の休薬期間は薬剤ごとに概ね標準化されている．また，手術後の再開時期は疾患や症例ごとに異なるが，出血性合併症に十分注意しつつ手術後早期に開始される傾向にあり，十分な歩行が可能となるまで継続することが推奨されている[3~5]．血栓形成のリスクが継続し長期予防が

5) 日本脳卒中学会脳卒中ガイドライン委員会編：脳卒中治療ガイドライン 2015（追補 2017）http://www.jsts.gr.jp/img/guideline2015_tuiho2017.pdf（2018 年 10 月 31 日閲覧）
6) Barnes GD, Ageno W, Ansell J et al; Subcommittee on the Control of Anticoagulation of the International Society on Thrombosis and Haemostasis：Recommendation on the nomenclature for oral anticoagulants：communication from the SSC of the ISTH. J Thromb Haemost 13：1154-1156, 2015

必要な場合には，未分画ヘパリンからワルファリンへの切り替えや，他の抗血栓療法への引き継ぎなどで継続的に静脈血栓予防を図ることが求められる．

Henshawらの最近の報告では，EnoxaparinなどのXa阻害薬の効果はガイドラインなどで記載さている観血的処置前休薬では相当な残存効果があり，ガイドラインの時間を鵜呑みにするのは危険ではないかと警鐘している．新規の薬剤に関して適切な休薬期間がどの程度であるかは，随時再検討する必要があると考えられ，一度提唱されたものも各種情報をもとに更新が必要である[7]．

「抗血栓療法中の区域麻酔・神経ブロック ガイドライン」の更新状況

出血と血栓症の双方に対して周術期は厳密な管理が必要であり，その対処法は方向性が180度異なることから，外科系執刀医はもとより，脊髄幹ブロックなどを担当する麻酔科医も依拠すべきガイドラインへの関心は高い．さらに，医療機関外においても血栓性合併症の予防に関する広報は積極的に展開されており，抗血栓療法を自主的に適用している受療者は少なくない．特に，サプリメントなどに分類される「血液をサラサラにする薬」を服用している健康人は頻繁にみられ，インターネット経由で高用量，高力価の薬剤を入手，服用する事例も散見される．「抗血栓療法中の区域麻酔・神経ブロック ガイドライン」は先進各国で作成されており，順次更新されている[8~19]．

本邦では2016年9月に，日本麻酔科学会，日本ペインクリニック学会，日本区域麻酔学会の3学会が合同で「抗血栓療法中の区域麻酔・神経ブロック ガイドライン」を作成し，2017年年頭から各学会のホームページなどで公開されている[8]．このガイドラインでは，手術麻酔関係，特に脊髄くも膜下麻酔に関しては日本麻酔科学会が，術後鎮痛関係，特に硬膜外麻酔，腕神経叢ブロックなどに関しては日本区域麻酔学会が，ペインクリニック手技関係，特にペインクリニックの臨床現場で実施される神経ブロックに関しては日本ペインクリニック学会が担当している．そして，周術期の出血，血栓症予防は今回の参画3学会以外に所属する医師も担当すること，各学会において抗血栓戦略は既に個別に議論されていることをふまえ，麻酔領域外の周辺学会とも本ガイドラインに関して意見調整がなされた．

「抗血栓療法中の区域麻酔・神経ブロック ガイドライン」追補版

本邦の「抗血栓療法中の区域麻酔・神経ブロック ガイドライン」では，初版公開後約1年間に寄せられた各種の質問や追加情報を整理し，2017年11月に「抗血栓療法中の区域麻酔・神経ブロック ガイドライン 追補版」が発刊された[20]．追加項目は，「カテーテル留置，抜去と薬物投与のタイミングにつ

7) Henshaw DS, Turner JD, Forest DJ et al：Residual enoxaparin activity, anti-Xa levels, and concerns about the American Society of Regional Anesthesia and Pain Medicine Anticoagulation Guidelines. Reg Anesth Pain Med 42：432-436, 2017
8) **日本ペインクリニック学会・日本麻酔科学会・日本区域麻酔学会　合同ワーキンググループ：抗血栓療法中の区域麻酔・神経ブロック ガイドライン．2017 www.anesth.or.jp/guide/pdf/guideline_kouketsusen.pdf（2018年10月31日閲覧）**
9) Kozek-Langenecker SA, Fries D, Gütl M et al：Locoregional anesthesia and coagulation inhibitors. recommendations of the task force on perioperative coagulation of the austrian society of anesthesiology and intensive care medicine. Anasthetist 54：476-484, 2005
10) Rosencher N, Bonnet MP, Sessler DI：Selected new antithrombotic agents and neuraxial anaesthesia for major orthopaedic surgery：management strategies. Anaesthesia 2007；62：1154-1160, 2007
11) **Horlocker TT, Vandermeuelen E, Kopp SL et al：Regional anesthesia in the patient receiving antithrombotic or thrombolytic therapy. American Society of Regional Anesthesia and Pain Medicine Evidence-Based Guidelines（Fourth Edition）. Reg Anesth Pain Med 43：263-309, 2018 https：//www.asra.com/advisory-guidelines/article/9/regional-anesthesia-in-the-patient-receiving-antithrombotic-or-thrombolytic-ther（2018年10月31日閲覧）**
12) Gogarten W, Vandermeulen E, Van Aken H et al：Regiomal anaesthesia and antithrombotic agents：recommendations of the European Society of Anaesthesiology. Eur J Anaesthsiol 27：999-1015, 2010
13) Breivik H, Bang U, Jalonen J et al：Nordic guidelines for neuraxial blocks in disturbed haemostasis from the Scandinavian Society of Anaesthesiology and Intensive Care Medicine. Acta Anaesthesiol Scand 54：16-41, 2010
14) Association of Anaesthetists of Great Britain & Ireland；Obstetric Anaesthetists' Association；Regional Anaesthesia UK：Regional anaesthesia and patients with abnormalities of coagulation：the Association of Anaesthetists of Great Britain & Ireland. Anaesthesia 68：966-972, 2013

いて」「総論と各論での休薬期間の不一致には理由があるか？」「総論と各論でのシロスタゾールの休薬期間の不一致には理由があるか？」「休薬対象薬としてイコサペント酸エチルを選定した根拠は？」「未分画ヘパリンの休薬期間の不一致には理由があるか？」「硬膜外麻酔ではアスピリンはNSAIDsに含まれると捉えてもよいか？」の6項目である．初版の冒頭には，依拠する原著論文や国外ガイドラインなどの差異により，同一薬剤でも休薬期間や休薬対象薬の記述を統一することが困難な事項がある旨記載されているが，臨床現場では単純化への要望が強いことを追補版の項目は反映していると考えられる．

観血的処置前後抗血栓療法適用時の考慮事項

周術期の区域麻酔，神経ブロック施行を含め観血的処置前後に抗血栓療法を適用する場合には複数の要素を十分吟味して方針を決める必要がある．休薬による血栓性リスクと抗血栓薬の残存による出血リスクはその主たるものであり，処方薬休薬と再開のタイミングは症例ごとに慎重な判断が求められる．穿刺手技による出血には，施用薬の種類，血小板数・機能，凝固機能，腎機能，肝機能，血管を含む組織の脆弱性，神経ブロックの種類，穿刺針の形状，施術者の技術など，複数の要因が関係する．単純で一律な基準を求める声は強いが，限られた情報をもとに過度に単純化することは危険である．例えば，永続的な神経障害発生の可能性が高い脊髄幹ブロックと，体表面からの圧迫で止血が図れる末梢神経ブロックを同列で取り扱うことはできない．区域麻酔や神経ブロックが誘因となって発生する永続的な神経学的合併症の頻度は低く，合併症発生例の背景は個々に大きく異なることから，休薬期間や検査数値の違いとリスクの関係を統計的数値で判定することが極めて困難である事情は変わっていない[21]．しかし，各ガイドラインでは各種神経ブロック手技のリスクを層別化し，それぞれに対して別々に抗血栓薬の取り扱いを提唱しているので，実臨床において目前の事例がどの層に該当するか判断することで方針決定の一助として活用できると考えられる[8, 11]．

前記の通り，抗血栓療法中の患者に対して区域麻酔・神経ブロックを施行する際の推奨事項は国や学会間で差異がある．一例として，米国区域麻酔学会や英国麻酔科学会はアスピリンなどのNSAIDsの単独投与は神経ブロックの際の休薬対象としていないが，豪州麻酔集中治療学会のガイドラインでは48時間の休薬期間が推奨されている[9, 11, 16]．凝固機能には人種差があり，食生活をはじめとした社会環境の違いも強く影響することから，国ごとのガイドラインに差異が生じるのはやむをえないと考えられる．

循環器内科系で実施される慢性期を対象とした予防的抗血栓療法では，統一的な数値データを収集することが比較的容易であり，明確な推奨事項を提唱しやすいが，手術や穿刺手技では症例の状況や手技者の経験，使用器具など考慮

15) Levy JH, Faraoni D, Spring JL et al：Managing new oral anticoagulatnts in the perioperative and intensive care unit setting. Anesthesiology 118：1466-1474, 2013
16) Working Party：Association of Anaesthetists of Great Britain & Ireland；Obstetric Anaesthetists' Association；Regional Anaesthesia UK：Regional anaesthesia and patients with abnormalities of coagulation：the Association of Anaesthetists of Great Britain & Ireland The Obstetric Anaesthetists'. Anaesthesia 68：966-972, 2013
17) Fonseca NM, Alves RR, Pontes JP：Sociedade Brasileira de Anestesiologia：SBA recommendations for regional anesthesia safety in patients taking anticoagulants. Braz J Anesthesiol 64：1-15, 2014
18) Narouze S, Benzon HT, Provenzano DA et al：Interventional spine and pain procedures in patients on antiplatelet and anticoagulant medications：guidelines from the American Society of Regional Anesthesia and Pain Medicine, the European Society of Regional Anaesthesia and Pain Therapy, the American Academy of Pain Medicine, the International Neuromodulation Society, the North American Neuromodulation Society, and the World Institute of Pain. Reg Anesth Pain Med 40：182-212, 2015
19) Breivik H, Norum H, Fenger-Eriksen C et al：Reducing risk of spinal haematoma from spinal and epidural pain procedures. Scand J Pain 18：129-150, 2018
20) 日本ペインクリニック学会・日本麻酔科学会・日本区域麻酔学会　合同ワーキンググループ：抗血栓療法中の区域麻酔・神経ブロックガイドライン 追補版．2017 https：//www.jspc.gr.jp/Contents/public/pdf/shi-guide09_04.pdf（2018年10月31日閲覧）
21) 日本ペインクリニック学会安全委員会：痛み診療の現場における2013年1年間の有害事象について―日本ペインクリニック学会安全委員会・有害事象調査報告と課題．日本ペインクリニック学会誌　23：79-86, 2016

すべき事項が多く，比較研究も難しいことから，ガイドラインでの推奨を困難にしている．例えば，抗血液凝固薬を使用している患者で，血液凝固検査で異常が認められない場合でも，血液検査で判定できない出血性合併症リスクが複数存在すること，そもそも区域麻酔・神経ブロックはかなり侵襲性のある医療行為なので画一的に結論することが困難であることなどから，各症例の状況を十分に検討したうえで，また，医療者側の判断のプロセスについて受療者ならびに家族に開示し同意状況を診療録に記載したうえで最終的な実施，非実施を決定することになる．「ガイドラインに従っていれば，結果の是非について非を唱えられることはない」「ガイドラインに沿わずに実施した場合，結果が悪いと法的責任が問われる」ということはなく，各ガイドラインの前文や注意事項に必ず明記されているように，「ガイドライン」はあくまでもある時点での情報を整理して提示したものにすぎず，「各臨床事例での個別の適用，非適用は，ガイドラインなどの情報を参考にして医療者と受療者が合意のうえで決定する」というプロセスに何ら制約を加えるものでも，責任回避につながるものでもない．特に周術期やペインクリニック領域での神経ブロックは個別性の高い診療行為であり，慢性期の内服を中心とした抗血栓療法の基準と同列に考えることは難しい．

本邦ガイドライン記述項目で重要と思われることは以下の点である[8]．「脊髄幹麻酔および深部神経ブロックなどの潜在的に出血リスクが高い手技および患者では，薬物動態と薬力学的効果にもとづいた休薬期間を設けて施行する」「末梢神経ブロック手技の多くは超音波ガイド下でおこなうことができ，積極的併用が推奨される」「高リスク群の手技を実施する場合，不可逆的な抗血小板作用をもつ薬剤は，血小板の平均的な寿命に相当する休薬期間の設定が望ましい」「硬膜外カテーテル留置中の患者では，神経学的兆候の出現に注意し，継続的な観察をカテーテル抜去後24時間まで継続する」「脊柱管内血腫形成の兆候が出現した場合は，早急な画像診断と症状出現から12時間以内の手術適応判断が必要となる」．

米国区域麻酔学会は2018年4月にガイドラインの第4版を公開した[11]．今回の改定では症例の個別性に配慮することの重要性が強調されており，従来のリスク分類でほとんどリスクがないと判定される症例がVandermeulenらの合併症報告[22]の13%を占めることから，本邦ガイドラインと同様に神経学的所見観察と迅速な対応体制の必要性も強調している[11]．個別判断の重要性は2018年4月にスカンジナビアのガイドライン解説としてOslo大学からも記述，発表されており，各国においてガイドラインを取り巻く事情は同様と思われる[19]．

22) Vandermeulen EP, van Aken H, Vermylen J : Anticoagulants and spinal-epidural anesthesia. Anesth Analg 79 : 1165-1177, 1994

抗血栓療法中の観血的処置拡大

出血性合併症の懸念から全世界的に抗血栓療法中の観血的医療行為には保守的になる傾向が続いたが，その後ガイドラインなどの整備が続けられ，一定の基準のもとで慎重に対応することで観血的処置も比較的安全に実施できるという考え方は広がりつつあると考えられる．ガイドライン記述よりも一歩踏み出した報告もみられ，Seoul大学のParkらは2,469例を対象に抗血栓療法を継続したままでの硬膜外ブロックの安全性検証を行い，積極的な硬膜外処置の安全性を発表している[23)]．また，New York大学のvan Helmondらは2,204例を対象に抗血栓療法を継続したままでの低-中リスク脊髄幹ブロックについて検討し，安全に施行可能であったと報告している[24)]．

まとめ

頻度の低い合併症に関するガイドライン作成では依拠すべき情報は非常に限られており，単純で画一的な指標を提示することは難しい．各ガイドラインは診療行為の個別性を考慮するよう強調している．厳密な症例評価と丁寧な説明同意手続き，処置後の経過観察と合併症発生初期の迅速適切な対応が重要である．

23）Park TK, Shin SJ, Lee JH：Effect of drugs associated with bleeding tendency on the complications and outcomes of transforaminal epidural steroid injection. Clin Spine Surg 30：E104-E110, 2017
24）van Helmond N, Day W, Chapman KB：Continuing anti-thrombotic medication during low-to-intermediate risk spinal procedures：a retrospective evaluation. Pain Physician 20：437-443, 2017

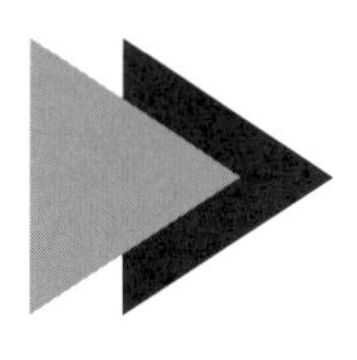

45. 麻酔関連偶発症

中塚秀輝（なかつか ひでき）
川崎医科大学 麻酔・集中治療医学 1

最近の動向

- 麻酔中の状況認知エラーの中で，情報の認知不良や誤認などの認知エラーが最も多く，呼吸器系のイベントが多い．呼吸モニタリングをしていないために酸素化や換気の不適切に気づくのが遅れ心停止につながる例が，認知エラーによる賠償請求では多く認められている．
- 医療過誤訴訟の解析からは，麻酔時の死亡・脳障害の主原因として食道挿管発見の遅れが現在でも認められている．手術室以外でもみられることから，手術室のみならず手術室外でも，呼気 CO_2 モニタリングなど確実な確認方法を採用することが望まれる．
- 成人の大手術では，麻酔管理の術中引継ぎは術後転帰へ悪影響を与えるリスクとなるため，麻酔管理中に担当を完全に交代することの問題点を考慮しなければならない．
- 手術室からの退出直後は，重篤な合併症のリスクを伴っており，特に呼吸に関連する見落しおよび遅延が，多くの死亡要因である．麻酔後回復室において適切なモニタリングを行うことが，重篤な合併症をタイムリーに診断するために重要である．
- 非手術室麻酔における死亡による医療訴訟は，モニター麻酔管理時に多くみられ，不適切な酸素化・換気が3分の1を占める．多くはモニターを適切に用いることで予防できたと判断されている．循環器内科，放射線科における訴訟の割合が増加しており，常に安全な体制のもとでの診療を心がけることが重要である．

麻酔時の状況認知エラーによる重篤な有害事象

麻酔中の状況認知エラー（situational awareness errors）は重篤な有害事象につながるため，Anesthesia Closed Claims Project データベースを使って恒久的な脳損傷および死に至った訴訟例について調べている[1]．そこから状況認知エラーの種類とそれによる有害事象の頻度と傾向について検討している．状況認知エラーにより賠償金支払いとなった例は85%であり，他の理由による支払い例（46%）よりも高い．また，状況認知エラーによる訴訟では，呼吸器系障害の訴訟が56%を占め，その内訳は，酸素化・換気不適切24%，挿管困

1) Schulz CM, Burden A, Posner KL et al : Frequency and type of situational awareness errors contributing to death and brain damage : a closed claims analysis. Anesthesiology 127 : 326-337, 2017

1884-8516/19/¥100/頁/JCOPY

難11%，誤嚥10%となっている．エラー以外の理由による訴訟では，循環器系障害が47%で多くなっている．この研究では麻酔科医個人の状況認知エラーに焦点をあてて調べているが，帝王切開を含む産科麻酔や疼痛治療に関連する訴訟は含まれていない．

状況認知エラーは，認知エラー（情報の認知欠如あるいは誤認），理解エラー（情報の統合と理解が不適切），予測エラー（不適切な予測）と定義される．認知エラーは，病歴，チャート，理学的検査，診断テスト，画像所見，モニターを通しての情報取得の失敗と定義されている．理解エラーは，前述の情報は適切に得られたが，情報の理解不良あるいは誤解から誤診につながること，と定義されている．予測エラーは，これから起こること，あるいは現在の状況を適切に予測できないこと，と定義されており，選択した麻酔計画において起こりうる合併症を予測し緊急時の対応と代替計画の準備が適切になされていないことが含まれている．

今回の研究では，患者が死亡か恒久的な脳損傷に至った2002～2013年の麻酔過誤訴訟例の4分の3において，認知エラーが悲惨な結果を招いた原因として考えられている．麻酔過誤に関する198件の訴訟のうち，認知エラーによる訴訟が83件（42%）で最も多く，理解エラーと予測エラーによるものは，それぞれ58件（29%）と57件（29%）で同程度であった．緊急症例においては予定症例と比べてエラーが多くなかった．

83件の認知エラーのうちでは，60%は呼吸器系イベントで，20%が循環器系イベントであった．認知エラーによる呼吸器系イベントの特徴は，呼吸モニタリングをしていないことが原因となった不十分な酸素化や換気であり，37件であった．呼気終末二酸化炭素（$EtCO_2$）や動脈血酸素飽和度（SpO_2）のモニターを使用していない，あるいはアラームを設定していないことにより情報が十分に得られず，結果として患者の呼吸状態の悪化に気づくことが遅れ，心停止につながっていると考えられる．認知エラーには，術前の情報が不十分なために術前評価が適切でない場合も含まれる．

理解エラー58件の中では，23件ずつの呼吸器系および循環器系イベントが含まれる．呼吸器系で最も多いのは，状況の困難度判断と方針転換の必要性に対する理解不足である．挿管困難に関する訴訟では，麻酔科医は挿管困難を認知していたが，患者の状態が悪化してきた後でも手技の変更がなされていないことから，その困難度が十分に理解されていなかったと考えられている．酸素化と換気状態に対して，臨床状態の重症度や危機的状況が続いていることへの理解不足も認められている．

57件の予測エラーの訴訟では，困難気道管理の予測と準備に関する訴訟が15件で最も多く，次が誤嚥で11件である．両者で全体の半数を占める．困難気道管理の予測エラーには，導入時の挿管困難に対する計画不足とともに挿管困難だった患者に対する抜管時の準備不足がある．臨床アルゴリズムや緊急マニュアルにおいても，改善が認められないときには**同じ動作の繰り返しおよび同一術者による手技が制限**されている．困難気道管理の訴訟を解析するとAmerican Society of Anesthesiologists difficult airway algorithm適用後に，麻酔導入時の挿管困難症例の予後が改善していることが報告されている．状況認知エラーによるさまざまなリスクを避けるには，**綿密な術前麻酔計画と防止策を含めた予測チェックリストを検討しておく**ことが重要である．

食道挿管の検出遅延

1980年代の麻酔時の死亡・脳障害の主原因は食道挿管であり，食道挿管は麻酔科医の医療過誤請求の6%を占め，そのうち18%は呼吸器系の有害事象と関連している．1991年に，米国麻酔科医学会（ASA）において呼気CO_2モニタリングは全身麻酔の標準となった．食道挿管の検出遅延は，1990年以前は麻酔科医の医療過誤訴訟のうちで3～8%であり，1990年以降1～2%に減少している．1995年以降に生じた45例のうち31例（69%）は2000年以降に発生していた．

本研究[2]ではASAで気管挿管の標準モニターとして呼気CO_2モニタリングが指定された後の1995～2013年の症例において，食道挿管検出の遅延と関連する因子を特定するために，Anesthesia Closed Claims Project 10,811例から食道挿管検出の遅延があった医療過誤請求45例が後ろ向きに分析されている．49%の事例はCO_2モニターが利用可能な手術室（40%）もしくは手術室以外の場所（9%）で外科的処置の際に生じた事例であった．手術室以外の場所としてはICUが最多で20%，心臓カテーテル室11%，麻酔後回復室（PACU）9%であり，救急処置室と病棟がそれぞれ4%ずつで院外が2%であった．さらに29%が予定症例で起こっており，蘇生事例が39%あった．

45例のうち29例（64%）は麻酔科医が挿管し，そのうち13例は麻酔科医が食道挿管と診断し，5例は麻酔科医以外の医師が診断，4例は剖検まで診断されなかった．麻酔科医以外が気管挿管した16例のうちでは，9例は麻酔科医が食道挿管と診断し，2例は麻酔科医以外の医師が診断，2例は剖検まで診断されなかった．全体の76%が蘇生中に診断され，13%は剖検まで診断されなかった．気管チューブの位置確認に使用された方法が明らかな28例のうち，15例が1つの方法，11例が2つの方法，2例が3つの方法で確認していた．確認法としては，呼吸音の聴診が21例（46%）で最も一般的であり，比色CO_2モニターが8例（18%），カプノグラフィーが6例（13%），喉頭直視が5例（11%），挿管チューブのくもりが3例（7%）であった．

CO_2モニター未使用，装着しても監視していないという例が賠償請求の約4分の3（73%）を占め，食道挿管検出遅延の要因としては最も頻度の高いもの

2) Honardar MR, Posner KL, Domino KB：Delayed detection of esophageal intubation in anesthesia malpractice claims：brief report of a case series. Anesth Analg 125：1948-1951, 2017

であった．CO_2 モニター未使用の 12 例のうち，10 例はモニターを使用可能な環境かどうか明らかではないが，9 例ではモニター表示が無視されており，7 例はモニター値の誤認識，6 例は比色 CO_2 モニターの曖昧な色調変化によるものであった．

3 分の 1（33%）の症例では早急に鑑別診断が必要な場面での混乱が検出遅延につながっていた．鑑別診断では多くは気管支痙攣と誤診されており，13% は心停止のため検出が遅延していた．検出遅延があった食道挿管の転帰は，96% が死亡もしくは重篤な脳障害であり，賠償額の中央値は 665,000 ドルであった．

食道挿管による不幸な事態を招かないためにも CO_2 モニターを手術室内で確実に監視することは当然であるが，**手術室外においての普及が必要とされる．**

大手術における麻酔引き継ぎと術後アウトカム

手術中に麻酔引き継ぎを行うことはアウトカムに影響を与える可能性がある．術中の麻酔を完全に引き継ぐ場合は，引き継がない場合と比べて致死率や主要な合併症の発生が増えるかどうかを後ろ向きに評価している[3]．2009 年 4 月～2015 年 3 月までのカナダオンタリオ州における大手術（手術時間 2 時間以上入院 1 日以上）を受けた 18 歳以上の患者において調査された．術中の麻酔管理を完全に他の麻酔科医に引き継ぐ場合と全く引き継がない場合で，主要評価項目として術後 30 日以内の全死亡，再入院，重大な術後合併症を検討している．

313,066 人の患者のうち，56% が女性，年齢の中央値は 60 歳であり，手術の 49% が大学病院で行われていた．全体の 72% が予定手術で，手術時間の中央値は 182 分であり，1.9% の 5,941 人で麻酔中に引き継ぎが行われていた．引き継ぎの割合は研究期間の間で毎年増えており，2015 年は 2.9% に達していた．

引き継ぎがない患者では合併症は 29% で発生した一方，引き継がれた患者では 44% 発生していた．症例調整後も，引き継ぎを行うことは合併症の発生にかかわっておりそれぞれ 29 % と 36 % でリスク差は 6.8 %（$p < 0.001$）であった．全死亡は 3% と 4% でリスク差は 1.2%（$p = 0.002$），重大な術後合併症は 23% と 29% でリスク差は 5.8%（$p < 0.001$）を示したが，30 日以内の再入院には影響しない（1.2%，$p = 0.11$）という結果であった．

成人の大手術では，**術中麻酔管理の引継ぎは術後転帰へ悪影響を与える**リスクとなる．麻酔科医の働き方改革が検討されている状況ではあるが，この研究結果からは麻酔管理中に担当を完全に交代することの問題点も含めて考えなければならないことがうかがえる．

3) Jones PM, Cherry RA, Allen BN et al：Association between handover of anesthesia care and adverse postoperative outcomes among patients undergoing major surgery. JAMA 319：143-153, 2018.

麻酔後回復室における有害事象

麻酔後回復室（PACU）の麻酔科医に対する訴訟に関するこの研究では，2010年1月～2014年12月の間のPACUでのイベントに関して，Controlled Risk Insurance社（CRICO）Comparative Benchmarkingシステム（CBS）データベースを用いて後向きにclosed claimsを分析している[4]．訴訟43件は，年齢18～94歳で種々の外科的手技を受けており，ASA-PS，既往歴が検討され，転帰として一時的な機能障害から死亡まで分析されている．和解金の支払いは賠償請求の48.8%でなされ，死亡による請求（69%）は他の障害による請求（37%）と比較して，賠償金支払いとなる例が多くなっていた．呼吸器系障害（32.6%），神経系障害（16.3%）と気道障害（11.6%）の頻度が高い．患者死亡に関与する因子のうち56.3%がPACUでの異常の見落としと診断の遅延であり，訴訟の48.8%は整形外科症例であった．

手術室からの退出直後は，重篤な合併症のリスクを伴っている．特に呼吸器系障害と気道管理に関する合併症には注意が必要である．見落としおよび遅延が，多くの症例の要因であることから，**PACUにおいて信頼できる医療提供者による適切なモニタリングが，重篤な合併症をタイムリーに診断するために重要である．**

4) Kellner DB, Urman RD, Greenberg P et al：Analysis of adverse outcomes in the post-anesthesia care unit based on anesthesia liability data. J Clin Anesth 50：48-56, 2018

非手術室におけるモニター麻酔管理

非手術室麻酔における死亡による医療過誤訴訟は，手術室における訴訟よりも頻度が高く，その原因としては誤嚥性肺炎が大きな割合を占める．**非手術室麻酔における医療過誤訴訟は，モニター麻酔管理時に多くみられ，不適切な酸素化・換気が非手術室での訴訟の3分の1を占める**[5]．多くはモニターを適切に用いることで予防できたと判断されている．麻酔総数に対する発生頻度としては非手術室での訴訟のほうがまだ少なく，非手術室麻酔は安全とされているが，循環器内科，放射線科においては訴訟の頻度が高くなっている．重篤な有害事象から医療訴訟となる事例もあり，当然ながら常に安全な体制のもとでの診療を心がけることが重要である．

5) Woodward ZG, Urman RD, Domino KB：Safety of non-operating room anesthesia：a closed claims update. Anesthesiol Clin 35：569-581, 2017

慢性痛治療に対するオピオイドと埋め込み型デバイスに関する解析

慢性疼痛に対して外来ではさまざまな薬剤が用いられているが，オピオイドは死亡率と罹患率と有意に関連している．重篤で発生頻度の低い合併症を確認するためには，医療過誤closed claimsの検討が必要である．医療過誤保険会社の訴訟事例を解析することで，患者の併存疾患や薬物行動と医療者側の診療との関連を検討し，さらに医療訴訟を解析することで高額な医療賠償を避ける対策が検討されている．報告によると，平均年齢43.5歳で，男性が59.5％を占め，多くは脊椎変形性関節疾患と脊椎手術後疼痛症候群の患者であった[6]．訴訟事例の約半数は患者死亡に伴うものであり，長時間作用性オピオイドの使用と循環器・呼吸器系に関する身体状態は，死亡とより密接に関連していた．

疼痛治療薬に関する賠償請求には多くの要因があり，またいくつかの要因が重なっている．疼痛治療に用いられる埋め込み型デバイスは，死亡率と罹患率に関連してリスクとなっている[7]．診療にかかわる医療者とともに患者に対する適切な教育が必須である．挿入技術と薬液補充に関する知識を備えるとともに，脊髄くも膜下腔肉芽形成などの合併症を発見し管理する臨床力を備える必要がある．**適切な患者選択とともに患者との間に十分なコミュニケーションを確立することが極めて重要である．**

6) Abrecht CR, Brovman EY, Greenberg P et al：A contemporary medicolegal analysis of outpatient medication management in chronic pain. Anesth Analg 125：1761-1768, 2017

7) Abrecht CR, Greenberg P, Song E et al：A contemporary medicolegal analysis of implanted devices for chronic pain management. Anesth Analg 124：1304-1310, 2017

46. 痛みの生理学

川真田樹人（かわまたみきと）
信州大学医学部 麻酔科

最近の動向

- 熱性の痛みの発現には transient receptor potential vanilloid 1（TRPV1），transient receptor potential melastatin 3（TRPM3），transient receptor potential ankyrin 1（TRPA1）の3つのセンサー蛋白の協働機能が重要であることが判明した．
- 上皮成長因子受容体阻害薬である抗がん剤が，がん性疼痛にも有効であることがわかった．
- 顔面部の痛みの方が体幹 / 四肢の痛みより強く感じる機序が解明された．
- 神経障害性疼痛が心筋虚血後再灌流障害を抑制することがわかった．
- 痛みと空腹とに密接に関係し，空腹により炎症性痛が抑制され，急性痛により空腹が抑制されることがわかった．
- オピオイドによる鎮痛と呼吸抑制が異なった機序で起こることが解明され，今後は副作用の少ないオピオイド開発が期待できる．
- 周術期のオピオイドが痛みを増強する機序の一端が解明された．

末梢神経系

Transient receptor potential（TRP）V1をはじめとする，TRPチャネルの機能解析が積極的に行われてきた．これはTRPチャネル阻害薬が，他の感覚を障害せず，痛みだけを特異的に抑制する理想的な鎮痛薬になると考えられたからである．しかしTRPV1などのチャネルを単独に欠損しても，マウスは痛み刺激で逃避し，TRPV1やTRPA1などの単独チャネル阻害薬も鎮痛薬としての治験は成功していない．Vandewauwらは，それぞれ単独やダブルノックアウトでは熱性の痛みに応答するが，TRPV1，TRPM3，TRPA1の3つのチャネル（トリオ）をすべて欠損させると，全く熱性痛み刺激に応答しなくなることを見出した[1]．他方，変温動物のTRPA1は熱応答性であるが，通常，恒温動物のTRPA1は熱に応答しないものの，チャネル末端が酸化するとTRPA1が熱センサーとして機能した．さらに，トリオ欠損マウスは高温ではなく温暖な30℃程度の環境を好んだ[1]．熱センサーは熱による傷害を避ける

1) Vandewauw I, De Clercq K, Mulier M et al : A TRP channel trio mediates acute noxious heat sensing. Nature 555 : 662-666, 2018

1884-8516/19/¥100/頁/JCOPY

ために重要な分子であるが，同時に恒温性維持のためにも重要であり，**TRPチャネルは痛みの感知だけでなく，生体恒常性，特に体温維持にも重要な役割を担っていると考えられる．**

TRPV1 阻害薬は副作用として体温上昇があり，これが鎮痛薬としての治験が成功しなかった理由の一つである．一方，手術患者では術中の低体温と術後痛対策が重要である．そこで手術患者に TRPV1 阻害薬である AMG517 や ABT-102 を術前投与すると，術中の低体温が予防され，術後のオピオイド使用量が 20～30％減少した[2]．**一般の疼痛患者では体温上昇の副作用があるが，むしろ低体温を呈する手術患者には TRPV1 阻害薬が有用かもしれない．**

上皮成長因子受容体（epidermal growth factor receptor：EGFR）は膜貫通型受容体チロシンキナーゼで，このリン酸化ががんの細胞増殖などのシグナル伝達に重要であるが，痛みと EGFR の関係は不明であった．EGFR の生体内リガンドである Epinegulin と EGFR の活性化が，末梢における痛み病態の発生に重要であることが示された[3]．化学療法として EGFR 阻害薬をがん患者に投与すると，がん性疼痛が軽減することが知られていたが，そのメカニズムの一端が解明された．

細菌感染の初発症状の一つは痛みである．黄色ブドウ球菌は一次知覚神経を直接刺激し痛みを誘発する．この機序として，黄色ブドウ球菌が産生するα溶血素，PSMα_3，および HlgAB などの膜孔形成毒素により，陽イオン流入および活動電位発生に十分な孔を末梢神経に形成するとともに，TRPV1 の活性化も関与するため，リドカインの 4 級アミン誘導体である QX-314 が有効であることが示された[4]．細菌感染部位への 3 級アミンである局麻薬の投与は効果が弱いが，4 級アミン局麻薬は十分な除痛効果があるかもしれない．

抗がん剤による神経障害性疼痛（Neuropathic pain：NeP）の発生には，抗がん剤により腸内細菌叢が刺激され放出されたサイトカインによる末梢神経障害が関与することが知られている．一方，過敏性腸炎モデルにおいても，市販されている善玉腸内細菌の投与で，末梢神経におけるプロテアーゼ 4 受容体を介して痛みが軽減することが示された[5]．**慢性痛の軽減にも，適切な食事と規則正しい生活により，腸内細菌の正常化が重要ということであろうか．**

G 蛋白質共役受容体（G protein-coupled receptors：GPCRs）は細胞膜で機能していると考えられ，GPCRs をターゲットとした薬物は膜表面に結合するように合成されてきた．しかしリガンドが GPCRs に結合すると，クラスリンやダイナミン依存性にエンドサイトシースされる．このエンドゾームのカルシトニン遺伝子関連ペプチド（CGRP）受容体が，脊髄において痛みの慢性化に関与していることがわかった[6]．そこで，コレスタノール結合 CGRP 受容体阻害薬を投与すると，脊髄の痛み受容神経の興奮を抑えた．今後，細胞膜だけでなくエンドゾームに結合する薬物の開発が求められよう．

2）Garami A, Ibrahim M, Gilbraith K et al：Transient receptor potential vanilloid 1 antagonists prevent anesthesia-induced hypothermia and decrease postincisional opioid dose requirements in rodents. Anesthesiology 127：813-823, 2017

3）Martin LJ, Smith SB, Khoutorsky AKlein A et al：Epiregulin and EGFR interactions are involved in pain processing. J Clin Invest 127：3353-3366, 2017

4）Blake KJ, Baral P, Voisin T et al：Staphylococcus aureus produces pain through pore-forming toxins and neuronal TRPV1 that is silenced by QX-314. Nat Commun 9：37, 2018

5）Sessenwein JL, Baker CC, Pradhananga S et al：Protease-mediated suppression of DRG neuron excitability by commensal bacteria. J Neurosci 37：11758-11768, 2017

6）Yarwood RE, Imlach WL, Lieu T et al：Endosomal signaling of the receptor for calcitonin gene-related peptide mediates pain transmission. Proc Natl Acad Sci U S A 114：12309-12314, 2017

中枢神経系

帯状回全体が痛みに関与しているとされ，これまで前帯状回のシナプス増強と痛みの慢性化に関する研究は進展したものの，それ以外の帯状回については十分検討されていなかった．そこで光遺伝学的な新手法を用いて中部帯状回の役割と解剖学的なつながりを検討し，中部帯状回から島後部への経路がC線維刺激による痛みの増強に重要であり，末梢からの入力や情動変化とは無関係に，この経路が活性化されることが示された[7]．今後，中部帯状回における痛み研究の進展を期待したい．

堪え難い痛みは痛みの記憶を形成し，痛み記憶の形成やその個人差には情動面の影響があることが想定されている．ボランティアでの脳画像研究から，侵害刺激と非侵害刺激がエンコードされる部位は異なり，前者は内側視床と吻側前帯状回に銘記され，後者は一次感覚野に銘記された[8]．そして**侵害刺激は視床と内側前頭前野のつながりを強め，不安はこのネットワークを増強し，さらには扁桃体との関連を増強した**[8]．

顔面部の痛みのほうが体幹/四肢の痛みより強く感じるがなぜだろう．Rodriguezらはこの問題に取り組むため，彼らが開発したcapturing activated neural ensembles（CANE）法を用いて，顔面部への痛み刺激は，四肢への痛み刺激より，痛みの情動面に関与する外側腕傍核の活性化が強いことを示した[9]．そして顔面部からは直接外側腕傍核ニューロンに直接入力回路があるため，**顔面部が刺激されると情動面の痛みが強く惹起されるがわかった．**

海馬CA2領域は，海馬研究で有名なCA1とCA3に挟まれた小領域で，記憶形成の役割も不明であった．CA2には乳頭体上核からの軸索が入力しており，このニューロンはサブスタンスP（SP）を含む．このCA2ニューロンはSPによってNMDA受容体と蛋白合成依存性のシナプス増強をきたし，その結果，乳頭体上核とCA2の短期増強を長期増強に変換し，長期増強抵抗性のシャッファー側枝のシナプスの長期増強をもきたす[10]．中枢神経系の痛み記憶でもSPも関与があるかもしれず，また脊髄におけるSPでも，同様の現象が起きているか検証が必要である．

NePモデルで心筋虚血再灌流障害による心筋アポトーシスが抑制され，これは末梢神経障害により視床室傍核の刺激を介し，同部依存性の副交感神経系の活性化に依存した[11]．視床室傍核を薬理学的な刺激で徐脈になり，心筋アポトーシスが抑制されることから，副交感神経がNePで刺激されるのが機序である[11]．**NePが他の疾患の保護的に働くという初めての報告**ではないだろうか．

空腹と痛みはそれぞれ生存に不可欠な欲求と感覚/情動である．しかしどちらを優先させるように神経系が処理するかは不明である．フォルマリンや

7) Tan LL, Pelzer P, Heinl C et al：A pathway from midcingulate cortex to posterior insula gates nociceptive hypersensitivity. Nat Neurosci 20：1591-1601, 2017

8) Tseng MT, Kong Y, Eippert F et al：Determining the neural substrate for encoding a memory of human pain and the influence of anxiety. J Neurosci 37：11806-11817, 2017

9) Rodriguez E, Sakurai K, Xu J et al：A craniofacial-specific monosynaptic circuit enables heightened affective pain. Nat Neurosci 20：1734-1743, 2017

10) Dasgupta A, Baby N, Krishna K et al：Substance P induces plasticity and synaptic tagging/capture in rat hippocampal area CA2. Proc Natl Acad Sci U S A 114：E8741-E8749, 2017

11) Cheng YF, Chang YT, Chen WH et al：Cardioprotection induced in a mouse model of neuropathic pain via anterior nucleus of paraventricular thalamus. Nat Commun 8：826, 2017

complete Freund adjuvantを投与して急性の痛覚刺激と炎症痛で24時間の絶食効果を検討した[12]．空腹により脳弓状核などが存在する腹側部の摂食活動にかかわるAgRP領域が刺激されると，痛みに関与する結合腕傍核にシグナルが伝わり，ニューロペプチドYを介してフォルマリンテスとのII相など遅発性の炎症性の痛みが選択的抑制された．逆に，炎症ではなく急性の痛みだけが，摂食行動を抑制した．**痛みと空腹が相互に関連して，空腹により炎症性痛が抑制され，急性痛により空腹が抑制されるという合目的行動につながることが示された．**

嫌悪体験は自ら体験しなくとも，他者が体験しているのを観察学習することで，生存確率を上げることが知られているが，その生理学的基盤は不明であった．他者が受ける嫌悪体験の条件つけを観察すると，前帯状回が賦活され，扁桃体基底外側部への投射ニューロンが優位に活性化されて条件付けがなされることが示された[13]．**痛みは生存に不可欠な体験であり，自分だけでなく社会全体の生存に有益なように受容されるのかもしれない．**

脂肪細胞におけるエネルギー貯蔵が不十分だと，レプチン（Lep）放出量が低下し，交感神経活動の低下や甲状腺機能の低下が起こる．その場合でも，痛みなど生体を脅かす事態には反応して，むしろ交感神経系が活性化し，グルコース動員を促す作用がある．元来，痛み刺激が加わると，脳幹における中脳水道周囲灰白質（PAG）のLep受容体発現ニューロンが賦活され腕傍核を活性化し，交感神経活動ならびに血糖値を上昇させる．一方，Lep受容体を除去すると，痛み刺激に応じて腕傍核の応答はむしろ増強し，交感神経活動の増強の結果，血糖値が増加した[14]．こうして，エネルギー貯蔵が低下していても，生体の危機において生存確率を高めるようにレプチンが作用することがわかった．

オピオイド，その他

GPCRであるμオピオイド受容体（MOR）が活性化されると，足場蛋白であるβアレスチンとも相互作用し，GPCRシグナル伝達を調節または促進する．βアレスチンとの相互作用は鎮痛ではなく，呼吸抑制に作用することが知られ，βアレスチン2欠損マウスは，オピオイドによる鎮痛作用は発現するが，呼吸抑制が出現しない．そこで，MOR媒介シグナル伝達についての相対的バイアスを比較したところ，**βアレスチン2の調節を伴わずにMORを活性化することが，より安全なオピオイド鎮痛薬を開発するために重要であることが示された**[15]．

呼吸リズムは延髄のpre-Bötzingercomplex（preBötC）部で起こるとされ，オピオイドの投与でpreBötCニューロンの呼気吸気のタイミングは影響される．しかし，この部にナロキソンを投与しても呼吸回数低下を回復しないた

12) Alhadeff AL, Su Z, Hernandez E et al：A neural circuit for the suppression of pain by a competing need state. Cell 173：140-152, 2018

13) Allsop SA, Wichmann R, Mills F et al：Corticoamygdala transfer of socially derived information gates observational learning. Cell 173：1329-1342, 2018

14) Flak JN, Arble D, Pan W et al：A leptin-regulated circuit controls glucose mobilization during noxious stimuli. J Clin Invest 127：3103-3113, 2017

15) Schmid CL, Kennedy NM, Ross NC et al：Bias factor and therapeutic window correlate to predict safer opioid analgesics. Cell 171：1165-1175, 2017

め，呼吸回数に関与する脳幹部位は不明なままであるが，腕傍核は候補の一つである．除脳ウサギのグルタミン酸受容体作動薬を局所投与すると頻呼吸となる腕傍核部で神経活動を記録し，μ作動薬を投与したところ呼吸回数が減少し，ナロキソンが拮抗した[16]．レミフェンタニルの静注投与でも同部の神経活動が低下し呼吸回数が減少し，ナロキソンで回復した．こうして，**オピオイドで徐呼吸となる責任部位は腕傍核であることが示された．**腕傍核は痛み刺激により活性化され，痛みの情動面に関与する部位であり，恐怖条件付けで呼吸回数増加の責任部位でもあり，この部がオピオイドによる徐呼吸の責任部位であるのは興味深い．

周術期のフェンタニル投与は痛覚過敏を引き起こし，術後痛を増悪させるとされる．そこでラットへのフェンタニル投与が4時間程度の短期的には鎮痛に働いた後，2日程度の痛覚過敏を引き起こし，足底切開により痛覚過敏が増悪することが示された[17]．この痛覚過敏は，フェンタニル投与，およびフェンタニル投与と足底切開による，脊髄やDRGにおけるサイトカイン（IL-1β，IL-6，TNF-α）の発現とマイクログリアの活性化に関連していた．術中のフェンタニル投与が術後長期の疼痛増強に影響した．

フェンタニルの術中投与が術後痛を増強するとしたら，モルヒネを術後鎮痛に用いるとどうなるのだろうか？　モルヒネ5 mg/kgをラットに術中は投与せず，開腹術後1週間投与すると，痛覚過敏が1ヵ月続き，術後の投与量を突然中止しても漸減しても，その結果は変わらないことがわかった[18]．また術前にモルヒネ投与し術後にも用いなくとも，やはり術後痛を増強し，痛みの増強と炎症性遺伝子発現の増強は相関していた．術中だけでなく，術前や術後のみのオピオイド投与も術後痛を増強する結果であり，周術期全般のオピオイドフリー鎮痛の重要性を示す研究である．

女性の慢性疼痛患者は妊娠時には痛みが軽減することが知られている．この機序として，妊娠に伴い脊髄にオピオイド受容体の発現量が増強し，エストロゲンとプロゲステロンの放出増加し，獲得免疫におけるT細胞が関連して鎮痛作用が出現することが示された[19]．**痛みとT細胞との連関は今後重要なテーマになるであろう．**

プロポフォールによる意識消失時には，皮質にのみ影響して出現するβ波振動と，同期したα波振動は視床と皮質の双方の関与が必要とされる．プロポフォールによる意識障害時は，視床と内側前頭前野との同期活動が関係し，プロポフォールからの覚醒時には，視床と内側前頭前野との同期活動が消失することがわかった[20]．**麻酔深度の評価に応用できる可能性がある．**

16）Miller JR, Zuperku EJ, Stuth EAE et al：A subregion of the parabrachial nucleus partially mediates respiratory rate depression from intravenous remifentanil in young and adult rabbits. Anesthesiology 127：502–514, 2017

17）Chang L, Ye F, Luo Q et al：Increased hyperalgesia and proinflammatory cytokines in the spinal cord and dorsal root ganglion after surgery and/or fentanyl administration in rats. Anesth Analg 126：289–297, 2018

18）Grace PM, Galer EL, Strand KA et al：Repeated morphine prolongs postoperative pain in male rats. Anesth Analg 128：161–167, 2019

19）Rosen SF, Ham B, Drouin S et al：T-cell mediation of pregnancy analgesia affecting chronic pain in mice. J Neurosci 37：9819–9827, 2017

20）Flores FJ, Hartnack KE, Fath AB et al：Thalamocortical synchronization during induction and emergence from propofol-induced unconsciousness. Proc Natl Acad Sci U S A 114：E6660-E666, 2017

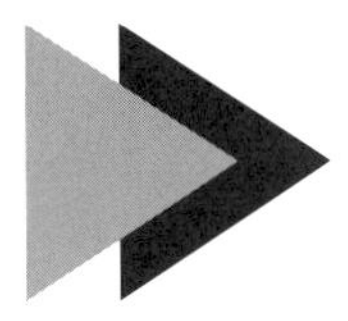

47. 術後の疼痛管理

井上荘一郎（いのうえ そういちろう）
聖マリアンナ医科大学 麻酔学教室

最近の動向

●マルチモーダル鎮痛（multimodal analgesia：MA）が推奨されている．理由は，オピオイドや硬膜外鎮痛のみで術後の疼痛を管理した際の副作用を減らし，早期回復に貢献するためであるが，オピオイドの不正使用防止という点でも注目されている．

●ケタミンは急性痛治療に有効であり，2018年にはガイドラインが発表された．

●アセトアミノフェンを定期的に静脈内投与することの有効性が報告される一方で，経口投与と比較して鎮痛効果は変わらないという報告や，術後経過に好影響は及ぼさないという報告もある．

●区域麻酔が術後認知機能に及ぼす効果や，スフェンタニルの舌下投与，β遮断薬の持続投与，電気刺激やレーザー照射の有効性は，今後さらに検討を進めていくべき課題である．

●術後の疼痛の程度と，血清アディポネクチン濃度やアディポネクチン遺伝子の一塩基多型，術前の不安度や破局的思考との関連を示す報告があった．そして，認知行動療法やリラクゼーションの有効性が示唆されている．

術後の疼痛管理のキーワードは，複数の鎮痛薬や鎮痛法を組み合わせるMAである．MAでは，オピオイドや硬膜外ブロックを単独で使用した際に起こりやすい悪心・嘔吐，眠気，呼吸抑制，掻痒感，血圧低下，下肢の運動機能低下が減り，術後早期の体力回復に貢献できる．また，オピオイドの減量は，米国を中心に問題となっている**「オピオイド・クライシス」─オピオイドの不正使用による死者の急増─に，術後鎮痛目的のオピオイドの過剰な処方が関連している**点でも注目されている．そのため，術後の疼痛管理におけるオピオイドの減量に関する総説も出されている[1]．オピオイド・クライシスの概要は，山口とTaylorによる総説が参考になる[2]．本稿では，この流れを念頭におき，ガイドラインや非オピオイドの活用を主に取り上げる．

2018年に発表されたガイドライン

米国の麻酔，疼痛関連の3学会は，急性痛治療にケタミンの単独投与またはオピオイドとの併用を推奨するガイドラインを発表した[3]．適応は，中等度

1）Kumar K, Kirksey MA, Duong S et al：A review of opioid-sparing modalities in perioperative pain management：methods to decrease opioid use postoperatively. Anesth Analg 125：1749-1760, 2017
2）山口重樹，Taylor DR：米国のオピオイド・クライシスの現状．ペインクリニック 39：1557-1562，2018
3）Schwenk ES, Viscusi ER, Buvanendran A et al：Consensus guidelines on the use of intravenous ketamine infusions for acute pain management from the American Society of Regional Anesthesia and Pain Medicine, the American Academy of Pain Medicine, and the American Society of Anesthesiologists. Reg Anesth Pain Med 43：456-466, 2018

1884-8516/19/¥100/頁/JCOPY

以上の痛みが出現する手術後や，オピオイドへの耐性がある患者の周術期などで，**推奨投与法は 0.35 mg/kg 以下の静脈内ボーラス投与とそれに続く 1 mg 以下 /kg/h の静脈内持続投与で**，相対的禁忌は重度の心血管疾患，コントロール不良の高血圧，妊娠，活動性精神疾患，中等度～重度の肝障害，頭蓋内圧亢進，眼圧上昇である．

欧米と豪州の外科医，麻酔科医からなる Procedure-Specific Pain Management（PROSPECT）Working Group は，エビデンスに基づいた手術別の指針を公表している．2018 年には腹腔鏡下胆嚢摘出術の周術期の鎮痛法として，①基本は術前または術中にアセトアミノフェンと非ステロイド性抗炎症薬（nonsteroidal anti-inflamatory drugs：NSAIDs）をデキサメタゾンとともに投与し，創部周囲に浸潤麻酔を行う，②オピオイドは術後のレスキューとして使用し，ガバペンタノイド，局所麻酔薬の腹腔内投与，腹横筋膜面ブロック（transversus abdominis plane block：TAPB）は，基本的な鎮痛法が行えないとき以外には推奨しない，③外科的には，低圧での気腹，術後の食塩水洗浄，気腹ガスの吸引は推奨され，単孔式手術を除痛の目的で実施することは推奨しない，というものを発表した[4]．

欧州小児麻酔学会は，6 つの代表的な小児手術の術後鎮痛法のガイドラインを発表した[5]．これは医療環境，社会・経済状況を考慮し，鎮痛法を Basic，Intermediate，Advanced の 3 段階とし，鎮痛の質を高めるための段階として，手術患者ごとに処方を決め，1 日 3 回は痛みを評価し，最低でも Basic が可能なように教育と評価をし，状況に応じてそれ以上を目指すことなど，を挙げているのが特徴である．1 歳以上の鼠径ヘルニア手術を例にとると，Basic では，術中に NSAIDs またはアセトアミノフェンを直腸内投与し，創部周囲へ長時間作用性局所麻酔薬を投与し，術後回復室での突出痛にはフェンタニルやモルヒネを投与し，術後は NSAIDs とアセトアミノフェンの両方か一方を経口投与することが推奨され，Intermediate では，術中の鎮痛は Basic の創部浸潤麻酔がランドマーク法による腸骨鼠径 / 腸骨下腹神経ブロックまたは仙骨硬膜外ブロックに代わり，術後は basic に加え，病棟で痛みが非常に強いときのトラマドール経口投与が推奨され，Advanced では，術中は NSAIDs の静脈内または経直腸投与，アセトアミノフェンの静脈内投与，超音波ガイド下による上記の区域麻酔か TAPB または傍脊椎ブロック，術後は Basic に加え，病棟でのレスキューとしてトラマドールの静脈内投与が推奨されている．

アセトアミノフェン

定期的な静脈内投与の有効性を示すものとして，結腸癌手術後に 6 時間間隔で 2 日間投与した群では術後鎮痛薬の必要量が少なく，肝逸脱酵素は軽度に上昇したものの速やかに低下した，という報告[6]と，食道癌術後に 6 時間間隔

4) Barazanchi AWH, MacFater WS, Rahiri JL et al：Evidence-based management of pain after laparoscopic cholecystectomy：a PROSPECT review update. Br J Anaesth 121：787-803, 2018
5) Vittinghoff M, Lönnqvist PA, Mossetti V et al：Postoperative pain management in children：guidance from the pain committee of the European Society for Paediatric Anaesthesiology（ESPA Pain Management Ladder Initiative）. Paediatr Anaesth 28：493-506, 2018
6) Horita E, Takahashi Y, Takashima K et al：Effectiveness of scheduled postoperative intravenous acetaminophen for colon cancer surgery pain. J Pharm Health Care Sci 4：19, 2018

で5日間投与した群では非投与群と比較して，痛みは同等であるが術後鎮痛薬の使用量が少なく，集中治療滞在期間（2.86 vs. 3.61日，$p < 0.001$）と入院期間（21.5 vs. 26.0日，$p < 0.001$）が短縮したという報告[7]が国内から発表された．海外では，アセトアミノフェンの静脈内投与とオピオイドの併用はオピオイド単独と比較して，産婦人科手術後の入院期間を短縮し，コストを低下させる[8]という報告がある一方で，膝関節置換術後のアセトアミノフェンの静脈内投与と経口投与を比較して，痛みの程度もオピオイド消費量も同等であったという報告[9]や，脊椎手術後の大規模後ろ向きコホートにおいて，アセトアミノフェン静脈内投与の頻度は19%で，オピオイドの減量や術後経過への有効性はなかったという報告[10]がある．この脊椎手術後の結果には，ガバペンタノイドが多用されていたことや経口内服の開始が早いことも影響したと推察される．**アセトアミノフェンの鎮痛効果は明らかであるが，定期投与の必要性や投与経路についてはさらなる検討が必要であるといえる．**

ケタミン

レミフェンタニルを用いた全身麻酔の問題点である術後の痛覚過敏に注目し，全身麻酔中のケタミン投与の効果を検証した12のランダム化試験のメタ解析によると，**レミフェンタニル持続投与（0.1〜0.5 μg/kg/min）にケタミン投与（静脈内ボーラス投与0.5 mg/kgまたは0.3 mg/kg/hの持続静脈内投与）を併用すると，合併症を増やすことなく術後のオピオイドを減量し，minor手術とmajor手術双方の術後2時間以内の痛みを有意に低下し，minor手術では術後12および24時間後の痛みも有意に低下した**[11]．国内でケタミンを用いる施設は少数であろう．管理が厳しくなったことや“古い薬”というレッテル，副作用（悪夢，交感神経刺激作用）の過度な心配がその背景にあるように感じるが，「エビデンスに基づく医療の実践」という点では，今後より活用すべきと感じる．

区域麻酔

国内で最も定着している超音波ガイド下末梢神経ブロックの一つはTAPBであろう．硬膜外鎮痛との比較研究のメタ解析では，**成人，小児双方でTAPBの術後鎮痛効果は硬膜外鎮痛と同等で，TAPBでは低血圧が少なく，入院期間は短縮していた**[12]．しかし，これらの研究ではMAとしてアセトアミノフェンやオピオイドが併用されているため，この結果はMAの一部として区域麻酔を用いるときのTAPBの有用性を示しているもの，と捉える必要がある．

数多い人工膝関節置換術後の報告の中で，末梢神経ブロックと局所浸潤麻酔の比較を紹介する．大腿神経近傍にカテーテルを留置し，術中に後方関節包に浸潤麻酔を行い，術後18時間までカテーテルから6時間間隔で0.2%ロピバカ

7) Ohkura Y, Shindoh J, Ueno M et al：A new postoperative pain management（intravenous acetaminophen：Acelio®）leads to enhanced recovery after esophagectomy：a propensity score-matched analysis. Surg Today 48：502-509, 2018

8) Hansen RN, Pham AT, Lovelace B et al：Comparative analysis of inpatient costs for obstetrics and gynecology surgery patients treated with IV acetaminophen and IV opioids versus IV opioid-only analgesia for postoperative pain. Ann Pharmacother 51：834-839, 2017

9) Sun L, Zhu X, Zou J et al：Comparison of intravenous and oral acetaminophen for pain control after total knee and hip arthroplasty：a systematic review and meta-analysis. Medicine（Baltimore）97：e9751, 2018

10) Mörwald EE, Poeran J, Zubizarreta N et al：Intravenous acetaminophen does not reduce inpatient opioid prescription or opioid-related adverse events among patients undergoing spine surgery. Anesth Analg 127：1221-1228, 2018

11) García-Henares JF, Moral-Munoz JA, Salazar A et al：Effects of ketamine on postoperative pain after remifentanil-based anesthesia for major and minor surgery in ddults：a systematic review and meta-analysis. Front Pharmacol 9：921, 2018

12) Baeriswyl M, Zeiter F, Piubellini D et al：The analgesic efficacy of transverse abdominis plane block versus epidural analgesia：a systematic review with meta-analysis. Medicine（Baltimore）97：e11261, 2018

インを投与して大腿神経ブロックを行う群（FNB群）と膝関節周囲に浸潤麻酔を行う群の比較では，長期的な機能的転帰は同等で，術後2日間の痛みの程度やオピオイド使用量，術後3および12ヵ月での最大の痛みの程度，12ヵ月後の鎮痛薬の使用量はFNB群のほうがわずかではあるが統計学的には有意に少なかった[13]．

硬膜外鎮痛の報告が減る中，大腿骨手術後の全身炎症反応と認知機能障害に注目した研究は興味深い．術後に0.125％レボブピバカインが硬膜外投与された患者では，IV-PCAでモルヒネを使用した患者よりも術後の痛みの程度が術後6日間すべてで低く，術後認知機能障害の出現率が有意に低く（6％ vs. 31％），72および120時間後のCRP値が有意に低く，IL-6濃度が術後72時間で有意に低かった[14]．**このことは，認知機能障害の原因となる神経炎症や，その引き金となる痛みを抑えることの重要性を示すものといえる．**

オピオイド（舌下スフェンタニル）

減量が注目されているとはいえ，オピオイドは術後の中等度以上の痛みには有効であり，最近報告されているスフェンタニル舌下投与は興味深い．これには**PCA機能のある専用器具で患者自身がスフェンタニル15 μg錠を20分のロックアウト時間で舌下投与できるもの（Zalviso®）と医療従事者が1回30 μg錠を60分の投与許可間隔で投与できる製剤（Dsuvia®）がある．**これらの薬物動態に関する報告によると，**舌下投与直後に血中スフェンタニル濃度は速やかに上昇し，反復投与でも蓄積性はない**[15, 16]．Zalviso®による術後鎮痛のケースシリーズ（280人，腹腔鏡下消化器手術49％，膝関節置換術34％）では，術後2日目までに平均18.6回使用され，ペインスコアの中央値は4/10未満で維持され，患者の73％が鎮痛法に満足していた．しかし，34％に悪心が出現し，女性に高率（45％ vs. 19％）で，満足度は悪心があるほど，ペインスコアが4/10以上であるほど低下した．さらに，口腔内乾燥で投与，服薬しにくいことや，器具の操作に関連した問題や器具の不具合が，合計70件あった[17]．**スフェンタニルの舌下投与は静脈内投与に代わる方法として期待できる．しかし，すべての患者に使えるものではなく，従来の鎮痛法との比較も少ないため，今後を注視する必要がある．**

電気刺激療法，レーザー照射

Zhuらによる膝関節置換術後の経皮的電気刺激療法（TENS）の効果を検証した6つの臨床試験のメタ解析によると，TENSは痛みを有意に減らし，モルヒネ消費量を有意に減らし，術後の膝関節の可動域を改善する．しかし，各項目の比較は2つの試験であることや，TENSの方法が各研究で異なること，対象者の人種が偏っていることなど，解釈上の注意点もある[18]．そのほかに，

13) Fenten MGE, Bakker SMK, Scheffer GJ et al：Femoral nerve catheter vs local infiltration for analgesia in fast track total knee arthroplasty：short-term and long-term outcomes. Br J Anaesth 121：850-858, 2018

14) Kristek G, Radoš I, Kristek D et al：Influence of postoperative analgesia on systemic inflammatory response and postoperative cognitive dysfunction after femoral fractures surgery：a randomized controlled trial. Reg Anesth Pain Med 44：59-68, 2019

15) Fisher DM, Chang P, Wada DR et al：Pharmacokinetic properties of a sufentanil sublingual tablet intended to treat acute pain. Anesthesiology 128：943-952, 2018

16) van de Donk T, Ward S, Langford R et al：Pharmacokinetics and pharmacodynamics of sublingual sufentanil for postoperative pain management. Anaesthesia 73：231-237, 2018

17) Meijer F, Cornelissen P, Sie C et al：Sublingual sufentanil for postoperative pain relief：first clinical experiences. J Pain Res 11：987-992, 2018

18) Zhu Y, Feng Y, Peng L：Effect of transcutaneous electrical nerve stimulation for pain control after total knee arthroplasty：a systematic review and meta-analysis. J Rehabil Med 49：700-704, 2017

針電極を用いた電気刺激療法やレーザー照射を取り上げた総説もある[19]．これらの方法は，高価な器具を要することや設定が多様なこと，機序に未解明な点が多いこと，報告が薬物療法よりも少ないことなどから，十分に普及しておらず，有効性も不明な点が多い．しかし，今後検証する価値は大きいと考えられる．

β遮断薬

β遮断薬に麻酔作用や鎮痛作用はないと考えられてきた．しかし，**術中のエスモロール投与が痛みや麻酔薬投与量を減らすという報告が増えている**．23編の報告のメタ解析において，**エスモロールと晶質液を比較すると，エスモロールは術中のオピオイドを減らし，手術直後の痛みを軽減し，術後回復室でのオピオイド必要量を減少させること，エスモロールとオピオイドと比較すると，手術直後の痛みは同等であるが，エスモロールは術後回復室でのオピオイド必要量を減らすことが示された**[20]．この結果を解釈するうえでは，機序が十分には解明されていないことや，エスモロールの投与法が，多くはローディング投与量 1〜2 mg/kg，持続投与量 5〜15 μg/kg/min ではあったが，報告者によって異なることには注意が必要である．

術後の疼痛の程度の予測，術後遷延痛の予防

国内から，血中蛋白とその遺伝子の一塩基多型と術後痛の関連が報告されている．開腹術後患者 57 人を対象とした調査によると，**脂肪細胞で産生，分泌され，炎症反応に関与する蛋白であるアディポネクチンの一つであるレジスチンの血清濃度は，術後の痛みの程度と正に相関し**，レジスチンの遺伝子一塩基多型（rs3745367）において，マイナーアレルのホモをもつ患者は，マイナーアレルのヘテロあるいはメジャーアレルのホモをもつ患者よりも痛みの程度が弱いことが示された[21]．

痛みの程度には精神・心理的要因も影響する．精神・心理的要因が術後痛の予測や軽減に役立つ可能性を示唆する報告がある．膝関節置換術患者に対し，術前に不安度と痛みに対する破局的思考を評価し，手術直後，術後 6，12ヵ月に痛みの程度，knee injury and osteoarthritis outcome score（KOOS）による生活の質を調査した研究では，術前に不安や破局的思考が強かった患者では術後の痛みが強く，KOOS 値が低かった[22]．これは，**術前の不安や，痛みの経験をネガティブに捉える傾向が，術後痛の程度だけでなく生活の質に影響する，すなわち手術成績に影響を及ぼしうる**ことを示している．そして，精神・心理的サポートの術後慢性期への効果に関するメタ解析では，**周術期に認知行動療法やリラクゼーションなどの心理的介入を実施することは，術後痛の遷延や身体機能の低下を減らす**という中等度のエビデンスと，通常のケアと比較し

19) White PF, Elvir Lazo OL, Galeas L et al：Use of electroanalgesia and laser therapies as alternatives to opioids for acute and chronic pain management. F1000Res 6：2161, 2017

20) Gelineau AM, King MR, Ladha KS et al：Intraoperative esmolol as an adjunct for perioperative opioid and postoperative pain reduction：a systematic review, meta-analysis, and meta-regression. Anesth Analg 126：1035-1049, 2018

21) Hozumi J, Sumitani M, Nishizawa D et al：Resistin is a novel marker for postoperative pain intensity. Anesth Analg 128：563-568, 2019

22) Bierke S, Petersen W：Influence of anxiety and pain catastrophizing on the course of pain within the first year after uncomplicated total knee replacement：a prospective study. Arch Orthop Trauma Surg 137：1735-1742, 2017

て，術前の教育や心理的な支援にはそのような効果がない，という高いエビデンスが示されている[23]．今後，国内でもこのような手法にも焦点をあてていく必要があると考えられる．

23) Wang L, Chang Y, Kennedy SA et al：Perioperative psychotherapy for persistent post-surgical pain and physical impairment：a meta-analysis of randomised trials. Br J Anaesth 120：1304–1314, 2018

48. ペインクリニック

奥田泰久（おくだ やすひさ）
獨協医科大学埼玉医療センター 麻酔科

最近の動向

- 帯状疱疹後神経痛の原因となる帯状疱疹を予防するための帯状疱疹生ワクチンと最近開発されたいくつかのサブユニットワクチンの有効性と安全性はほぼ確立されたものであり，両ワクチンの優越は今後の臨床研究が必要となる.
- 慢性疼痛患者に対して，オピオイドがその効果と安全性が不明のまま，漠然と長期間あるいは高用量で投与されている場合がある．オピオイドを減量および中止するために，さまざまな代替療法の併用も試みられているが，明らかな有用性のあるものは少ない.
- 慢性疼痛患者に対して，脊椎ではなく非侵襲的な脳へのさまざまな電気刺激が，施行されている．有効な除痛が得られている患者もいるが，十分な効果があるとの，質の高い医学的証拠は存在しない.

帯状疱疹と予防ワクチン

帯状疱疹は一生のうち約1/3人が罹患する疾患であり，ペインクリニック領域では大きな患者割合を占める．その後遺症として発生する帯状疱疹後神経痛は，神経ブロックやプレガバリンなどの薬物によって症状の軽減が得られるものもあるが，症状が長期間に渡り固定した場合には，その治療は困難を極める．そのために，特に危険因子である高年齢の患者の場合には，帯状疱疹発生をいかに予防するかが重要な戦略となる．1974年に高橋が開発した，血液分離した3歳児の患者の名前から命名された岡株水痘ワクチンは，安全性と効果がほぼ確立されたものであり，世界中の小児に定期接種され，その結果，明らかに水痘患者数は激減した．しかしながら逆に高齢者の帯状疱疹の患者数は増加傾向を示した．おそらく帯状疱疹ウイルスに対する特異免疫の減少が原因とされる[1]．前述のように年齢が高くになるにつれて，帯状疱疹から難治性帯状疱疹後神経痛に移行する確率が高くなるために，その原因となる帯状疱疹の発生を少しでも減少させるために，米国では2006年から，我が国においては2016年から50歳以上を対象にワクチンの接種が承認され，現在においては帯状疱疹の罹患率や帯状疱疹後神経痛の発生率の抑制に対しては高い有効性と安

1) Shaw J. Gershon AA：Varicella virus vaccination in the United States. Viral Immunol 31：96-103, 2018

1884-8516/19/¥100/頁/JCOPY

全性が示されてきた[2]．ただ生ワクチン（弱毒性）は持続効果の制限（約8年），妊婦，血液癌患者，HIV患者など帯状疱疹発症の危険性が高い患者には禁忌などの問題点も存在する．そこで近年，岡株をマスターシードとする糖蛋白とアジュバントを組み合わせたサブユニットなどの新しいワクチンが開発され，帯状疱疹や帯状疱疹後神経痛に対しての高い有効性と，さらに免疫不全患者などの従来の生ワクチンが禁忌であった病態に対しても安全に摂取できることが期待されており，今後，従来の生ワクチンとの優越についてはさらなる臨床研究が必要とされる[3]．

漠然とオピオイドが長期投与されている慢性疼痛患者に対して，その使用量を減少あるいは使用を中止させるための有用な併用あるいは単独で施行する他の治療法はあるか？

毎日90人以上が麻薬過量で死亡している米国においては，慢性疼痛患者に対する医療用麻薬の蔓延も，依存も含めて大きな社会問題となっている[4, 5]．慢性疼痛患者に対する膨大な医療費と医療用麻薬が関係すると考えられる労働力の損失による経済の負担から慢性疼痛患者に対するオピオイドの処方がようやく規制されようとしている．トランプ大統領は，医療用麻薬に関連する企業に対しても強い懸念を示している．先進国の中で我が国がそのような状態になっていないことは世界的に誇れるものであるかもしれない．慢性疼痛患者に対してのオピオイド（モルヒネ，コデイン，フェンタニル，ブプレノルフィンなど）の投与が，米国では1980年代から本格的に開始された．短期的にはその恩恵を受けた患者は少なくはないかもしれないが，慢性疼痛患者においてその効果と安全性を保障する示す質の高い医学的証拠はいまだ存在しない[6]．患者によっては長期間投与しても，用量を増加させても，満足する効果が得られない場合もあるし，明らかな依存を示す場合もある．いったん，長期投与・高用量を投与されたオピオイドを減量あるいは中止することは決して容易なことではない．急激に減量あるいは突然に中止することで，退薬症候などさまざまな副作用を引き起こす可能性があるためである．処方されたオピオイドを安全に減量あるいは中止するうえで，その代替えとなる治療（鍼治療，心理療法，認知行動療法，ブプレノルフィンやナロキソンの薬物など[6]）の有用性が検討されているが，その効果，安全性，費用などから，質の高い医学的証拠は得られていない．例えば，集中的なリハビリテーションによりオピオイドの使用量が大幅に減少した可能性を示した研究もあるが，少ない対象症例数でもあり，より大規模な臨床研究が望まれる[7]．米国では医療用麻薬の蔓延に対して多くの国民が愁いを抱いているが，その有用な回避法の確立を期待しているのは，半数も満たないとされる[5]．

2）渡辺大輔：帯状疱疹ワクチン．ウイルス 68：21-30，2018

3）Esposito S, Principi N：Herpes zoster prevention：a difficult problem to solve. Vaccine 36：5442-5448, 2018

4）Soelberg CD, Brown RE Jr, Du Vivier D et al：The US opioid crisis：current federal and state legal issues. Anesth Analg 125：1675-1681, 2017

5）Blendon RJ, Benson JM：The public and the opioid-abuse epidemic. N Engl J Med 378：407-411, 2018

6）Ballantyne JC：Opioids for the treatment of chronic pain：mistakes made, lessons learned, and future directions. Anesth Analg 125：1769-1778, 2017

7）Whitehead PB：Interventions for the reduction of prescribed opioid use in chronic non-cancer pain. Res Nurs Health 41：329-330, 2018

慢性疼痛患者に対する脳への電気刺激療法

これまで慢性疼痛患者に対して，脊髄神経を電気的に刺激する以外に脳を電気刺激することでさまざまな疼痛を軽減する可能性が示唆されてきた．以前から脳深部刺激法（deep brain stimulation：DBS）は，慢性疼痛の中でも四肢切断後疼痛や術後疼痛症候群などに有用な治療法として施行されていたが[8]，最近は従来の手術に比較して明らかな低侵襲な手法で脳に対して各刺激が施行されている．電磁誘導により頭皮上に設置したコイルでから脳を刺激する反復経頭蓋磁気刺激（repetitive transcranial magnetic stimulation：rTMS），耳や頭皮から脳を刺激する頭蓋交流電流刺激療法（cranial electrotherapy stimulation：CES），経頭蓋的な直流刺激（transcranial direct current stimulation：tDCS），縮小インピーダンス非侵襲性皮質電気刺激（reduced impedance non-invasive cortical electrostimulation：RINCE），経頭皮ランダムノイズ刺激（transcranial random noise stimulation：tRNS）などである．大脳皮質に渦電流を誘発するrTMSによる疼痛軽減は単発刺激より反復刺激が，その効果が高まり，効果時間が長くなることが示されているが，そのことが臨床的に意味ある治療であるかは確立されていない[9]．tDCSは皮質可塑性を誘発する[10]．いずれの刺激法についても，生じる有益性と有害性についてかなりの不確実性がある．感染以外の副作用として，軽度な頭痛，嘔気，および皮膚掻痒や，rTMS後のてんかん発作が報告されている．脳に対する電気刺激については一部の患者ではその除痛効果があったことが報告されているが，その有用性を支持するあるいは否定する，質の高い医学的証拠はいまのところ存在しない[11]．

8）Farrell SM, Green A, Aziz T：The current state of deep brain stimulation for chronic pain and its context in other forms of neuromodulation. Brain Sci 8, 2018
9）Nardone R, Brigo F, Höller Y et al：Transcranial magnetic stimulation studies in complex regional pain syndrome type I：a review. Acta Neurol Scand 137：158-164, 2018
10）Chen ML, Yao L, Boger J et al：Non-invasive brain stimulation interventions for management of chronic central neuropathic pain：a scoping review protocol. BMJ Open 7：e016002, 2017
11）O'Connell NE, Marston L, Spencer S et al：Non-invasive brain stimulation techniques for chronic pain. Cochrane Database Syst Rev 4：CD008208, 2018

線維筋痛症に対する経皮的神経電気刺激（Transcutaneous electrical nerve stimulation：TENS）

全身の骨格筋の激しい痛みを訴える原因不明の線維筋痛症の治療はしばしば難渋する．短期間で回復する症例は少なく，例え回復しても，多くは何らかの機能障害や生活の質の低下を伴う．女性に多く，一定の診断基準が示されているが，自覚症状以外に他覚的所見が得られることはほとんどない．疼痛の程度や部位は変動が大きく，随伴症状として，痺れ，疲労，不眠，不安，うつ，消化器症状などがある．患者自身が満足できる医療が施されるは少なく，多くの患者が複数の医療機関を転々とする場合も少なくはない．欧米での発症率は全人口の約2%であり，日本でも，本疾患が認識されてから患者が増加しており，100万人以上と推測されているが，その実態はまだ把握されていない．プレガバリンなどの薬物療法や他の数多くの治療が試みられても，短期間はともかく長期間患者が満足する有用性のあるものは極めて少ない[12]．TENSは2～4の電極を使って皮膚表面にパルス電流を流す治療である．TENSは低価格で，線維筋痛症患者が自分で行うことも可能で，特に著しい副作用も伴わない．TENSは動作時の疼痛を軽減するので，他の治療に加え患者が日常生活を営むのに役立つ可能性がある．ただ今のところ線維筋痛症患者に対するTENSの有用性について十分に質の高い医学的証拠はない[13]．

神経障害性疼痛に対する鍼治療

神経障害性疼痛患者に対する鍼治療の研究報告は多くは中国から一部は英国からなされている．片頭痛，関節リウマチ，関節炎，肩こり，腰痛，背部痛，線維筋痛症の各慢性疼痛あるいは視床痛などに幅広く用いられている．最近は，その奏効機序としてtransient receptor potential vanilloid 1（TRPV1），中枢神経系に存在する常在性マクロファージ，サイトカインなどの関与が示唆され[14]，また前述のオピオイドの代替療法として試みられている．しかしながら偽鍼を含めて比較対象が乏しいものが大部分であり，質の高い医学的証拠は得られていない[15]．ただ他の治療法，例えば薬物（オピオイドやNSAIDsなど）や神経ブロック，手術などと比較して，気胸などの注意しなければならないものはあるが，副作用や合併症は少なく，なによりも安価であることは評価されなければならない[16]．

超音波ガイド下神経ブロックの最近の動向

超音波ガイド下神経ブロックの新たな手技や適応については麻酔領域ではほぼ出つくした感があるが，神経ブロックの種類が多いペインクリニック領域では，可能な神経ブロックは，すべて超音波ガイド下での施行が拡大している．最近の超音波診断装置の性能の格段の向上により，従来はX線透視下で施行されていた比較的体表表面から深部にブロック針を挿入する種類のブロック，例えば上顎神経ブロックや腰部神経根ブロックなどが超音波ガイド下での施行が可能となりつつある[17, 18]．このことは患者および施行する医師にとっては放射線被曝を受けることなく施行できる神経ブロックの種類が新たに追加されたことを意味する．しかしながらその有用性あるいは安全性については，さらなる臨床研究が必要である．また神経ブロックのみならず整形外科領域では肩関節周囲炎に対する各局所麻酔薬を関節あるいは腱板・筋肉近傍に注入する際にも超音波ガイド下での施行が急速に普及している[19]．

鎮痛薬の心血管副作用

痛みがある患者に処方される第一選択薬はNSAIDsである．安全性を考慮，小児，超高齢者，妊婦などにはアセトアミノフェンが処方されるが，リウマ

12) Cooper TE, Derry S, Wiffen PJ et al：Gabapentin for fibromyalgia pain in adults. Cochrane Database Syst Rev 8：CD012536, 2017

13) Johnson M, Claydon LS, Herbison GP et al：Transcutaneous electrical nerve stimulation（TENS）for fibromyalgia in adults. Cochrane Database Syst Rev 10：CD012172, 2017

14) Yin C, Buchheit TE, Park JJ：Acupuncture for chronic pain：an update and critical overview. Curr Opin Anaesthesiol 30：583-592, 2017

15) Ju ZY, Wang K, Cui HS et al：Acupuncture for neuropathic pain in adults. Cochrane Database Syst Rev 12：CD012057, 2017

16) Yin C, Buchheit TE, Park JJ：Acupuncture for chronic pain：an update and critical overview. Curr Opin Anaesthesiol 30：583-592, 2017

17) Kampitak W, Tansatit T, Shibata Y：A cadaveric study of ultrasound-guided maxillary nerve block via pterygopalatine – fossa. a novel technique using the lateral pterygoid plate approach. Reg Anesth Pain Med 43：763-767, 2018

18) Chumnanvej S, Kittayapirom K, Chumnanvej S：Visualization of needle-tip localization by ultrasound guidance with contrast bubble in lumbar selective nerve root block：clinical pilot study. World Neurosurg 111：e418-e423, 2018

19) Lin A, Gasbarro G, Sakr M et al：Clinical applications of ultrasonography in the shoulder and elbow. J Am Acad Orthop Surg 26：303-312, 2018

チ，関節炎などその適応の広さはNSAIDsが圧倒的である[20]．NSAIDsは麻薬のように中枢作用はほとんどなく，優れた鎮痛薬であるが，アラキドン酸カスケードのシクロオキシゲナーゼを抑制する機序によるさまざまな消化器，心臓血管，血圧らに対する副作用がその使用を制限していた[21]．そこで開発されたCOX-2阻害薬はNSAIDsによる胃腸障害を明らかに減少させた[22]．しかしながら消化器系以外の副作用については，例えば心筋梗塞発症の危険性はNSAIDsやCOX-2阻害薬とも高く，一部のCOX-2阻害薬はその危険性が予想以上に高かったために販売が中止されたものもあった．高容量の鎮痛薬を投与する場合は，投与1週間～1ヵ月の危険性は高まることに注意しなければならない．鎮痛薬投与前に患者の血圧，心機能，腎機能などの有無は特に高齢者の場合は，必ず確認すべきである[23]．

20) Walker C, Biasucci LM：Cardiovascular safety of non-steroidal anti-inflammatory drugs revisited. Postgrad Med 130：55-71, 2018
21) Grosser T, Ricciotti E, FitzGerald GA：The cardiovascular pharmacology of non-steroidal anti-inflammatory drugs. Trends Pharmacol Sci 38：733-748, 2017
22) Blanca-Lopez N, Perez-Alzate D, Canto G et al：Practical approach to the treatment of NSAID hypersensitivity. Expert Rev Clin Immunol 13：1017-1027, 2017
23) Solomon DH, Husni ME, Libby PA et al：The risk of major NSAID toxicity with celecoxib, ibuprofen, or naproxen：a secondary analysis of the PRECISION trial. Am J Med 130：1415-1422, 2017

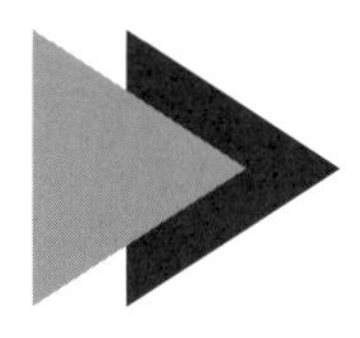

49. 緩和ケアとがんの痛みの治療

岩崎創史（いわさき そうし）

札幌医科大学医学部 麻酔科学講座

アイン・ニトリ緩和医療学推進講座

最近の動向

- タペンタドールの安全性と有効性が広く認知され，さらに新規オピオイド，ヒドロモルフォンが本邦でも上市された．
- Cytochrome（CYP）で代謝されるオピオイドの薬物相互作用に注目が集まる．
- 抗がん剤などを多剤投与される治療期のメサドン投与には，相互作用を念頭に慎重な投与が必要．
- 逆に治療期の痛みや呼吸困難にはヒドロモルフォンが好まれるようになるだろう．
- 緩和ケアの苦痛は，身体的苦痛，精神的苦痛，社会的苦痛，スピリチュアルな苦痛に分類されてきたが薬物療法，非薬物用法においては再統合して理解する．
- ASCO ガイドライン更新がされ，転移の証拠がある乳癌患者のゾレドロン酸静脈内投与は 4 mg を 12 週ごとまたは 3～4 週ごとの推奨となった．
- 緩和医療領域で意識障害と徐脈をきたす症例では，甲状腺機能低下症と高マグネシウム血症が散見される．

オピオイドの初回導入はタペンタドールが first choise, 400 mg 以上では他の強オピオイド（＋抗うつ薬）へスイッチ

オピオイドの初回導入，例えば，がん性疼痛緩和の標準治療薬オキシコドンの導入には，多くの場合，制吐，緩下剤併用が必要であった．2009 年から欧米および本邦で慢性痛およびがん性痛に使用されてきたタペンタドールの安全性と有効性が蓄積されてきた．中度～高度のがん性痛を有する患者にモルヒネ 60 mg 程度，またはそれ以上のモルヒネが必要な場合においてタペンタドールへのスイッチは効果的で，悪心・嘔吐また便秘がすくなく認容性が高いと評価されている[1] 一方で，現時点では有効性に関する強力な結論が得られない，またタペンタドールとフェンタニルまたはオキシコドン－ナロキソンを比較した非劣性試験がないといった研究の弱点が指摘されている[2]．

カリフォルニア大学の製薬化学科教授ブライアン・ショイチェット氏は，バ

1）Mercadante S：The role of tapentadol as a strong opioid in cancer pain management：a systematic and critical review. Curr Med Res Opin 33：1965-1969, 2017

2）Carmona-Bayonas A, Jiménez Fonseca P, Virizuela Echaburu J：Tapentadol for cancer pain management：a narrative review. Pain Pract 17：1075-1088, 2017

1884-8516/19/¥100/頁/JCOPY

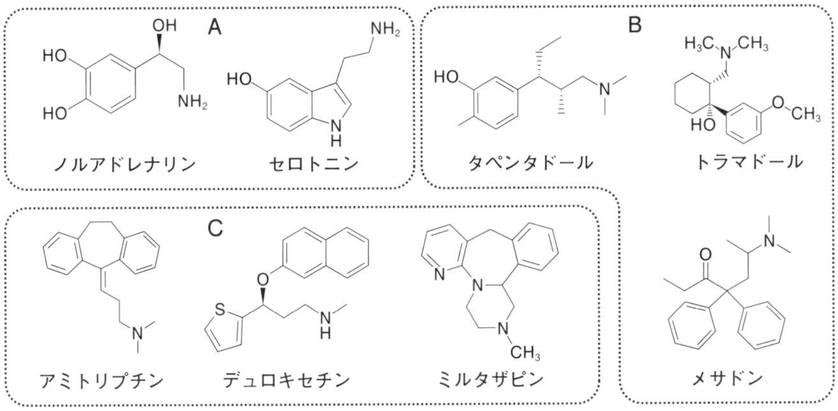

図1　A：モノアミン（ノルアドレナリン，セロトニン），B：Dual（Triple）action opioids（タペンタドール，トラマドール，メサドン），C：抗うつ薬（アミノトリプチン，デュロキセチン，ミルタザピン）
BとCはそれぞれ単独で，また併用でセロトニン症候群を生じやすい．ミルタザピンは頻度が低くBと併用しやすい．構造式に注目せよ．

ーチャル薬理学プラットフォームを開発し，従来の方法よりも格段に豊富な新薬を同定可能となるプラットフォームを作成することで，創薬プロセスを劇的に進化させた[3]．すなわち，創薬の基本は構造式にあり薬効や有害事象は予測できる．ドイツGrünenthal社がドラマドールの次世代オピオイドとして創薬開発したタペンタドールは，セロトニン，ノルアドレナリンと窒素－炭素鎖－フェノール環構造式で類似しており（**図1**）単一分子でμオピオイド受容体選択的アゴニストと，ノルアドレナリン，セロトニンの再取り込み阻害作用をもつ．図1からタペンタドールは，ペインクリニックや緩和医療で神経障害性痛に用いられる三環系抗うつ薬やSNRIとも類似している．新規オピオイド，タペンタドールの普及は，**オピオイドと，抗うつ薬の処方は一体であり，このコンビネーションこそがん性の痛みのコントロールの基本であることを示唆する．**従来はオピオイドの導入としてトラマドールが頻用されてきたが，CYP2D6のpoor metabolizerでは，トラマドールは活性代謝物M1に代謝されにくく，μオピオイド受容体を介した鎮痛作用がえられない懸念があった．タペンタドールはこの問題点がなく，オキシコドンよりも嘔気・便秘が明らかに少ないため筆者は**オピオイド導入のfirst choiceと考えている．**一方で，μオピオイド受容体に対する親和性（Ki値）は明らかに劣るため**タペンタドールは400 mgを超えて使用するときには他の強オピオイド（＋抗うつ薬）へスイッチをすべきである．**

3) Jiankun Lyu, Sheng Wang, Trent E. Balius et al：Ultra-large library docking for discovering new chemotypes. Nature 566：224-229, 2019

Cytochrome（CYP）代謝の抗がん剤や，P 糖蛋白質によって排出される薬の併用でメサドンや抗がん剤の代謝が変化しうるため，治療期のメサドン投与は要注意

図 1 からメサドンはμオピオイド受容体作用以外にセロトニン・ノルアドレナリン再取り込み阻害作用も有することは理解いただけると考えるが，ゆえに他剤との組み合わせによってはセロトニン過剰が予測される．MRSA に対するリネゾリドとメサドンとの併用でセロトニン症候群が報告された[4]．また，我々はオキシコドンとワルファリンで生じる PT-INR 延長がメサドンでは生じなかった症例を報告した[5]．メサドンは CYP3A4，CYP2B6 などで代謝されるが CYP3A4 および CYP2B6 の誘導作用をも有し，さらに P 糖蛋白の基質である．CYP 代謝の抗がん剤（シクロフォスファミド，イリノテカン，ビンクリスチンなど）や，P 糖蛋白質によって排出される薬（ビンクリスチンやステロイド）の併用ではメサドンや抗がん剤の代謝が変化することが予想され，**多剤投与される治療期のメサドン投与には極めて注意が必要である．**

同様に分子標的薬の一部（イマチニブやダサチニブ）は CYP3A4 阻害作用を有し，CYP 代謝のオピオイド（オキシコドンやフェンタニル，メサドン）の代謝が遅延し過量が生じうる．メサドンの血中濃度を簡易的に唾液濃度で測定する研究は，メサドン濃度の唾液対血漿比は投与量範囲のなかで安定していたが，個々の唾液対血漿比の変動性のため，唾液サンプリングはメサドンの薬物動態試験における有効な代用とはなりえなかった[6]．臨床では図 1 に示したオピオイド単独でまたは抗うつ薬などとの相互作用でセロトニン症候群が報告されているが，Rickli は *in vitro* で潜在的に臨床的に適切な濃度でラマドール，タペンタドール，メサドンによるセロトニン取り込み阻害は，セロトニン症候群の一因となりえ，メサドンに関しては 5-HT_{1A} および / または 5-HT_{2A} 受容体に対する直接作用であることを示した[7]．同様にセロトニントランスフェクトヒト HEK293 細胞を用いた研究では，トラマドール，メサドン，タペンタドールはセロトニン症候群を引き起こすことが報告されたがフェンタニルならびにモルヒネおよびヒドロモルフォンを含む多数の phenanthrenes は惹起しないという[8]

治療期の痛みや呼吸困難には，ヒドロモルフォンが好まれるようになる

読者は，代謝や相互作用の記述に飽きてきたに違いない．オピオイドは，chemical class として phenanthrenes，フェンタニルなどの phenylpiperidines，diphenylheptanes ほかに分類される．phenanthrenes はさらに 6-水酸基をもつモルヒネ，コデインともたないオキシコドン，ヒドロモルフォンがそれぞれ分

4) Mastroianni A, Ravaglia G：Serotonin syndrome due to co-administration of linezolid and methadone. Infez Med 25：263-266, 2017
5) Yoshioka K, Ohmori K, Iwasaki S et al：A case of a warfarinized renal cancer patient monitored for prothrombin time-international normalized ratio during methadone introduction. JA Clinical Reports 3：35, 2017
6) George R, Haywood A, Good P et al：Can saliva and plasma methadone concentrations be used for enantioselective pharmacokinetic and pharmacodynamic studies in patients with advanced cancer? Clin Ther 39：1840-1848, 2017
7) Rickli A, Liakoni E, Hoener MC et al：Opioid-induced inhibition of the human 5-HT and noradrenaline transporters *in vitro*：link to clinical reports of serotonin syndrome. Br J Pharmacol 175：532-543, 2018
8) Baldo BA：Opioid analgesic drugs and serotonin toxicity（syndrome）：mechanisms, animal models, and links to clinical effects. Arch Toxicol 92：2457-2473, 2018

類されるが，この中で**代謝産物に活性がなくグルクロン酸抱合でCYP代謝の問題が避けられるのはヒドロモルフォンだけである．phenanthrenesの効果と有害事象は，程度の差があれ鎮痛のほかに呼吸困難，せん妄と嘔気や便秘で基本共通しているが，治療期の支持療法には今後ヒドロモルフォンが選択されやすいだろう．**本邦においてもヒドロモルフォンとオキシコドンは中程度～高度の疼痛を有するオピオイドナイーブな患者における有効性と有害事象は同等であり，最も頻繁にみられる有害事象は眠気，便秘，悪心・嘔吐であったという[9]．生体内利用率は新しいオピオイドの関心事であるが，1 mgの静脈内ヒドロモルフォンが2.5 mgの経口ヒドロモルフォンに相当し，11.46 mgの経口モルヒネとなる．ヒドロモルフォン30 mg/dayを超える投与量からのスイッチでは他のオピオイドよりも低い換算が提案されている[10]．新しいオピオイドのスイッチでは慎重にという概念は普遍である．一方でシスプラチン，メトトレキサート，シメチジンなどのグルクロン酸抱合を抑制する薬剤は，グルクロン酸抱合で代謝されるモルヒネ，ヒドロモルフォン，タペンタドールとの併用で効果が遷延する可能性があり注意する必要がある．

9) Inoue S, Saito Y, Tsuneto S et al：A randomized, double-blind, non-inferiority study of hydromorphone hydrochloride immediate-release tablets versus oxycodone hydrochloride immediate-release powder for cancer pain：efficacy and safety in Japanese cancer patients. Jpn J Clin Oncol 48：542-547, 2018
10) Reddy A, Vidal M, Stephen S et al：The conversion ratio from intravenous hydromorphone to oral opioids in cancer patients. J Pain Symptom Manage 54：280-288, 2017

緩和ケアの苦痛は薬物療法，非薬物療法において再統合が必要

緩和ケアの苦痛は，身体的苦痛，精神的苦痛，社会的苦痛，スピリチュアルな苦痛に分類されてきた．身体的苦痛，例えば疼痛には，上記のようなオピオイド，精神的苦痛には，抗うつ薬をそれぞれ用いたが，**今まで述べてきたように薬物療法，非薬物療法においては再統合すべきである．**

薬物療法の統合の例として神経障害性疼痛や化学療法誘発性末梢神経障害に対する抗うつ薬の報告が続いている．本邦でもやっと使用可能となったベンラファキシンとデュロキセチンを化学療法誘発性末梢神経障害患者で比較すると，痛みなどの指標ではやはり，十分知見の得られている後者で成績が良好であった[11]．図1にはベンラファキシンの構造式は記載していないが読者はすぐに，ベンラファキシンが窒素-炭素鎖-フェノール環構造式をもつことに気がつくであろう．トラマドール，タペンタドール，メサドンとの併用がセロトニン過剰という点で懸念があることも添付文書を開くまでもない．多数のがん患者は，抗うつ薬による治療を必要としない精神的苦痛（例えば，軽度～中等度の苦痛，気分の落ち込みを伴う調整障害など）を患っているが，少数は，抗うつ薬治療を必要とする重症型のうつ病と診断され，3,106人のがん患者のうち，臨床的に有意なうつ病を有する患者の4分の1しか適切に治療されていなかった[12]．

11) Farshchian N, Alavi A, Heydarheydari S et al：Comparative study of the effects of venlafaxine and duloxetine on chemotherapy-induced peripheral neuropathy. Cancer Chemother Pharmacol 82：787-793, 2018
12) Grassi L, Nanni MG, Rodin G et al：The use of antidepressants in oncology：a review and practical tips for oncologists. Ann Oncol 29：101-111, 2018

非薬物療法の統合の例として，運動療法や心理療法などの非薬理学療法が，うつ症状を軽減することを示すシステマティックレビューとメタ解析が示さ

れ，マインドフルネスやヨガ療法よりも心理療法のほうが抑うつの減少に有効であった[13]．経験上，がん患者のマインドフルネスやヨガ療法への参加は，容易ではなく臨床心理士などの介入がより効果が期待できるのは実臨床経験と一致した所見である．すべての患者がこのようなプロフェッショナルにアクセスできるわけではなく，部分的な解決策として，遠隔医療および web ベースのアプリケーション（eHealth）はかなりの受け入れと満足を示し，87%の患者が他の患者におすすめした[14]という．非薬物療法もスマホアプリの時代だろうか．

オピオイド・クライシスと大麻

オピオイド・クライシスが北米で深刻な課題となっており，大麻の合法化とオピオイド処方の関連が調べられた．米国では 2016 年の 42,249 人のオピオイド関連過量死亡のうち，19,413 人が合成オピオイド，17,087 人が処方オピオイド，および 15,469 人がヘロインであり，これらの死亡における合成オピオイドの関与は，2010 年の 3,007 人から 2016 年の 19,413 人（45.9%）へ有意に増加した[15]．カナダでは，医療大麻が 2001 年から合法化され，米国では 2018 年 2 月までに，首都と 9 州において嗜好品としての大麻が合法化された．成人用マリファナ法の施行は，すべて既存の医療用マリファナ法のある州で行われており，オピオイド処方率を 6.38%低下させた．オピオイドの使用と影響を減らすためのマリファナの自由化の可能性は，マリファナ改革とオピオイドの流行についての政策討議の際に考慮する価値があるという[16]．大麻使用で高血圧による死亡が増加することが従来から指摘されてきたが，システマティックレビュー[17]では，それぞれマリファナ使用と心血管危険因子および臨床転帰との関連を調べた 13 本と 11 本の 6 件の研究がマリファナの使用による代謝上の利点を示唆していたが，それらは断面デザインに基づいており，前向き研究で裏づけされておらず，また糖尿病，脂質異常症，急性心筋梗塞，脳卒中，または心血管系死亡率および全死因死亡率に対するマリファナの効果を調べた証拠は不十分であった．

転移の証拠がある乳癌患者のゾレドロン酸静脈内投与は 4 mg を 12 週ごとまたは 3～4 週ごとの推奨

乳癌患者への骨折予防のランダム化比較試験（AZURE 試験）は，標準治療（ネオ / アジュバント化学療法および / または内分泌療法）へのゾレドロン酸 4 mg の追加を評価する多施設無作為化第Ⅲ相試験であり，初回骨折までの時間を有意に増加させた（ハザード比（HR）：0.69，95%信頼区間（CI）：0.53～0.90，p = 0.0053）が，この予防効果の大部分は疾患再発の後であった[18]．病的骨折，脊髄圧迫，または骨転移への放射線または手術などの骨格関連事象

13) Coutiño-Escamilla L, Piña-Pozas M, Tobías Garces A et al：Non-pharmacological therapies for depressive symptoms in breast cancer patients：systematic review and meta-analysis of randomized clinical trials. Breast 44：135-143, 2019

14) Ringwald J, Gerstner L, Junne F et al：Mindfulness and skills based distress reduction in oncology：the web-based psycho-oncological make it training. Psychother Psychosom Med Psychol, 2019 [Epub ahead of print]

15) Jones CM, Einstein EB, Compton WM：Changes in synthetic opioid involvement in drug overdose deaths in the United States,2010-2016. JAMA 319：1819-1821, 2018

16) Wen H, Hockenberry JM：Association of medical and adult-use marijuana laws with opioid prescribing for medicaid enrollees. JAMA Intern Med 178：673-679, 2018

17) Ravi D, Ghasemiesfe M, Korenstein D et al：Associations between marijuana use and cardiovascular risk factors and outcomes：a systematic review. Ann Intern Med 168：187-194, 2018

18) Wilson C, Bell R, Hinsley S et al：Adjuvant zoledronic acid reduces fractures in breast cancer patients：an AZURE (BIG 01/04) study. Eur J Cancer 94：70-78, 2018

は，生活の質の低下，および医療制度のコストを引き起こすが，乳癌および骨格転移を有する女性における，毎月のゾレドロン酸，3ヵ月ごとのゾレドロン酸，および毎月のデノスマブ投与の費用対効果では3ヵ月ごとのゾレドロン酸が優れており，毎月のデノスマブよりも合理的な代替方法であるという[19]．**近年は費用対効果からゾレドロン酸を支持する論文が多い**．これらの最新の知見からASCOガイドライン更新がされ，「①転移の証拠がある乳癌患者は，骨修飾薬で治療すべきであり、選択肢にはデノスマブ皮下投与（4週間ごと120 mg），パミドロネート静脈内投与（3～4週間ごとに90 mg）．**ゾレドロン酸静脈内投与（4 mgを12週ごとまたは3～4週ごと）**②BMAの鎮痛効果は少なく骨の痛みのために単独で使用されるべきではなく，支持療法および疼痛管理（オピオイド，鎮痛補助薬），放射線療法，手術，抗がん剤投与と併せて投与する」と改訂された[20]．同様に多発性骨髄腫患者においてもASCOは「単純X線写真または他の画像検査で骨の溶解性破壊または骨減少症からの脊椎の圧迫骨折の有無にかかわらず全身療法を必要とする活動性多発性骨髄腫の患者に対して，3～4週ごとにパミドロネートまたはゾレドロン酸を推奨する」一方で，「既存の腎機能障害のある患者の初期パミドロネート用量を減らすべきで，ゾレドロン酸は重度の腎機能障害のある患者では推奨しない」としている[21]．

乳癌脳転移患者に対する標準治療は全脳放射線療法，定位放射線手術，および手術であるが，このような脳転移を有する患者に対して抗がん剤を優先すべきか，脳への照射を優先すべきか統一したコンセンサスはない．遺伝子の突然変異とそれに対応する分子標的療法の発見により治療感度が向上し，脳転移患者では治療手段をそれぞれ個別化する必要がある[22]．

意識障害と徐脈をきたす症例で，甲状腺機能低下症や高マグネシウム血症が散見される

本邦で開発された免疫チェックポイント阻害薬に関する有害事象の知識が集積してきた．内分泌機能不全のリスクは，異なる免疫チェックポイント阻害薬レジメンで異なり，イピリムマブ単剤を投与された患者と比較して，PD-1阻害薬との併用療法で治療された患者の間で有意に高かった．単剤治療を受けた患者では，甲状腺機能障害の発生率がPD-1阻害薬で最も高く，下垂体炎の発生率はイピリムマブで最も高かった[23]．少なくとも最初の5サイクルは，免疫チェックポイント阻害薬投与前にTSHおよびFT4レベルをモニタリングする．免疫チェックポイント阻害薬投与履歴の有無にはかかわらず，甲状腺機能低下症の症状として，**徐脈や低体温，全身の浮腫，便秘，食欲低下，無気力や意識障害などの精神症状**があり，精神症状として緩和ケアチームに紹介される症例をしばしば経験する．甲状腺ホルモン薬の投与で症状が改善し，回診時には鑑別に留意する．腎機能低下症例における，酸化マグネシウム投与による

19) Shapiro CL, Moriarty JP, Dusetzina S et al：Cost-effectiveness analysis of monthly zoledronic acid, zoledronic acid every 3 months, and monthly denosumab in women with breast cancer and skeletal metastases：CALGB 70604（Alliance）. J Clin Oncol 35：3949-3955, 2017

20) Van Poznak C, Somerfield MR, Barlow WE et al：Role of bone-modifying agents in metastatic breast cancer：an American Society of Clinical Oncology-Cancer Care Ontario Focused Guideline Update. J Clin Oncol 35：3978-3986, 2017

21) Anderson K, Ismaila N, Flynn PJ et al：Role of bone-modifying agents in multiple myeloma：American Society of Clinical Oncology Clinical Practice Guideline Update. J Clin Oncol 36：812-818, 2018

22) Raghunath A, Desai K, Ahluwalia MS：Current treatment options for breast cancer brain metastases. Curr Treat Options Oncol 20：19, 2019

23) Barroso-Sousa R, Ott PA, Hodi FS et al：Endocrine dysfunction induced by immune checkpoint inhibitors：practical recommendations for diagnosis and clinical management. Cancer 124：1111-1121, 2018

高マグネシウム血症もいまだに世界的な問題である[24]．たびたび緩和ケアチーム回診時に診断に至ることがあるが，甲状腺機能低下症同様に，**精神症状（せん妄や意識障害）と徐脈**を含む不整脈が臨床症状であることに留意されたい．酸化マグネシウムの代わりとして，本邦でも，経口ポリエチレングリコール製剤（モビコール®）が使用できるようになった．小児においては英国のNICE（National Institute for Health and Care Excellence）のガイドライン，成人においては世界消化器病学会（World Gastroenterology Organisation）のガイドラインなどで使用が推奨されており，緩和医療領域でも今後広く普及が予想されるが，ややかさばるのが難点である．

24）Van Laecke S：Hypomagnesemia and hypermagnesemia. Acta Clin Belg 17：1-7, 2018

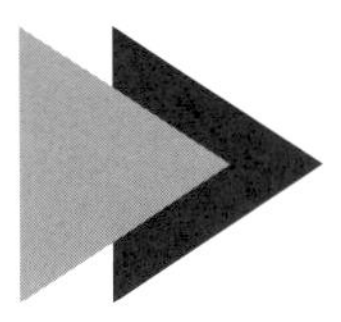

50. 麻酔科医と救急医療

成松英智（なりまつえいち）
札幌医科大学医学部 救急医学講座・高度救命救急センター

最近の動向

- 乳酸値・神経特異性エステラーゼ（NSE）値および搬入時 Glasgow Coma Scale（GCS）が，一酸化炭素（CO）中毒の早期神経学的予後予測因子となる．
- 高気圧酸素治療（HBO）の代替手段として，veno-venous extracorporeal membrane oxygenation（VV-ECMO）を用いた CO 除去治療が可能である．
- COHb による内因性 CO 評価が，ICU 管理上の全身状態評価・予後の指標となりうる．
- CO_2 中毒における吸入二酸化炭素（CO_2）濃度域と病態生理や臨床症状との相関が明らかになった．
- 搬入時乳酸値は，急性薬物中毒患者の早期予後予測因子となりうる．
- 蘇生時のアドレナリンが蘇生後の神経学的予後に悪影響を及ぼしている可能性がある．
- 敗血症性ショックに対するエンドトキシン吸着（PMX-DHP）の有効性には限界がある．

一酸化炭素に関するトピックス（中毒診断・治療および恒常性指標）

急性一酸化炭素（以下，CO）中毒については，病態メカニズム，診断，治療法に未解明・論争中のものが多い．CO は高濃度域（外因性曝露）では中毒物質（機序：赤血球酸素運搬能障害，細胞内好気性代謝障害，生理活性過剰作用，未解明機序，など）であるが，低濃度域の内因性 CO は多様な生理活性をもつ．CO 中毒の病態や臨床症状の多くは組織レベルでの CO 生理活性の過剰によるとも考えられ，COHb による酸素運搬能低下と組織低酸素症が急性中毒病態のすべてではない．COHb 濃度と症状の乖離がしばしばみられるのはこのためである．

1. 神経学的予後予測因子

Jung ら[1] は，**急性 CO 中毒**の神経学的予後予測因子を調査した．搬入後に採血検査と GCS 記録が行われ 6ヵ月以上の経過追跡ができた急性 CO 中毒患者 432 症例（8 年間）を対象とした単施設研究を行った．神経学的予後の良好-不良群間に統計学的有意差が得られたのは CO 曝露時間，白血球数

1) Jung JW, Lee JH：Serum lactate as a predictor of neurologic outcome in emergency department patients with acute carbon monoxide poisoning. Am J Emerg Med, 2018［Epub ahead of print］

1884-8516/19/¥100/頁/JCOPY

(WBC)，アスパラギン酸アミノトランスフェラーゼ（AST），心筋型クレアチンキナーゼ（CK-MB），troponin-1，CK，NSE，乳酸値，COHb 値，搬入時 GCS であり，**乳酸値，NSE，搬入時 GCS が早期予後予測因子となることが見出された．**特に搬入直後に取得可能な乳酸値と GCS は，早期の治療方針決定やトリアージ，などに有用である．COHb 濃度と臨床症状との関連が必ずしも平行しないことに加え，嫌気性代謝を反映する乳酸値上昇が早期予後予測因子であったことから，COHb 上昇だけでは説明しきれない細胞内好気性代謝障害（チトクローム障害，など）の中枢神経系障害への関与が疑われる．

2. VV-ECMO による CO 除去

急性 CO 中毒における CO 除去には積極的酸素投与（高濃度・高気圧）が通常行われる．体外循環人工肺を用いた CO 除去は理論的にも可能であり，蘇生時の VA-ECMO についてはすでに数編の報告がある．Baran ら[2]は，VV-ECMO が CO 除去に著効した急性 CO 中毒症例（10 歳女児，搬入時 COHb：18％，右内頸静脈 dual-lumen catheter）を報告した．21 時間の実施により COHb は 0％まで低下し，患児は完全回復までに至ったが，両側基底核変性を認めた．この症例での VV-ECMO 選択理由は，HBO 設置施設までの搬送安全性への懸念（搬入後に発生した 11 分間の心停止と心拍再開という経過による）であった．この報告は，**CO 除去治療における VV-ECMO の有効性**を示している．VV-ECMO が HBO 施行困難な急性 CO 中毒症例に対する一般的な代替治療法となりうるかの今後の検証が必要であろう．

2) Baran DA, Stelling K, McQueen D et al：Pediatric veno-veno extracorporeal membrane oxygenation rescue from carbon monoxide poisoning. Pediatr Emerg Care, 2018［Epub ahead of print］

3. 内因性 CO 評価と ICU 管理

CO の作用性の理解は，CO 中毒の病態に加え，内因性 CO の生理学的意義の理解に重要である．Hess らによるレビュー[3]では，急性 CO 中毒に関する COHb の特性，測定法，曝露，疫学，病態生理，治療，などに加え，CO の生理学的機能や臨床応用までが広範囲に総括されている．これらの中で著者は，内因性 CO と ICU 管理との関係に注目した．内因性 CO は heme oxygenase-1 誘導により産生され，低濃度（非中毒）域において組織レベルでの多様な生理活性（血管拡張，炎症誘導，apoptosis，細胞増殖，一酸化炭素（NO）様作用，など）を制御する．**術後患者や重症患者で内因性 CO が増加すること，ある範囲の動脈血 COHb（内因性 CO と連動）増加が ICU 生存率と相関すること**，などの報告から，適正範囲内の heme oxygenase-1 活性誘導および結果としての**内因性 CO 増加が ICU 患者に対して保護的影響を示す可能性**を論じている．今後，内因性 CO が有意な保護的影響を示す適性濃度範囲をもつのか，あるいは限定範囲の動脈血 COHb 増加が良好な恒常性維持の指標でしかないのかを明らかにする必要がある．もし保護的影響が確認されれば，CO 投与，などによる積極的内因性 CO 調節の治療的効果の検証が必要となる．

3) Hess DR：Inhaled carbon monoxide：from toxin to therapy. Respir Care 62：1333-1342, 2017

二酸化炭素中毒

二酸化炭素（以下，CO_2）は，上述CO同様に適正範囲の低濃度域では細胞外液pH緩衝系に代表される生理学的役割をもつと同時に，高濃度域では麻酔作用，呼吸抑制作用，自律神経系作用，などの中毒作用をもつ．内因性CO_2呼出障害によるCO_2ナルコーシスと外因性高濃度CO_2吸入（閉鎖的空間における呼気CO_2蓄積やドライアイス気化，など）によるCO_2中毒の病態や症状には共通点が多いが，一般的にCO_2中毒の濃度域はより高い．しかし報告数が少ないこともあり，CO_2濃度域と病態生理や臨床症状の関係には多くの未解明点がある．Permentierら[4]は，CO_2中毒に関する19報告をレビューし，CO_2は吸入気濃度5％超で呼吸促進，呼吸性アシドーシス，副交感神経緊張が，10％超で意識障害が，30％超で短時間内意識消失が発現すること，致死濃度は吸気酸素濃度（発生原因によっては低下している場合がある）にも影響されるが14.1～26％であったこと，中毒耐性は高齢者で低く，喫煙者で高いこと，などを総括した．診断上はpCO_2異常高値に加え，心電図上の虚血様変化が発生することがあるため鑑別診断が必要となる．

4) Permentier K, Vercammen S, Soetaert S et al：Carbon dioxide poisoning：a literature review of an often forgotten cause of intoxication in the emergency department. Int J Emerg Med 10：14, 2017

搬入時乳酸値による急性薬物中毒患者の予後予測

血中乳酸値はさまざまな重症疾病の予後予測因子である．搬入時乳酸値が急性薬物中毒患者の予後予測因子となりうるかを調査する2施設5年間1,406人（死亡24症例）が対象の前向き観察コホート研究が行われた[5]．**乳酸値5.0 mmol/Lをカットオフ**とした場合，死亡予測のAUC：0.85，特異度：94.7％であり，**予後予測因子として利用可能**と考察している．また中毒薬物としては，サリチル酸，交感神経興奮薬，アセトアミノフェン，オピオイド系では良好な予後予測因子となったが，利尿剤，ACE阻害薬では良好ではなかった．この初期乳酸値による予後予測はICU入室判断や患者説明に適用可能であるが，今後は乳酸値を指標とした治療評価の研究を進めていくべきであろう．

5) Cheung R, Hoffman RS, Vlahov D et al：Prognostic utility of initial lactate in patients with acute drug overdose：a validation cohort. Ann Emerg Med 72：16-23, 2018

院外心停止蘇生におけるアドレナリンの効果

院外心停止（out-of-hospital cardiac arrest：OHCA）蘇生におけるアドレナリンの効果を検証する過去最大の前向き，多施設，ランダム化，二重盲検化研究が行われた[6]．各群約4,000人の割り付けでOHCA患者に救急隊がアドレナリンかプラセボ（生食）を病院前投与し，生存率・神経学的予後への影響が検討された．結果として3ヵ月生存は改善した（3.2％ vs. 2.4％，オッズ比（OR）：1.47, 95％信頼区間（CI）：1.09～1.97）．ただしこの生存獲得のNNT（number needed to treat）112は，早期除細動のNNT 5，発見者による蘇生

6) Perkins GD, Ji C, Deakin CD et al：A randomized trial of epinephrine in out-of-hospital cardiac arrest. N Engl J Med 379：711-721, 2018

行為の NNT 12 に比べると高かった．また神経学的予後の改善効果は有意ではなかった（2.1% vs. 1.6%，OR：1.39, 95% CI：0.97〜2.01）．これらの結果を受け，**アドレナリン投与により生存率は確かに改善するものの，神経学的予後不良の生存者が増えると結論づけた．**

アドレナリンは神経学的予後には悪影響を及ぼしかねない諸刃の刃である．現在，心停止に対するアドレナリン投与で活発に議論されている点は，①早期投与であれば神経学的予後を改善しうるか，改善するとすれば早期投与の定義は何か，②心停止初期波形によりアドレナリンによる神経学的予後に及ぼす効果は異なるのか，の2点である．現時点で「早期」の定義は未確定だが，日本の報告では救急隊覚知から19分以降の投与で心拍再開例の神経学的予後が悪くなることが報告されている[7]．また初期波形心室細動（VF）／心室頻拍（VT）に対する超早期（初回 DC 施行前，など）のアドレナリン投与が（仮に心拍再開を得たとしても）神経学的予後を悪化させる可能性が示されている[8]．これらを総合すると，救急隊蘇生による自己心拍再開が得られず病院到着に至った OHCA 症例の大部分の神経学的予後は，（よほど搬送時間が短くない限り）その後のアドレナリンで心拍再開を得ても改善が難しいと推測される．

敗血症性ショックに対する PMX-DHP の有効性の限界

エンドトキシン吸着カラム PMX-DHP（polymyxin B-immobilized fiber column-direct hemoperfusion）は腹腔内感染症を代表とするグラム陰性桿菌感染症を中心に適用されてきた．その敗血症性ショックに対する有効性を検証するため欧州を中心に RCT が行われてきたが[9,10]，今回北米で行われた RCT の結果が報告された[11]．Endotoxin Activity Assay レベル 0.60 以上の敗血症性ショック患者を対象とし，登録から24時間以内に標準治療に加え2回の PMX-DHP による治療（90〜120分）を完遂する治療群（224例）と標準治療に疑似血液灌流を加えたシャム群（226例）に割り付けられた．主要評価項目は，すべての無作為化された患者（全患者）と MODS（multiple organ dysfunction score）9以上の患者における28日死亡率とした．登録450例中449例が解析対象となったが，いずれのグループにおいても，各患者群間の28日死亡率には有意差がなかった．**PMX-DHP は敗血症性難治性ショックを改善する**が有意なカテコラミン減量を伴わないものであり，**当面の循環維持には寄与できても患者の転帰改善を改善させられない可能性がある．**

7) Tanaka H, Takyu H, Sagisaka R et al：Favorable neurological outcomes by early epinephrine administration within 19 minutes after EMS call for out-of-hospital cardiac arrest patients. Am J Emerg Med 34：2284-2290, 2016
8) Andersen LW, Kurth T, Chase M et al：Early administration of epinephrine (adrenaline) in patients with cardiac arrest with initial shockable rhythm in hospital：propensity score matched analysis. BMJ 353：i1577, 2016
9) Cruz DN, Antonelli M, Fumagalli R et al：Early use of polymyxin B hemoperfusion in abdominal septic shock：the EUPHAS randomized controlled trial. JAMA 301：2445-2452, 2009
10) Payen DM, Guilhot J, Launey Y et al：Early use of polymyxin B hemoperfusion in patients with septic shock due to peritonitis：a multicenter randomized control trial. Intensive Care Med 41：975-984, 2015
11) Dellinger RP, Bagshaw SM, Antonelli M et al：Effect of targeted polymyxin B hemoperfusion on 28-day mortality in patients with septic shock and elevated endotoxin level：the EUPHRATES randomized clinical trial. JAMA 320：1455-1463, 2018

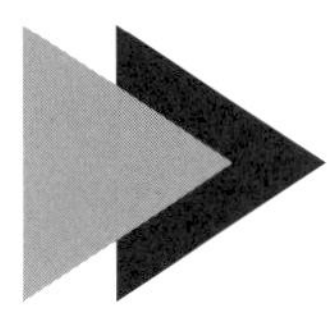

51．心肺蘇生と脳保護

武田吉正（たけだ よしまさ）
岡山大学病院 集中治療部

最近の動向

- 自己心拍再開前の治療に関する論文が増えた．予後に影響を与える結果が出ており，今後さらに研究が進むと考えられる．
- 自己心拍再開前の治療は時間との勝負である．開始が遅れると神経細胞障害を抑制できない．
- 自己心拍再開後の体温管理に関する論文はここ数年減少している．体温管理療法による保存的治療が定着しつつあると思われる．
- 自己心拍再開直後の治療（酸素分圧など）は今後注目される領域になると考えられる．

自己心拍再開前の治療

1．アドレナリン投与

アドレナリン投与で自己心拍再開が期待できるが[1]，予後に及ぼす影響は明らかでない[1, 2]．Hansenら[3]（米国，カナダ）はアドレナリン投与のタイミングと予後の関係を，初期心電図波形が心室頻拍（VT）／心室細動（VF）以外の院外心停止患者（32,101人）を対象に前向きに観察した．その結果，救命士の現場到着からアドレナリン投与までの時間が1分遅れるごとに，生存退院のオッズ比（OR）が4％低下し，良好な神経学的回復のORが6％低下した．18歳未満の小児でも，投与が1分遅れるごとに生存率のオッズ比が9％低下する結果となった．**VT/VF以外の院外心停止患者に対し一刻も早いアドレナリン投与が必要である．**

Perkinsら[4]は院外心停止患者（8,014人）を対象に，病院到着前にアドレナリンもしくはプラセボ（生理食塩水）を静脈内投与したランダム化二重盲検試験を実施した．アドレナリン1 mgもしくはプラセボは救命士により3〜5分ごとに繰り返し投与された．覚知から最初の投与までの時間は21.5分であった．アドレナリン群は病院到着前の自己心拍再開率（36.3％ vs. 11.7％）と30日後の生存率（3.2％ vs 2.4％，$p = 0.02$）でプラセボ群に比べ高値を示した．しかし，退院時に良好な神経学的回復を示した患者の割合（2.2％）は

1) Hagihara A, Hasegawa M, Abe T et al：Prehospital epinephrine use and survival among patients with out-of-hospital cardiac arrest. JAMA 307：1161-1168, 2012
2) Nakahara S, Tomio J, Takahashi H et al：Evaluation of pre-hospital administration of adrenaline (epinephrine) by emergency medical services for patients with out of hospital cardiac arrest in Japan：controlled propensity matched retrospective cohort study. BMJ 347：f6829, 2013
3) Hansen M, Schmicker RH, Newgard CD et al：Time to epinephrine administration and survival from nonshockable out-of-hospital cardiac arrest among children and adults. Circulation 137：2032-2040, 2018
4) Perkins GD, Ji C, Deakin CD et al：A randomized trial of epinephrine in out-of-hospital cardiac arrest. N Engl J Med 379：711-721, 2018

1884-8516/19/¥100/頁/JCOPY

プラセボ群（1.9%）と同等であった．さらに，退院時に重度の神経学的障害を残した患者の割合（31.0%）は，プラセボ群（17.8%）より多い結果となった．**病院到着前のアドレナリン投与（覚知後 21.5 分）は患者の神経学的予後を改善しない**．アドレナリン投与は生存率を増加させたが，重度の神経学的障害患者を増やしただけであった．このことは心筋より神経細胞のほうが先に障害されることを示している．2016 年，長尾ら[5]は自己心拍再開までの時間が 15〜20 分を超えると良好な神経学的予後の確率が 50%を切ることを示した．Perkins らの研究はアドレナリン投与までに 21.5 分要しており，神経細胞を救うには遅すぎたと考えられる．

Patel ら[6]（米国）は 65 歳以上の院内心停止患者を対象に観察研究を行った．心電図波形が VT/VF の心停止患者（8,119 人）のうち，除細動が 2 分以内に施行された患者は，2 分以上経過して施行された患者に比べ，1，3，5 年後の生存率が改善した（1 年 25.7% vs. 15.5%，3 年 19.1% vs. 11.0%，5 年 14.7% vs. 7.9%）．心電図波形が VT/VF 以外の心停止患者（28,842 人）のうち，アドレナリンが 5 分以内に投与された患者は，5 分以上経過して投与された患者に比べ，1 年後の生存率が改善した（5.4% vs. 4.3%）．しかし 3 年後，5 年後に差は認められなかった（3 年 3.5% vs. 2.9%，5 年 2.3% vs. 1.9%）．**早期の除細動やアドレナリン投与が長期の生存率を改善する**．

2. AED

バイスタンダーによる AED 使用は神経学的予後を改善するだろうか？ Pollack ら[7]（米国，カナダ）は目撃のある院外心停止で初期心電図波形が VT/VF の患者（2,589 人）の前向き観察研究を行った．18.8%の患者はバイスタンダーに AED を施行され，81.2%の患者は救命士に除細動を施行された．その結果，バイスタンダーにより AED を施行された患者のほうが生存退院率（66.5% vs. 43.0%，OR：2.62，$p < 0.001$），退院時の良好な神経学的回復（57.1% vs. 32.7%，OR：2.73，$p < 0.001$）ともに有意な改善していた．自己心拍再開までの時間はバイスタンダーに AED を施行された患者は 15.4 分，救命士に除細動を施行された患者は 23.1 分であった．**バイスタンダーによる AED 施行は患者の生存率や神経学的予後を改善する**．バイスタンダーによる AED 施行で自己心拍再開が早期に達成できることが予後の改善をもたらしたと考えられる．

市民マラソンで心停止に陥り，奇跡的に社会復帰した人の話を聞くことがある．奇跡なのか，それとも治療者の戦略が優れていたのだろうか？ Kinoshi ら[8]（日本）は市民マラソンで発生した心停止に対応するシステムを報告している．このシステムは自転車チーム（救命士：2 人 1 組で AED（automated external defibrillator）とメディカルキットを搬送），徒歩チーム（救命士訓練生：2 人 1 組で AED を搬送し Basic Life Support を施行），救護所，搬送係，

5) Nagao K, Nonogi H, Yonemoto N et al：Duration of prehospital resuscitation efforts after out-of-hospital cardiac arrest. Circulation 133：1386-1396, 2016

6) Patel KK, Spertus JA, Khariton Y et al：Association between prompt defibrillation and epinephrine treatment with long-term survival after in-hospital cardiac arrest. Circulation 137：2041-2051, 2018

7) Pollack RA, Brown SP, Rea T et al：Impact of bystander automated external defibrillator use on survival and functional outcomes in shockable observed public cardiac arrests. Circulation 137：2104-2113, 2018

8) Kinoshi T, Tanaka S, Sagisaka R et al：Mobile automated external defibrillator response system during road races. N Engl J Med 379：488-489, 2018

医師（GPSを持ちマラソンに参加）により構成されている．このシステムは251のレース（参加者1,965,265人）で採用され，30人の心停止患者の治療に適用された．心停止の70%はレースの距離に関係なくゴールまで残り4分の1で発生していた．目撃のない心停止患者2人（pulseless electrical activityと心静止）は蘇生できなかったが，目撃のある心停止患者28人は蘇生に成功し良好な神経学的回復を示している．心停止から胸骨圧迫開始までの時間は0.8分，AED施行までの時間は2.2分，自己心拍再開までの時間は5.5分であった．**自己心拍再開までの時間が短ければ，良好な神経学的予後が期待できることを示している**．治療者の戦略が優れていたと考えられる．

3. 気道管理

Advanced airway managementでの気道確保には，気管挿管，声門上器具，バッグ・マスク・ベンチレーションが考えられる．手技により神経学的予後が影響を受けるだろうか？ Jabreら[9]（ベルギー，フランス）は院外心停止患者（2,043人）を対象に，医師による気道確保（バッグ・マスク・ベンチレーション vs. 気管挿管）を比較（劣性 or 非劣性）した多施設ランダム化試験を施行した．28日後に良好な神経学的回復を示した患者の比率はバッグ・マスク・ベンチレーション群（4.3%）と気管挿管群（4.2%）で近似しており，劣性，非劣性ともに有意水準に達しなかった．28日後の生存率（5.4% vs. 5.3%）も群間に差を認めなかった．ただし，気道確保に失敗する割合はバッグ・マスク・ベンチレーション群（6.7%）のほうが気管挿管群（2.1%）より多く（$p < 0.001$），嘔吐の発生率もバッグ・マスク・ベンチレーション群（15.2%）のほうが気管挿管群（7.5%）より多かった（$p < 0.001$）．**医師によるバッグ・マスク・ベンチレーションと気管挿管では神経学的予後に差を認めない**．熟練した医師が行う場合，気管挿管の成功率が高い．嘔吐の発生を考慮すると気管挿管のほうが適していると推測される．

9) Jabre P, Penaloza A, Pinero D et al：Effect of bag-mask ventilation vs endotracheal intubation during cardiopulmonary resuscitation on neurological outcome after out-of-hospital cardiorespiratory arrest：a randomized clinical trial. JAMA 319：779-787, 2018

Bengerら[10]（英国）は院外心停止患者（9,296人）を対象に，救命士による気道確保（声門上器具（i-gel®）vs. 気管挿管）を比較した多施設ランダム化試験を施行した．研究は，救命士をランダム化（声門上器具を使用する救命士759人 vs. 気管挿管をする救命士764人）して行われた．30日後もしくは病院退院時に良好な神経学的回復を示した患者は声門上器具群（6.4%）と気管挿管群（6.8%）に差を認めなかった．初回成功率は声門上器具群（87.4%）が気管挿管群（79.0%）よりよい値を示し，嘔吐（声門上器具26.1% vs. 気管挿管24.5%）や誤嚥（15.1% vs. 14.9%）の発生率に差を認めなかった．**声門上器具（i-gel®）と気管挿管では神経学的予後に差を認めない**．ただし，声門上器具群では82%の患者に声門上器具が最初に使用されたが，気管挿管群で最初に気管挿管が施行された患者はわずか62%にすぎなかった．また，advanced airway managementが行われた患者に限定すると声門上器具群（3.9%）のほ

10) Benger JR, Kirby K, Black S et al：Effect of a strategy of a supraglottic airway device vs tracheal intubation during out-of-hospital cardiac arrest on functional outcome：the AIRWAYS-2 randomized clinical trial. JAMA 320：779-791, 2018

うが気管挿管群（2.6%）より良好な神経学的回復を示した．気管挿管群における低施行率が結果に影響を与えた可能性が高い．

Wangら[11]（米国）は院外心停止患者（3,004人）を対象に，救命士による気道確保（声門上器具（ラリンゲルチューブ®）vs. 気管挿管）を比較したランダム化クロスオーバー試験を施行した．72時間後の生存率は声門上器具群（18.3%）が気管挿管群（15.4%）よりよい結果（$p = 0.04$）を示した．気道確保の初回成功率（90.3% vs. 51.6%）や，退院時に良好な神経学的回復を示した患者の比率（7.1% vs. 5.0%，$p = 0.02$）は声門上器具群が良好な結果を示した．肺炎や誤嚥性肺炎発生率には差を認めなかった（26.1% vs. 22.3%，$p = 0.21$）．出動から気道確保開始までの時間は声門上器具群14.8分，気管挿管群17.8分だった．**声門上器具（ラリンゲルチューブ®）は気管挿管より，72時間後の生存率や退院時神経学的予後を改善する**．気管挿管は施行に時間がかかり，そのうえ成功率が低い．神経学的回復には早期の自己心拍再開が必要である．救命士による気道確保には声門上器具（ラリンゲルチューブ®）が優れていると考えられる．

11）Wang HE, Schmicker RH, Daya MR et al：Effect of a strategy of initial laryngeal tube insertion vs endotracheal intubation on 72-hour survival in adults with out-of-hospital cardiac arrest：a randomized clinical trial. JAMA 320：769-778, 2018

自己心拍再開前の治療は時間との勝負である．たとえ胸骨圧迫が行われていても自己心拍再開に時間を要すると神経細胞障害が発生する．バイスタンダーによる除細動，シンプルな呼吸管理，早期のアドレナリン投与が予後を改善すると考えられる．また，自己心拍再開前の低体温は神経細胞障害の発生を遅らせることが可能である．集学的なアプローチが期待される．

自己心拍再開後の治療

JRC蘇生ガイドライン2015では「正期産の中等～重症の低酸素性虚血性脳症の新生児に対し，冷却を生後6時間以内に開始し，72時間継続し，少なくとも4時間以上かけて復温する」ことが推奨されている．Laptookら[12]（米国）は中等～重症の低酸素性虚血性脳症の新生児（168人）に対し，生後6時間以降（～24時間）に開始する低体温療法（33.5℃，96時間）の有効性を検討した．37.0℃で維持した新生児に比較し，18～22ヵ月後の死亡や障害を76%の確率で減少させ，64%の確率で少なくとも2%減少させた．**中等～重症の低酸素性虚血性脳症に対し，低体温療法を生後6～24時間に開始しても効果が認められるが，著者らは有効性に関しては明らかでないと結論づけた**．費用対効果も注目すべき問題である．自己心拍再開後より自己心拍再開前のほうが，自己心拍再開6時間以降より自己心拍再開6時間以内のほうが，高い治療効果を期待できる．治療効果が望める時間帯に医療資源を投入したうえで，自己心拍再開6時間以降の治療を考慮すべきと考えられる．

12）Laptook AR, Shankaran S, Tyson JE et al：Effect of therapeutic hypothermia initiated after 6 hours of age on death or disability among newborns with hypoxic-ischemic encephalopathy：a randomized clinical trial. JAMA 318：1550-1560, 2017

自己心拍再開前は「可能な限り高い吸入酸素濃度」を選択することが推奨されているが[13]，自己心拍再開後の至適酸素分圧に関してはデータが乏しく，

13）日本蘇生協議会 監修：JRC蘇生ガイドライン2015. 医学書院，2016

明確な指針がない．Roberts ら[14]（米国）は自己心拍再開 1 時間後と 6 時間後に動脈血液ガス分析を行い酸素分圧を測定し，退院時神経学的予後と関連を調べた．その結果，高酸素分圧による悪影響は $PaO_2 < 300$ mmHg では認められなかった．しかし PaO_2 が 300 mmHg 以上の患者は 300 mmHg 未満であった患者に比較し，退院時の神経学的予後が不良であった（77% vs. 65%）．多変量解析では，300 mmHg 以上の高酸素分圧に 1 時間曝露されると，退院時の神経学的予後が 3%の確率で悪化する結果となった．**自己心拍再開 6 時間以内の高酸素分圧（300 mmHg 以上）は神経学的予後を悪化する**．自己心拍再開直後の治療は未解明な部分が多い．この時間帯の研究が期待される．

14) Roberts BW, Kilgannon JH, Hunter BR et al：Association between early hyperoxia exposure after resuscitation from cardiac arrest and neurological disability：prospective multicenter protocol-directed cohort study. Circulation 137：2114–2124, 2018

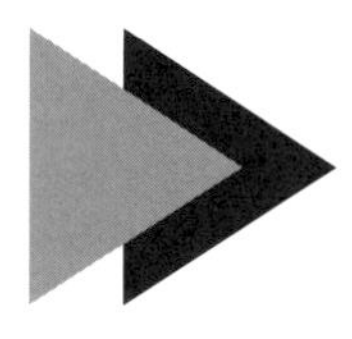

52. 手術室の効率化と安全

鈴木利保（すずき としやす）
東海大学医学部付属八王子病院 麻酔科

最近の動向

- 全世界の平均余命は，2040年までに男性で4.4歳，女性で4.4歳上昇するとされ，ますます高齢化が加速化する．
- 高齢手術患者の死亡率と外科医の年齢，性別による比較した報告によると術者の年齢が高いほど手術関連死亡率が少ないのは納得であるが，50歳代の女性外科医の成績が一番よいのは大変な驚きである．
- 薬剤師の介入により高齢者への不適正処方が抑制されるとの報告，術前の呼吸理学療法士の教育的介入で肺合併症が半減するとの報告，握力の低下が死亡リスクに大きく影響を与えるとの報告からチーム医療の重要性を再認識した．
- 長時間手術が増加する中，術中の麻酔科医交代は術後の有害事象を増加させるとの報告から，その運用の難しさを考えさせる．悩ましい問題である．

人口推計と余命

日本人の平均寿命は，世界でもトップクラスの長寿国であり，2017年の平均寿命は，男性で81年，女性で87年とされ，特に女性は，22%の確率で2030年まで余命世界一が継続し，14%の確率で第2位となる可能性があるとの報告があるが[1]．新たに195の国・地域における2016～2040年の平均余命，全死因死亡，250項目の死因別死亡を予測した報告がある[2]．2017～2040年の予測を立てるために，GBD（the Global Burden of Diseases, Injuries, and Risk Factors Study）2016のデータを用い，250の死因および死因分類を作成した．3つの構成要素（リスク因子の変化と選択された介入に起因する要素，1人あたり所得，学歴，25歳未満の合計特殊出生率に応じた各死因の基礎となる死亡率，時間との関連が不明の変化に対する自己回帰和分移動平均モデル）からなる死因別死亡のモデルを開発し，さらに，健康に関する良いシナリオと悪いシナリオ（GBDのすべてのリスク因子，1人あたり所得，学歴，選択された介入の範囲，過去の25歳未満の合計特殊出生率に関する年換算変動率の，

1) Kontis V, Bennett JE, Mathers CD et al：Future life expectancy in 35 industrialised countries：projections with a Bayesian model ensemble. Lancet 389：1323-1335, 2017
2) Foreman K, Marquez N, Dolgert A et al：Forecasting life expectancy, years of life lost, and all-cause and cause-specific mortality for 250 causes of death：reference and alternative scenarios for 2016-40 for 195 countries and territories. Lancet（London, England）392：2052-2090, 2018

1884-8516/19/¥100/頁/JCOPY

それぞれ85および15パーセンタイル）を作成した．そしてこれらのモデルを用い，年齢・性別ごとの全死因死亡率，平均余命，および250の死因に関する損失生存年数（YLL）を算出した．結果は，ほとんどの独立した健康要因が2040年までに改善するが，36の健康要因は悪化すると予測された．**世界の平均余命は，2040年までに男性で4.4歳（95％ UI：2.2～6.4），女性で4.4歳（2.1～6.4）上昇すると予測されたが，**良い／悪いシナリオに基づくと，曲線は，男性で7.8歳（5.9～9.8）上昇から0.4歳（－2.8～2.2）低下まで，女性で7.2歳（5.3～9.1）上昇から変化なし（0.1歳（－2.7～2.5））の範囲にあった．**2040年における平均余命は，日本，シンガポール，スペイン，スイスでは男女ともに85歳を超え，中国を含む59ヵ国では80歳を超えると予測された．一方，中央アフリカ共和国，レソト，ソマリア，ジンバブエでは2040年になっても，65歳未満になると予測され，20年以上のギャップがあることになる．**

術式と予後

高齢者患者を対象とした外科医の年齢別，男女別の手術後30日以内の患者死亡率の評価した興味深い論文がある[3]**．**

3) Tsugawa Y, Jena AB, Orav EJ et al：Age and sex of surgeons and mortality of older surgical patients：observational study. BMJ（Clinical research ed）361：k1343, 2018

2011～2014年に，米国の救急病院で20種の非待機的大手術のうち1つを受けた，65～99歳のすべてのメディケア受給者を対象とした．主要アウトカムは手術関連の患者死亡率とした．入院中または手術後30日以内の死亡と定義した．4万5,826人の外科医，女性：4,634人による治療を受けた89万2,187例が対象となった．

手術関連の患者死亡率は6.4％であった．外科医の年齢別の患者死亡率は，40歳未満が6.6％，40～49歳が6.5％，50～59歳が6.4％，60歳以上は6.3％であり，年齢が高いほど死亡率が低かった．一方，女性外科医と男性外科医で，手術関連の患者死亡率に有意な差は認めなかった．また，外科医の性別で層別化すると，患者死亡率は男女とも，60歳以上の女性を除き外科医の年齢が上がるほど低下し，手術関連死亡率が最も低いのは50代の女性外科医だった．

疾患の重症度別の補正手術関連死亡率は，高リスク例では外科医の年齢が高いほど低かった（$p = 0.01$）が，中等度リスク例および低リスク例では有意な差はみられなかった．また，男女間に，重症度別の死亡率の差は認めなかった．

さらに，手術件数が多い外科医では，年齢が高いほうが手術関連死亡率は低かったが，手術件数が少ないまたは中程度の外科医では，年齢と死亡率に関連を認めなかった．

当院の心臓血管外科医が使用する冠動脈バイパス術（CABG）のグラフトは

伏在静脈グラフト，内胸動脈グラフトが多いが，**橈骨動脈をグラフトに用いたCABGは伏在静脈グラフトを用いたCABGに比べ，心血管イベントのリスクが有意に低く，周術期のグラフト開存性が有意に良好であるとの報告がある**[4]．6つの無作為CABGのアウトカムを比較した．主要評価項目は，死亡率，心筋梗塞，再血行再建術とした．副次的評価項目は，フォローアップ血管造影でのグラフト開存度であった．対象患者は1,036例で，橈骨動脈グラフト使用群は534例，伏在静脈脈グラフト使用群は502例だった．追跡期間は平均60ヵ月であった．**主要評価項目の複合有害イベントの発生頻度は，橈骨動脈グラフト群が伏在静脈グラフト群に比べ，有意に低かった（ハザード比（HR）：0.67，95%信頼区間（CI）：0.49〜0.90，$p = 0.01$）．フォローアップ血管造影（平均50ヵ月（SD：30））でも，橈骨動脈グラフト群のグラフト閉塞率が有意に少なかった（HR：0.44，95% CI：0.28〜0.70，$p < 0.001$）．橈骨動脈グラフト群の個別なアウトカムは，心筋梗塞（HR：0.72，95% CI：0.53〜0.99，$p = 0.04$），再血行再建術（HR：0.50，95% CI：0.40〜0.63，$p < 0.001$）では有意な低下が認められたが，全死因死亡の発生については，有意な低下がみられなかった**．筆者の単純な疑問であるが，患者が将来腎不全になって，シャント手術が必要になった場合どのようにするかが疑問である．

大腿骨骨折手術を受けた成人患者において，手術までの待機時間が長いと30日死亡率が高くなるとする報告がある[5]．カナダ・オンタリオ州の72病院で同手術を受けた成人を対象とした．待機時間は，病院到着から手術までの時間と定義．主要アウトカムは，30日以内の死亡率で，副次アウトカムは，死亡またはその他の内科的な合併症（心筋梗塞，深部静脈血栓症，肺塞栓症，肺炎）とした．対象は大腿骨骨折患者4万2,230例，平均年齢（SD）80.1（10.7）歳，女性が70.5%であった．**30日死亡率，合併症発生率ともに，24時間を過ぎてから手術を受けた群で有意に高率であり，30日時点の死亡率は，全体で7.0%であった．待機時間が24時間より長い場合，考えられる合併症リスクはいずれも増大傾向が認められた．30日死亡リスクは，24時間を過ぎてから手術を受けた待機的手術群が，傾向スコアで適合した24時間以内に手術を受けた早期手術群と比較して有意に高かった**．死亡件数はそれぞれ898例（6.5%）vs.790例（5.8%）で，%リスク差（RD）は0.79（95% CI：0.23〜1.35，$p = 0.006$）であった．また，合併症複合アウトカムの発生も待機的手術群が有意に高く，1,680件（12.2%）vs. 1,383件（10.1%），% RDは2.16（95% CI：1.43〜2.89，$p < 0.001$）であった．

アキレス腱断裂の手術療法と非手術療法における再断裂，合併症，機能的アウトカムを比較した興味深い報告がある[6]．**再断裂率に有意差はなく合併所は手術のほうが多いというのが要旨である**．手術療法には低侵襲修復術，観血的修復術が，非手術療法にはキャスト固定，機能装具が含まれた．アキレス腱断

4）Gaudino M, Benedetto U, Fremes F et al：Radial-artery or saphenous-vein grafts in coronary-artery bypass surgery. New Engl J med 378：2069-2077, 2018

5）Pincus D, Ravi, D, Wasserstein D et al：Association between wait time and 30-day mortality in adults undergoing hip fracture surgery. JAMA 318：1994-2003, 2017

6）Ochen Y, Beks RB, Heijl MV et al：Operative treatment versus nonoperative treatment of Achilles tendon ruptures：systematic review and meta-analysis. BMJ（Clinical research ed）364：k5120, 2019

裂以外の合併症は，創感染，腓腹神経損傷，深部静脈血栓症，肺塞栓症などであった．　アウトカムはリスク差，リスク比，平均差と，その95% CIを算出した．1万5,862例が解析された．手術療法が9,375例，非手術療法は6,487例であった．全体の加重平均年齢は41歳（範囲：17〜86），男性が74%で，フォローアップ期間の範囲は10〜95ヵ月だった．**再断裂率（29件（100%）で検討）は，手術群が2.3%と，非手術群の3.9%に比べ有意に低かった．合併症の発生率（26件（90%）で検討）は，手術群は4.9%であり，非手術群の1.6%に比し有意に高かった合併症発生率の差の主な原因は，手術群で創傷/皮膚感染症の発生率が2.8%と高いことであった（非手術群は0.02%）．**非手術群で最も頻度の高い合併症は深部静脈血栓症（1.2%）だった（手術群は1.0%）．

スポーツ復帰までの平均期間（4件（14%）で検討）にはばらつきがみられ，手術群で6〜9ヵ月，非手術群では6〜8ヵ月の幅があり，メタ解析におけるデータの統合はできなかった．また，**仕事復帰までの期間（9件（31%）で検討，そのうち6件は情報が不十分のため3件のデータを統合）にも，両群間に差を認めなかった．**全体重負荷による再断裂率は，早期（4週以内，9件（31%）で検討，リスク比（RR）：0.49，95% CI：0.26〜0.93，$p = 0.03$，$I^2 = 9\%$）および後期（5週以降，15件（52%）で検討，0.33，0.21〜0.50，$p < 0.001$，$I^2 = 0\%$）のいずれもが，手術群で有意に良好であった．早期可動域訓練による加速的リハビリテーション時の再断裂率（6件（21%）で検討）は，手術群と非手術群に差を認めなかった．この研究では肝心なスポーツ復帰までの期間が明らかでなく，このデータから手術をしないほうがよいとは思えない．

麻酔科医が知っておきたい疾病の発症時期

三次救急指定病院で，緊急の外傷症例が多く，手術適応になる例も多い．**満月はオートバイでの事故死のリスク増大と関連するとする興味深い論文がある**[7]．米国では交通事故死の7分の1をオートバイの死亡事故が占めている．死亡事故を招いた主な原因は一瞬の気の緩みで，研究グループは，「人は自然と満月に気が引かれるもので，それがオートバイの衝突事故を招いているのではないか」と仮説を立て検証を行った．1975〜2014年の40年間に米国で発生した夜間（午後4時〜午前8時）のオートバイ死亡事故について解析した．同様の解析を英国，カナダ，オーストラリアでも行った．

7) Redelmeier DR, Shafir E：The full moon and motorcycle related mortality：population based double control study. BMJ (Clinical research ed) 359：j5367, 2017

夜間のオートバイ死亡事故は，計1万3,029件発生していた．死亡事故の背景としては，正面衝突，ヘルメット未着用，排気量の大きなストリートバイク，事故の発生場所が地方，ライダーに中年男性（平均年齢32歳）が多いことが特徴であった．**死亡事故の発生は満月の夜には1晩あたり9.10件の死亡**

事故が観察されたが，そうでない夜には1晩あたり8.64件にすぎなかった．わずか1.05倍という危険度だが，統計学的に有意な結果であった（p = 0.005）．満月の夜494日において4,494件（1夜あたり平均9.10件），満月ではない夜と満月ではない夜988日において8,535件（1夜あたり8.64件）であった．満月の夜の死亡事故は，40年間に絶対数で226件増加し，**この増加は，特にスーパームーンの夜で増加が目立ち，同様の結果が英国，カナダ，オーストラリアでもみられた．**麻酔科の当直医は，満月の夜は緊急手術で眠れないかもしれない．

心筋梗塞による心臓死や入院は，大きなイベントと関連することが知られている．スウェーデンの研究グループは，心筋梗塞の引き金としての国民の休日，主要なスポーツイベントと関連するかについて調査した[8]．解析には，スウェーデンの全国冠動脈ケアユニットレジストリー（SWEDEHEART）のデータを用いた．1998～2013年の16年間に，28万3,014例が心筋梗塞で入院した．クリスマス，新年，復活祭，夏至の祝日の期間中に発症した心筋梗塞を同定した．同様に，ワFIFAワールドカップサッカー選手権，UEFA欧州サッカー選手権，夏期および冬期オリンピック大会中に発症した心筋梗塞を同定した．休日は，その前後2週間をコントロール期間とし，スポーツイベントのコントロール期間は，競技会前後の1年の同じ時期とした．**休日およびスポーツイベント期間中の発生率をコントロール期間と比較し，発生率比を算出した．28万3,014例のうち9万5,176例がST上昇型心筋梗塞（STEMI），18万7,838例は非ST上昇型心筋梗塞（NSTEMI）であった．STEMI患者は非STEMI患者に比べ，平均年齢が4歳若く（69.1歳 vs. 73.0歳），男性が多く（66% vs. 62%），現喫煙者が多かった（26% vs. 17%）．クリスマス/新年（発生率比：1.15，95% CI：1.12～1.19，$p < 0.001$）および夏至の祝日（発生率比：1.12，95% CI：1.07～1.18，$p < 0.001$）の期間中は，心筋梗塞のリスクが有意に高かった．最もリスクが高い日は，クリスマスイブだった（発生率比：1.37，95% CI：1.29～1.46，$p < 0.001$）．**復活祭やスポーツイベントの期間中は，リスクの増加は認めなかった．夏期オリンピック期間中は，男性でリスクが増加する傾向がみられたが，多変量で補正すると有意な差はなかった．日内変動の解析では早朝のリスクが高く，午前8時が心筋梗塞発症のピークであり，特にNSTEMI患者で高かった．なお，クリスマスイブのピークは，午後10時だった．また，週内変動の解析では，STEMI，NSTEMI患者とも，月曜日のリスクが顕著に高かった．クリスマス休暇および月曜日は，喫煙者を除くすべてのサブグループで心筋梗塞のリスクが高かった．また，糖尿病や冠動脈疾患の既往歴を有する75歳上の患者は，顕著にリスクが高かった．

8) Mohammad MA, Karlsson S, Haddad J et al：Christmas, national holidays, sport events, and time factors as triggers of acute myocardial infarction：SWEDEHEART observational study 1998-2013. BMJ（Clinical research ed）363：k4811, 2018

チーム医療の有用性

我が国では医師による薬剤の不適正な過剰投与が社会的な問題になっている．過剰投与によってさまざまな有害事象が起こるからである．**近年薬剤師の役割の重要性が増しているが，薬剤師による教育的介入により，高齢者への不適正処方が，通常治療に比べて抑制されるとする興味深い報告がある**[9]．2014年2月～2017年9月の期間に，介入群または対照群に無作為に割り付けた．対象は，年齢65歳以上で，高齢者における潜在的に適正ではない医薬品を定めたビアーズ基準（Beers criteria）に含まれる4種の薬剤（催眠鎮静薬，第1世代抗ヒスタミン薬，glyburide（グリベンクラミド），選択的非ステロイド性抗炎症薬）のうち1剤を処方された者とした．69の地域薬局で登録が行われた．介入群の薬剤師は，患者には，薬剤の中止・減量に関する患者教育用の小冊子を送った．同時に，担当医には，薬剤の中止・減量の推奨に関するエビデンスに基づく薬学的見解が記された資料を送付した．対照群の薬剤師は，通常治療を行った．34の薬局が介入群（248例）に，35の薬局が対照群（241例）に割り付けられた．主要アウトカムは，6ヵ月時の不適正処方の中止とし，全体の患者の平均年齢は75歳，66%（322例）が女性であった．23%（113例）が80歳以上で，27%（132例）がフレイルの基準を満たした．437例（89%）が試験を行った（介入群：219例（88%），対照群：218例（91%））．6ヵ月時に，不適正処方に該当しなかった患者の割合は，介入群が42.7%（106/248例）と，対照群の12.0%（29/241例）に比べ良好であった（RD：31%，95% CI：23～38%）．各薬剤における不適正処方の中止の割合は，催眠鎮静薬では介入群が43.2%（63/146例），対照群は9.0%（14/155例）（RD：34%，95% CI：25～43%），glyburideではそれぞれ30.6%（19/62例），13.8%（8/58例）（RD：17%，95% CI：2～31%），非ステロイド性抗炎症薬では57.6%（19/33例），21.7%（5/23例）（RD：35%，95% CI：10～55%）であった．薬剤クラスの交互作用検定では有意な差はなかった（$p = 0.09$）．介入群では，処方中止と患者の年齢，性別，健康状態，フレイル，処方期間，薬剤数などのサブグループに関連は認めなかった．また，介入群で6ヵ月のフォローアップが完遂された219例のうち，担当医に薬剤師から薬学的見解の資料が届けられたのは145例（66.2%）で，この集団の処方中止率は47.6%（69/145例）であったのに対し，資料が送られていなかった74例の処方中止率は39.2%（29/74例）であり，両群間に差はみられなかった（RD：8%，95% CI：－6～22%）．資料を送らなかった理由は，「患者の要望」「患者がすでに薬剤を中止していた」「別の伝達法がよいと思った」などさまざまだった．入院を要する有害事象は報告されなかったが，催眠鎮静薬の漸減を行った患者の37.7%（29/77例）に離脱症状がみられた．

9) Martin P, Tamblyn R, Benedetti A et al：Effect of a pharmacist-led educational intervention on inappropriate medication prescriptions in older adults：the D-PRESCRIBE randomized clinical trial. JAMA 320：1889-1898, 2018

呼吸器合併症は，上腹部手術後の最も重篤かつ不良な転帰であり，死亡率や医療費も増加させる．術後痛が肺合併症を増加させることが知られており，麻酔科医もさまざまな術後鎮痛に工夫をこらしている．

待機的上腹部手術患者を対象として，術直後の呼吸訓練に関する理学療法の講習を術前に受けることで，院内肺炎を含む術後の呼吸器合併症がほぼ半減するとの報告がある[10]．

6 週間以内に待機的上腹部開腹手術を受ける 18 歳以上の患者を対象とした．患者は，情報冊子を配布される群（対照群），または，情報冊子に加え術前に 30 分間の理学療法教育と呼吸訓練講習を受ける群（介入群）にランダムに割り付けられ，12ヵ月のフォローアップを行った．理学療法教育は，術後肺合併症とその予防に重点がおかれた．予防は，早期離床ケアとして術後の意識回復直後から開始する自己管理型呼吸訓練として行われた．術後は，全例に標準化された早期離床ケアが施行され，新たな呼吸理学療法は行われなかった．

主要評価項目は，Melbourne group score で評価した術後在院 14 日以内の術後肺合併症とした．副次評価項目は，院内肺炎，在院日数，集中治療室の使用などであった．2013 年 6 月～2015 年 8 月にオーストラリアおよびニュージーランドで，3 つの三次機能病院にある多職種連携の入院前診療施設において 441 例が登録され，介入群に 222 例，対照群に 219 例が割り付けられた．432 例（介入群：218 例，対照群：214 例）が試験を完遂した．ベースラインの年齢中央値は，介入群が 63.4 歳（四分位範囲（IQR）：51.5～71.9），対照群は 67.5 歳（IQR：56.3～75.3）であり，男性の割合は両群とも 61％であった．手術部位は，大腸が介入群 50％，対照群 47％，肝胆道 / 上部消化管がそれぞれ 22％，28％，腎 / 泌尿器 / その他は 28％，24％であった．**432 例中 85 例（20％）が術後肺合併症と診断された．術後在院 14 日以内の術後肺合併症の発症率は，介入群が 12％（27/218 例）と，対照群の 27％（58/214 例）に比べ有意に低かった（補正前の絶対リスク低減率：15％，95％ CI：7～22％，$p < 0.001$）．ベースラインの年齢，呼吸器併存疾患，手術手技で補正後のハザード比（HR）は 0.48（95％ CI：0.30～0.75，$p = 0.001$）であり，介入群の術後肺合併症のリスクは対照群に比べほぼ半減した．院内肺炎の発症率は，介入群が対照群に比べ半減した（8％ vs. 20％，補正後 HR：0.45，95％ CI：0.26～0.78，$p = 0.005$）．**

サルコペニア，フレイルは超高齢社会における要介護状態に至る重要な要因と位置づけられるが，フレイルの診断基準の一つである握力の低下が死亡リスクに与える影響に関する報告がある[11]．40～69 歳を対象に握力のデータがある 50 万 2,293 例を解析した．握力の強さで 4 群に分類された（Q1：最も弱い群，Q2：2 番目に弱い群，Q3：2 番目に強い群，Q4：最も強い群）．握力の強さと，全死因死亡，心血管疾患，呼吸器疾患，COPD，がん（全癌，大腸，

10）Boden I, Skinner EH, Browning L et al：Preoperative physiotherapy for the prevention of respiratory complications after upper abdominal surgery：pragmatic, double blinded, multicentre randomised controlled trial. BMJ（Clinical research ed）360：j5916, 2018

11）Morales CAC, Welsh P, Lyall DM et al：Associations of grip strength with cardiovascular, respiratory, and cancer outcomes and all cause mortality：prospective cohort study of half a million UK Biobank participants. BMJ 361：k1651, 2018

肺，乳房，前立腺）の発生率，死亡率の関連を解析した．平均年齢は56.5歳，54.5%が女性であった．フォローアップ期間は7.1年で，この間に1万3,322例（2.7%）が死亡した．**握力が5 kg低下するごとに，全死因死亡のHRは男女とも有意に上昇した（女性1.20，$p < 0.001$，男性1.16，$p < 0.001$）．同様に，心血管死（1.19，$p < 0.001$，1.22，$p < 0.001$），呼吸器疾患死（1.31，$p < 0.001$，1.24，$p < 0.001$），COPD死（1.24，$p = 0.01$，1.19，$p < 0.001$），全癌死（1.17，$p < 0.001$，1.10，$p < 0.001$），大腸癌死（1.17，$p = 0.01$，1.18，$p < 0.001$），肺癌死（1.17，$p < 0.001$，1.08，$p = 0.001$），乳癌死（1.24，$p < 0.001$）のHRも，握力5 kg低下ごとに男女とも有意に上昇したが，前立腺癌死のHR（1.05，$p = 0.29$）には有意な差を認めなかった．これらの関連は，全般に若い年齢層のほうが，わずかに強かった．筋力低下（女性：握力＜16 kg，男性：握力＜26 kg）は，女性の大腸癌，男性の前立腺癌，男女の肺癌を除き，健康アウトカムのハザードの上昇と関連した．**

麻酔科医の交代と術後の有害事象

術中の麻酔科医交代は術後の有害事象を増加させるとの報告がある[12]．2時間以上の大手術を受ける18歳以上の患者を対象とし，**術中に，麻酔科医が他の麻酔科医と引き継いだか否かの2群に分け，患者の転帰を比較した．**主要評価項目は，術後30日以内の全死因死亡，再入院，重大な術後合併症の複合とした．31万3,066例が解析の対象となった．女性56%，平均年齢60歳であった．手術の49%が大学病院で行われた．72%は定時手術であり，**手術時間中央値は182分．5,941例（1.9%）で，術中に麻酔科医の完全な引き継ぎが行われた．引き継ぎ群が44%（2,583例），非引き継ぎ群は29%（9万306例）であった．**主要評価項目の発生率は，引き継ぎ群が36%，非引き継ぎ群は29%であり，調整後RD（aRD）は6.8%（95% CI：4.5～9.1，$p < 0.001$）と，引き継ぎ群で有意に高かった．

術後30日以内の全死因死亡（4% vs. 3%，aRD：1.2%，95% CI：0.5～2.0，$p = 0.002$）および重大な合併症（29% vs. 23%，aRD：5.8%，95% CI：3.6～7.9，$p < 0.001$）の発生率はいずれも引き継ぎ群で有意に高かったが，再入院（8 vs. 7%，aRD：1.2%，95% CI：−0.3～2.7，$p = 0.11$）には有意な差がなかった．

この論文では術中の麻酔科医交代は術後の有害事象を増加させるとの事実はあるが，何が原因であるかには言及していない．今後の検証が必要である．

再入院と年齢

再入院を削減することは，治療を改善し，医療費の抑制につながるために極めて重要である．米国では，再入院の指針や，再入院削減の臨床的介入は，65

12) Jones PM, Cherry RA, Allen BN：Association between handover of anesthesia care and adverse postoperative outcomes among patients undergoing major surgery. JAMA 319：143-153, 2018

歳以上に重点がおかれ，年齢別の評価はほとんど行われていない．**そこで指標となる入院3,100万件以上のデータを年齢別に解析し，年齢別30日再入院率を調査した**[13]．米国AHRQの全国的な入院データベースから，2013年の全疾患による指標となる入院（3,172万9,762件）のデータを収集した．

主要アウトカムは，30日以内の全原因による計画外再入院とし，再入院のORをロジスティック回帰を用いて年齢別に比較した．

指標となる入院時の年齢中央値は53歳であった．79%（2,494万8,660件）が1つ以上の慢性疾患を有しており，69.7%（2,210万312件）は2つ以上の慢性疾患を有していた．米国のすべての指標となる入院のうち，30日以内の予定外再入院は11.6%（367万8,018件）であった．**45歳の患者を基準とした場合の再入院のORは16歳の0.70（95% CI），20歳には1.04へと上昇し，21歳の1.02から44歳には1.12へと増加したが，46歳から64歳には1.02から0.91（95% CI：0.90～0.93）へと減少し続け，65歳時に0.78まで低下した後は，加齢とともに横ばいで推移した．複数の慢性疾患を有する患者は再入院の補正後OR比が高く，例えば慢性疾患のない患者と比較した6つ以上の慢性疾患を有する患者の補正後ORは，3.67（95% CI：3.64～3.69）に達した．また，小児，若年成人，中年成人では，再入院率が高い指標となる入院のうち，最も頻度の高い理由の一つは精神疾患であった．**

13) Berry JG, Gay JC, Maddox KJ et al：Age trends in 30 day hospital readmissions：US national retrospective analysis. BMJ（Clinical research ed）360：k497, 2018

禁煙後の糖尿病の発症頻度と死亡リスク

禁煙は慢性疾患のリスクを軽減し余命の延長が得られる利点がある一方，禁煙後に体重増加することが多く，心血管イベントや2型糖尿病に罹患する可能性がある．禁煙に伴う体重増加は糖尿病の短期リスクを増やすが心血管病死・全病因死亡に影響しないとする興味ある報告がある[14]．米国の男女を含む3つのコホート研究（Nurses' Health Study（NHS），NHS Ⅱ，Health Professionals Follow-up Study（HPFS））から，禁煙患者を同定し，喫煙の状況と体重の変化について前向きに調査を行った．**被験者は，4群に分けられた．①喫煙，禁煙（禁煙期間が2～6年），②長期禁煙（禁煙期間が6年以上），③一過性禁煙，④非喫煙とした．禁煙後6年間の体重の変化について，禁煙群を体重増加なし（不変および減少），0.1～5.0 kgの増加，5.1～10.0 kgの増加，10.0 kg以上の増加に分類した．禁煙後の体重の変化以外に，2型糖尿病，心血管死，全死因死亡のリスクを評価した．喫煙群および4つの禁煙群の平均年齢は52.2～56.1歳，平均BMIは23.4～26.4であった．平均フォローアップ期間は19.6年で，この間に1万2,384例が2型糖尿病を発症し，2万3,867例が死亡（心血管死5,492例を含む）した．2型糖尿病のリスクは，禁煙群が喫煙群に比べ高かった（HR：1.22，95% CI：1.12～1.32）．2型糖尿病のリスクは禁煙後5～7年時にピークに達し，その後は徐々に低下し**

14) HuY, Zong G, Liu G et al：Smoking cessation, weight change, type 2 diabetes, and mortality. New Engl J Med 379：623-632, 2018

た．この一時的なリスクの増加は，体重増加の程度と比例し，体重増加のない禁煙者ではそのリスクは増加しなかった（交互作用，$p < 0.001$）．禁煙後6年間で2型糖尿病リスクは68.4%増加した．これに対し，禁煙群では，禁煙後の体重の変化の程度にかかわらず，一時的な死亡リスクの増加は認めなかった．喫煙群と比較した心血管死のHRは，体重増加のない禁煙者が0.69（95％CI：0.54〜0.88），体重増加が0.1〜5.0 kgの禁煙者が0.47（0.35〜0.63），5.1〜10.0 kgの禁煙者が0.25（0.15〜0.42），＞10.0 kgの禁煙者が0.33（0.18〜0.60）であり，長期禁煙者は0.50（0.46〜0.55）だった．喫煙群と比較した全死因死亡のHRには，心血管死とほぼ同様の関連が認められ，それぞれ0.81（95% CI：0.73〜0.90），0.52（同：0.46〜0.59），0.46（同：0.38〜0.55），0.50（同：0.40〜0.63），0.57（同0.54〜0.59）であった．心血管死のリスクは，禁煙後持続的に低下し，10〜15年後に最低値に達した後，緩徐に増加したが，喫煙者のレベルに到達することはなかった．このような関連のパターンが，体重が増加したすべての禁煙者にみられたが，体重が増加しなかった禁煙者は10〜15年以降もリスクが低下し続け，その後，上昇傾向をみせずにプラトーに達した．全死因死亡のリスクは，禁煙後5〜7年まで単調に減少し，その後プラトーに達した．このパターンは，体重が増加したすべての禁煙者にみられたが，体重が増加しなかった禁煙者は，禁煙以降，直線的にリスクが低下した．体重増加することを言い訳にしている喫煙者にはぜひ読んでいただきたい論文である．

ゴルフの腕前と診療科

筆者はゴルフが上手くはないが大好きで，医局員を誘って，たびたびラウンドしているが，診療科のゴルフ普及状況を調査したユニークな報告がある[15]．米国ゴルフ協会のデータベースに，実際にゴルフのラウンドの記録があった医師を解析した．主要評価項目は，ゴルフを行う医師の割合，ゴルフハンディキャップ，ラウンド回数（過去6ヵ月のゴルフのゲーム数）であった．102万9,088人の医師のうち，米国ゴルフ協会のアマチュアゴルファーデータベースに，実際にゴルフのスコアの記載があったのは4万1,692人（4.1%）であった．　医師ゴルファーの89.5%が男性で，女性医師は10.5%であった．男性医師の5.5%がゴルフをしていたのに比べ，女性医師は1.3%（4,383/34万5,489人）と少なかった．年齢は，61〜70歳の男性（6.9%）が最も多く，31〜35歳の女性（0.8%）が最も少なかった．男性医師ゴルファーの平均年齢は55.2歳（中央値56歳，IQR：46〜64）であった．診療科のゴルフ普及率および技量にはばらつきがみられた．医師ゴルファーの割合が最も高かった診療科は整形外科（8.8%）で，次いで泌尿器科（8.1%），形成外科（7.5%），耳鼻咽喉科（7.1%），血管外科（6.9%），眼科（6.7%）の順であり，最も低かったのは内

15) Koplewitz G, Blumenthal DM, Gross N et al：Golf habits among physicians and surgeons：observational cohort study. BMJ (Clinical research ed) 363：k4859, 2018

科（2.9％）および感染症科（2.9％）であった．平均ハンディキャップは，全体では16.0であり，男性医師は15.0，女性医師は25.2であった．診療科別では，血管外科（14.7）が最も低く，技量が最も高いと判定された．次いで，胸部外科（14.8），整形外科（14.9），麻酔科（15.0），救急医療科（15.0）の順であった．最も技量が低かった診療科は内分泌科（18.1）で，次いで皮膚科（17.2）および腫瘍科（17.2）であった．上位の3科は，下位3科に比べ約15％技量が優れた．技量が高い専門科ほどゴルファーが多かった（p = 0.002）．2018年の前半6ヵ月で，男性医師ゴルファーは平均14.8回ゲームをしていた．女性医師ゴルファーは12.1回であった．医師レベルでは，ゲーム数とハンディキャップには負の相関がみられ，技量の高い医師ほど，頻回にゴルフをしていた（p = 0.004）．米国の医師ゴルファーは週1回以上ラウンドしていることになる．日本よりゴルフフィーが安いことも普及している要因であろう．うらやましい限りである．

53. 麻酔科領域の新機材，新技術，新知見

萩平　哲（はぎひら　さとし）
関西医科大学 麻酔科学講座

最近の動向

- 近年麻酔関連の新しい薬剤の開発は以前ほど活発ではないが，いくつかの薬剤が開発されている．
- 気道確保を補助する器具類も現在では多種販売されているが，この関連のものは現在も開発が盛んに行われている．
- 以前発表されていた鎮静に吸入麻酔薬を用いる器具に関する最近の話題に関して取り上げる．
- モニタリングの機器としては新しい方法で組織酸素飽和度の絶対値の計測できる近赤外線を用いた酸素化モニタリング装置や筋電図を基準にした筋弛緩モニターなどが登場している．

麻酔関連薬剤の動向

昨年も Struys ら[1]がエトミデートのアナログである ABP-700（cyclopropyl-methoxycarbonylmetomidate）のヒトにおける第Ⅰ相臨床試験の結果を報告していたが，その後同じグループから Valk ら[2]が ABP-700 の呼吸，循環への作用についての検討を報告している．エトミデートには ACTH の副腎への作用を抑制し，コルチゾールの分泌抑制作用があることが知られているため ABP-700 を使用したときの ACTH 刺激による血中コルチゾール濃度に関しても検討している．その結果 ABP-700 には弱い心拍数上昇作用と血圧上昇作用がある一方で中枢性の無呼吸は生じないことが示されている．

また，文献には出ていないが 2018 年 12 月にはムンディファーマ社が超単位時間作用型ベンゾジアゼピン系薬剤であるレミマゾラムの薬事申請を行ったことが報道されている．承認されるかどうか不明な点はあるが，ベンゾジアゼピン系薬剤にはフルマゼニル（アネキセート®）という拮抗薬もあるためいざとなれば拮抗して覚醒させることも可能であり，心収縮力抑制作用がない点でも利点のある薬剤である．今後の展開が待たれる．

Kaullen ら[3]は CW002 という非脱分極性の新しい筋弛緩薬の第Ⅰ相試験に関して報告している．CW002 は即効性で中間時間作用型の筋弛緩薬である．興味深い点はこの筋弛緩薬は内因性のシステインによって不活化される．リバ

1) Struys MMRF, Valk BI, Eleveld DJ et al：A phase 1, single-center, double-blind, placebo-controlled study in healthy subjects to assess the safety, tolerability, clinical effects, and pharmacokinetics-pharmacodynamics of intravenous cyclopropyl-methoxycarbonylmetoidate（ABP-700）after a single ascending bolus dose. Anesthesiology 127：20-35, 2017
2) Valk BI, Absolom AR, Meyer P et al：Safety and clinical effect of i.v. infusion of cyclopropyl-methoxycarbonyl etomidate（ABP-700）, a soft analogue of etomidate, in healthy subjects. Br J Anaesth 6：1401-1411, 2018
3) Kaullen JD, owen JS, Brouwer KLR et al：Pharmacokinetic/Pharmacodynamic model of CW002, an investigational intermediate neuromuscular blocking agent, in healthy volunteers. Anesthesiology 128：1107-1116, 2018

1884-8516/19/¥100/頁/JCOPY

ースにはL型のシステインの塩酸塩を投与することで行える．ED95の4倍にあたる0.28 mg/kgを投与すると48秒で95％の筋弛緩が得られ，ED95の2倍量にあたる0.14 mg/kgでは1分48秒で95％の筋弛緩が得られるという結果となっている．95％リカバリーするのに0.28 mg/kgでは75分，0.14 mg/kgでは57分であり，現在使われているロクロニウムなどと同じくらいの効果時間であるといえる．リバースにどの程度のLシステインが必要かについては今後の研究が待たれる．Lシステインであればスガマデクスほど高価にならないことが考えられるため今後に期待したい．

この他Caloら[4]がノシセプチン/オーファニンFQレセプターリガンドであるcebranopadolの臨床への応用を目指した最近の研究についてレビューしている．Cebranopadolはモルヒネと同等の鎮痛効果をもち，特に慢性の神経因性疼痛により強い鎮痛作用を発揮するようである．また，呼吸抑制はオピオイドよりも弱いという結果が出ている．さらに興味深いことに動物実験ではμ作動薬と併用すると相加作用以上の鎮痛効果が得られることも示されている．臨床応用された場合には，難治性疼痛に効果が期待できる薬剤と考えられるものである．現在phase Ⅱが進行中ということで楽しみな鎮痛薬であるといえる．

4) Calo G, Lambert DG：Nociceptin/orphanin FQ receptor ligands and translational challenges：focus on cebranopadol as an innovative analgesic. Br J Anaesth 121：1105-1114, 2018

気道確保のための補助器具

ビデオ喉頭鏡の普及により挿管困難への対応はかなり容易になっているが，それでも万能ではない．また，ビデオ喉頭鏡などの器具がない環境では依然として挿管困難は麻酔にとって大きな問題である．現在でも挿管を補助するための各種器具の開発は盛んに行われている．やはりまだまだ一般的には気道確保は解決された問題ではないことを物語っていると考えられる．

Boothら[5]はStorz社のビデオ喉頭鏡であるC-MACのDブレードを用いて気管挿管する際に，D-FLECT®という先端のカーブが大きなチューブイントロデュサーとCOOK社のFrova®というチューブイントロデュサーのどちらがより確実に挿管できるかを比較している．彼らの研究ではD-FLECT®を用いた場合の挿管成功確率は31/32で97％であったのに対してFrova®では10/32で31％という結果であった．ビデオ喉頭鏡の多くはブレードの曲がりが大きく，Frova®のようなマッキントッシュ型喉頭鏡で直視下に展開を試みることを前提にしている器具では成功率が低いのはある意味当然と思われる結果であった．この研究では挿管困難にしたマネキンを用いているため実際の患者ではどういう結果になるかは不明であるがおそらくは実際の患者でも同様の結果になると思われる．

5) Booth AWG, Wyssusek KH, Lee PK et al：Evaluation of the D-FLECT® deflectable-tip in a manikin with a simulated difficult airway. Br J Anaesth 121：1180-1182, 2018

この他，Preeceら[6]はAmbu社のラリンゲルマスクであるAuraGain™を補助とした気管支ファイバースコープ（FOB）ガイド下挿管とFastrach™ラ

6) Preece G, Ng I, Mezzavia P et al：A randomized controlled trail comparing fiberoptic-guided tracheal intubation through two supraglottic devices：Ambu® AuraGain™ larygeal mask and LMA® Fastrach™. Anaesth Intensive Care 46：474-479, 2018

リンゲルマスクをガイドした場合とを比較している．FOBガイド下挿管は補助器具なしに行った場合には慣れていなければオリエンテーションがつけられず，気管挿管に難渋したり，挿管までに時間を要してしまうこともしばしばである．この研究のように声門上器具（SGA）を補助として利用する方法は挿管までの間の換気を確保すると同時にオリエンテーションがつけやすくなるという点で有用であると思われる．問題はどのくらいの確率でFOBの視野に声門が見えるかという点であろう．本研究の結果では声門の視認性はAuraGain™のほうが有意によく，また最終的に気管挿管できた確率もこちらのほうが高いという結果であった．現在ではFastrach™だけでなくair-Q™などいくつかの気管挿管補助用SGAが販売されている．実際には患者の解剖学的構造によって挿管の成功率も変わると思われるが，より多くの患者に容易に使用できる器具を第一選択にするのがよいと思われる．

集中治療室（ICU）などでの吸入麻酔薬による鎮静のためのデバイス

ICUで治療を受ける患者に対する鎮静は通常，プロポフォールやミダゾラム，デクスメデトミジンなどの静脈内投与する薬剤を用いるのが一般的である．しかしながら近年，欧米では無痛分娩の補助に亜酸化窒素を吸入させるなど吸入麻酔薬を使用する方法も見直されている．吸入麻酔薬による鎮静を考えるうえで重要なことは，経済的であること，有効性と有用性に加えて環境汚染の問題（そこで働く人達への曝露の問題）などを考慮する必要がある．

Farrellら[7]はAnaConDaというデバイスを用いてイソフルランやセボフルランで鎮静を行う方法についてレビューしている．AnaConDaは新しいデバイスではなく2004年に最初のトライアルが行われている．このトライアルでは12時間以上ICUで鎮静を必要とする患者に対してAnaConDaを用いて吸入麻酔薬で鎮静を行った場合をミダゾラムによる鎮静と比較している．筆者は2004年にパリで開催された世界麻酔学会においてAnaConDaが宣伝されていたことを覚えている．我が国に入ってきたことはなく，その後ほとんど話を聞くこともなかったためそれほど使用されているとは考えていなかったが，これまでに30万人以上の患者に使用されてきたと書かれている．最大の関心事はやはりICU内の環境汚染であるが，呼気側にチャコールフィルターを付けて使用すれば周囲の汚染が1 ppmを上回ることはなかったようである．なお米国での環境汚染基準はイソフルラン，セボフルランとも2 ppm未満とされており，今回の1 ppm未満という結果は少なくとも米国の環境基準を満たしたものであった．吸入麻酔薬による鎮静は安定した鎮静が得られるという意味では大きな利点もあるという考えで海外では使用されているものと思われる．

海外ではAnaConDa以外にもMIRUS™というデバイスも用いられている．

7) Farrell R, Oomen G, Carey P：A technical review of the history, development and performance of the anaesthetic conserving device "AnaConDa" for delivering volatile anaesthetic in intensive and post-operative critical care. J Clin Monit Comput 32：595-604, 2018

MIRUS™はイソフルラン，セボフルランまたはデスフルランを鎮静に用いるためのデバイスである．

Herzog-Niecseryら[8]はMIRUS™を用いたICUでの鎮静における環境汚染について検討している．その結果では換気中の環境汚染に関してはFarrellら[7]のAnaConDaでの結果と同様に1 ppm未満であったが，吸引などの措置を行っているときには最大40 ppmにも達することが判明している．興味深い器具ではあるが，やはり使用する側が取り扱いに慣れて，慎重に使用しない限りは環境汚染の問題は避けられないだろう．

鎮静が長期に渡るような場合には静脈麻酔薬による鎮静にも問題が生じることがあり，特に小児においては管理が難しいことも多い．そのような症例ではこのような吸入麻酔薬による鎮静期間を一定期間設けるのもよいのではないかと思われる．もっとも，これらの器具が日本に入ってくるかどうかは不明である．

新しいモニタリング機器

近赤外線分光法（near infrared spectroscopy：NIRS）を用いた酸素飽和度を計測するデバイスとしてINVOS™（Somanetics社）やNIRO™（浜松ホトニクス社）などの機器が心臓外科麻酔や脳外科麻酔で利用されている．これらの機器では空間分解分光法（spatially resolved spectroscopy：SRS）もしくは修正Beer-Lambert法（MBL）法に基づいた計測が行われており，組織酸素飽和度の絶対値を算出することはできなかった．浜松ホトニクス社は時間分解分光法（time-resolved spectroscopy：TRS）という新しい方法で組織酸素飽和度の絶対値が計測できるtNIRS-1という機器を発売している[9]．現時点ではこれを用いた本格的な臨床研究の論文はないが，今後この新しい方法によって新しい知見が得られることを期待する．

もう一つ，Murphyら[10]はTOFscan®（Drager社）という3次元の加速度計を使用した筋弛緩モニターの有用性について，従来からあるTOF-Watch® SX（オルガノン社）と比較している．TOF-Watch® SXは販売中止が決定しており，今後はこれに代わる新しいモニターが必要となっている．彼らの研究結果ではキャリブレーションなしのTOFscan®はキャリブレーションを行ったTOF-Watch® SXとよく一致した結果を出しており，TOFscan®はTOF-Watch®の後継として有用であることがうかがえるものであった．

その他の計測デバイス

神経ブロックにおいて薬液を注入するときの圧を計測することは薬液の神経内注入を防ぐうえで有用であることが知られている．Saporitoら[11]は先端圧の計測できる光ファイバーの圧センサーが付いた神経ブロック針を用いて先端

8) Herzog-Niecsery J, Vogelsang H, Gude P et al：Environmental safety：air pollution while using MIRUS for short-term sedation in the ICU. Acta Anaesthesiol Scand 63：86-92, 2019

9) Fujisaka S, Osaki T, Suzuki T et al：A clinical tissue oximeter using NIR time-resolved spectroscopy. Adv Exp Med Biol 876：427-433, 2016

10) Murphy GS, Szokol JW, Avram MJ et al：Comparison of the TOFscan and the TOF-Watch SX during recovery of neuromuscular function. Anesthesiology 129：880-888, 2018

11) Saporito A, Quadri C, Kloth N et al：The effect of rate of injection on injection pressure profiles measured using in-line and needle-tip sensors：an in-vitro study. Anaesthesia 74：64-68, 2019

圧を計測すると同時に薬液回路内の圧も同時測定し *in vitro* で比較検討した．その結果，注入速度が速くなるに連れて回路内圧は上昇したが，先端圧には大きな変化がなかった．注入速度を速くしても針の内部の抵抗のために先端圧には大きな変化がないことが示唆されている．このように先端圧のモニタリングをすることで薬液注入速度に関係なく針先の組織の鑑別が可能であり，神経ブロックにおいて神経内注入を回避するためのモニタリングになる可能性が示唆されている．針の先端圧を測る方法は他の種々の研究にも応用できる可能性があると筆者は考えている．

もう一つ面にかかる圧力を計測する方法について興味深い報告がある．Pellrud ら[12] は歪みセンサーの原理に基づいた高解像度の固体圧力計を用いてクリコイドプレッシャーを行ったときの食道周辺の圧や上部食道括約筋の圧などを計測している．この方法は例えば気管挿管時に喉頭鏡のブレードが咽頭や喉頭にどれだけの圧力をかけているのかを計測するなどにも応用できると思われる．色々な研究に応用できる計測法だと思われる．

12) Pellrud R, Ahlstrand R：Pressure measurement in the upper esophagus during cricoid pressure：a high-resolution solid-state manometry study. Acta Anaesthesiol Scand 62：1396-1402, 2018

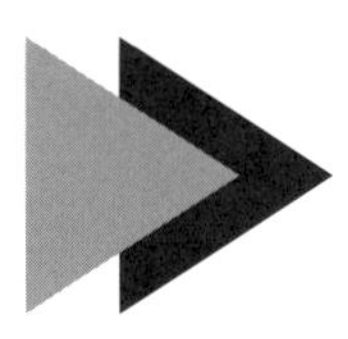

54. 新しい人工呼吸

いしかわせいじ
石川晴士
順天堂大学医学部 麻酔科学・ペインクリニック講座

最近の動向

●新しい換気モードとして，auto-titrating noninvasive ventilation が高二酸化炭素性呼吸不全において有用であるという報告があった．

●周期的に1回換気量と換気回数を変化させる variable ventilation が，喘息における気道過敏性と換気効率を改善する可能性が示唆された．

●換気の自動制御の試みなど，人工呼吸領域にも人工知能の応用がみられる．

●新しい CPAP 装置や新生児の代謝モニタリング装置の開発など，人工呼吸領域においてソフト面のみならずハード面での進歩がみられる．

● ARDS 患者における部分的な筋弛緩や，重症外傷患者におけるサーファクタントの投与など，症例報告に新しい人工呼吸の潮流を垣間見ることができた．

呼吸不全における auto-titrating noninvasive ventilation

Auto-titrating noninvasive ventilation は目標とする1回換気量を得ることと上気道の抵抗を取り除くことを目的として，自動的に吸気圧と呼気圧を変化させる新しい換気モードである．Gursel らの研究[1]では50人の高二酸化炭素性呼吸不全患者を2群に分け，一方は auto-titrating ventilation で換気補助を行い，他方は換気量保証型のプレッシャーサポートモードとした．その結果，後者に比べ前者で $PaCO_2$ の低下が早く，しかも低下の程度が大きかった．目標1回換気量は両群で同様に設定していたにもかかわらず，実際には auto-titrating ventilation で高い1回換気量が得られたのは，より高い呼気気道陽圧によって上気道の抵抗を解除できたことによるかもしれないと，著者らは考察している．

1) Gursel G, Zeman A, Basarik B et al：Non-invasive auto-titrating ventilation（AVAPS-AE） versus average volume-assured pressure support（AVAPS）ventilation in hypercapnic respiratory failure patients. Intern Emerg Med 13：359-365, 2018

Variable ventilation と喘息

Variable ventilation は換気回数と1回換気量を周期的に変動させるもので，

1884-8516/19/¥100/頁/JCOPY

健康人の安静時の呼吸パターンと似ており，換気回数と1回換気量を一定とする従来型の人工換気に比べ，人工呼吸に伴う肺傷害を減じると考えられている．Ilkaらの研究[2]では，ラットに対してメタコリンで喘息モデル14匹を無作為に2群に分け，一方は従来型の人工換気（1回換気量1.7 mL，換気回数77回/min）とし，他方はvariable ventilationとした．Variable ventilationでは平均の1回換気量と換気回数は従来型と同様としながらも，周期的な変化（変動係数7.1%）を設けた．Variable ventilation群でピーク気道内圧が低く，酸素化が優れていたことから，著者らはvariable ventilationがラットの喘息モデルにおいて気道過敏性と換気効率を改善したと結論している．

2) Ilka F, Javan M, Raoufy MR : Variable ventilation decreases airway responsiveness and improves ventilation efficiency in a rat model of asthma. Respir Physiol Neurobiol 255 : 39-42, 2018

人工呼吸の自動制御

肺モデルを用いて電気インピーダンストモグラフィで局所の換気をモニターしつつ，それを換気の自動制御によって局所の換気の異常を回復できることを示した研究[3]がある．呼吸療法の分野への人工知能（AI）の応用といえるだろう．将来的には，生体さらにはヒトへの利用が期待される．

3) Tregidgo HFJ, Crabb MG, Hazal AL et al : On the feasibility of automated mechanical ventilation control through EIT. IEEE Trans Biomed Eng 65 : 2459-2470, 2018

新しいCPAP装置

CPAPは睡眠時呼吸関連疾患の治療のうち，最も効果的で広く受け入れられているが，一方で患者の低いコンプライアンスをいかに改善するかが問題となっている．著者らはユーザーにとってCPAP装置がより使いやすくなることが，患者のコンプライアンスの向上につながると考え，ブロワー部分を小型化したわずか300 gの新装置と従来のCPAP装置（1,248 g）を比較した[4]．その結果，患者シミュレータとのフィットがよくなくリークが生じている状況でも，新装置の性能が従来品に劣らないことが示され，CPAP装置にテクノロジー面の改善の余地があることが示唆された．

4) Villanueva JA, Isetta V, Montserrat JM et al : A portable continuous positive airway pressure device that can perform optimally under strenuous conditions. Am J Respir Crit Care Med 198 : 956-958, 2018

新生児の代謝モニタリング

酸素消費とエネルギー消費の正確な算出は重症患者の治療の適正化に役立つ可能性があるが，年少の児では酸素消費量や1回換気量が小さいこと，換気回数が大きいことから，正確なモニタリングが困難だった．そこで著者らはこれらの限界を克服するために，ニューモタコメータを用いて吸気量を定量化し，吸気側と呼気側の回路で酸素濃度と二酸化炭素濃度を測定する装置を創作した[5]．この研究ではさらにラットや新生児，幼児で酸素消費量，二酸化炭素産生量，エネルギー消費量を測定し，その値の精度が高いことが示された．

5) Nachman E, Clemensen P, Santos K et al : A device for the quantification of oxygen consumption and caloric expenditure in the neonatal range. Anesth Analg 127 : 95-104, 2018

ARDS患者における部分的な筋弛緩

重篤なARDS患者において，人工呼吸器との同調を得るために早期から筋弛緩薬がしばしば用いられる．しかしその一方で深い鎮静下に筋弛緩薬を投与すると，人工呼吸からの離脱が妨げられる懸念がある．

インフルエンザ感染を契機にARDSを発症した患者において，人工呼吸からの離脱の過程で人工呼吸との同調が得られず，過大な1回換気量や食道内圧の変動のために肺傷害のリスクが高かった．そのため，部分的に筋弛緩を効かせることで，合併症を起こすことなく抜管にこぎつけることができた症例報告がある[6]．鎮静を覚ます過程で筋弛緩薬を投与することには議論の余地はあるものの，部分的な筋弛緩は呼吸努力の強い患者において呼吸合併症を避けるうえで有用である可能性がある．

肺を休ませる戦略とサーファクタント

20歳の男性がバイク事故で肺挫傷を呈し，治療抵抗性の低酸素血症と高二酸化炭素血症に陥った．陽圧換気によって両側の肺から大量にエアリークがみられたため，静脈脱血，静脈送血による体外式膜型人工肺を導入した．さらにサーファクタントを投与することによって22時間に渡って機械換気から切り離し，完全に肺を休止させることができ，最終的には肺の回復が得られた．外傷後でサーファクタント機能が障害されている状態で単に機械換気から切り離すと，重篤な無気肺からさらなる肺傷害に進展しうることから，著者らは完全に肺を休ませる前のサーファクタント投与が功を奏したと考察している[7]．サーファクタント投与を完全な肺の休止への橋渡しと位置づけている点が，たいへん興味深い．

非挿管下のリクルートメント手技

非侵襲的換気中のリクルートメント手技が無気肺の治療に効果的であることを示した研究[8]がある．冠動脈バイパス術後にP/F比が300以下で無気肺スコア2以上の患者34人を対象に，1日3回非侵襲的換気を実施した．コントロール群ではもともとのPEEPレベル（8 cmH_2O）を維持し，介入群では2分間PEEP 15 cmH_2O，さらに2分間PEEP 20 cmH_2Oを維持したのちにPEEP 8 cmH_2Oに戻すことでリクルートメント手技を行った．介入群では無気肺と酸素化が改善され，本法が安全で有用であることが示された．

横隔膜機能のモニタリング

横隔膜疲労を評価するために，横隔膜弛緩速度のMモード超音波半自動解析装置を開発し，横隔膜機能が異常な27人の患者を対象にマニュアルでの方法と比較した研究[9]がある．半自動解析装置で測定した横隔膜最大弛緩速度は，臨床エキスパートがMモードを用いてマニュアルで得た値とは統計学的有意差があったものの，別の方法で得た参照値とは差がなかった．この研究で

6) Somhorst P, Groot MW, Gommers D：Partial neuromuscular blockage to promote weaning from mechanical ventilation in severe ARDS：a case report. Respir Med Case Rep 25：225-227, 2018

7) Sklienka P, Maca J, Bursa F et al：Exogenous surfactant as a bridge to prolonged “total lung rest” in severely injured patient during extracorporeal membrane oxygenation. J Artif Organs 21：374-377, 2018

8) Miura MC, Ribeiro de Carvalho SR, Yamada da Silveira LT et al：The effects of recruitment maneuver during noninvasive ventilation after coronary bypass grafting：a randomized trial. J Thorac Cardiovasc Surg 156：2170-2177, 2018

9) Loizou CP, Matamis D, Minas G et al：A new method for diaphragmatic maximum relaxation rate ultrasonographic measurement in the assessment of patients with diaphragmatic dysfunction. IEEE J Transl Eng Health Med 6：2700710, 2018

用いられた横隔膜最大弛緩速度の半自動解析装置は，さらなる有用性の検証が必要なものの，将来的には術後呼吸機能障害や機械換気からの離脱不成功症例における診療の助けになる可能性が示唆される．

酸化傷害対策

グルタチオンペルオキシダーゼは抗酸化物質であり，肺への酸化傷害に対して防御的な役割を果たす．セレニウムは多くの食品に天然に含まれる微量元素で，グルタチオンペルオキシダーゼレベルを高める．40人のARDS患者を2群に分け，一方には亜セレン酸ナトリウムを投与し，他方はコントロールとしたところ，介入群では血清セレニウム濃度が上昇した[10]．血清セレニウム濃度は血清グルタチオンペルオキシダーゼ3（GPx3）濃度や鉄還元抗酸化能と正の相関があり，IL-1 βやIL-6とは負の相関がみられた．亜セレン酸ナトリウム投与1～2週間後には気道抵抗や肺コンプライアンスが改善し，コントロール群に比べて有意差がみられた．ARDSに対する人工呼吸療法に伴う酸化傷害の予防として，亜セレン酸ナトリウムの投与は期待がもたれる．

10) Mahmoodpoor A, Hamishenkar H, Shadvar K et al：The effect of intravenous selenium on oxidative stress in critically ill patients with acute respiratory distress syndrome. Immunol Invest 12：1-13, 2018

人工呼吸器関連肺炎と高張食塩水投与

未熟児を対象に，高張食塩水投与が人工呼吸器関連肺炎の予防に与える効果について調べた研究[11]がある．未熟児100人を無作為に2群に分け，一方は3%食塩水を3分間，1日2回，10日間繰り返しネブライザーで投与した．コントロール群に比べ，介入群では人工呼吸器関連肺炎の頻度が低下し，人工呼吸期間が短縮した．高張食塩水が人工呼吸関連肺炎を防ぐ機序としては，線毛運動の増加と粘液栓の消失に加え，病原菌が粘液層を通過するのを妨げることが挙げられている．

11) Ezzeldin Z, Mansi Y, Gaber M et al：Nebulized hypertonic saline to prevent ventilator associated pneumonia in premature infants, a randomized trial. J Matern Fetal Neonatal Med 31：2947-2952, 2018

NAVAにおける換気補助の手法

Neurally adjusted ventilatory assist（NAVA）は横隔膜の電気的活動（electrical activity of the diaphragm：EAdi）によってコントロールされる自発呼吸モードであり，NAVAレベルと呼ばれる因子で補正したうえでEAdiに比例した換気補助を行う．NAVAレベルの調整は換気補助を適正に行ううえで重要だが，これまで標準的な方法が存在しなかった．そこで著者らはこの研究[12]で，呼吸筋がEAdiから換気量を生み出す能力（neuroventilatory efficiency：NVE）に着目し，NVEに基づいて換気補助レベルを調整する方法を開発した．さらにこの研究では，NAVAによる負荷軽減の程度が小さいほど横隔膜の活動性が高まり，背側肺の換気が改善することを示した．NVEに基づく換気補助レベルの調整という発想は，とてもユニークなものであるように思われる．

12) Campoccia Jalde F, Jalde F, Wallin MKEB et al：Standardized unloading of respiratory muscles during neutrally adjusted ventilatory assist：a randomized crossover pilot study. Anesthesiology 129：769-777, 2018

排痰補助装置における吸気流速の意義

排痰補助装置（mechanical insufflation-exsufflation）を用いて機械的に患者の排痰を補助する際に，高いピーク呼気流速を得ることのみならず，ゆっくりとした吸気を送り込むことが重要であることを示した研究[13]である．慢性閉塞性肺疾患患者を模したモデル肺を含む装置に一定量の痰を模した液体を注入し，それが呼気によって動く距離をさまざまな状況で測定した．液体が動いた距離は，通常の吸気流速（平均 101.8 L/min）よりも低い吸気流速時（37.5 L/min）で大きかった．著者らによると，ピーク吸気流速が排痰の効率に与える影響は 30 年前から提唱されていたものの，最近まで注目を集めていなかったということで，忘れられかけていた話題に再び光があてられた点が興味深い．

13) Volpe MS, Naves JM, Ribeiro GG et al : Airway clearance with an optimized mechanical insufflation-exsufflation maneuver. Respir Care 63 : 1214-1222, 2018

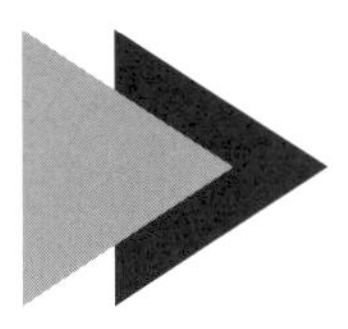

55. 集中治療（1）呼吸・循環管理

川前金幸（かわまえかねゆき）
山形大学医学部 麻酔科学講座

最近の動向

- 敗血症に関して，循環動態の管理をどうするか．動脈圧を高めに維持するか，低めに維持するか，議論を呼んでいる．低すぎはよくないようである．
- 心不全に用いるカテコラミンでアドレナリンの是非を議論し，アドレナリンのデメリットが示された．
- 呼吸管理を行う際の酸素吸入濃度をいくらに保つか議論されており，呼吸不全に対し高濃度酸素は避けたほうがよいとの結果が集積されている．
- 中等度の呼吸不全に対して経鼻高流量酸素療法が行われているが，エビデンスとともにそのメカニズム等について解析されている．
- 人工呼吸中の自発呼吸に対する同調性の問題は，特にウィーニングの際に避けては通れないが，多少の非同期でも予後にはあまり影響しないとの論文が出た．
- 集中治療室で行われる気管挿管の問題とリスク因子を挙げ検討している．

敗血症と血圧

敗血症性血管拡張性ショックの際の血圧コントロールの目標は少なくとも平均血圧 65 mmHg とガイドラインでは示されている．2014 年に敗血症性ショック患者の平均血圧を高圧群 80～85 mmHg と低圧群 65～70 群で予後を比較し，28 日，90 日ともに有意差がないことを示した[1]．血管拡張性の敗血症性ショック状態の患者の**血圧を無理に高く維持することはよくない**かもしれないとの見解であった．

カナダの Lamontagne ら[2] は患者によって目標値が異なるのではないかという仮説のもとに最近の臨床研究のメタ解析を行った．28 日後死亡をアウトカムとした．2 つの文献から 894 人がエントリーした．治療効果を昇圧時間で変化させた．6 時間以上の昇圧治療を行った患者で高い血圧（積極的に昇圧薬を使用）を目標とした群は，低い血圧群に比べて死亡率が高かった．低圧群では，高血圧既往患者を含めて，重要な副作用は認めなかった．**過剰な昇圧薬の投与に警笛を鳴らす**ものである．

1) Asfar P, Meziani F, Hamel JF et al：High versus Low Blood-Pressure Target in Patients with Septic Shock. N Engl J Med 370：1583-1593, 2014

2) Lamontagne F, Day AG, Meade MO et al：Pooled analysis of higher versus lower blood pressure targets for vasopressor therapy septic and vasodilatory shock. Intensive Care Med 44：12-21, 2018

1884-8516/19/¥100/頁/JCOPY

一方，アメリカのMaheshwariら[3]は，各段階の血圧と院内死亡率，急性腎障害（AKI），心筋梗塞（MI）との関連について調査した．2010〜2016年，米国110病院のICUに24時間以上滞在した敗血症患者8,782人を対象とし，不十分な血圧の記載，記録の不備，ICU入室6ヵ月以内に腎不全，心筋梗塞を有する患者を除外した．低血圧の曝露はTWA-MAP（time-weighted average MAP）とMAPが55，65，75，85 mmHg以下の累積時間，院内死亡率，AKI，MIの発症率で評価した．血圧を高めに維持することで合併症は軽減する傾向にあった．また，死亡率とAKIはMAPが85から55 mmHgへと低下するにつれ増加した．結論として，死亡率，AKI，MIは85 mmHgでも発症している．死亡率とAKIは低いほど悪化しており，**ICUの敗血症患者でMAPを65 mmHg以上とするのは賢明であると**，述べている．

3) Maheshwari K, Nathanson BH, Munson SH et al：The relationship between ICU hypotension and in-hospital mortality and morbidity in septic patients. Intensive Care Med 44：857-867, 2018

心不全・循環

Léopoldら[4]は，心原性ショックに対してアドレナリンが有益というより，むしろ有害であるとの意見があり，アドレナリンの是非について短期予後を検討した．まず強心薬，血管収縮薬を投与された非手術患者の心原性ショックを列挙し，次にアドレナリン単独あるいは併用投与された少くとも15％の患者について，メタ解析から短期予後を調査した．14のコホートと2つの未発表データを使用した．2,583人の患者が選出された．アドレナリン投与は37％（17〜76％）に行われており，短期間死亡率は49％（21〜69％）であった．両者には正の相関があった．アドレナリン投与患者の短期死亡率は他の薬剤を使用した患者と比較してオッズ比（OR）= 3.3（2.8〜3.9），調整した1,227人のOR = 4.7（3.4〜6.4），propensity score matchingを行った338人でもOR = 4.2（3.0〜6.0）と有意に死亡率は高かった．大きなコホート研究において，**アドレナリンの使用は死亡率を3倍増加させていた．**

4) Léopold V, Gayat E, Pirracchio R et al：Epinephrine and short-term survival in cardiogenic shock：an individual data meta-analysis of 2583 patients. Intensive Care Med 44：847-856, 2018

Levyら[5]は，急性心筋梗塞に伴う心原性ショックに対するノルアドレナリンとアドレナリンの比較を前方視，二重盲検，多施設ランダム研究を行った．57人が2つの群に割り付けられ，72時間以内の動脈圧，心係数は同等（p = 0.43）であった．しかし，心拍数の増加，臓器障害，高乳酸血症などに大きな有意差を認め，難治性の心原性ショックの発症も，アドレナリン群27人中10人（37％），ノルアドレナリン群30人中2人（7％）と極端な有意差（p = 0.008）があり，研究は中止となった．やはりアドレナリンは避けたほうがよいといえる．

5) Levy B, Clere-Jehl R, Legras A et al：Epinephrine versus norepinephrine for cardiogenic shock after acute myocardial infarction. J Am Coll Cardiol 72：173-182, 2018

Bartonら[6]は，重症患者の急性右心不全の診断プロセス，原因，治療についての総説を発表した．著者らは，Frank-Starlingの法則に従わない，つまり前負荷の増加に心拍出量がついていけない状態を右心不全と定義している．右心不全の評価のために心エコーや血行動態モニターは中心的役割を果たして

6) Barton VA, Naeije F, Haddad F et al：Diagnostic workup, etiologies and management of acute right ventricle failure：a state-of-the-art paper. Intensive Care Medicine 44：774-790, 2018

いること，右心不全の治療は原因の除去，呼吸状態の適正化，血行動態へのサポートが重要であることを述べた．また，通常いわれている輸液の過剰な負荷は多くの患者で右心不全を悪化させ，心拍出量の改善に寄与していない．血管収縮薬は，強心薬あるいは強心血管拡張薬と同様に，血圧を上昇させ，右室の虚血を改善させる．最も重篤なケースでは，体外循環補助装置が右室の負荷を軽減し酸素化を改善させる．その他詳細な解説を行っている．

Jason ら[7]は，急性肺梗塞の右心不全の心エコーによる評価について，Pulmonary Critical Care Medicine Fellow と集中治療医とでその正確性を比較した．前方指向型の研究でカルテからデータを抽出した．450 床の教育病院で成人の肺塞栓と診断された患者を対象とし，Fellow が急性肺塞栓症の患者の右室の大きさと機能を評価し記録した．ほぼ翌日，集中治療医が再評価した．結果，287 人中 154 人の肺塞栓患者で Fellow により心エコーが行われた．うち 110 件が集中治療専門医により 48 時間以内に再評価された．Fellow の評価した右心室の大きさ，右心機能は集中治療医の評価と遜色なくほぼ同等であった．優れた教育がなされている．

重症頭部外傷後の早期心筋負荷が院内死亡へ与えるインパクトについて 2007〜2014 年までの米国 Trauma Databank を用いて検討した[8]．GCS 8 未満かつ頭部 AIS 4 以上の成人頭部外傷患者を対象とした．入院時の rate-pressure product（心拍・血圧の積：RPP）を 5,000 未満；5,000〜9,999；10,000〜14,999；15,000〜19,999；20,000 以上に分けた．26,412 人が登録された．RPP は 43％は正常で，35％軽度上昇，22％は低下していた．正常群に比べて，院内死亡率が最小群は 11％高く，最高群は 11％高かった．死亡リスクは，正常群に比べて，それぞれ最小群 50％と最高群 25％高かった．頭部外傷後の RPP と死亡リスクはたとえ血圧が正常範囲でも U の字型を示していた．当然なことながら，**RPP は大きすぎても小さすぎても予後を悪化する．**

次は，頭部外傷患者の抜管成功の予測因子に関する研究である[9]．437 人の頭部外傷患者のうち 338 人（77.3％）が抜管に成功した．成功因子として，年齢 40 歳以下，視覚の追跡，嚥下機能，GCS10 点以上が挙げられ，4 つの項目中 3 つあれば 90％の確率で抜管に成功している．この評価法を用いることで，人工呼吸期間は 22 日から 11 日へ，集中治療室滞在期間は 27 日から 15 日へ短縮され，ICU 死亡率は 11％から 4％へ低下した．これらの評価は気道の機能，中枢神経の機能を外挿しており，有効な評価方法かもしれない．

高濃度酸素が循環に及ぼす影響についてメタ解析を行った[10]．2017 年 3 月までの PubMed，EMBASE から，正常圧で高濃度酸素吸入されている 22 の文献を選択した．文献の対象は，ボランテイア：V（22 件），冠動脈疾患：CAD（6 件），心不全：HF（6 件），冠動脈バイパス術後：CABG（3 件），敗血症：S（5 件）あった．高分圧酸素（234〜617 mmHg）は V，CAD，HF で

7）Jason F, Samuel A, Eric E et al：Diagnostic accuracy of point-of-care ultrasound performed by pulmonary critical care physicians for right ventricle assessment in patients with acute pulmonary embolism. Crit Care Medicine 45：2040–2045, 2017.

8）Vijay K, Monica SV, Nophanan C et al：Association of early myocardial workload and mortality following severe traumatic brain injury. Crit Care Medicine 46：965–971, 2018.

9）Asehnoune K, Seguin P, Lasocki S et al：Extubation success prediction in a multicentric cohort of patients with severe brain injury. Anesthesiology 127：338–346, 2017

10）Smit B, Smulders YM, van der Wouden JC et al：Hemodynamic effects of acute hyperoxia：systematic review and meta-analysis. Crit Care 22：45, 2018

心拍出量を10～15%低下させた．一方，CABGとSでは有意な差はなかった．体血管抵抗はHFで24%と顕著に増加したが，V，CAD，CABG，では11～16%と軽度の増加を示した．Sではほとんど変化しなかった．平均血圧はどのグループにおいても変化なかった．結論的に，**高濃度酸素は心拍出量を低下し，体血管抵抗を上昇させる**．しかし，その効果は患者によって変化する．**心不全患者は最もその変化が著しく，敗血症患者では少ない**．現在，酸素供給量を増やすまでのエビデンスまではいっていない．

ARDSと呼吸管理

高濃度酸素吸入は急性肺障害患者の肺損傷をも助長する．ARDS Network trialsでは，PaO_2を55～80 mmHgで管理することを推奨している．しかし，これ以上の酸素分圧が臨床的な予後にどう影響するかは不明である．著者ら[11]は，PaO_2 > 80 mmHgで管理された患者の予後について検討した．対象は1996～2013年までのARDS Network trials登録患者である．高濃度酸素曝露としてF_IO_2 0.5以上の吸入酸素濃度で，PaO_2 80 mmHgを超えるものとし，最初の5日間曝露されたARDS患者と非曝露ARDS患者で比較した．曝露患者は死亡率が高く（OR：1.20，95%信頼区間（CI）：1.11～1.31），人工呼吸期間が長く，在院期間も長かった．この結果はARDSの重症度とは関係しなかった．**ARDSの呼吸管理においてPaO_2はやはり55～80 mmHgで管理するべきと思われた．**

中等～重症のARDS患者に対する腹臥位管理は予後を改善するとされているが，あまり行われていない現状がある．本研究[12]では腹臥位管理の施行状況と生理学的意義を検討するとともに行わない理由を調査した．2016年4月から3ヵ月ごとにある1日，計4回調査を行った．総延べICU入室患者6,723人，20ヵ国から141ICU施設中，735人のARDS患者を解析した．101人（13.7%）が少なくとも1回腹臥位としていた．ARDSのmild 5.9%（11/187），moderate 10.3%（41/399），severe 32.9%（49/149）（p = 0.0001）で行われていた．最初の腹臥位管理時間は18（16～23）時間，仰臥位から腹臥位としてP/Fは101（76～136）から171（118～220）mmHg（p = 0.0001）へ上昇，driving pressureは14（11～17）から13（10～16）cmH_2O（p = 0.001）へ低下，Pplatは26（23～29）から25（23～28）cmH_2O（p = 0.04）へ低下した．施行していないのは，「あまり重症な低酸素状態ではない」という理由が多かった（64.3%）．結果，腹臥位療法は，重症なARDSの32.9%に施行され，合併症頻度は少なく，酸素化の改善，driving pressureの低下を認めたと，結論している．

肺障害のない人工呼吸中の患者で腹臥位の呼吸生理学的効果について検討した[13]．筋弛緩薬併用全身麻酔患者16人を対象とした．仰臥位から腹臥位とす

11）Aggarwal NR, Brower RG, Hager DN et al：Oxygen exposure resulting in arterial oxygen tensions above the protocol goal was associated with worse clinical outcomes in acute respiratory distress syndrome. Crit Care Med 46：517-524, 2018

12）Guérin C, Beuret P, Constantin JM et al：a prospective international observational prevalence study on prone positioning of ARDS patients：the APRONET（ARDS Prone Position Network）study. Intensive Care Med 44：23-37, 2018

13）Kumaresan A, Gerber R, Mueller A et al：Effects of prone positioning on transpulmonary pressures and end-expiratory volumes in patients without lung disease. Anesthesiology 126：1187-1192, 2018

ると，呼気終末位で食道内圧は5.64 cmH_2O（95 % CI：3.37～7.90，$p <$ 0.0001）低下した．残気量は0.15 L（$p = 0.003$）増加，chest wall elastance はPEEP 0で7.32 cmH_2O/L（$p < 0.0001$），PEEP 7で6.66 cmH_2O/L（$p =$ 0.0002）と増加，driving pressure はPEEP 0で3.70 cmH_2O（$p = 0.001$），PEEP 7で3.90 cmH_2O（$p < 0.0001$）増加した．結論として腹臥位とすることで，食道内圧は低下し，呼気終末のtranspulmonary pressureと残気量は増加した．また，chest wall elastanceの増加により，平均driving pressureは増加した．呼気終末のtranspulmonary pressureと残気量の増加は臨床的に好ましい腹臥位の効果であると考えている．

非侵襲的人工呼吸のインターフェイスの一つHelmetは，ARDS患者の気管挿管を回避するかもしれないが，予後の改善までは証明されていない．Patelらは[14]，過去のRCTのデータからFace mask（FM）とHelmet（H）による長期予後の比較調査を行った．primary outcomeは1年後の日常生活の程度とした．ICU-acquired weaknessなどもインタビューして調査した．FM群はH群に対して退院時ICU-AW（79.5% vs. 38.6%，$p = 0.0002$）が多く，機能的な非依存者（15.4% vs. 50%，$p = 0.001$）が少なかった．83人中81人から集めた1年後の死亡率は，FM群（69.2% vs. 43.2%，$p = 0.017$）で高く，機能的非依存者も（15.4% vs. 40.9%，$p = 0.015$）少なく，退院後医療機関にかかる患者は多かった．ARDSに対して侵襲的な人工呼吸はよく行われるが，**Helmetによる非侵襲的人工呼吸は，ARDSの長期的な合併症を軽減する**ものとして第一選択すべきかもしれない．

14) Patel BK, Wolfe KS, MacKenzie EL et al：One-year outcomes in patients with acute respiratory distress syndrome enrolled in a randomized clinical trial of helmet versus facemask noninvasive ventilation. Crit Care Med 46：1078-1082, 2018

ARFとHFNC

2007年1月1日～2017年6月30日まで報告されたhigh-flow nasal cannula（以下，HFNC）に関し，PubMed，Web of Science，Embaseから集めた論文のレビューが行われた[15]．427件の論文中167件が採択され検討された．呼吸不全に対するHFNCのメリットとして，一定吸入酸素濃度の維持，PEEPの発生，解剖学的死腔の洗い出し，粘膜線毛クリアランスの改善，呼吸仕事量の軽減などの効果がある．

15) Helviz Y, Einav S：A systematic review of the high-flow nasal cannula for adult patients. Crit Care 22：71, 2018

一方，問題点として臨床的に一見安定したかに見えるため，気管挿管のタイミングが遅れて致命的になることがある．酸素マスクによる従来の酸素療法よりは患者の受け入れ（コンプライアンス）はよく，挿管回避率などはNPPV（非侵襲的人工呼吸）と同等と位置づけられつつある．ARDSやAcute Hypoxemic Respiratory Failure，重症心不全による低酸素血症にも有効な症例はある．抜管後再挿管の回避にも使用しうる．気管挿管や気管支内視鏡検査の際に併用することで手技中の低酸素を回避できる．免疫低下患者に対しても感染の機会を減らす．また，緩和ケア領域でも用いられることが増えてきている．

HFNC の快適性，コンプライアンスのよさは知られている．Delorme ら[16]は，HFNC の呼吸仕事量に与える影響について検討した．中等度の急性肺障害患者 12 人を対象とした．従来のマスクによる酸素療法施行後，HFNC で 20，40，60 L/min の流量として，食道内圧を始めとする呼吸メカニクス，ならびに血液ガスについて検討した．食道内圧の変化はマスクで 9.8（5.8〜14.6）から HFNC 60 L/min で 4.9（2.1〜9.1）cmH_2O（$p = 0.035$）へ減少した．吸気仕事量と考えられる Esophageal pressure-time product/min も 165（126〜179）から 72（54〜137）cmH_2O・s/min（$p = 0.033$）へ減少し，呼吸仕事量は 4.3（3.5〜6.3）から 2.1（1.5〜5.0）J/min（$p = 0.031$）へ低下した．呼吸パターンと血液ガスの値には変化がなかった．動的コンプライアンスは 38（24〜64）から 59（43〜175）mL/cm H_2O（$p = 0.007$）と低下し，吸気抵抗は 9.6（5.5〜13.4）から 5.0（1.0〜9.1）cm H_2O/L/s（$p = 0.07$）低下傾向を示した．HFNC は急性肺障害患者に対して，60L/min で有意に呼吸仕事量を軽減した．これは呼吸メカニクスを是正したものによると考えられる．

16) Delorme M, Bouchard PA, Simon M et al：Effects of high-flow nasal cannula on the work of breathing in patients recovering from acute respiratory failure. Crit Care Med 45：1981-1988, 2017

呼吸管理とその周辺

Neurally adjusted ventilatory assist（NAVA）は，横隔膜の活動電位を測定しつつ吸気補助のタイミングをはかり，補助レベルを設定できる換気モードの一つである．本研究[17]では，NVE index に基づいて横隔膜の負荷を調整し，肺内の換気分布を観察した．単一施設の脳神経集中治療室で pressure support ventilation（PSV）と NAVA のクロスオーバー比較研究である．ウィーニングを開始する 10 人の患者を対象とした．補助率を 40%と 60%となるように NVE index を調整し，electrical impedance tomography，血液ガス，換気パラメータを測定した．結果，43%と 60%の補助となった．NAVA 40%補助の場合，PS と比較して EIT で肺の背部（dependent lung）の換気量が大きかった．また，横隔膜の電気的な活動度も NAVA 40%で大きかった．その際の PaO_2，$PaCO_2$，換気パラメータは同じであった．**NAVA は NVE index で横隔膜刺激の程度を調整し，刺激が大きいほど横隔膜の動きは大きく，dependent lung への換気量が大きくなった．**

17) Campoccia Jalde F, Jalde F, Wallin MKEB et al：Standardized unloading of respiratory muscles during neurally adjusted ventilatory assist：a randomized crossover pilot study. Anesthesiology 129：769-777, 2018

人工呼吸は吸気流量を機械的に送風し，呼気は受動的に行っている．Wirth ら[18]は，呼気流速をコントロールするという新しい換気法 Flow controlled Expiration（FLEX）を試みた．著者らは，正常肺の脳神経外科手術の麻酔患者 30 例で，この換気法の有無による循環動態の変化を測定した．本法は呼気に抵抗を加えながらコンピュータのアルゴリズムに従って呼出させるものである．最大呼気流量は 42%減少した．FLEX により腹側の含気分布が背側へ有意に移動した．呼吸メカニクス，血液ガスには影響なく，合併症と思われるも

18) Wirth S, Springer S, Spaeth J et al：Application of the novel ventilation mode fLow-controlled expiration（FLEX）：a crossover proof-of-principle study in lung-healthy patients. Anesth Analg 125：1246-1252, 2017

のも少なかった．**FLEX は均一な換気分布を促すものと考えられた．**

仰臥位の ARDS 患者は背側無気肺，腹側の残された肺容量で換気をするいわいる baby lung の状態である，陽圧呼吸はしばしば背側無気肺のリクルートとなりシェアストレスをかけ，腹側には過伸展をもたらす．本研究[19]では，肺洗浄 ARDS 豚に 1 時間の肺障害換気を行い，PEEP のみの群と，PEEP に加え，腹部へ持続的な −5 cmH_2O の陰圧をかけ，背側へ選択的にリクルートを図った群とで比較した．両群で同じ呼気 transpulmonary pressure であるにもかかわらず，腹部に陰圧をかけた群は，酸素化，肺コンプライアンス，electrical impedance tomography でみた換気分布の均一性，肺の乾燥重量比，Il-6 血中濃度などすべてにおいて良好な結果を得た．

Yahya ら[20]は，人工呼吸中の鎮静についてその程度をいかに保つか，予後改善のための適切な鎮静度について検討した．多施設の前向き研究である．24 時間以上人工呼吸を行った患者の Richmond Agitation Sedation Scale（RASS）と疼痛を 4 時間ごと，せん妄，動きに関する活性度を Confusion Assessment Method of ICU と標準的な運動機能評価を使用して検討した．42 ICU 施設 703 人の APACHEⅡ 平均 22.2 の患者が登録され，180 日死亡率 33%，人工呼吸期間 4.5 日，278 人（38%）でせん妄がみられた．鎮静の程度によってそれらを識別していくと，死亡のリスク 1.29（1.15〜1.46），$p < 0.001$，せん妄のリスク 1.25（1.10〜1.43），早期抜管の可能性 0.80（0.73〜0.87），$p < 0.001$. せん妄に続く不穏 1.25（1.04〜1.49），$p = 0.02$ であった．168 時間以内のせん妄と運動活性度は生存率には相関しなかった．結論は，**人工呼吸中の鎮静は深すぎず RASS 0，つまり意識清明で落ち着いた状態を維持することが望ましい**と述べている．

人工呼吸中の患者 - 呼吸器間の非同期は人工呼吸期間の延長，予後の悪化，時にうつ病など予後の悪化をもたらす．Debord ら[21]はウィーニング開始早期の非同期が予後に影響を与えるか否かを検討した．NAVA と PSV の比較研究をしている多施設で行われた付随的な RCT である．ウィーニングは強制換気から補助換気に変更し，非同期の有無は 12，24，36，48 時間後に調査した．10% 以上の非同期を認めた場合を重症とした．5 日（3〜9 日）間人工呼吸を行った 103 人の患者が登録された．結果，横隔膜筋電図から見た非同期より圧と流量を定量化して判断した非同期のほうが出現頻度は少なかった．**非同期判断の測定方法に違いがあったとしても，重症な非同期がウィーニングを助長するなどの副作用は認めなかった．ウィーニング中の非同期は容認できると考えられた．**

Silva ら[22]は，人工呼吸中の患者で肺，心臓，横隔膜などをベットサイドの超音波で評価することで，抜管後のリスク評価に使えると提案した．前向き研究で，PSV で抜管のためのトライアルに成功した 136 が登録され，トライア

19) Yoshida T, Engelberts D, Otulakowski G et al：Continuous negative abdominal pressure reduces ventilator-induced lung injury in a porcine model. Anesthesiology129：163-172, 2018.

20) Yahya S, Rinaldo B, Suhaini K et al：Sedation intensity in the first 48 hours of mechanical ventilation and 180-day mortality. a multinational prospective longitudinal cohort study. Crit Care Med 46：850-859, 2018

21) Debord RC, Bureau C, Poitou T et al：Prevalence and prognosis impact of patient-ventilator asynchrony in early phase of weaning according to two detection methods. Anesthesiology 12：989-997, 2017

22) Silva S, Aissa AD, Cocquet P et al：Combined thoracic ultrasound assessment during a successful weaning trial predicts postextubation distress. Anesthesiology 10：666-674, 2017

ル開始前とトライアル終了後に超音波検査を行った．136人中31人が抜管失敗となり，その呼吸不全を呈していたときも検査を行った．PSVでの抜管トライアル前後で記録された超音波診断による評価は，すべてarea under the curve（AUC）0.9以上と極めて高い検出率を示した．なかでも肺間質の浮腫と拡張終末期の左心室圧は抜管不可能を最も予測可能とする項目であった．ベットサイドでの心臓，肺，横隔膜などの超音波による評価は極めて有用であると述べている．

Dresら[23]は，人工呼吸のウィーニングの指標としての横隔膜の評価に関して，まだまだ過小評価されていると述べている．横隔膜機能障害は，敗血症などによる筋の萎縮と自発呼吸をさせない人工呼吸により廃用性萎縮などがある．横隔膜機能の評価には，Diaphragm pressure generating capacity（横隔膜刺激による気道内圧の低下を評価），Diaphragm Electrical Activity（EAdi）（食道内カテーテルにより横隔膜を電気刺激し横隔膜の電気活動を評価），Diaphragm Ultrasound（横隔膜の厚さと吸気終末位と呼気終末位の移動距離を測定）などにより評価され日常でも使用される．なかでも**Diaphragm Ultrasound（以下，DU）が非侵襲的で使用価値が高い**．ウィーニング失敗例ではDUが30％使用されており，**失敗成功のカットオフ値として，横隔膜の厚さ26〜36％，移動距離0.95〜2.7 cmを挙げている**．横隔膜機能障害の予防と治療についても言及しているが，今後の研究が待たれる．

23) Dres M, Demoule A：Diaphragm dysfunction during weaning from mechanical ventilation：an underestimated phenomenon with clinical implications. Critical Care 22：73, 2018

気管挿管

フランスの64施設のICUにおいて，気管挿管に関連する合併症と予後について検討した[24]．前向き研究としてデータを集積し，後方視的に解析した．対象はICUで気管挿管を必要とした患者1,847人の患者である．48人の心停止事例中35人（71％）が心拍再開したが14人（28％）はしなかった．多変量解析で，①挿管前の90mmHg未満の低血圧，②低酸素血症，③挿管前の酸素投与の欠如，③BMI 25以上の肥満，⑤75歳以上の年齢の5つの項目が挙げられORはいずれも2〜3.5と有意に高かった．28日死亡率は31.2％であり，気管挿管関連心停止があった患者（73.5％）はなかった患者（30.1％）より死亡率（$p < 0.001$）が極めて高かった．また，気管挿管関連心停止は28日死亡の独立した危険因子であった．ICUでは40回に1回の割合で気管挿管関連心停止が起きている．そこには上に挙げた5つの危険因子があった．そのうちの①〜③の3つは改善の余地があり死亡率を低下させることができるだろう．

24) Audrey DJ, Amélie R, Nicolas M et al：Cardiac arrest and mortality related to intubation procedure in critically ill adult patients：a multicenter cohort study. Crit Care Med 46：532-539, 2018

Taboadaら[25]は，ICUで直達喉頭鏡による気管挿管は環境条件が悪く，合併症が多いと考え，手術室での気管挿管と比較検討した．33ヵ月の期間，同一患者において手術室で気管挿管し，ICUでもその後1ヵ月の間に気管挿管した208症例が対象となった．気管挿管施行時，喉頭の観察状況において，ICUで

25) Taboada M, Doldan P, Calvo A et al：Comparison of tracheal intubation conditions in operating room and intensive care unit：a prospective, observational study. Anesthesiology 8：321-328, 2018

は（Cormack-Lehane grade I/Ⅱa/Ⅱb/Ⅲ/Ⅳ：116/24/47/19/2），手術室では（I/Ⅱa/Ⅱb/Ⅲ/Ⅳ：159/21/16/12/0，$p < 0.001$），各1回目の気管挿管成功率（185/208；89% vs. 201/208；97%，$p = 0.002$），気管挿管試行回数と挿管者のアンケートからみた挿管困難事例（33/208（16%）vs. 18/208（9%），$p < 0.001$），ガムエラスティックブジーなどの補助器具の使用頻度（40/208（19%）vs. 21/208（10%），$p = 0.002$），同時に使用された鎮静薬や筋弛緩薬にも差があった．また気管挿管に伴う80 mmHg以下の低血圧，SpO_2 80%以下の低酸素，食道挿管などの合併症（76/208；37% vs. 13/208；6%，$p < 0.001$）など，すべてICUでの環境は手術室に比べて劣悪であると報告した．**気管挿管を行う施行者の技術，患者の気道や全身状態，行う環境の問題などICUでは，というより手術室以外での気管挿管はリスクが高いと認識すべきである．**

56. 集中治療（2）体液，栄養，感染の管理

大槻郁人（おおつきいくと）
小樽市立病院 麻酔科

最近の動向

- ERAS における制限輸液は急性腎障害の発生率を上昇させる.
- 自発呼吸患者でも PPV（pulse pressure variation）を輸液反応性の指標として用いることができる.
- ICU における投与カロリーは目標よりも少ないかもしれない.
- ピペラシリン / タゾバクタムとバンコマイシンの併用療法は急性腎障害のリスクである.

体液

1. ”ゼロバランス”は有益か

近年 ERAS（enhanced recovery after surgery）プロトコルが一般的に認知され，その項目の一つに目標指向型輸液管理が挙げられている．輸液を制限することにより腸管機能の回復を妨げず肺合併症の回避を目的としているが，術後低血圧をきたしたり乏尿となることがあり臓器灌流障害が懸念される．はたしてゼロバランスの維持を目的とした制限的輸液は本当に有益なのだろうか？

腹部手術患者を対象とした術中から術後 24 時間までの輸液管理を制限輸液群と非制限輸液群に分けて有害事象について検討したランダム化比較試験[1]が発表された（RELIEF 試験）．術中から術後 24 時間までに制限輸液群では 3.7 L（四分位範囲（IQR）：2.9〜4.9）であったのに対し，非制限輸液群では 6.1 L（IQR：5.0〜7.4）であった．主要評価項目である 1 年後の無障害生存率は差がなかったが，制限輸液群のほうが急性腎障害の発生率が有意に高かった（8.6% vs. 5.0%）．この結果は過剰輸液を推奨するものではない．盲目的にゼロバランスを目標とした体液管理を行うのではなく，あくまでも周術期を通して臓器灌流を念頭におく必要があるだろう．

2. 自発呼吸患者の輸液反応性

SSCG 2016 において，初期輸液の指標として静的指標（中心静脈圧（CVP）など）より動的指標（脈拍や 1 回拍出量の呼吸性変動，受動的下肢挙上）を用いて繰り返し循環動態を評価することが重要とされている．しかし PPV

1）Myles PS, Bellomo R, Corcoran T et al：Restrictive versus liberal fluid therapy for major abdominal surgery. N Engl J Med 378：2263-2274, 2018

1884-8516/19/¥100/頁/JCOPY

（pulse pressure variation）は1回換気量を10 mL/kgまで増加させた調節呼吸患者に用いられる．近年ICU早期からのリハビリテーションが重要とされている中で，循環動態評価のために繰り返し深鎮静状態にすることは現実的ではないのではないだろうか？そこで自発呼吸患者の輸液反応性について評価したシステマティックレビュー[2]がある．この研究では輸液反応性の指標としてバルサルバ手技中のPPVと受動的下肢挙上中の1回拍出量の変化の精度が高かった．この結果より患者の早期離床を妨げることなく繰り返し循環動態が評価できるであろう．

栄　養

1．投与カロリーは適正か

重症患者の早期栄養管理についてまだ一定した見解は得られていない．この1年で発表された重症患者の栄養に関する論文では，どちらかといえば現状の管理では投与カロリーが少ない，という論調が多かったように思う．46ヵ国を対象としたNutrition Day ICUと呼ばれるデータを解析した横断研究[3]では，投与カロリーが理想体重と無関係に設定されており，栄養不足の懸念があるとしている．この研究では経腸栄養では平均で1,286 kcal/day，経静脈栄養では1,440 kcal/dayの投与カロリーであった．

経腸栄養単独で目標カロリーを達成することは難しいことが多く，不足分を経静脈栄養で補う研究が行われた．この補足した経静脈栄養による害は特に観察されず[4]，不足分を補うことにより院内感染のリスク減少と医療費の削減につながることが示された[5]．

2．経腸栄養の経十二指腸経路の有用性

経腸栄養は逆流や誤嚥のリスクを高める可能性があり，その投与経路として経胃と経十二指腸（幽門後）が比較されたが，過去の研究では群間の肺炎の発生率や死亡率に有意差は認められなかった．高齢者は人工呼吸器関連肺炎（VAP）のリスクが高いことが示されているが，高齢者を対象とした経胃と経十二指腸を比較した研究はなくランダム化比較試験が行われた[6]．75歳以上の人工呼吸器患者が対象で，VAPの発生率は経十二指腸群のほうが有意に低く（11.4％ vs. 25.4％，オッズ比（OR）：0.38，95％信頼区間（CI）：0.15～0.94），嘔吐も少なかった（OR：0.30，95％ CI：0.14～0.65）．死亡率に差はなかった．

感　染

1．ピペラシリン／タゾバクタムの使い方

敗血症患者には可及的早期からの抗菌薬治療が推奨され，幅広い抗菌スペクトルをもつピペラシリン／タゾバクタム（PIPC/TAZ）が有効とされる．

2）Chaves RCF, Corrêa TD, Neto AS et al：Assessment of fluid responsiveness in spontaneously breathing patients：a systematic review of literature. Ann Intensive Care 8：21, 2018

3）Bendavid I, Singer P, Theilla M et al：NutritionDay ICU：a 7 year worldwide prevalence study of nutrition practice in intensive care. Clin Nutr 36：1122-1129, 2018

4）Ridley EJ, Davies AR, Parke R et al：Supplemental parenteral nutrition versus usual care in critically ill adults：a pilot randomized controlled study. Crit Care 22：12, 2018

5）Pradelli L, Graf S, Pichard C et al：Supplemental parenteral nutrition in intensive care patients：a cost saving strategy. Clin Nutr 37：573-579, 2018

6）Zhu Y, Yin H, Zhang R et al：Gastric versus postpyloric enteral nutrition in elderly patients（age ≥75 years）on mechanical ventilation：a single-center randomized trial. Crit Care 22：170, 2018

PIPC/TAZは薬物動態学/薬力学（PK/PD）的にtime above MICが重要であるが，重症患者において持続投与が間歇投与に優るのかは結論が出ていない．そこでシステマティックレビューとメタ解析を行った[7]．その結果，間歇投与と比較して持続投与のほうが死亡率は低く，臨床的治癒率と微生物学的治癒率が優れていた．

近年PIPC/TAZとVCMを併用することで腎機能障害が増加するとの報告が話題となった．そこでシステマティックレビューとメタ解析を行い[8]，成人患者におけるVCM単独，VCMとセフェピム・もしくはカルバペネム併用，VCMとPIPC/TAZ併用の急性腎障害のリスクを比較した．全体の急性腎障害発生率は16.7%，そのうちVCMとPIPC/TAZ併用群は22.2%，その他は12.9%であった．VCMとPIPC/TAZ併用による急性腎障害のリスクはVCM単独（OR：3.40，95% CI：2.57～4.50），VCMとセフェピム・またはカルバペネム（OR：2.68，95% CI：1.83～3.91），PIPC/TAZ単独（OR：2.70，95% CI：1.97～3.69）よりも高かった．重症患者においてはVCM単独と比較して急性腎障害のリスクを高めたが，セフェピムまたはカルバペネムとの併用，PIPC/TAZ単独とは有意差がなかった．重症患者集団においてさらなる検討が必要だろう．

2. 敗血症とステロイド

敗血症患者に対するステロイドは長年議論されている．SSCG 2016では輸液負荷と血管作動薬でも循環動態が不安定な患者にヒドロコルチゾンを投与することを弱く推奨している．New England Journal of Medicine誌から敗血症性ショック患者に対するステロイド療法について2つの試験が発表された．ADRENAL試験[9]ではプラセボ群と比較してヒドロコルチゾン（200 mg/day）群はショックからの離脱は早かったが90日死亡率は有意差がなかった．APROCCHSS試験[10]ではヒドロコルチゾン（200 μg/day）+フルドロコルチゾン（50 mcg/day）の併用療法群とプラセボ群を比較した．こちらの試験は併用群のほうがショックからの離脱は早く，90日死亡率も低かった．敗血症性ショックの患者に対するステロイド療法はショックからの離脱を早めることは間違いないと思われるが，死亡率の改善に関しては今後も検討が必要だろう．

3. プロカルシトニンの利用

プロカルシトニンは敗血症患者の抗菌薬管理の判断材料になるとされ，いくつかのシステマティックレビューとメタ解析が発表された．Lamらの報告[11]とIankovaらの報告[12]ではプロカルシトニンを指標にすると抗菌薬の投与期間の短縮につながった．Huangらの報告[13]でも抗菌薬投与期間の短縮と短期死亡率の低下が示された．

ProACT試験[14]では下気道感染に対するプロカルシトニンに基づく抗菌薬

7) Rhodes NJ, Liu J, O'Donnell JN et al：Prolonged infusion piperacillin-tazobactam decreases mortality and improves outcomes in severely ill patients：results of a systematic review and meta-analysis. Crit Care Med 46：236-243, 2018
8) Luther MK, Timbrook TT, Caffrey AR et al：Vancomycin plus piperacillin-tazobactam and acute kidney injury in adults：a systematic review and meta-analysis. Crit Care Med 46：12-20, 2018
9) Venkatesh B, Finfer S, Cohen J et al：Adjunctive glucocorticoid therapy in patients with septic shock. N Engl J Med 378：797-808, 2018
10) Annane D, Renault A, Brun-Buisson C et al：Hydrocortisone plus fludrocortisone for adults with septic shock. N Engl J Med 378：809-818, 2018
11) Lam SW, Bauer SR, Fowler R et al：Systematic review and meta-analysis of procalcitonin-guidance versus usual care for antimicrobial management in critically ill patients：focus on subgroups based on antibiotic initiation, cessation, or mixed strategies. Crit Care Med 46：684-690, 2018
12) Iankova I, Thompson-Leduc P, Kirson NY et al：Efficacy and safety of procalcitonin guidance in patients with suspected or confirmed sepsis：a systematic review and meta-analysis. Crit Care Med 46：691-698, 2018
13) Huang HB, Peng JM, Weng L et al：Procalcitonin-guided antibiotic therapy in intensive care unit patients：a systematic review and meta-analysis. Ann Intensive Care 7：114, 2017
14) Huang DT, Yealy DM, Filbin MR et al：Procalcitonin-guided use of antibiotics for lower respiratory tract infection. N Engl J Med 379：236-249, 2018

使用のランダム化比較試験が行われた．この試験では通常診療群と比較してプロカルシトニン群では抗菌薬投与期間と有害事象に関して有意差は認めなかった．

今後も検討が必要だが，抗菌薬中止の判断材料としてプロカルシトニンを用いることは少なくとも有害ではないかもしれない．

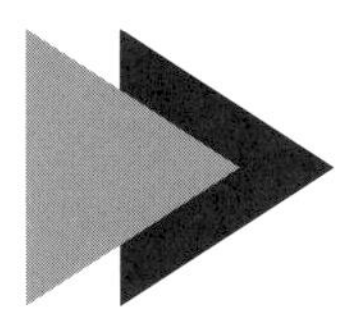

57. 集中治療（3）ICU における鎮痛と鎮静

はし ば えい じ
橋場英二
弘前大学医学部附属病院 集中治療部

最近の動向

- 2019年9月，米国集中治療医学会からのPain，Agitation/Sedation，Delirium，Immobility，and Sleep Disruption guidelinesが発表された．リハビリテーション，睡眠コントロールの2つのトピックが新たに追加された．
- Analgesia-first sedationなど鎮痛が重要視されているが，その鎮痛法も局所麻酔を併用するなどmultimodalな方法で行うことが，麻薬の投与量を減少させ，好ましいことがわかってきている．
- デクスメデトミジンはせん妄予防効果が期待されているが，まだその効果の結論は出ていない．また，ハロペリドールのせん妄に対する予防・治療効果に関してもいまだに結論は出ていない．

PADIS ガイドライン

2013年のPADガイドラインがUpdateされ，2019年9月に米国集中治療医学会からのPain，Agitation/Sedation，Delirium，Immobility，and Sleep Disruption guidelinesが発表された[1, 2]．今回のガイドラインでは，疼痛，不穏/鎮静，せん妄の3つに加え，臨床的に切り離して考えることのできない，リハビリテーション，睡眠コントロールの2つのトピックが追加された．また，世界中の集中治療にかかわるパネリストに加え，患者もパネリストに加わって作成された．その結果37のrecommendationと2つのgood practice statement，そして，32のGRADE法を用いず記述的な疑問からのstatementが示されることとなった．強いrecommendationとなったのは，重症患者の神経因性疼痛管理にオピオイドに加えて神経因性疼痛薬を使用することと重症患者の処置に伴う疼痛管理に吸入麻酔薬を使用しないことの2つであった．また，good practice statementとして，「ICUでの疼痛管理はルーチンで疼痛評価を行い，鎮静薬の前に鎮痛薬で疼痛をコントロールするべきである」ということと「成人重症患者はせん妄評価ツールを用いて定期的に評価するべきである」ということが述べられている．すでに，日本でも重症患者の早期リハビリテーション加算が認められているが，今後はこのPADISガイドラインの存在

1) Devlin JW, Skrobik Y, Gelinas C et al：Clinical practice guidelines for the prevention and management of pain, agitation/sedation, delirium, immobility, and sleep disruption in adult patients in the ICU. Crit Care Med 46：e825-e873, 2018
2) Devlin JW, Skrobik Y, Gelinas C et al：Executive Summary：Clinical practice guidelines for the prevention and management of pain, agitation/sedation, delirium, immobility, and sleep disruption in adult patients in the ICU. Crit Care Med 46：1532-1548, 2018

1884-8516/19/¥100/頁/JCOPY

も相まって，ますます患者中心の管理，研究が行われることが期待される．

ICUにおける鎮痛法

ICUにおける鎮痛は術後疼痛，ICUの処置時の疼痛，そして，鎮静時のいわゆる“Analgosedation”や“Analgesia-first sedation”として投与される鎮痛などさまざまな局面で必要とされ，どのような方法がより効果的なのか研究テーマに事欠かない．

まず，ICUにおける局所麻酔の有用性に関して，Capdevilaらは ICUにおける局所麻酔のレビューを報告した[3]．局所麻酔による手術や術後局所麻酔の使用は，手術や外傷のストレス反応を抑制し，合併症をも減少させる．オピオイドによる術後鎮痛では，外傷後ストレス障害や慢性神経因性疼痛，オピオイド依存を増加させることが知られ，局麻の併用は，オピオイドの量を減少し，障害された神経の異所性興奮を抑制する．また，消化管の蠕動運動を回復させリハビリも促し，ICUや病院滞在日数を減少させ，肺機能を改善（人工呼吸時間短縮，早期抜管），心血管イベント減少，そして，大血管手術や整形外科手術では長期の死亡率を改善することが述べられていた．

食道癌術後の硬膜外鎮痛法に関するレビューも報告されていた[4]．食道癌手術に対する硬膜外鎮痛法は，患者のリハビリも早く開始でき，呼吸機能の回復も早く，交感神経ブロック消化管血流を増加させ，胃管血流を保ちイレウスを減少させることが示唆されていた．さらに，enhanced recovery after surgery（ERAS）という概念の中で，痛みのコントロールは重要な要素であり，その方法は multimodal（多様）な方法で行うことが望ましいとされる．Kimらは超音波ガイド下の末梢神経ブロックとして手術麻酔で汎用されるようになった transversus abdominis plane（TAP）ブロックの review を報告した[5]．開腹あるいは腹腔鏡下結腸手術において TAP ブロックは他の鎮痛法やプラセボと比較し，簡便に cost-effective に術後オピオイドの使用量を減少させることが述べられていた．

一風変わった局所麻酔鎮痛法としては，胸腔ドレーンからの局麻薬投与に関する研究報告があった[6]．40人の CABG術後の患者を2％ リドカイン（n = 20）群とプラセボ（0.9％ saline solution）（n = 20）に分け，ダブルルーメンの胸腔ドレーンから薬剤を投与した．術後2日間の痛みと肺機能について検討し，その結果，リドカインの胸腔内投与は1秒率を0.51 L増加させ，NRSも1.65低下させた．胸腔内へリドカイン投与という簡単な方法が非常に効果的な方法であることが示唆された．

東洋医学の針を使った鎮痛法の報告もあった．針電極刺激法で人工呼吸中の患者の痛みのスケール，鎮痛剤，鎮静薬の投与量を減量することができたとする報告[7]や針電極刺激療法が敗血症患者の各種炎症系マーカー，腹腔内圧

3) Capdevila M, Ramin S, Capdevila X：Regional anesthesia and analgesia after surgery in ICU. Curr Opin Crit Care 23：430-439, 2017

4) Feltracco P, Bortolato A, Barbieri S et al：Perioperative benefit and outcome of thoracic epidural in esophageal surgery：a clinical review. Dis Esophagus 1：31, 2018

5) Kim AJ, Yong RJ, Urman RD：The role of transversus abdominis plane blocks in enhanced recovery after surgery pathways for open and laparoscopic colorectal surgery. J Laparoendosc Adv Surg Tech A 27：909-914, 2017

6) Mashaqi B, Ismail I, Siemeni TT et al：Local anesthetics delivered through pleural drainages improve pain and lung function after cardiac surgery. Thorac Cardiovasc Surg 66：198-202, 2018

7) AminiSaman J, Mohammadi S, Karimpour H et al：Transcutaneous electrical nerve stimulation at the acupuncture points to relieve pain of patients under mechanical ventilation：a randomized controlled study. J Acupunct Meridian Stud 11：290-295, 2018

（IAP）を有意に低下させるという報告もあった[8]．これは，82人の消化管閉塞患者を電気刺激併用針群とコントロール群に分けた．針療法は20分，2回/day，5日間施行．その後1，3，7日目にTNF-α，IL-1 β，腹腔内圧を測定した．その結果，TNF-α，IL-1 β，そして，腹腔内圧は有意に低下したという．しかし，人工呼吸時間，ICU滞在日数などに差はなかったという．

鎮痛薬の全身投与では，**レミフェンタニルに関する報告があった**．レミフェンタニルは長短時間作用型オピオイドとして全身麻酔では多用されているが，日本の集中治療領域ではいまだ保険適応とはなっていない．しかし，この調節性のよさは人工呼吸器の離脱に有利な可能性があり，Zhuらは人工呼吸中の患者に対するレミフェンタニルの有用性，安全性について23のRCT（1,905人）のレビューを行った[9]．その結果レミフェンタニルは人工呼吸時間，鎮静中止後抜管までの時間を短縮し，ICU滞在日数を減少することがわかった．しかし，在院日数，コスト，死亡率，不穏には差がなかったと報告した．

小児においても麻薬を減量するための鎮痛法について検討がなされていた．Zhuらはそのレビューで，evidenceはまだまだ限られているが，アセトアミノフェン，NSAIDs，デキサメタゾン，ケタミン，クロニジン，デクスメデトミジンは術後鎮痛に有用で，オピオイドの使用量を減量できるかもしれないと報告している．オピオイドを減量することの利点，非オピオイド鎮痛の効果についてはさらに検討が必要であろう．

鎮痛評価法に関する報告では，酸素飽和度モニターのperfusion index（PI）を用いて，重症患者の痛みの評価をするというprospective observational studyがあった．Hasaninらは，87人の非挿管患者を対象とし，体位変換時の刺激に対するbehavioral pain scale for non-intubated（BPS-NI）を測定した．体位変換に伴う痛み刺激で，PIは有意に低下し（1（0.5〜1.9）vs. 2.2（0.97〜3.6），$p < 0.001$），そのPI変化率とBPS-NIの変化率には良好な相関が認められたという（$r = -0.616$，$p < 0.001$）．

また，このPIを痛みの客観的な指標として用いて，鎮静状態の鎮痛評価に関する影響を評価した論文も認められた[10]．この論文では，16人の健康成人に対してプロポフォールあるいはミダゾラムを用いて3段階のレベルの鎮静状態と覚醒状態を作り出し，痛み刺激に対するVAS（Visual Analogue Scale）（0〜10）による評価とPIによる痛みの評価を行った．すると，PIはどの鎮静状態でもほとんど同じであるが，VASは中等度，深鎮静時に覚醒時（7.2＋/−0.4）に比べ有意に小さいことがわかった．すなわち，鎮静が主観的な痛み評価に明らかに影響をすることを示し，痛みの強度は脳幹部ではない脳のメカニズムによって決定されていることが示唆された．

8）Meng JB, Jiao YN, Xu XJ et al：Electro-acupuncture attenuates inflammatory responses and intraabdominal pressure in septic patients：a randomized controlled trial. Medicine 97：e0555, 2018

9）Zhu Y, Wang Y, Du B et al：Could remifentanil reduce duration of mechanical ventilation in comparison with other opioids for mechanically ventilated patients? a systematic review and meta-analysis. Crit Care 21：206, 2017

10）Kang H, Nakae A, Ito H et al：Effects of sedation on subjective perception of pain intensity and autonomic nervous responses to pain：a preliminary study. PLoS One 12：e0183635, 2017.

ICU における鎮静法

近年，人工呼吸患者の鎮静薬としてデクスメデトミジン（DEX）がベンゾジアゼピンと比較し，人工呼吸時間の短縮やせん妄予防の効果があるなどとして期待されている．そこで，**せん妄予防に対する DEX の効果の検討として**，Deiner らは非心臓手術の術中からの DEX の効果を検討した[11]．多施設 2 重盲検 RCT として術中と術後回復室で 2 時間の DEX（0.5 μg/kg/h）投与を行い，術後せん妄（Primary），認知障害（Secondary）について調べた．その結果，404 人の患者において術後せん妄に変化はなかった（DEX 群 12.2% vs. プラセボ群 11.4%，p = 0.94）．術後 3ヵ月，6ヵ月の認知機能にも差はなかった．術中からの DEX は術後せん妄に有効は確認できなかった．DEX のせん妄予防に関して，その投与タイミングも重要なのかもしれない．

小児の NPPV 時の DEX の有用性に関して，Venkatraman らは single-center, retrospective, observational cohort study を報告した[12]．202 人の小児 NPPV 患者に対して DEX は 35 時間（中央値），0.61 μg/kg/h（中央値）で投与され，83%の症例が DEX 単独投与で満足のいく鎮静が得られたという．ただ，バイタルサインは正常値から頻回に外れたが，補正を要したのは徐脈（13%），低血圧（20%），無呼吸（5%）と比較的少数であり，容量調節，輸液，NPPV の調節で対応可能であったという．96%の症例は NPPV から無事離脱できた．

Patient-controlled analgesia はよく知られた方法だが，**Patient-controlled sedation（PCS，患者調整鎮静法）という方法**はまだ一般的ではない．そこで，Chlan らは人工呼吸中の患者がデクスメデトミジンを用いて PCS として自分の不安をコントロールできるかどうかの randomized pilot trial が施行した[13]．そして，その pilot study の中の 1 症例の詳細な報告があり，この方法は患者の満足度が高く，効果的であると報告している．今後の新しい鎮静法となりうる可能性が示唆された．

セボフルランによる ICU での鎮静についての報告もあった．Romagnoli らはセボフルランによる術後鎮静法の有用性，安全性に関する研究を行った[14]．対象は術後人工呼吸を必要とした患者とし，RASS で −3 から −5 になるように調節した．その結果 62 人の患者において，中央値（四分範囲）で 3.33（2.33〜5.75）時間の鎮静に対し，**セボフルラン**の肺胞内濃度は 0.45（0.4〜0.53）%で覚醒時間は 4（2.2〜5）分であった．循環，臓器障害は認めず，大気汚染も推奨環境濃度を大きく下回っていた．セボフルランは ICU 患者の短時間鎮静において有用であり，今後より長期の使用の関する検討が必要と報告していた．

11）Deiner S, Luo X, Lin HM et al：Intraoperative infusion of dexmedetomidine for prevention of postoperative delirium and cognitive dysfunction in elderly patients undergoing major elective noncardiac surgery：a randomized clinical trial. JAMA Surg 152：e171505, 2017

12）Venkatraman R, Hungerford JL, Hall MW et al：Dexmedetomidine for sedation during noninvasive ventilation in pediatric patients. Pediatr Crit Care Med 18：831-837, 2017

13）Chlan LL, Skaar DJ, Tracy MF et al：Safety and acceptability of patient-administered sedatives during mechanical ventilation. Am J Crit Care 26：288-296, 2017

14）Romagnoli S, Chelazzi C, Villa G et al：The new MIRUS system for short-term sedation in postsurgical ICU patients. Crit Care Med 45：e925-e31, 2017

Delirium（せん妄）

ハロペリドールのせん妄予防効果についてのシステマチックレビューがあった．272のRCT論文，1,861人のハロペリドール投与群と1,734人のプラセボ群の比較，また，ハロペリドールと第二世代の向精神薬との比較した研究も2つあった．その結果，**高容量のハロペリドール（≧5 mg/day）は術後せん妄を予防する可能性が示唆された**（リスク比（RR）：0.50，95%信頼区間（CI）：0.32，0.79）．しかし，せん妄期間，QTc延長，錐体外路症状，ICU滞在日数，病院滞在日数，死亡率には差がなかった．せん妄治療に関しては第二世代の向精神薬とハロペリドールは同程度であった[15]．

また，新たなハロペリドールに関するRCTとして，重症患者のせん妄予防効果に関する報告があった[16]．2013年7月～2016年12月までオランダの21のICUで1,789人の重症患者を対象に行われた．患者はハロペリドール1 mg（$n = 350$）or 2 mg（$n = 732$）あるいはプラセボ（$n = 707$）を3回/day予防的に投与された．Primary outcomeは28日間の生存日数，Secondary outcomesは，せん妄の回数，28日間のせん妄-free日数，あるいは昏睡-free日数，人工呼吸時間，ICU滞在日数，在院日数などとした．その結果，まず，ハロペリドール1 mg群は無益として中止となった．また，ハロペリドール2 mg群も28日間の生存日数にプラセボ群と差がなかった．さらにSecondary outcomeでも全く差を認めなかったという．少量ハロペリドールの予防投与は有効とはいえないと報告されていた．

せん妄の予測に関して，Wassenaarらは，prediction model for delirium（PRE-DELIRIC）モデルとearly prediction model for delirium（E-PRE-DELIRIC）モデルのせん妄予測法の予測率，使い勝手を検討した[17]．7つの国の11病院で前向きの試験として検討された．せん妄はConfusion Assessment Method-ICU（CAM-ICU）あるいは，Intensive Care Delirium Screening Checklist（ICDSC）で診断した．2,178人の患者を対象にICU入室直後にE-PRE-DELIRICモデルでせん妄を予測し，入室24時間後にPRE-DELIRICモデルで予測した．ROCカーブはPRE-DELIRICモデル（0.74，95% CI：0.71～0.76）がE-PRE-DELIRICモデル（0.68，95% CI：0.66～0.71）よりも大きかった（z score of - 2.73（$p < 0.01$））．ICUの医師（$n = 68$）はPRE-DELIRICモデルよりも，E-PRE-DELIRICモデルのほうが使いやすいと評価していた．低リスクの患者の予測には2つのモデルの組み合わせで予測率が改善したという．

Rehabilitation

ICUにおけるリハビリテーションはなかなか進まずベッド上での軽度のリ

15) Shen YZ, Peng K, Zhang J et al：Effects of haloperidol on delirium in adult patients：a systematic review and meta-analysis. Med Princ Pract 27：250-259, 2018

16) van den Boogaard M, Slooter AJC, Bruggemann RJM et al：Effect of haloperidol on survival among critically ill adults with a high risk of delirium：the REDUCE randomized clinical trial. JAMA 319：680-690, 2018

17) Wassenaar A, Schoonhoven L, Devlin JW et al：Delirium prediction in the intensive care unit：comparison of two delirium prediction models. Crit Care 22：114, 2018

ハビリにとどまることが多い．Medrinalらは，挿管鎮静下の患者においてベッド上の4種類のリハビリの生理学的な影響を比較した[18]．4種のリハビリはpassive range of movements（PROM），passive cycle-ergometry，quadriceps electrical stimulationとfunctional electrical stimulation（FES）cyclingであった．その結果，20人の患者において検討され，FES cyclingのみが心拍出量を1 L/min（15%）有意に増加させた．また，同時に筋肉内の酸素のuptakeが認められた．FES cyclingが最も有効なリハビリの可能性が示唆され，今後，長期的な機能のoutcomeへの影響の検討が必要であろう．

18) Medrinal C, Combret Y, Prieur G et al：Comparison of exercise intensity during four early rehabilitation techniques in sedated and ventilated patients in ICU：a randomised cross-over trial. Crit Care 22：110, 2018

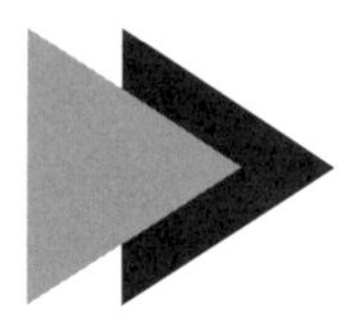

58. 集中治療（4）ICU におけるモニター

あか つか まさ ゆき
赤塚正幸
札幌医科大学医学部 集中治療医学

最近の動向

- モニターの改良・開発技術は進んでおり，より低侵襲で正確かつ低コストの方向に向かっている．
- 中枢神経系では，multimodality monitoring（MMM）が注目されており複数のモニタリングを組み合わせて評価する必要があると強調されている．
- 組織酸素代謝では乳酸値の経時的な測定の重要性が示され，乳酸値の測定による病態評価は今後も必要である．
- 持続血糖モニタリング装置の開発に伴い，前向き研究が行われた結果その有用性が報告され，重症患者における今後のさらなる検討が待たれる．
- 経肺圧による人工呼吸管理が注目されており，さまざまな研究が行われている．また，ベッドサイドでの肺エコーによる評価も広く知られるようになり，その重要度は増している．
- 循環系では，心拍出量に関するデバイスを用いた研究が盛んである．簡易で素早く施行可能な心エコーは循環不全における評価では有用であり，集中治療医には必須の手技となりつつある．

中枢神経系

重症頭部外傷では，瞳孔の異常所見が予後予測因子となる重要な理学所見の一つである．従来のペンライトを用いた評価では観察者の主観に左右され，評価者間で所見に差異が認められることがある．Anderson ら[1]は神経集中治療室に勤務する看護師を対象に pupillometer を用いた瞳孔観察を調査した．結果として，ベッドサイドでの観察には簡単で使いやすく神経集中治療を専門としない部署での有用性を示した．

Nielsen ら[2]は敗血症患者の持続脳波測定とせん妄発症との関連を検討した．高周波数のβ波（>13 Hz）や開眼，音，光，痛み刺激などに対する反応性があるとせん妄は認めなかった．一方，低周波数の脳波活動や高周波数の脳波活動がないことがせん妄と関係していることを示した．持続脳波をモニタリングすることで，せん妄を早期に認識し，それに対する介入を行うことができる可能性があるとしている．

1）Anderson M, Elmer J, Shutter L et al：Integrating quantitative pupillometry into regular care in a neurotrauma intensive care unit. J Neurosci Nurs 50：30-36, 2018

2）Nielsen RM, Urdanibia-Centelles O, Vedel-Larsen E et al：Continuous EEG monitoring in a consecutive patient cohort with sepsis and delirium. Neurocrit Care, 2019 [Epub ahead of print]

1884-8516/19/¥100/頁/JCOPY

ICP（頭蓋内圧）の有用性についてはこれまでさまざまな研究が行われているが，議論が分かれるところである．しかし，ICP 測定は臨床現場で必要な場面も多い一方で，侵襲的な ICP 測定ができないこともあることから，Robba ら[3]は非侵襲的な ICP 測定として超音波下での視神経鞘径測定を検討した．頭蓋内圧亢進（ICP ≧ 20 mmHg）の検出には視神経鞘径測定が有用であった．超音波下のこの方法は低コストですぐに測定できるため今後広く利用できるのではないかと述べており，今後のさらなる研究が待たれる．

神経集中治療の目的は，二次的脳損傷をいかに予防して患者の転帰を改善させることができるかである．これまで述べてきた単一のモニタリングだけではなく，さまざまな神経モニタリングを複数組み合わせて評価を行う “multimodality monitoring（MMM）” の有用性が強調されてきている．Stocker[4]が外傷性脳損傷の患者管理に対して MMM と神経保護の管理についてまとめているように，二次的脳損傷をいかに防いで患者の転機を改善させるためにより正確に病態を把握する必要がある．

循環系

心拍出量の測定には肺動脈カテーテルが広く用いられていたが，その使用により予後が必ずしも改善しないことが報告されている．そこで，侵襲的な肺動脈カテーテルに代わる新拍出量測定が近年用いられてきている．Lamia ら[5]は動脈圧波形分析法を用いた LiDCOplus™，FloTrac™，PiCCOplus™ と bioreactance 法を用いた NICOM™ を用いてそれぞれの測定システムを比較検討している．結果として，どの測定方法も心拍出量の変化を迅速に捉えることができており，強い関連が示されたため，いずれも臨床的に使用することは有用であるとしている．

循環動態が不安定である際の超音波検査は簡便かつ迅速に行えるため，集中治療域においては有用なモニタリングの一つである．Vieillard-Baron ら[6]は集中治療におけるこの 10 年間の心エコーの役割は必須のものとして受け入れられてきており，診断ツールや循環モニタリングとしての利用頻度は著しく増加し，循環管理においては非常に重要であると述べている．そのうえで，重症患者の心エコー評価に関して基礎から応用の描出像やクリニカルシナリオとして画像が掲載されており，わかりやすく解説されている．

輸液反応性の指標として PPV（pulse pressure variation）や SVV（stroke volume variation）は周術期の輸液管理において有用といわれている．Zlicar ら[7]は腹腔鏡手術において PPV と SVV の輸液反応性について検討した．SVV は AUC_{ROC}：0.80 と輸液反応に対して有用な予測指標となった一方で，PPV は AUC_{ROC}：0.67 と SVV には劣る結果となった．循環不全に対する輸液反応性の指標としては受動的下肢挙上（PLR）も用いられる．Honore ら[8]

3）Robba C, Cardim D, Tajsic T et al：Ultrasound non-invasive measurement of intracranial pressure in neurointensive care：a prospective observational study. PloS Med 14：e1002356, 2017

4）Stocker RA：Intensive care in traumatic brain injury including multi-modal monitoring and neuroprotection. Med Sci（Basel）7：E37, 2019

5）Lamia B, Kim HK, Severyn DA：Cross-comparisons of trending accuracies of continuous cardiacoutput measurements：pulse contour analysis, bioreactance, and pulmonary-artery catheter. J Clin Monit Comput 32：33–43, 2018

6）Vieillard-Baron A, Millington SJ, Sanfillipo F et al：A decade of progress in critical care echocardiography：a narrative review. Intensive Care Med, 2019［Epub ahead of print］

7）Zlicar M, Novak-Jankovic V, Blagus R et al：Predictive values of pulse pressure variation and stroke volume variation for fluid responsiveness in patients with pneumoperitoneum. J Clin Monit Comput 35：825–832, 2018

8）Honore PM, Spapen HD：Passive leg raising test with minimally invasive monitoring：the way forward for guiding septic shock resuscitation? J Intensive Care 5：36, 2017

は，その非侵襲的なモニタリングが敗血症の蘇生に今後有用であるかをこれまでの文献をふまえてコメントしている．その中で，PLR は簡便であり迅速にしかもベッドサイドで正確に敗血症性ショックの輸液管理で心拍出量の変化をリアルタイムで測定する指標となるとしている．

代謝，微小循環系

重症患者の管理において，乳酸値の測定は急性期の病態把握に有用であり経時的な変化を捉えることが重要となる．Hernandez ら[9] は敗血症における乳酸クリアランスのピットフォールという形で要点を述べている．産生と代謝，肝障害，輸液蘇生，組織低灌流，組織低酸素などの関連にふれて乳酸値が上昇時のフローチャートでまとめている．

また，重症患者でインスリン抵抗性が増悪し高血糖が頻繁に生じるため，血糖コントロールを行うために血糖値のモニタリングも必要となる．Bochicchio ら[10] は，重症患者における持続血糖モニターに関して他施設前向き研究を行った．The OptiScanner5000® （OptiScan Biomedical Corporation 社）を用いて，中心静脈カテーテルの近位側に接続し，15 分ごとの血液吸引と生理食塩水によるフラッシュが行われて血糖値を測定し，それと同時に血液サンプルを採取し，YSI 2300 STAT Plus® を用いた血糖値との比較を行った．その結果，95.4％の一致率で正確な値を示し，有害事象は全く発生しなかった．持続血糖モニターの正確性と安全性が示された．ただ，持続血糖モニタリングが有用であるか否かに関しては今後の研究の課題である．

外傷後の血管内皮障害とグリコカリックスの脱落は炎症，凝固障害，血管透過性の亢進のリスクを増やす．Naumann ら[11] らは舌下の微小循環を非侵襲的に撮影する方法を用いて，ベッドサイドで得られた微小循環画像を用いて，microcirculatory flow index，Point Of carE Microcirculation assessment score，proportion of perfused vessels，microcirculatory heterogeneity index，perfused vessel density，total vessel density をそれぞれ比較したところいずれも血管内皮障害とグリコカリックス脱落と関連が認められた．

呼吸系

CO_2 のモニタリングは換気だけではなく循環や代謝の異常を認識するためにも有用であり，集中治療域でも活用されている．Schwarz ら[12] は人工呼吸管理が長期化している気切患者を対象に，非侵襲的な end-tidal CO_2 （$PetCO_2$），経皮的 CO_2 （$PtcCO_2$），動脈血二酸化炭素分圧（$PaCO_2$）との比較を行った．結果として，$PaCO_2$，$PetCO_2$，$PtcCO_2$ の平均値はそれぞれ，42.4 ± 8.6，36.5 ± 7.5，41.7 ± 8.7 mmHg となり，$PtcCO_2$ が $PetCO_2$ よりも $PaCO_2$ によく相関していた．特に，COPD の患者では死腔の影響により $PetCO_2$ は $PaCO_2$ の

9) Hernandez G, Bellomo R, Backer J：The ten pitfalls of lactate clearance in sepsis. Intensive Care Med 45：82-85, 2019

10) Bochicchio GV, Nasraway S, Moore L et al：Results of a multicenter prospective pivotal trial of the first inline continuous glucose monitor in critically ill patients. J Trauma Acute Care Surg 82：1049-1054, 2017

11) Numann DN, Hazeldine J, Midwinter MJ et al：Poor microcirculatory flow dynamics are associated with endothelial cell damage and glycocalyx shedding after traumatic hemorrhagic shock. J Trauma Acute Care Surg 84：81-88, 2018

12) Schwarz SB, Windisch W, Magnet FS：Continuous non-invasive PCO_2 monitoring in weaning patients：transcutaneous is advantageous over end-tidal PCO_2. Respirology 22：1579-1584, 2017

値を過小評価する結果となった．

酸素療法は，低酸素血症による有害事象を避けるために周術期管理や ICU では広く用いられている．しかし，一方で高濃度酸素投与による弊害も起こりうる．Scheeren ら[13] は酸素療法の新たなモニタリングとして oxygen reserve index（ORI）を挙げている．これまでのパルスオキシメーターによる測定では酸素化の評価には限界があるため動脈血液ガス分析を行う必要があった．ORI では PaO_2 100～200 mmHg の範囲で酸素化を反映する指標であるため，SpO_2 低下が起きる以前に酸素化悪化を認識でき，酸素投与の反応を確認でき，高濃度酸素投与の弊害を防ぐことができる新たなツールとしている．

近年経肺圧が注目されつつある．経肺圧をモニタリングすることで過剰な圧による肺傷害や圧不足による無気肺の防止につながる可能性がある．Grieco ら[14] は，ARDS の患者における経肺圧の役割について論じている．経肺圧は気道内圧から胸腔内圧を引いて計算される．胸腔内圧は食道内圧が用いられる．肺胞の過膨張や虚脱，baby lung への過度のストレス，そして VILI（人工呼吸器関連肺傷害）を防ぎ，適切な PEEP の設定に有用である．人工呼吸の生理学的効果をよりよく評価し，最小限の侵襲で正確にモニタリングできると述べている一方で，どの程度の経肺圧が患者の重症度によって効果的であるのか，VILI のリスクを評価し予後を予測することができるのかどうかについては，現在行われている研究の結果が待たれるとしている．

血中や組織における高濃度酸素負荷がどの程度有害であるかに関して今までは広く議論されてこなかったが，Vincent ら[15] は心肺停止後，外傷性脳損傷，脳卒中，敗血症などの重症疾患の患者に対する高濃度酸素の有害性についての 22 編の文献レビューを行った．いずれも高濃度酸素は予後を悪くするということを示しており，SpO_2 は 95～97％を目標にアプローチする流れがある．一方で，PaO_2 のレベルは定義されておらず，個々の患者の状態により変わる．中には高い酸素濃度が必要なときもある．高濃度酸素は有害であるというエビデンスはあるが，症例ごとにその時点での酸素必要量を繰り返し評価することで酸素投与を行うことが重要であると結論づけた．

肺エコーは救急や集中治療域において広く知られるようになってきており，臨床現場における診断や病態評価での重要性が増してきている．Alzahrani ら[16] は，肺炎の診断にエコーが有用であるかを胸部 X 線や胸部 CT における診断と比較した 20 編の文献のシステマティックレビューとメタアナリシスを行った．その結果，肺エコーにおける肺炎の診断に対する感度と特異度はそれぞれ，0.85（0.84～0.87），0.93（0.92～0.95）であり，AUC は 0.978 となった．肺エコーは肺炎を診断するための正確な手段の一つであり，簡便ですぐに施行でき，コストもそれほどかからずに放射線による被曝もないため，重要な診断戦略であるとしている．

13) Scheeren TWL, Belda FJ, Perel A：The oxygen reserve index（ORI）：a new tool to monitor oxygen therapy. J Clin Monit Comput 32：379-389, 2018

14) Grieco DL, Chen L, Brochard L：Transpulmonary pressure：importance and limits. Ann Transl Med 5：285, 2017

15) Vincent JL, Taccone FS, He X：Harmful effects of hyperoxia in postcardiac arrest, sepsis, traumatic brain injury, or stroke：the importance of individualized oxygen therapy in critically ill patients. Can Respir J 2017：2834956, 2017

16) Alzahrani SA, Al-Salamah MA, Al-Madani WH et al：Systematic review and meta-analysis for the use of ultrasound versus radiology in diagnosing of pneumonia. Crit Ultrasound J 9：6, 2017

モニターシステム

Telemedicineは近年tele-ICUとともに広く知られるようになってきた．これは，今後の集中治療医不足の問題を解決するために構築された．Fusaroら[17]は，tele-ICUとICU死亡率の関連についてシステマティックレビューとメタアナリシスを行った．13の文献について検討した結果，tele-ICUはICU死亡率を減少させることを示した．

Harveyら[18]は，小児集中治療医が少ない現状でtelemedicineを用いたコンサルテーションに関してその正確性とトリアージの評価を行った．Telemedicineを受けた患者で集中治療を要さないレベルの治療としてトリアージされたオッズ非は，電話によるコンサルテーションを受けた患者よりも2.55倍高かった．また，telemedicineによるコンサルテーションは電話によるそれと比べてより正確なアセスメントがなされていた．小児集中治療のtelemedicineによるコンサルテーションは結果としてPICUの入室を減らし医療費削減にもつながることが期待されるとしている．

Vincentら[19]は，近年の技術が急速に進歩していることに関連して，集中治療室入室後のさまざまなモニタリングは改善され今後より非侵襲的なものになること，telemedicineの導入により病院退院後もwebカメラの使用や必要に応じて非侵襲的なモニターを装着することで看護師や医師によるフォローが可能となる日も近いのではないかと述べている．

17) Fusaro MV, Becker C, Scurlock C：Evaluating tele-ICU implementation based on observed and predicted ICU mortality：a systematic review and meta-analysis. Crit Care Med 47：501-507, 2019

18) Harvey JB, Yeager BE, Cramer C et al：The impact of telemedicine on pediatric critical care triage. Pediatr Crit Care Med 18：e555-e560, 2017

19) Vincent JL, Creteur J：The hospital of tomorrow in 10 points. Crit Care 21：93, 2017

59. 集中治療（5）小児集中治療

志馬伸朗（しめ のぶあき）
広島大学大学院医歯薬保健学研究科 救急集中治療医学

最近の動向

- High-flow nasal cannula（HFNC）に関連したランダム化比較試験（RCT）を多く認めた．普及率と興味の高さを示すものであるが，その効果は必ずしもよい方向を向いてはいない．
- 敗血症，エコーによる血管穿刺や循環評価に関するRCTが複数存在する．
- 途上国でのRCTの企図が増えてきており，一方で先進国では多施設大規模研究が行われている．日本からのRCTはみあたらない．
- 新しい患者同意の手法であるdeferred consentに関する議論が進んでいる．

文献選択の方法

PubMedサーチエンジンを用い，((“pediatrics”[MeSH Terms] OR “pediatrics”[All Fields] OR “pediatric”[All Fields]) OR (“child”[MeSH Terms] OR “child”[All Fields]) OR (“infant”[MeSH Terms] OR “infant”[All Fields])) AND ((“critical illness”[MeSH Terms] OR (“critical”[All Fields] AND “illness”[All Fields]) OR “critical illness”[All Fields] OR (“critically”[All Fields] AND “ill”[All Fields]) OR “critically ill”[All Fields]) OR (“critical care”[MeSH Terms] OR (“critical”[All Fields] AND “care”[All Fields]) OR “critical care”[All Fields] OR (“intensive”[All Fields] AND “care”[All Fields]) OR “intensive care”[All Fields])) AND (“randomized controlled trial”[Publication Type] OR “randomized controlled trials as topic”[MeSH Terms] OR “randomized controlled trial”[All Fields] OR “randomised controlled trial”[All Fields]) AND (“2017/07/01”[PDAT]：“2018/06/30”[PDAT]) Filters：Humans；Englishを検索用語として，2017年7月1日～2018年6月30日の期間で301のRCTを同定した．すべてのタイトルを確認し，集中治療に関連が薄いもの，体外循環手法や麻酔に関連したもの，未熟新生児に限定したもの，病院前救護に関するもの，プロトコル論文，RCTの二次解析などを除外し，25論文を残

1884-8516/19/¥100/頁/JCOPY

した．これらの抄録を確認する一方で，各文献の二次検索から追加文献の抽出を試みた．医学雑誌の質（core journal を優先），対象患者数，臨床上有用な転帰を一次アウトカムとしている等の要素も加味し，最終的には筆者の主観的判断で選択を加え，本レビューに用いた．

HFNC（high-flow nasal cannula）

高流量鼻カニューラ酸素療法（high-flow nasal cannula：HFNC）は，加湿された規定酸素濃度のガスを，患者吸気流量を超える高流量で経鼻デバイスを用いて供給する新しい酸素療法システムである．HFNC の利点として，①正確かつ安定した濃度の酸素を提供できる，②気道内への陽圧負荷効果，③炭酸ガスの洗い出し効果，④加温加湿による粘膜保護効果と患者快適性向上などがある．新生児から成人に渡る広い年齢層における呼吸不全病態においてその適用が検討されてきた．

2018 年 New England Journal of Medicine 誌に報告されたオーストラリアの多施設共同 RCT では，ICU 外で管理された 12ヵ月未満の酸素療法を必要とする急性細気管支炎の乳児 1,472 人を対象に，酸素療法の必要閾値を $SpO_2 \geqq$ 92％として，HFNC と酸素療法の効果が比較された[1]．本研究での治療失敗定義は以下の 4 項目のうち 3 項目を満たす場合とされた：①心拍数が低下しないか増加する，②呼吸数が低下しないか増加する，③酸素需要の増大；$SpO_2 \geqq$ 92％を達成するために HFNC で $F_IO_2 \geqq 0.4$ が必要，酸素療法で追加の酸素投与が必要，④カルテレビューにて院内独自の早期警告ツール（複数の生理学的あるいは臨床所見を用いてスコアリングするもの）の基準を満たす．HFNC 群における治療失敗に伴う治療エスカレーション（NPPV や気管挿管に移行したもの）の割合（12％）は酸素療法群（23％）に比べて有意に低かった．しかし，在院日数や酸素療法期間に差はなかった．

トルコからの小規模 RCT（n = 60）では，細気管支炎に対する酸素療法としての HFNC とオキシマスクの有効性が比較された[2]．オキシマスクは特徴的な酸素の吹き出し構造（diffuser）により鼻と口に酸素を拡散させ，マスクの開口を大きく取り炭酸ガスの再呼吸を防ぐ工夫がされている．中等度～重度の細気管支炎に対する介入において，呼吸数や心拍数の増加や低酸素血症などの悪化がないことを主要エンドポイントに評価したところ，HFNC では治療失敗がなかったが，オキシマスク群では 7 例（23％）で失敗があり，酸素必要期間や PICU 滞在期間なども長かった．

これらの研究は，過去の比較研究[3]と合わせ，HFNC が単なる酸素療法以上の呼吸サポート機能を有するモダリティでありうる可能性を示している．

FIRST-ABC 研究では[4]，英国の 3PICU に入室した，急性病態に伴い非侵襲的呼吸補助を要する 16 歳未満かつ修正在胎週数 36 週より年長の患者が対象

1) Franklin D, Babl FE, Schlapbach LJ et al：A randomized trial of high-flow oxygen therapy in infants with bronchiolitis. N Engl J Med 378：1121-1131, 2018

2) Ergul AB, Calıskan E, Samsa H et al：Using a high-flow nasal cannula provides superior results to OxyMask delivery in moderate to severe bronchiolitis：a randomized controlled study. Eur J Pediatr, 2018 [Epub ahead of print]

3) Milani GP, Plebani AM, Arturi E et al：Using a high-flow nasal cannula provided superior results to low-flow oxygen delivery in moderate to severe bronchiolitis. Acta Paediatr 105：e368-e372, 2016

4) Ramnarayan P, Lister P, Dominguez T et al；United Kingdom Paediatric Intensive Care Society Study Group（PICS-SG）：FIRST-line support for Assistance in Breathing in Children（FIRST-ABC）：a multicentre pilot randomised controlled trial of high-flow nasal cannula therapy versus continuous positive airway pressure in paediatric critical care. Crit Care 22：144, 2018

となり，HFNCとCPAPが比較された．2つの対象が組み込まれ，A群は，低酸素症（SpO_2＜92%），呼吸性アシドーシス（$PaCO_2$＞56 mmHgかつpH＜7.3）あるいは中等度の呼吸窮迫（呼吸補助筋の使用，陥没呼吸，多呼吸，呻吟）を呈するもの，B群は抜管後の使用（直後からの予防的使用，あるいは抜管72時間以内の呼吸状態悪化（低酸素症，呼吸性アシドーシス，呼吸窮迫徴候）に対する治療的使用），であった．HFNCは体重10 kg未満の小児では2 L/min/kg，10〜20 kgで25 L/min（以後体重10 kg刻みで5 L/minずつ増加）に設定され，SpO_2＞92%を目標にF_IO_2が調節された．CPAP群はPEEP6〜8 cmH_2OでSpO_2＞92%を目標に調節された．死亡率やICU滞在日数などの患者転帰も評価された．本研究はパイロット研究で，主要転帰は実現可能性であった．組み入れ患者数は10ヵ月で254例で，その中でのランダム化可能患者数は121例（48%）であり，同意取得率はA群88%，B群71%であった．113人のintent-to-treat解析で，HFNC群において他群への変更率（A群/B群でそれぞれ44%/21%対23%/12%），挿管率（25%対19%）が高く，人工呼吸器フリー日数は短かった．本結果により大規模研究の実現可能性は示されたが，傾向はHFNCにとって不利な方向を向いている．

敗血症

小児の敗血症に対する初期治療において，急速輸液（fluid bolus）は重要な介入であり，初期診療アルゴリズムにおいては20 mL/kgを5〜10分かけて急速投与し，合計60 mL/kgまで繰り返す，とある[5]．しかしながら，この急速輸液を行うことは現実的には容易ではない．さらに近年，アフリカにおける小児の重症発熱性疾患を対象とした大規模RCTにおいて，急速輸液による生命予後悪化の可能性が示唆されたことから[6]，急速すぎる輸液に対して慎重になる傾向もある．Sankerらは，インドの三次病院PICUにおいて，敗血症性ショック患者を対象として初期輸液の投与速度を20 mL/kg/5〜10分と，20 mL/kg/15〜20分に群分けし，合計60 mL/kgまで投与した際の予後への影響を検討した[7]．結果として，15〜20分群において，治療開始1時間，6時間あるいは24時間時点での複合呼吸器系エンドポイント（陽圧人工呼吸の導入あるいは酸素化の悪化）発生率が少なかった（それぞれ18%対43%；相対リスク：0.41；95%信頼区間（CI）：0.20〜0.83，36%対57%；相対リスク0.62；95%信頼CI：0.39〜0.99および43%対68%；相対リスク：0.63；95% CI：0.42〜0.93）．ただし，死亡率やICU在室日数，ショックからの回復に関して差はなかった．過剰輸液による肺水分量増加と，これによる酸素化能の低下は古くより認められてきた事象である．敗血症性ショック時における急速輸液は循環改善から生命予後改善につながる重要な介入であることは論を待たないが，本研究結果は呼吸状態の悪化とのバランスを考えてほどほどの急速輸液

5) Davis AL, Carcillo JA, Aneja RK et al：American College of Critical Care Medicine clinical practice parameters for hemodynamic support of pediatric and neonatal septic shock. Crit Care Med 45：1061-1093, 2017
6) Maitland K, Kiguli S, Opoka RO et al：Mortality after fluid bolus in African children with severe infection. N Engl J Med 30：2483-95, 2011
7) Sankar J, Ismail J, Sankar MJ et al：Fluid bolus over 15-20 versus 5-10 minutes each in the first hour of resuscitation in children with septic shock：a randomized controlled trial. Pediatr Crit Care Med 18：e435-e445, 2017

をすることの重要性をあらためて教えてくれる.

早期警告スコア

院内急変対応システムには, rapid response system（RRS）, medical emergency team（METS）あるいはcritical care outreach team（CCOT）などと称されるものが含まれる. これらは, ICU以外の一般病棟に入院中の患者の状態悪化に対して, 迅速に介入／対応することにより時機を得たICUへの入室を促し, 予後を改善する目的で設置される. このシステムを適切に起動するためにはバイタルサインを中心とした客観的な評価指標を用いて異常をトリガーすることが有益な可能性があり, 小児においてはPaediatric Early Warning System（PEWS）という指標がある. Parshuramらは, ベッドサイドにおけるPEWS導入の有用性を, 施設ごとのクラスタランダム化試験により評価した[8]. 7ヵ国, 21病院において, 在胎週数37週以上の乳児から18歳以下の青年までを対象として, PEWSを通常のケアと比較した. 144,539患者の559,443病日が含まれ, PEWS導入により, 収縮期血圧, 呼吸努力および毛細血管再充満時間の異常評価が促進された. 導入により, 有意な臨床症状の悪化イベント（ICU入室前の死亡, 心肺蘇生術の施行, 気管挿管, 血管作動薬の投与, 急速輸液（ICU入室前12時間に60 mL/kg以上）に加え, ICU入室1時間以内の気管挿管, 心肺蘇生術, 体外式膜型肺（ECMO）の導入, あるいは死亡）はPEWS導入病院で1,000入院あたり0.5, 通常ケア病院で0.84発生し, 導入による相対リスクは0.77（95%信頼CI：0.61～0.97）と有意に低下した. しかし, 全要因死亡率は低下しなかった. 死亡率が低下しなかった要因として, **スコアリングにより異常を同定するのみではなく介入にかかるケア改善（対応する人的資源の増加, モニタリング, 教育など）が併せて必要**な可能性も挙げられる. また本研究より, イベント発生率の低い小児患者を対象として院内急変システムの効果を評価するにはより大規模な対象が必要な可能性, 全死亡以外の転帰指標を評価する必要性[9]および, スコアリングの内容に関する再検証の必要性[10]なども示唆される.

Deferred consent

小児集中治療患者を対象としたランダム化比較試験（RCT）を遂行することは容易ではない. 症例ボリウムの乏しさに加えて, インフォームド・コンセント取得の困難性が試験遂行の障壁となっている. 特に, 急速に病状が変化し生命維持にかかわる重症病態における介入研究を行う際に, ゆっくりと時間をとって親権者に十分な説明と同意を行うことは困難である. **Deferred consent（繰り延べ同意）とは, 正式なインフォームド・コンセントを得る前にまずは試験に組み入れ介入を開始しておき, 後に説明可能な状況が整った時点で正式**

8) Parshuram CS, Dryden-Palmer K, Farrell C et al；Canadian Critical Care Trials Group and the EPOCH Investigators：Effect of a pediatric early warning system on all-cause mortality in hospitalized pediatric patients：the EPOCH randomized clinical trial. JAMA 319：1002-1012, 2018

9) Chapman SM, Maconochie IK：Early warning scores in paediatrics：an overview. Arch Dis Child, 2018 [Epub ahead of print]

10) Jensen CS, Aagaard H, Olesen HV et al：A multicentre, randomized intervention study of the Paediatric Early Warning Score：study protocol for a randomised controlled trial. Trials 18：267, 2017

なインフォームド・コンセントにより同意取得を得ようとする手法であり，試験への組み入れ障壁を減らす可能性があり，英国や北米を中心とした先進国での議論と導入が進んでいる[11,12]．

2017年にモントリオール小児病院のMenonらは，小児の敗血症性ショックに対するヒドロコルチゾン療法の有効性を評価するRCTを企図する際に，deferred consentの意義について検討した[13]．このRCTは，カナダの7 PICUで行われ，各施設の研究倫理委員会の判断に基づきdeferred consentの適用がなされた．7施設中6施設においてdeferred consentモデルが存在したが，適用条件は各施設によりさまざまで，全患者に適用する場合と，条件付きで適用する場合があった．遅れて行われるインフォームド・コンセントにおいて，患者家族が組み入れを拒否した場合には，介入の中止，およびデータの破棄などの選択肢がとられた．結果として，同意取得率はdeferredで83％にのぼり，従来のインフォームド・コンセントの58％に比べ有意に高かった．また，組み入れ基準を満たしてからランダム化までが1.8 ± 1.8時間対3.6 ± 2.1時間，薬剤投与までの時間が3.4 ± 2.7時間対4.8 ± 2.1時間と有意に短くなった．deferred consentに対する不満については倫理委員会や家族からの訴えはなかった．この結果は，deferred consentに小児重症患者に対するRCT遂行を推進する介入効果を増す利点があることを示唆する．ただし本研究は，専門の臨床研究コーディネーターが一貫して説明と同意を行う北米での結果である．日本における導入を考慮する際には，医師それも複数の医師が多忙な診療の中で説明せざるをえない現状に照らして，適応や内容の再検討も含めて検討する必要がある．

11）Furyk J, McBain-Rigg K, Watt K et al；PREDICT：Qualitative evaluation of a deferred consent process in paediatric emergency research：a PREDICT study. BMJ Open 7：e018562, 2017

12）Woolfall K, Frith L, Gamble C et al；CONNECT advisory group：How parents and practitioners experience research without prior consent（deferred consent）for emergency research involving children with life threatening conditions：a mixed method study. BMJ Open 5：e008522, 2015

13）Menon K, O'Hearn K, McNally JD et al：Comparison of consent models in a randomized trial of corticosteroids in pediatric septic shock. Pediatr Crit Care Med 18：1009–1018, 2017

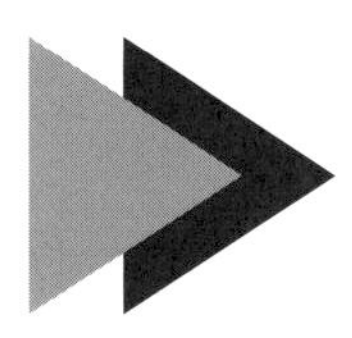

60. 集中治療（6）血液浄化

升田好樹（ますだよしき）
札幌医科大学医学部 集中治療医学

最近の動向

- 敗血症・敗血症性ショックに対するエンドトキシン吸着療法のRCTであるEUPHRATES trialの結果が発表され，生命予後改善効果は認められなかった．
- 一方，EUPHRATES trialの層別解析では，著しいエンドトキシン濃度を除く症例では，生命予後改善効果が認められた．
- エンドトキシン吸着療法では，活性化白血球に対する臨床効果が報告されるなど，従来いわれてきたエンドトキシン吸着以外の面からもその効果が検証されつつある．
- 敗血症・敗血症性ショックに対する血液浄化療法では "Leukocyte Reprogramming" 効果による自然免疫の過剰な反応による敗血症の進展を制御する報告があり，"Cytokinetic Theory" として今後研究が行われる可能性がある．

本邦での急性血液浄化療法は海外に比べてその適応となる疾患の範囲が広いのが特徴である．急性腎障害（acute kidney injury：AKI）や慢性腎不全の急性増悪などに対する腎機能の代替療法（renal replacement therapy：RRT）として用いられるばかりではなく，肝不全による昏睡，重症急性膵炎さらに敗血症や敗血症性ショックに対する治療法の一つとして用いられることが多い．急性血液浄化療法にはさまざまなモダリティーがあり，血液中の目標とする物質除去のために拡散，濾過，吸着といった機序を用いたさまざまな施行方法が行われている．近年，敗血症の治療に対し吸着機序を用いた急性血液浄化療法が行われるようになってきた．敗血症ではさまざまなメディエータが病態にかかわることが明らかとなり，尿毒症などの原因物質が小分子量であるのに比べ，それらの分子量は中～大分子量物質であると推測されている．したがって，従来の拡散や濾過では十分に対応できないことから，吸着という機序を用いた血液浄化療法が用いられるようになった．海外で古くから用いられている．

polyacrylonitrile（AN）69膜の表面荷電を調整したAN69-ST膜が2014年からAKIのみならず敗血症に対する治療法として用いることが可能となり，

1884-8516/19/¥100/頁/JCOPY

多くの施設で用いられさまざまな報告がされている．また，本邦で開発され保険収載されていることから日本独自の治療法として発展した敗血症に対するエンドトキシン吸着（PMX-DHP）療法も同様に吸着機序を用いた急性血液浄化療法である．本稿では，このエンドトキシン吸着療法に関する無作為化比較試験に関する解析および免疫機能に及ぼす影響に関する報告を中心に概説する．さらに敗血症に対する持続的腎代替療法施行時の生体適合性に関する報告を説明する．

PMX-DHP療法の新たなエビデンス

1995年以来，本邦で臨床使用可能となったPMX-DHP療法であるが，海外では2005年のVincentら[1)]のpilot study以来EUPHAS trial[2)]，ABDOMIX trial[3)]そしてEUPHRATES trialが行われてきた．EUPHRATES trial[4)]は米国とカナダの55施設が参加した無作為化二重盲検試験で2010年10月から患者エントリーが行われ，2016年6月に終了した．対象は昇圧剤の投与を必要とする敗血症性ショックであり，何らかの1臓器以上の障害がある患者としている．さらに，endotoxin activity assay（EAA）を用いてエンドトキシン濃度を測定するなど従来のPMX-DHPに関するRCTではなかったエントリー基準である．ちなみにEAA値は0.6以上としているが，0.6未満ではエンドトキシン濃度は650 pg/mL未満であり，0.6〜0.9で1,000〜4,000 pg/mL，0.9以上では4,000 pg/mLを超える著しいエンドトキシン血症であるとされている．また，中間解析の結果から，より重症例で有効性がみられる可能性が指摘され，エントリー基準としてMODS scoreが10以上の臓器障害を有することが追加された．治療のプロトコールは介入群ではPMX-DHPを2時間施行し，20時間の間隔をあけて再度2時間施行する．主要な評価項目は28日後の死亡率としている．921例にEAAを測定し，EAA値が0.6以上の450例が無作為化された（PMX vs. Sham = 224例 vs. 226例）．MODSスコアを10以上とするプロトコールの変更もあり，最終的にPMX-DHP群146例，Sham群148例での比較検討となった．結果はintention to treat（ITT）症例およびプロトコール通りにPMX-DHPを2回施行できたPer Protocol症例（PMX vs. Sham = 115例 vs. 129例）のいずれの場合も，生命予後を改善する効果は得られなかった．副次評価項目についてはMODSスコアの改善率，平均血圧の変化率，血清クレアチニン値の変化率，28日人工呼吸離脱日数を検討した．ITT症例ではMODSスコア10点以上で，PMX-DHP治療群で平均血圧の有意な上昇と人工呼吸離脱日数が有意に長かった．

続いて，EUPHRATES trialに関する層別解析が報告された[5)]．前述したように，EAAによるエンドトキシン濃度によって層別解析したところ，EAA ＞ 0.9，すなわち著しいエンドトキシン濃度のため吸着療法にても十分に効果

1）Vincent JL, Laterre PF, Cohen J et al：A pilot-controlled study of a polymyxin B-immobilized hemoperfusion cartridge in patients with severe sepsis and secondary to intra-abdominal infection. Shock 23：400-405, 2005

2）Cruz DN, Antonelli M, Fumagalli R et al：Early use of polymyxin B hemoperfusion in abdominal septic shock：the EUPHAS randomized controlled trial. JAMA 301：2445-2452, 2009

3）Payen DM, Guilhot J, Launey Y et al；ABDOMIX Group：Early use of polymyxin B hemoperfusion in patients with septic shock due to peritonitis：a multicenter randomized control trial. Intensive Care Med 41：975-984, 2015

4）Dellinger RP, Bagshaw SM, Antonelli M et al：Effect of targeted polymyxin B hemoperfusion on 28-day mortality in patients with septic shock and elevated endotoxin level. the EUPHRATES randomized clinical trial. JAMA 320：1455-1463, 2018

5）Klein DJ, Foster D, Walker PM et al：Polymyxin B hemoperfusion in endotoxemic septic shock patients without extreme endotoxemia：a post hoc analysis of the EUPHRATES trial. Intensive Care Med 44：2205-2212, 2018

を得られないであろう症例を除外し，EAA が 0.6～0.9 未満の症例に限定すると，Sham 群（$n = 106$）の 36.8 % に対し PMX-DHP 治療群（$n = 88$）は 26.1%と 28 日生命予後が改善し，risk reduction は 42%であった．その中でもノルアドレナリン投与量が 0.1 μg/kg/min 以上の患者 154 例では PMX-DHP 治療群で有意に 28 日生存率が改善された（PMX vs. Sham = 25% vs. 40%）．プロトコールに含まれない層別解析は，あくまで今後の臨床研究を行うための理論的な根拠の一つとして用いるべきであり，これをもって EAA0.6～0.9 のエンドトキシン血症患者に対し有効であるという結論にはならない．現在，この EUPHRATES trial の層別解析結果をもとに次なる RCT が計画されている．EUPHRATES にちなんで TIGRIS trial と称されている．エントリー基準は EUPHRATES と同様で，1 臓器以上の臓器障害のある MODS スコア 10 以上，EAA が 0.6～0.89 の患者とし，100 例の PMX-DHP 群と 50 例の Sham 群で 2：1 での非盲検化割付けと解析には EUPHRATES trial の結果用も併せて用いることになっている．これらの結果次第では，敗血症の新たな補助療法としてガイドラインに記載される可能性がある一方，相変わらず日本独自のローカルな治療として用いられるかである．

PMX-DHP 療法の meta-analysis による有効性の評価

EUPHRATES study を含まない Chang ら[6]の 5 つの RCT と 12 の観察研究による systematic review / meta-analysis（SR/MA）では，全死亡率はリスク比 0.81 と有意に PMX-DHP の有効性を示している．一方，Fujii ら[7]は早速 EUPHRATES trial を含む 6 つの RCT を用いた SB/MA を行っている．6 つの trial からのべ 857 例の症例を抽出し，28 日死亡率に対する PMX-DHP 療法のリスク比は 1.03（95%信頼区間：0.78～1.36，$n = 797$）と有意差はみられなかった．さらに，MODS スコアの改善，90 日死亡率の改善もみられないが，有害事象やさらなる医療資源の投入を必要とすることもないなど，益と害のバランスの評価では少なくとも害はみられていない．しかし，本来の有効性を期待している生命予後や臓器障害の改善という key となる事象に有意差がみられていないことから，PMX-DHP 療法はガイドライン上推奨されている治療に加える補助療法として積極的に用いる理由は存在しないことが考えられる．

PMX-DHP 療法ならびに CRRT による免疫機能の調整

PMX-DHP 療法ではエンドトキシン吸着のみならず，いくつかのメディエータの吸着や細胞機能に対する効果について報告されている．一つには敗血症の

6) Chang T, Tu YK, Lee CT et al：Effects of polymyxin B hemoperfusion on mortality in patients with severe sepsis and septic shock：a systematic review, meta-analysis update, and disease severity subgroup meta-analysis. Crit Care Med 45：e858-864, 2017
7) Fujii T, Ganeko R, Kataoka Y et al：Polymyxin B-immobilized hemoperfusion and mortality in critically ill adult patients with sepsis/septic shock：a systematic review with meta-analysis and trial sequential analysis. Intensive Care Med 44：167-178, 2018

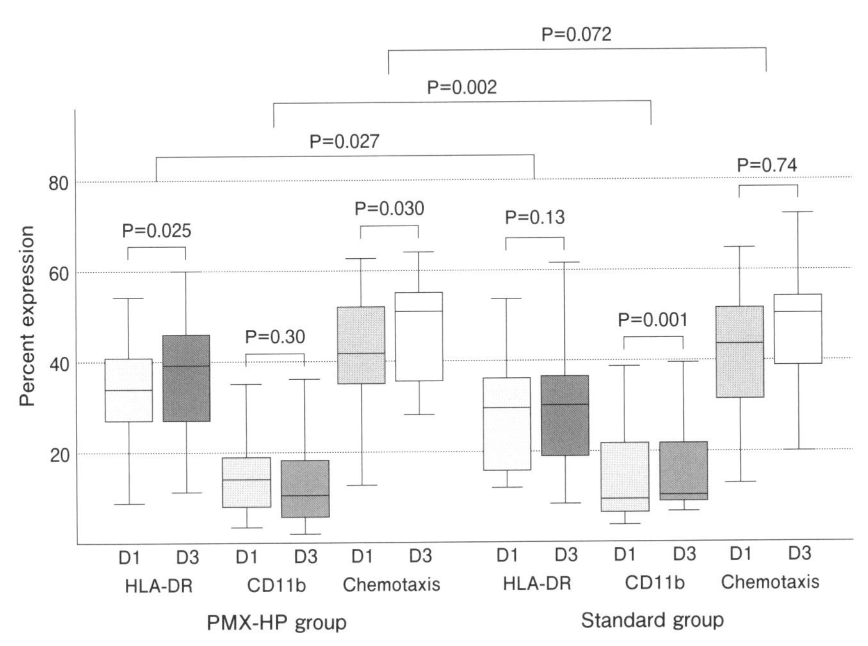

図1　単球 HLA-DR 発現率，好中球活性化，好中球走化性の比較

病態形成にかかわるといわれている内因性大麻 endocannabinoides の吸着である．さらに，活性化白血球や活性化血小板を吸着する可能性が報告されている．特に，敗血症で低下した単球表面の HLA-DR 発現率の改善や制御性 T 細胞の発現を調整するなどの免疫能にかかわる作用があるのではないかといわれている．Srisawat ら[8] は PMX-DHP の白血球機能に及ぼす影響について検討したタイの単施設で行われた無作化非盲検比較試験である．EAA にて血中エンドトキシン濃度を測定し，0.6 以上の敗血症性ショック症例をエントリー基準としている．PMX-DHP 2 時間を 2 回施行し，PMX-DHP 群は 29 例，対照群は 30 例に割り付けられた．主要評価項目は単球表面 HLA-DR 発現率の変化，好中球 CD11b 発現率の変化，好中球の走化能の変化を検討している．両群の背景では血液浄化療法を施行した症例が PMX-DHP 群で有意に多かった以外に差はみられなかった．主要評価項目の結果を**図 1** に示す．標準治療に比べ 72 時間後には PMX-DHP 治療群では低下した単球表面 HLA-DR 発現率が増加した．また，好中球活性化の指標である増加した CD11b が有意に減少し，低下した走化性が改善した．また，SOFA スコアにおける循環動態項目が有意に低下した．これらの一連の反応は" Cytokinetic Theory" として考えられる現象であると説明されている．すなわち，敗血症や重症感染症では生体はこれらの病原微生物に対する耐性が増強される．特に白血球細胞は" Leukocyte Reprogramming" という機能全体の低下ではなく，自然免疫としての白血球機能を維持しながら過剰な反応を生じないように修飾変化している

8) Srisawat N, Tungsanga S, Lumlertgul N et al : The effect of polymyxin B hemoperfusion on modulation of human leukocyte antigen DR in severe sepsis patients. Crit Care 22 : 279, 2018

ことであり，PMX-DHPを含めた血液浄化療法はこのような形で敗血症の病態改善に寄与しているというものである[9].

同様に，持続的腎代替療法での白血球および血小板機能に及ぼす影響についてChiharaら[10]が報告している．敗血症性ショック患者12例に対し透水性の良いポリスルフォン膜を用いた血液濾過量2,100 mL/hでの持続的血液濾過（continuous hemofiltration：CHF）を施行し，前半の6例に前希釈CHF，後半の6例に後希釈CHFを施行した観察研究である．主要評価項目は単球表面HLA-DR抗原発現率，制御性T細胞率，好中球の遊走能と貪食能とし，開始時から経時的に24時間比較している．患者背景に差はなく，平均APACHE IIスコアも21～23点，SOFAスコアも10点前後と重症例であった．単球表面HLA-DR発現率は前希釈群，後希釈群いずれも50～60%と著しく低下していたが，24時間後の発現率に差はみられなかった．制御性T細胞発現率は後希釈法で24時間にかけて有意に増加し，同時に測定したIL-10濃度も前希釈法では低下したのに対し，後希釈法では十分な低下がみられなかった．好中球貪食能は後希釈法で24時間にかけて有意に低下したのに対し，前希釈法では変化はなく24時間の時点では両群で有意差が得られた．好中球殺菌能に両群で有意な変化はみられなかった．前希釈法によるCHFでは異物であるカラム通過前に血液が大量に希釈されることから，膜表面と接触する白血球や血小板が少なく活性化が低下するのではないかと考えられる．逆に後希釈法によるCHFではカラム内通過時に濾過による著しい血液濃縮が生じ，細胞－細胞間ならびに細胞－膜間での相互作用が増大し，白血球機能に影響を及ぼした可能性が考えられる．敗血症ではさまざまなメディエータにより白血球の活性化が生じている病態（priming状態）であり，治療法として用いたデバイスによるsecond hitとならないようなモダリティーの選択も重要であると考えられる．

9) Rimmele T, Kellum JA：Clinical review：blood purification for sepsis. Crit Care 15：205, 2011
10) Chihara S, Masuda Y, Tatsumi H et al：Evaluation of pre- and post-dillution continuous veno-venous hemofiltration on leukocyte and platelet function in patients with sepsis. Int J Artificial Organ, 2018

索引

索　引

さ 行

索引

た 行

な　行

は　行

索 引

索 引

最新主要文献とガイドラインでみる
麻酔科学レビュー2019

2019年5月25日　発行　　第1版第1刷©

監修者　山蔭（やまかげ）　道明（みちあき）
　　　　廣田（ひろた）　和美（かずよし）

発行者　渡辺　嘉之

発行所　株式会社　総合医学社
〒101-0061　東京都千代田区神田三崎町1-1-4
電話　03-3219-2920　FAX　03-3219-0410　URL　https://www.sogo-igaku.co.jp

Printed in Japan　　壮光舎印刷株式会社
ISBN978-4-88378-674-9　　検印省略